Geschichte Der Religion Jesu Christi
by Friedrich Leopold Stolberg (Graf Zu)

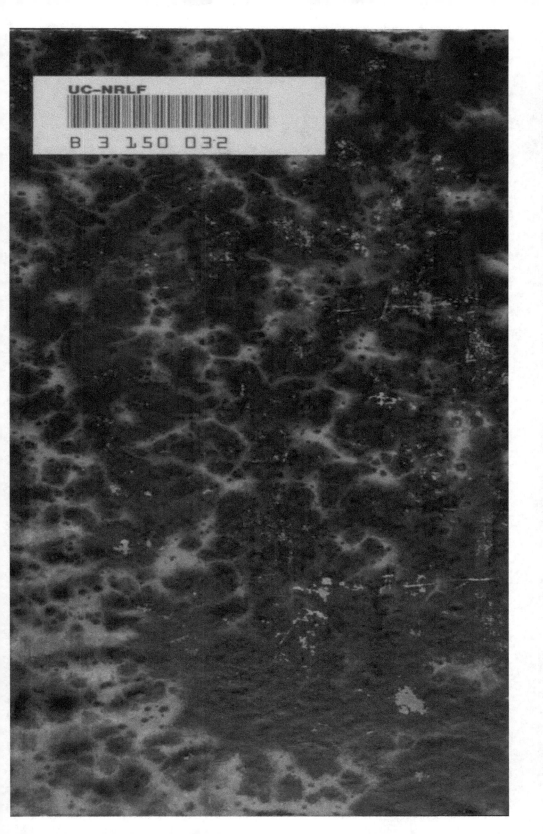

Geschichte
der
Religion Jesu Christi.

Von

Friedrich Leopold Grafen zu Stolberg,

fortgesetzt

von

Friederich v. Kerz.

Fortsetzung neunter Band.

Mainz 1831,
in der Simon Müller'schen Buchhandlung.
Wien, bei J. B. Wallishäuffer.

Geschichte
der
Religion Jesu Christi.

Von

Friedrich Leopold Grafen zu Stolberg,

fortgesetzt

von

Friederich v. Kerz.

Zwei und zwanzigster Band.
Zweite Abtheilung.

Mainz 1831,

in der Simon Müller'schen Buchhandlung.

Wien, bei J. G. Wallishausser.

Wiesbaden, gedruckt bei Ludwig Riedel.

Des

zweiten Zeitlaufes

neunzehnter Zeitraum.

Von dem Tode des Kaisers Heraklius 641. bis zu dem Concilium Quinisextum 692.

Zweite Abtheilung.

I.

1. **M**it einer Empfindung, nicht unähn- *Einleitung.* lich jener, welche man Wehmuth nennt, ergreifen wir jetzt wieder den, am Ende des siebenten Ban- des, auf kurze Zeit aus der Hand gelegten Faden der oströmischen Geschichte, das heißt der Erzäh- lung der fernern Schicksale eines in Verfassung, Sitten und Gesinnung des öffentlichen wie des häus- lichen Lebens immer mehr erlöschenden, sichtbar da- hinsterbenden Reiches. Vor Allem müssen wir hier bemerken, — und dieser so ungemein wichtige Ge- sichtspunkt darf durchaus dem Auge nicht entrückt werden — daß nämlich von dem, was eigentlich

Fortf. d. Gesch. R. C. W. 22. 2. Abth.   1

312

ein wahrhaft christlicher Staat fodert, jener
der Römer, auch nach Einführung des Christenthums unter dem großen Constantin, dennoch wegen des in dem Herzen dieses Staates wuchernden
heidnischen Grundübels, nur ein sehr mattes, fern
gestelltes Bild war. Ihm fehlte die jedem Staate
durchaus nothwendige, weil einzige feste und ganz
auf sich selbst beruhende Grundlage, nämlich eine
vollkommen vollendete organische Gestaltung eines
wirklichen, in dem ganzen Ritus des öffentlichen
wie des Privatlebens, und in den Ansichten und
dem Charakter des Volkes, wie in den Grundsätzen und Verwaltungssystemen der Regierung tief und fest wurzelnden, wahrhaft christlichen Staates. *)

2. Zu sichtbar trug noch das Staatsleben in

---

*) Nur von diesem Standpunkte ausgehend, ist es mög-
lich, eine wahre und treue Geschichte „des Sinkens
und des Falls des römischen Reiches" zu
schreiben. Wie viel ungemein Belehrendes, Herz und
Seele Erhebendes würde nicht aus einer historischen
Entwickelung der wirklichen, den Fall des römischen
Weltreiches herbeiführenden Grundübel hervorgehen.
Freilich vermag dies nicht ein von antireligiösen Vorurtheilen befangener, blos für das Materielle empfäng-
licher, und nur nach materiellen Gesetzen combinirender
Sinn; wer blos diesen in die heiligen Hallen der Geschichte mitbringt, der tappt, weil von dem höhern
Licht geblendet, in der Finsterniß, und was er sieht
oder zu sehen glaubt, mag wohl einem flachen, seichten, jedes gründlichen wie logischen Gedankens unfähigen Zeitgeist höchlich genügen, aber Geister besserer
und höherer Art wird und kann es nicht befriedigen. —
O, du reine, dir selbst genügende, christliche Muse
der Geschichte; was haben aus Dir, du Holde, nicht
Alles die Herren bisher zu machen beliebt!

allen seinen Theilen und Zweigen das Gepräg des
alten Heidenthums, und die, nur hie und da unter
nachgeäfften christlichen Formen noch lange Zeit vor=
herrschenden heidnischen Gebräuche, Volksansichten,
Grundsätze und Regierungsmaximen hemmten und
erschwerten nur zu sehr des Christenthums wohl=
thätigen Einfluß auf den politischen Zustand der
römischen Welt *). Wohl fühlten einige der bessern
byzantinischen Kaiser — leider ist ihre Anzahl sehr
gering — woran es gebreche, und was hier Noth
thue; aber die Remedur des Uebels lag nicht in ih=
rer Gewalt; denn sie vermochten weder ihrer eige=
nen Macht den einzigen festen, weil göttlichen
Stützpunkt, noch auch dem zusammenstürzenden
Reiche selbst jene durchaus nöthige, weil ganz allein
ihm Dauer und Bestand sichernde christliche Unter=
lage zu geben. Beides vermochte blos die Kirche,
sobald nur nichts Hemmendes, nichts sie in allen
ihren Wirkungen Beschränkendes ihr entgegen trat;
denn daß sie dieses konnte und auch bezweckte, da=
von gab sie in den Abendländern, wie wir in der
Folge sehen werden, besonders unter der Regierung
der Carolinger, und noch mehr unter jener der
Kaiser aus dem sächsischen Hause, die sprechendsten
und zugleich auch erfreulichsten Beweise. Aber un=
glücklicher Weise nährte die orientalische Kirche in
ihrem eigenen Schooß stets eine Menge Verräther
und innerer Feinde. Mehrere Jahrhunderte hin=
durch mußte sie unaufhörlich mit dem, seine An=
griffe beinahe ununterbrochen erneuernden Sekten=
geist, mit diesem Geist des Irrthums, der Ver=

---

*) Man wird sich erinnern, daß wir in dem Laufe dieser
Geschichte schon öfters auf solche, noch den Stempel
des Heidenthums tragende Züge aufmerksam gemacht
haben.

wirrung und des Zwiespalts kämpfen; und obschon in diesem Kampfe und in dem beharrlichen Widerstand der Kirche gegen jede Ketzerei, und in ihrem erfolgreichen Streben, die Reinheit in der Lehre wie in dem Glauben zu erhalten, die sich selbst erhaltende und bewahrende, ja wohl durch die Wuth und Hartnäckigkeit ihrer Feinde immer nur noch tiefer und fester wurzelnde Kraft des Christenthums sich vollkommen erwieß, so ward doch dessen segenvoller Einfluß auf die orientalische Christenheit selbst, wo nicht völlig vereitelt, doch ungemein geschwächt, und zu gewissen Zeiten an mehrern Orten, besonders in den großen und volkreichen Städten des Orients beinahe völlig ertödtet *).

---

*) Offenbar waren alle jene Ketzereien und ketzerischen Spaltungen, von dem Ende des dritten bis zum Ende des siebenten Jahrhunderts, nur die äußeren Erscheinungen eines, in dem innern Grund des christlichen Lebens früher schon in dem Orient eingeschlichenen Verderbnisses. Wenn aber einmal der Kindessinn, mit welchem man das Göttliche ergreifen muß, verschwunden ist, es dann an Innigkeit und Lebendigkeit des Glaubens, mithin auch an Sinn und Fähigkeit gebricht, die Wahrheiten, die er bietet, zu verstehen, und das Beseligende, das er mit sich führt, zu empfinden, und nun das Christenthum nur gleichsam als ein historisches Skelett blos neben dem Menschen steht und nicht mehr in seine geistige Natur eindringt; dann hat auch der Sektengeist, welcher damals offenbar der allgemeine Zeitgeist war, gewonnenes Spiel, und dieser höllische Geist vermessenen Dünkels und schnöder Grübelei, dieser Geist des Zwiespaltes, des Gezänkes, der Verneinung und Verleugnung mußte nun bald auch die wenigen allenfalls noch übrig gebliebenen geistigen Kräfte aufzehren. Alles Salz ward also schal, schal wurde folglich auch die orientalische Christenheit, die eben dadurch vor der Fäulniß hätte bewahrt werden sollen, und der aus dem Christenthum immer mehr heraus-

3.　Das allergrößte, in seinen Folgen nicht

tretende Staat eilte nun sichtbar seinem Fall und seiner
Auflösung entgegen. — Keinem nur etwas aufmerk-
samen Geschichtforscher wird es entgehen, daß jeder
große Zeitabschnitt seinen eigenen Zeitgeist hat; diesen zu charakterisiren, wird dem Christen nicht schwer,
denn es ist handgreiflich stets der nämliche Geist jener
alten Schlange, welcher schon im Paradies der Unschuld das erste Menschenpaar in das Verderben stürzte,
und so das traurigste, aber zugleich auch wichtigste, und in
seinen Folgen beseligendste Ereigniß herbeiführte. Nue
unter andern Formen schreitet dieser Geist durch alle Jahrhunderte hindurch. So z. B. war es offenbar auch der
Z e i t g e i s t, von welchem bethört, selbst ein Mark-
Aurel und Trajan blutige Verfolgungs-Edicte gegen
die Christen erlassen konnten, und es war derselbe Zeitgeist, der damals in den Amphitheatern aller großen
Städte des römischen Reiches unaufhörlich aus den
Volksmassen brüllte: „D i e C h r i s t e n d e m L ö w e n.“
— In einer uns schon etwas nähern Periode war es
abermals der Z e i t g e i s t, der jenen, nicht genug zu
bejammernden, Jahrhunderte hindurch wüthenden, und
auch jetzt noch fortdauernden Conflict zwischen Kirche
und Staat herbeiführte, beide Mächte, aus deren har-
monischem Zusammenwirken das Heil aller christlichen
Völker hervorgegangen wäre, nun feindlich einander
gegenüber stellte, beide nicht selten über die Schranken
der Mäßigung hinwegriß, und unsägliches Aergerniß
über die gesammte Christenheit herbeiführte. Nur die
Formen, wenn sie abgenutzt sind, verändert dieser Zeitgeist; dem Wesen nach ist er stets derselbe, so wie es
sein einziger und ewiger Zweck ist, dem göttlichen Impuls in den Völkern zu widerstehen; und der, des
Menschen primitive Würde wieder herstellenden göttlichen Erziehung des Menschengeschlechts entgegen zu
wirken; kurz es ist, wie Christus selbst sagt, der Fürst
der Finsterniß und der Welt, und dieses letztere könnte
er ja nicht seyn, wenn nicht auch sein Geist die Zeit
und in dieser die schwindelnden Völker beherrschte. Am
liebsten, und besonders in unsern Tagen erscheint er in
der Gestalt des indischen, Alles erneuen wollenden, so-

zu berechnende Unglück dabei war das unzeitige,

---

doch nichts erneuenden, sondern blos Alles zerstörenden
Gottes S i v a. Zuerst machte er sich daher an die Weisen und Kräftigen, an die Philosophen und Gelehrten
dieser Welt, und indem er ihnen seine Früchte bot,
flüsterte er zu jedem, wie einst zu der Mutter des Menschengeschlechts: "koste davon, und du wirst
Gott ähnlich seyn." Dieser Lockung konnte nicht
widerstanden werden, gierig ward der vergiftete Bissen
hinunter geschluckt, und nun mußten sogleich der Vernunft alle Geheimnisse und Wunder göttlicher Allmacht und Erbarmung sich aufschließen. Was nicht mit
den Sinnen betastet, von der Vernunft begriffen werden konnte, ward ohne Schonung und Ausnahme in
das Reich der Träume verwiesen, und jene in heiliges
Dunkel gehüllte, unerforschte und unerforschbare Sphäre
ward von jetzt an blos das Erbtheil des gemeinen Mannes, oder schwacher, beschränkter, von alten Vorurtheilen befangener Obscuranten und Priesterknechte. Aus
sich selbst heraus setzte und rief nun die Vernunft eine
neue Schöpfung hervor, in welcher sie selbst, als der
schaffende Mittelpunkt, die erste und einzige Gottheit
war. Das neue Gebilde, besonders weil es neu war,
gefiel über alle Erwartung; mit stupider Bewunderung
ward es allgemein angestaunt, und schnell drängte sich
nun herbei der, wie der Sand am Meere, zahllose
Plebs aller Halbwisser und Halbgelehrten, der noch
zahlreichere Haufe aller oberflächlichen, seichten, etwas
seyn wollenden und doch nichts seyenden Köpfe, und
selbst der an Geist wie an Gemüthe ärmste Tropf eilte
hinzu, um in dem allgemeinen Chor des gottlosesten
Wahn- und Aberwitzes ebenfalls seine unbedeutende
Stimme noch hörbar zu machen. Gesiegt hatte jetzt der
Zeitgeist; vollkommen constituirt war sein Regiment,
und hastig und thätig ging es nun an das große Werk
der Zerstörung. Alle und die ehrwürdigsten, durch eine
lange Reihe von Jahrhunderten sanktionirten Institutionen weiserer Vorfahren wurden jetzt plötzlich gestürzt,
die heiligsten Wahrheiten entweder von geisttödtender
Spitzfindigkeit oder seichter Oberflächlichkeit in Schrif-

höchst unverständige und gewöhnlich gewaltsame Ein-

---

ten und auf der Schulbank besprochen, öffentlich ver-
höhnt und verworfen, die gottlosesten und größtentheils
aberwitzigsten Doktrinen, wie sie kaum aus dem verbrannten oder ausgetrockneten Hirn eines Bedlamiten *)
hervorgehen könnten, auf Hochschulen gelehrt, und zum
Theil sogar in das Staatsleben eingeführt. Nicht mehr
aus Instinkt, sondern aus Grundsätzen ward jetzt
dem engsten, ekelhaftesten, alle Bande der Natur und
eines christlichen Socialzustandes auflösenden Egois-
mus ohne Scheu und Scham gehuldiget, jede moralische
geistige Kraft des Menschen in den Schlamm der Materie hinunter gezogen, der Mensch selbst, Gottes heiliges Ebenbild, zu einer blosen Nervenmaschine herab-
räsonirt, und so in kurzer Zeit der ganze, von so vielen vorübergegangenen bessern Geschlechtern für das,
was dem Leben das Heiligste und Wichtigste seyn muß,
gewonnene und gesammelte Reichthum von dem, gleich
einem höllischen Hauch, über Europens cultivirteste Länder hingefahrnen Zeitgeist vertilgt. Und diesem aus
dem Abgrunde heraufgestiegenen Geiste, glauben nun
selbst mächtige Regierungen, bisweilen öffentlich huldigen, ihm schmeicheln, und in vielen Stücken ihm sich
fügen zu müssen! Durchgehen wir die in den Geschichtbüchern aufgestellte Reihe wahrhaft großer Männer;
so werden wir finden, daß sie stets dem verderblichen
Geist ihrer Zeit kühn und furchtlos entgegen schritten,
mit christlichem Heldensinn der alten Schlange auf den
Kopf traten, und, wenn nicht anders Gottes unerforschliche Gerichte dem Satan noch einen ferneren Spielraum
gönnten; auch nicht selten die Schlingen gleich Spin-
nengewebe zerrissen, mit welchen dieser, von Anbeginn
an Gott und die Menschen hassende, nicht in der Wahr-

---

*) Bedlam in London ist, oder war vielmehr bis
   jetzt das größte und geräumigste Narren- oder Ir-
   renhaus in ganz Europa. Fürwahr, man kann der
   englischen Nation einen gewissen innern, geheimen
   ahnungsvollen Sinn durchaus nicht absprechen.

mischen der Staatsregierung in kirchliche Angelegen=
heiten. Selbst über Dogmen wollte der Absolutis=
mus der weltlichen Macht entscheiden; und fühlte
diese sich nun bald in ein Labyrinth verwickelt, aus
welchem sie keinen Ausweg sah, so entlehnte sie nicht
selten von ihrer Eitelkeit einen Leitfaden, der sie auf
einem Wege, auf welchem ihr nicht Schand und
Spott begegnen würden, aus diesem Irrgarten wie=
der herausführen sollte. Dergleichen Leitfäden z. B.
waren das Henotikon, die Ekthesis, der Ty=
pus ꝛc. Aber die nothwendige Folge dieser neuen
Vermessenheit war, daß der wahre göttliche Leitfa=
den und die innere Richtschnur heiliger Wahrheit
verloren gingen, und blutige Verfolgungen, Gewalt=
thätigkeiten und Schändlichkeiten jeder Art dafür an
die Tagesordnung kamen. Natürlicher Weise blie=
ben die Provinzen und das Volk dabei nicht unthä=
tige Zuschauer. In viele Neben= und Unterabthei=
lungen getheilt, entstanden nun in allen großen Städ=
ten eine Menge, sich gegenseitig anfeindender, reli=

---

heit bestandene Lügen= oder Zeitgeist Völker und
Länder gefesselt hielt, oder erst nachzufesseln suchte.
Aber . . . . . . extra Ecclesiam non est salus! *)

---

*) Als Belege zu diesem nennen wir hier nur einige
der bedeutungsvollsten Namen, als: Carl den Großen,
Otto den Großen, Gregor VII., den h. Bernard
von Clairvaux, Rudolph von Habsburg, Carl V.,
den h. Ignatius von Loyola, einen der weisesten, in
alle Tiefen menschlichen Verderbnisses eindringendsten
Gesetzgeber und dessen, in seinen theils heiligen,
theils gelehrten, stets frommen Schülern fortlebende
und fortwirkende Geist, in der Geschichte der Reli=
gion Jesu, in dem Reiche höherer Sittlichkeit, wie
überhaupt in wahrhaft christlicher Kunst und
Wissenschaft eine der glänzendsten und segenvollsten
Epochen machte.

giöser Partheien und Faktionen; Kirche und Staat
wurden immer mehr zerrissen. Die heilige Sache
der Religion ward blos eine Partheisache; die orientalischen Christen wurden bloße Partheigänger,
die Bischöfe Partheihäupter; Roms Stimme ward
nicht mehr gehört, und die griechischen Kaiser traten
immer mehr aus dem Charakter christlicher Monarchen in jenen der alten heidnischen Cäsaren über;
und über dem todten Buchstaben, über welchen man,
nach der Ansicht der Layen, mit so vieler Heftigkeit
und gehässigen Leidenschaftlichkeit stritt, vergaß das
Volk auch immer mehr dessen Bedeutung, bis ihm
endlich der Geist, der jenen beleben sollte, völlig
entschwand. — Darf man sich jetzt noch wundern,
daß auf diese Weise, besonders da des Reiches Verfassung und Verwaltung noch so viele Spuren des
Heidenthums anklebten, die orientalische Christenheit
nie und zu keiner Zeit zu einer klaren An- und
Einsicht des Ebenmaßes aller Verhältnisse eines
w a h r h a f t c h r i s t l i c h e n S o c i a l z u s t a n d e s gelangen konnte?

　　4. Aber wie verderblich dieser unselige, jedes
Lebensprinzip, wie jede ächte christliche Gesinnung
und Gesittung in den Völkern zerstörende Zustand
auch für den materiellen äußern Bestand des oströmischen Reiches seyn mußte, erwieß sich zur Genüge
sowohl in den Kriegen gegen die nordischen Barbaren, als auch in den, lange Zeit so unglücklichen
persischen Kriegen, aber vorzüglich und am stärksten
in dem blutigen Kampf auf Leben und Tod mit
den furchtbaren Sarazenen; denn als der arabische
Weltbrand frühzeitig schon die römischen Provinzen
ergriff, waren die gehäuften Niederlagen der Römer
und die reißend schnelle Eroberung ihrer Provinzen
durch die Sarazenen blos eine Folge des, sich jetzt

erſt recht ſichtbar und handgreiflich kundgebenden
völligen Mangels an chriſtlichem Heldenſinn, und
jenem heiligen Enthuſiasmus, welcher Kräfte von
oben gibt, und den chriſtlichen Helden weit über die
gewöhnlichen phyſiſchen Schranken emporhebt *);
kurz, blos in der völligen Erſtorbenheit der Gemüther der morgenländiſchen Chriſten beſtand die
ganze Stärke von Mohameds bethörten, dämoniſch
begeiſterten Schülern; und ſo darf man nicht ſtau-
nen, daß das ſanfte, milde, jedem reinen Herzen
leuchtende und es beſeligende Licht des Evangeliums
vor dem falſchen Schimmer des in allem Schmuck
orientaliſcher Poeſie erſcheinenden, allen Lüſten des
ſinnlichen Menſchen ſchmeichelnden, und von ſiegen-
den Schwärmern mit dem Schwert in der Fauſt
gepredigten Korans in dem Orient erlöſchen mußte.

5.   Zwar dieſſeits des Taurus faßten die ara-
biſchen Welteroberer nicht feſten Fuß; aber durch ihre
häufigen, größtentheils glücklichen Einfälle bahnten
ſie dennoch ſchon ihrem Koran auch den Weg nach
Kleinaſien.   Nach dem natürlichen Entwickelungs-

---

*) Man erinnere ſich an die wahrhaft an das Wunderbare
gränzende, und offenbar die Schranken phyſiſcher Natur überſchreitenden Großthaten der Kreuzfahrer in dem
Mittelalter, beſonders des blos und ausſchließlich in
dem Intereſſe des Chriſtenthums fechtenden heiligen
Ludwigs und ſeines Heeres. Daß die Kreuzzüge erfolg-
los blieben, gehört nicht hieher; genug, die Heere der
Kreuzfahrer leiſteten, was kein anderes, und nur ein
von der erhabenſten Idee begeiſtertes, chriſtliches Heer
zu leiſten im Stande iſt. Da es aber anders beſchloſſen
war in den Rathſchlüſſen des Ewigen, ſo verwirrte
dieſer die Sprachen jener, welche mittelbar oder unmittelbar die Kreuzzüge leiteten; und ſo blieb das heilige
Land, das Land der Wunder und hoher Verheißung
in der Gewalt der zwar erbitterten, jedoch bei weitem
noch nicht ärgſten Feinde des großen Gekreuzigten.

gang der, aus bestimmten vorhergegangenen Wirkungen nothwendig hervorgehenden Folgen, war das
byzantinische Reich, weil in allen seinen Fundamen-
ten untergraben, jetzt schon so gut, als erobert;
und war auch diese Eroberung noch nicht sichtbar;
so verdankte jenes die Fortdauer seiner, gegen alle
Erwartung, noch mehrere Jahrhunderte, jedoch immer kraftloser sich fortschleppenden, und zugleich immer beschränkter und precärer werdenden Existenz bloß
den häufigen, beinahe ununterbrochen wüthenden
innern Kriegen der Araber, der bald darauf erfolgten Zersplitterung des arabischen Weltreiches, und
endlich dem langen nicht minder verheerenden Kampf
neu eingewanderter türkischer Stämme mit dem nun
ebenfalls langsam dahin sterbenden Kaliphat.

6. Mit dem Verlust ihrer reichsten und blü-
hendsten Küstenländer hatten die Römer oder Griechen auch die Herrschaft zur See verloren; und
nachdem ihnen Alexandrien, der Sitz und Schlüssel
des indischen Handels, und mit diesem die wichtigsten Häfen am mittelländischen Meere entrissen waren, hörten sie auch auf, die erste seefahrende und
seehandeltreibende Nation zu seyn. Indessen blieb
Constantinopel doch fortwährend noch, sowohl in
Ansehung seiner ungeheuern Bevölkerung, als un-
ermeßlichen Reichthums, die erste, ja wohl einzige
Hauptstadt der Welt. Seine so vortheilhafte, glücklich gewählte Lage an dem, zwei Meere mit einander verbindenden Kanal machte es auch jetzt noch
lange Zeit zum größten Marktplatz für alle See-
oder Land-Handel treibende Nationen. Das schwarze
Meer führte ihm alle Natur- und Kunst-Erzeug-
nisse Asiens, das mittelländische jene der Abendlän-
der zu, und der nicht zu zerstörende, gewinnreiche
Tauschhandel mit allen Produkten dreier Welttheile

eröffnete Constantinopel Hülfsquellen, welche weder drückender Despotismus, noch oft sich wiederholende Pöbelherrschaft erschöpfen konnten. Aber auch innerhalb der Mauern von Constantinopel verengt sich jetzt beinahe ausschließend alle Geschichte des byzantinischen Reiches. Unter dem Druck einer gesetzlosen, vollkommen despotischen, kein anderes Verdienst als Sclavenunterwürfigkeit fordernden Regierung, besonders wenn der Unverstand und die Tollheit der Herrscher, und die geistige Erschlaffung und Erstorbenheit der Beherrschten, gleichsam mit einander wetteifernd, den äußern und innern Verfall des Reiches beschleunigen, sind es gewöhnlich blos die Namen und Schicksale der Machthaber und die Unfälle, die ihre Persönlichkeit über den Staat herbeiführt, welche allen Raum in den Geschichtsbüchern ausfüllen; die Völker selbst spielen eine höchst untergeordnete, oder vielmehr gar nicht zu dem Ganzen gehörende Nebenrolle; denn ganz in der Hand ihres Despoten und nur das passive Werkzeug eines fremden Willens, kann die Geschichte eines solchen Volkes keine andere seyn, als die seiner unumschränkten Gebieter oder Treiber; und so wird nun auch von jetzt an die große Kaiserstadt der einzige Schauplatz seyn aller historischen Ereignisse des gesunkenen, stets tiefer sinkenden und in immer engere Grenzen eingeschlossenen byzantinischen Reiches. Freilich wird eine solche Geschichte wenig Herzerhebendes zu erzählen haben; nur wilde Völksaufstände, Empörungen und blutige Thronrevolutionen wird sie vor unserm Blick vorüberführen, und von einer noch ziemlich langen Reihe werthloser Regenten wird sie blos eine oft anekelnde, und in tödtender Einförmigkeit sich wiederholende Erzählung der nämlichen Thorheiten, Laster und Verbrechen seyn, und zwar desto verworfenerer Laster, weil nicht einmal eine gewisse

Kraft und Virtuosität in der Schlechtigkeit ihnen ein
vorübergehendes, schauerliches Interesse leiht. Byzanz
Geschichte ist nach Heraklius Tod nur die, wenig
oder gar keine Theilnahme erregende Geschichte einer
größtentheils obscuren Reihe schnell auf einander folgender, theils kühner theils feiger Thronräuber, und
unter ungefähr sechzig Prinzen oder Emporkömmlin-
gen, die nun in einem Zeitraum von sechshundert
Jahren sich das Kaiser-Diadem um die Stirne win-
den, werden wir nur äußerst Wenigen begegnen, die,
weil im Purpur geboren, nicht anarchischer Aufruhr
auf den Thron erhoben, und neue Empörung bald
wieder davon herabgestürzt hätte.

7. Aber demungeachtet bleibt die Geschichte der
entarteten Oströmer, weil leider innigst verwebt mit
den Schicksalen unserer heiligen Religion und Kirche,
sowie des jedesmaligen Oberhauptes derselben, doch
noch immer der Mittelpunkt unseres historischen Ge-
sichtskreises. In der Peripherie dieses Kreises erscheinen in der Periode, die wir jetzt zu durchlaufen
haben, Longobarden, Franken, Westgothen,
Bulgaren und Araber; aber in mannichfaltigem,
nicht selten sehr regsamem und lebendigem Verkehr
mit allen diesen Völkern, bildet die römische Geschichte ungefähr noch ein ganzes Jahrhundert hindurch den Hauptfaden, an welchem, als in eben so
vielen Nebenfäden, die Geschichte dieser Völker gleichsam der Reihe nach abläuft; und diese politische
Stellung der Länder und Nationen bleibt, bis endlich am Ende des achten Jahrhunderts, unter dem
kräftigsten und genievollsten aller Regenten, nämlich
unter Pipins großem Sohne eine neue Sonne an
dem historischen Horizont aufgeht, um welche nach
und nach, nur in bald engern bald weitern Bahnen, bald alle Völker und Reiche des Erdkreises,

gleich Wandelsternen sich bewegen, und wo alsdann
das verbleichte, sinkende Gestirn der Ost-Römer oder
Griechen sich immer mehr unter unserm Gesichts-
kreis verliert, und endlich demselben völlig ent-
schwindet.

8. Diesem Plane zu Folge beginnen wir also
jetzt mit der Erzählung der Begebenheiten und Schicksale der Prinzen aus dem Hause des Heraklius, das
zwar noch siebenzig Jahre das Reich beherrschte,
aber dennoch demselben nur einen einzigen Regenten
gab, der, obgleich weder auf dem Throne noch an
der Spitze des Heers durch ganz eminent glänzende
Talente ausgezeichnet, dennoch durch seine wahrhaft
christliche Gesinnung und Bildung, und die um
Kirche und Staat erworbenen, ausgezeichneten Verdienste, auf höchst ehrenvolles Andenken in der Geschichte die gegründetesten Ansprüche machen kann.
An die Geschichte dieses Kaiserhauses wird sich unmittelbar anknüpfen die Geschichte der Longobarden,
Franken, Westgothen und Angelsachsen; worauf wir,
nachdem auf diese Weise die Leser zu einer vollständigen Uebersicht der äußern und innern Schicksale dieser Völker und Reiche, und deren gegenseitigen sittlichen wie politischen Verhältnisse gelangt sind, uns
zur speciellen Geschichte unserer heiligen Religion und
Kirche wenden werden, deren höherer Sinn und Geist,
sich unserm Verständniß alsdann viel leichter auf-
schließend, sowohl den Geschichtschreiber für die indessen ihm oft sauer gewordene Arbeit, als auch den
Leser für seine ausdauernde Aufmerksamkeit hinreichend belohnen werden.

II.

1. Die Theilung der Herrschaft unter seinen beiden Söhnen Constantin und Herakleonas und, bei dem Widerwillen des Erstern in diese Theilung zu willigen, die Sorge, dennoch dem Letztern die Mit= regentschaft zu sichern, war für Heraklius in den letzten Jahren seiner Regierung die größte und wich= tigste Angelegenheit. In den Verlust seiner schönsten Provinzen an die Araber hatte er sich nun einmal vollkommen ergeben; und jetzt ganz nahe an dem Ziele seiner nicht sehr ruhmvollen Laufbahn, konnte blos das persönliche Interesse seiner, ihn immer noch beherrschenden Gemahlin, Martina und des mit der= selben gezeugten, geliebteren Sohnes Herakleonas sein halb erstorbenes Herz noch beschäftigen.   Man wird sich erinnern, daß Heraklius, ungefähr zwei Jahre vor seinem Tode, den Senat in seinem Palaste ver= sammelte, in Gegenwart desselben den Herakleonas zum Mitregenten und Gehülfen des Constantin er= nannte, sämmtliche Senatoren und Patricier durch ihre Zustimmung diese Ernennung bekräftigten, der alte Kaiser hierauf, unter dem Gebete des Patriar= chen, seinem jüngern Sohn das Diadem um die Stirne wandt, und dann beiden Augusten gemein= schaftlich von dem Volke und den Palast=Truppen huldigen ließ.   In seinem letzten Willen bestätigte Heraklius auf das neue die, während seines Lebens getroffenen Thronverfügungen, ernannte darin aber auch die Kaiserin, während der Minderjährigkeit ih= res Sohnes Herakleonas, zur Vormünderin dessel= ben und einstweiligen Mitregentin.   Allen Ständen des Reichs empfahl der sterbende Kaiser Gehorsam und unverbrüchliche Treue gegen ihre beiden neuen

jungen Beherrscher, diesen selbst aber die höchste Ehrerbietung gegen die verwittwete Kaiserin, das heißt mit andern Worten, bereitwillige Folgsamkeit und freiwillige Abhängigkeit in allen Stücken von den weisern Einsichten ihrer Mutter.

2. Kaum war also jetzt die kaiserliche Leiche an den Ort ihrer Ruhe gebracht, als auch Martina es ihrem Interesse angemessen fand, das Testament ihres verstorbenen Gemahls sogleich überall bekannt zu machen. Auf ihren Befehl versammelten sich der Senat und das Volk. Von einem zahlreichen und glänzenden Hofe umgeben und mit den Insignien der Herrscherwürde geschmückt, erschien jetzt Martina zum erstenmale auf dem kaiserlichen Thron in dem Cirkus. Aber die von Herrschaft Verblendete hatte die Unbesonnenheit gehabt, ihre Söhne, die beiden Augusten nicht mitzubringen. Dies erregte den Unwillen des Volkes. "Wo sind," riefen mehrere Stimmen, "unsere Fürsten; der Eine ist "alt und kräftig genug, allein und ohne einen Ge"hülfen das Regiment zu führen." — Martina erhob sich von ihrem Thron, um zu dem Volk in dem Tone einer Gebieterin zu sprechen. Aber nur noch ärger ward jetzt der Tumult. "Steige herab," erscholl es in dem Getümmel, "Wir ehren Dich zwar "als die Mutter unserer Fürsten; aber über uns herr"schen sollst Du nicht. Wie kann ein Weib, an der Spitze "unserer Heere die Feinde des Reiches bekämpfen; wie "An dem Senat den Vorsitz führen, und den Abge"sandten barbarischer Völker, wenn sie friedliche oder "feindliche Botschaft bringen, mit Würde und Nach"druck antworten? Ferne sey von uns die Schmach, "von einem Weibe beherrscht zu werden, und uns "Fesseln anlegen zu lassen, welche unlängst selbst die

»Perser nicht länger mehr tragen wollten *).« — Martinens Unmuth brach in Thränen aus; weinend stieg sie vom Thron, und eilte, nur von Wenigen begleitet, in ihren Palast zurück.

3. Auf diesen ganz unerwarteten Auftritt folgte unmittelbar eine nicht minder überraschende Scene. Beide Augusten erschienen in dem Cirkus; aber nur dem ältern scholl froher Zuruf entgegen; des jüngern Bruders ward gar nicht erwähnt, und als Beide den Thron bestiegen, ward blos dem Constantin, durch die gewöhnliche dreimalige Acclamation, als rechtmäßigem selbst herrschendem Augustus gehuldiget; und so war nun von einem, in dem Volke schnell aufflammenden und eben so schnell wieder erstickenden Funken antiker römischer Würde, das ganze, von Heraklius in mehreren Jahren mühevoll zu Stande gebrachte Werk in wenigen Minuten wieder zerstört.

4. Constantins erste Regentenhandlung war indessen nicht von der Art, daß sie ihm den Beifall edler, fein fühlender Seelen hätte gewinnen mögen. Die Leiche des Heraklius war mit einer schweren, sehr kunstvoll gearbeiteten, goldenen Krone in die Gruft gesenkt worden. Nach dieser Krone gelüstete es dem jungen Fürsten, und er gab Befehl, das Grab seines Vaters zu erbrechen. Aber des an der Wassersucht gestorbenen Kaisers Kopf war in wenigen Tagen ungeheuer angeschwollen; nur mit der größten Gewalt ward also die Krone davon geris-

---

*) Es hatten nämlich, wie man sich aus dem vorigen Bande (Abschn. 12. §. 4.) erinnern wird, gerade um diese Zeit die Perser, weil mit einem furchtbaren Krieg von den Arabern bedrohet, ihre Königin Arthosia oder Arzema des Thrones entsetzt, und den jungen Prinzen Yezdegerd darauf erhoben.

fen, und eine Menge Haare und ein Theil der Kopfhaut blieben an derselben hangen. Wahrscheinlich gereuete es dem Constantin sehr bald, so leichtfertig die Ruhe der Gräber gestört zu haben. Er ließ den Raub nicht in den kaiserlichen Schatz legen, sondern schmückte damit den Hochaltar der prächtigen Sophienkirche. — Eher zu entschuldigen, ja wohl gar zu rechtfertigen war es vielleicht, daß er den Patriarchen Pyrrhus zwang, die sehr bedeutenden Geldsummen auszuliefern, welche ihm Constantins Vater in den letzten Jahren seines Lebens für seine, vielleicht bald sich hülflos findende Gemahlin Martine zur treuen Bewahrung übergeben hatte. Diesem Begehren wollte zwar anfänglich der Patriarch sich nicht fügen; als aber des Kaisers Schatzmeister Philagrius drohende Worte hören ließ, entsank dem bangen Hofbischof der Muth, und ohne länger zu zögern, gab er willig alles her, was des verstorbenen Kaisers getäuschtes Zutrauen zu der Treue und Festigkeit des Heuchlers demselben anvertraut hatte.

5. Constantin gebrach es nicht an den Eigenschaften eines guten Regenten. Es fehlte ihm weder an Erfahrung und Kunde des Krieges, noch an Gewandtheit in den Geschäften des Friedens. Zudem schmückten liebenswürdige häusliche Tugenden seinen Privatcharakter, und dem heiligen Glauben der Kirche mit unerschütterlicher Treue ergeben, hatte er oft im Stillen darüber getrauert, wenn des Vaters ungeweihete Hand in kirchliche Angelegenheiten sich mischte. Aber leider war schon von früher Jugend an, Constantins Leben beinahe eine ununterbrochene Krankheit gewesen. Daß seine Regierung demnach von keiner langen Dauer seyn würde, war leicht voraus zu sehen, auch starb wirklich dieser zu schö-

nen Hoffnungen berechtigende Fürst schon in dem vierten Monate seiner erst kaum angetretenen Regierung *).

III.

1. Von ihres Stiefsohnes frühzeitigem Tode hoffte Martina für sich und ihren eigenen Sohn die größten Vortheile zu ziehen. Kraft der, von Heraklius getroffenen Thronverfügung und in Gemäßheit seines letzten Willens, war Herakleonas jetzt einziger Kaiser; und Martina als Vormünderin desselben, Regentin des Reiches. Aber Martinens blutschänderische Ehe war noch in zu lebhaftem Andenken. Längst schon war sie dem Volke ein Gegenstand des Abscheues; und der allgemeine Haß, der auf die Mutter drückte, ging nun auch auf deren Sohn Herakleonas über. Bei dieser Stimmung der Gemüther ist es leicht begreiflich, daß man jetzt nur gar zu gerne auch da Verbrechen ahnete, oder zu sehen glaubte, wo selbst auch nicht ein Schein des Verbrechens zu finden war, und so ward der Verdacht, Constantin sey von seiner grausamen Stiefmutter vergiftet worden, nun bald die allgemeine und öffentliche Meinung in ganz Constantinopel. Wie es scheint, quälte ähnlicher Argwohn auch den sterbenden Kaiser; denn kurz vor seinem Tode sandte er einen seiner vertrauten Diener, Namens Valentin, mit vielem Gelde zu dem, nicht ferne von Chalcedon im Lager stehenden Heere, alle Befehlshaber und Soldaten auffordernd, seine beiden nun auch bald vater- wie mutterlosen Waisen unter ihre mächtige Obhut zu nehmen, aber die Er-

---

*) Die geschichtlichen Quellen sind größtentheils dieselben, die uns auch bei der Regierungsgeschichte des Kaisers Heraklius zu Gebot standen.

2 *

haltung der beiden Prinzen zu wachen, gegen ihre ge=
fährlichsten und unversöhnlichsten Feinde sie zu schützen.

2. Um von dem schweren, auf ihnen lastenden
Verdacht sich zu reinigen, thaten Martina und Hera=
kleonas alles, was nur immer in ihren Kräften stand.
Aber umsonst übernahm der Patriarch Pyrrhus auf
der Kanzel in der Sophienkirche die Vertheidigung der
Kaiserin und ihres Sohnes. Umsonst schwur Letzterer
im Angesichte des Volkes auf dem Holze des wahren
Kreuzes, seine beide Neffen gegen alle Nachstellungen
ihrer Feinde zu schützen; vergebens betheuerte er, die
Hand auf dieses heiligste aller Reliquien legend, seine
und seiner Mutter Unschuld, und vergebens erklärte er
sich endlich auch, obgleich selbst erst fünfzehn Jahre
alt, zum Vormünder von Constantins beiden Söh=
nen Constans und Theodosius, von denen er ja den
ältesten, wie alles Volk wüßte, über der Taufe ge=
halten hätte. Alle seine Betheuerungen, wie die sei=
ner Mutter und des Patriarchen, machten keinen Ein=
druck; denn zu tief hatte böser Argwohn in allen Ge=
müthern schon Wurzel gefaßt.

3. Valentin war indessen in dem Lager bei Ni=
cäa angekommen. Die mitgebrachten Schätze gaben
seinen Gründen unwiderstehliche Beweiskraft; von Al=
lem was er wollte, hatte er bald Officiere und Sol=
daten überzeugt, und seinem Rufe folgend, brach
das ganze Heer auf, und rückte vor Constantinopel.
Aus seinem Standquartier in Chalcedon schrieb Valen=
tin drohende Briefe an den Senat und das Volk, be=
zeichnete in dem täuschenden Ton der Zuversicht Mar=
tina und Herakleonas als Mörder des verstorbenen
Kaisers, forderte ihre Bestrafung und zugleich die
Erhebung des rechtmäßigen Erben auf den, durch des
Vaters Tod erledigten Kaiserthron.

4. Um das von allen Seiten über sie einbrechende Ungewitter zu beschwören, hatte Martina kein anderes Mittel, als mit Valentin selbst sich unverzüglich in Unterhandlungen einzulassen. Sie schrieb ihm also einen eigenhändigen Brief, erbot sich darin, einen, von Valentin selbst entworfenen, alle Rechte seiner kaiserlichen Schützlinge sichernden und bewahrenden Vergleich mit ihm abzuschließen, und verhieß ihm zugleich augenblickliche und gewissenhafte Erfüllung aller Forderungen, die er nur immer in seinem eigenen Interesse machen würde. Valentin, dessen Kühnheit nichts als seine grenzenlose Unverschämtheit gleich kam, forderte nun, daß Constantins ältester Prinz Constans, zum Kaiser und Mitregenten des Herakleonas erklärt; er selbst aber, zur Cäsars Würde erhoben, zum Vormünder des Erstern ernannt würde. Martina, von zahllosen öffentlichen und geheimen Feinden umlagert, mußte nachgeben; und schon stand sie im Begriffe, den obscuren ehemaligen Hausbedienten des verstorbenen Kaisers zur höchsten, ihn gleichsam auf die zweite Stufe des Throns stellenden Würde des Reiches zu erheben, und dieser, nach Unterzeichnung des Vertrags, dem Herakleonas als Kaiser und Martina als dessen Vormünderin zu huldigen, als ein höchst geringfügiger, gewöhnlich gar keiner Beachtung werther Umstand, plötzlich die Gestalt der Dinge änderte, und schnell eine der schauerlichsten Catastrophen herbeiführte.

5. Es nahete sich nämlich jetzt die Zeit der Weinlese, und die schönen, bei Chalcedon längst der Seeküste sich hinstreckenden Weinberge und Weingärten, prangten dieses Jahr mit aller Fülle des Ueberflusses. Die Besitzer dieser Weinberge und Gärten waren größtentheils wohlhabende Einwohner

von Constantinopel. ; Natürlicher Weise sehnten diese
sich nicht wenig, den Reichthum des viel versprechenden Jahres so bald als möglich in ihren Fäs-
sern zu sammeln. Aber leider war bei der jetzt un-
terbrochenen Communication zwischen Constantinopel
und Chalcedon dieß nicht möglich, und der ersehnte
Augenblick, die frohen Tage einer ergiebigen Weinlese zu beginnen, verschob sich von einer Zeit zur
andern. Schon dieser Umstand erregte und vermehrte jeden Tag die Unzufriedenheit wenigstens der
reichen oder doch bemittelten Bürger. Als sie aber
endlich gar von den Mauern und Thürmen ihrer
Stadt sahen, wie treflich das von Valentin herbeigeführte Heer sich die Trauben ihrer asiatischen
Weinberge schmecken ließ, wie täglich die Legionen,
gleich einer Wolke von Staren und Raubvögeln in
die reizenden Weinberge und Gärten einfielen, und
sie nun die Gewißheit hatten, daß ihnen dieses Jahr
auch nicht eine einzige Weinbeere übrig bleiben würde;
dann gieng ihre Unzufriedenheit in Wuth, und diese
bald in förmliche Empörung über. Laut verfluchten
und verwünschten sie die Kaiserin als Urheberin ihres Verlustes und der gegenwärtig herrschenden Verwirrung. Von Martina und deren blutschänderischen Brut, sagten sie öffentlich, wollten sie sich
und ihre Kinder nicht länger mehr beherrschen lassen. Zu den Unzufriedenen gesellte sich schnell der
zahlreiche, stets müßige und daher auch stets zu jedem Frevel bereit stehende Straßenpöbel von Constantinopel. In der Sophienkirche brach ein schrecklicher Volksaufstand aus. Heiliger Hymnen- und
Psalmengesang verstummte vor den Flüchen und
Verwünschungen eines zügellosen, rasenden Pöbels.
Der Patriarch und die Geistlichkeit flohen von dem
Altar; Steinwürfe begleiteten ihre Flucht; und als
Herakleonas die Kanzel bestieg, um das erregte Volk

zu besänftigen, ward seine Stimme von dem Gebrülle und den Schmähungen der Wüthenden erstickt, und im gröbsten gebieterischen Tone er aufgefordert, Constantins beide Prinzen unverzüglich herbeikommen zu lassen. Diesem drohenden Gebote mußte Folge geleistet werden. Constans und Theodosius erschienen in der Kirche. Mit wildem betäubenden Zuruf wurden Beide empfangen. Die von Constantin der Kirche geschenkte goldene Krone des Heraklius ward hervorgesucht, Constans als Augustus und alleiniger Selbstherrscher ausgerufen, und von dem mit Gewalt herbeigeschleppten Patriarchen mit zitternder Hand gekrönt. Aber demungeachtet hatte der schreckliche Tumult doch noch kein Ende; das Toben und Lärmen dauerte fort; selbst Constans und Theodosius eilten, von dem wilden Tummelplatz pöbelhafter Ausgelassenheit sich zu entfernen. Um ihren Triumph zu feiern, fielen die Aufrührer jetzt über die Kirche her. Juden, Heiden, Manichäer, loses Gesindel jeder Art, mischte sich darunter. Die Kirche ward rein ausgeplündert, selbst das Allerheiligste erbrochen, Alles zertrümmert, was nicht geraubt werden konnte, und die prachtvolle, überall mit reichen Gold- und Silberplatten ausgelegte, und mit den kostbarsten Tempelgaben geschmückte Kirche, in wenigen Stunden in einen öden, völlig ausgeleerten, halb zerstörten, verlassenen Tempel verwandelt. Aus der Kirche ergossen sich die wilden Schaaren in die Stadt und, die Kirchenschlüssel an der Spitze einer Pike befestiget, durchzogen sie mit demselben, als einem Zeichen ihres Sieges, unter aufrührerischem Geschrei die Straßen von Constantinopel.

6. Aber während diese tumultarischen Auftritte Schrecken und Verwirrung in der Stadt verbreiteten, war Valentin mit dem Heere über den Bos-

phorus geschifft. Selbst die Kaiserin war jetzt
froh, als sie hörte, daß die Legionen in die Stadt
einrückten. Den Valentin, welchen sie für sich gewonnen zu haben glaubte, ernannte sie zum obersten Befehlshaber der kaiserlichen Leibwache. Aber
zu stark und zu allgemein war die Erbitterung gegen Martina und ihren Sohn; und Valentin, entweder zu schwach sich fühlend, die Kaiserin gegen
so viele, leidenschaftlich gegen sie entflammte Feinde
zu schützen, oder vielleicht auch noch einen geheimen
Groll gegen sie in seinem Herzen nährend, schlug
sich jetzt selbst wieder zur Parthei ihrer unversöhnlichsten Gegner. Die vereinten Stimmen des
Volkes und des Heeres riefen den Senat auf, eingedenk zu seyn seiner hohen ihm angestammten
Würde, für die Erhaltung des Reiches und des
Thrones zu sorgen, den an dem letzten Kaiser begangenen mörderischen Frevel zu untersuchen, und die
Schuldigen nach Roms Gesetzen zu bestrafen. Auf
diesen ehrenvollen Ruf versammelten Patricier und
Senatoren, die in den Tagen der Gefahr zitternd
und zagend sich in ihren Wohnungen und Palästen
eingeschlossen hatten, sich sogleich an dem gewöhnlichen Ort ihrer Berathungen. Als sie die Ehrenbezeugungen sahen, die ihnen die vor dem Senats-
Palast aufgestellten Truppen erzeigten, fingen sie auf
einmal an zu träumen, daß sie vielleicht doch wahre
Abkömmlinge der Scipione und Fabiusse seyn könnten, und berauscht von ihrer, ohne zu wissen wie,
sie jetzt plötzlich anwandelnden antiken Hoheit, beschlossen sie im Ernste, die Zeit der Gracchen wieder aufleben zu lassen, und die staunende Welt mit
dem Schauspiel eines ächt-alt-römischen Tyrannen-
Gerichts zu überraschen. Martina und Herakleonas
wurden aus ihrem Palaste gerissen, und vor die
Schranken des Senats gestellt. Die gegen sie erho-

bene Anklage stützte sich auch nicht auf einen Schatten eines nur von weitem rechtskräftigen Beweises. Aber diesem ungeachtet, und ohne selbst auch in jedem Falle den offenbar Unschuldigen von dem Schuldigen zu sondern, vermaß sich dieser elende, von seiner augenblicklichen Bedeutsamkeit aufgeblasene Haufe ephemerer Oligarchen, der Gemahlin und dem Sohne des Kaisers Heraklius, dessen Asche er noch vor kurzem beinahe abgöttische Ehrerbietung erwiesen hatte, das Verdammungsurtheil zu sprechen. Beide wurden verurtheilet, Martina die Zunge, Herakleonas die Nase zu verlieren. Das eben so grausame als ungerechte, von übermüthigen oder feigen Richtern ausgesprochene Urtheil ward vollzogen. Die unglückliche, für ihre einst eingegangene, verbrecherische Ehe nun hart bestrafte Fürstin wanderte hierauf sammt ihrem Sohne an den Ort ihrer Verbannung, auf einer einsamen Insel in dem Propontis, und dort bald von aller Welt vergessen, macht auch von jetzt an die Geschichte keine fernere Erwähnung mehr von ihnen.

7. Sein blutiges Geschäft hatte der Senat jetzt vollbracht, und eine ganz andere Scene, jedoch blos possirlicher Art, sollte am folgenden Tag vor ihm gespielt werden. Mit den Obersten seiner Leibwache und von einem zahlreichen Haufen Trabanten begleitet, begab sich nämlich der neue junge Kaiser in die Mitte der versammelten Väter, und hielt an dieselben eine, natürlicher Weise, auswendig gelernte Anrede, bei welcher gewiß jeder Halbvernünftige, wenn anders ein solcher unter den mystificirten Zuhörern sich befand, sich kaum des Lachens mochte haben enthalten können. Zuerst dankte der gekrönte zwölfjährige Knabe dem Senat für die gerechte Bestrafung der Mörder, welche alle die schönen Hoff-

mungen der, alle Völker beglückenden Regierung seines Vaters so schändlich als grausam vernichtet hätten;
dann sprach er mit erhöhetem Tone der Stimme:
„Patricier und Senatoren! Durch Eure Energie
„und weisen und gerechten Ausspruch, habt Ihr der
„Welt ein schreckendes Beispiel gegeben, und Mar-
„tina und ihre blutschänderische Brut vom Throne
„gestürzt. Blos Eurer Majestät und Weisheit
„dankt Rom seine Erhaltung und die Befreiung
„von schändlichen Fesseln, in welche gesetzlose Ty-
„rannei es zu schlagen sich erkühnen wollte. Pa-
„tricier und Senatoren! Ich ermahne, ja ich, euer
„Kaiser, bitte Euch, bleibt stets standhafte und un-
„erschütterliche Rathgeber, Richter und Er-
„halter des römischen Gemeinwesens.“——
Prächtige Geschenke wurden nun mit verschwenderischer Freigebigkeit unter alle Mitglieder des Senats
vertheilt. Jeder Patricier und Senator erhielt das,
für seine gespielte Rolle, ihm gebührende Honorar in
gewichtigen Goldstücken; aber damit hatte nun auch
das ganze dreitägige Possenspiel ein Ende, und die
standhaften unerschütterlichen Rathgeber, Richter und
Erhalter des römischen Gemeinwesens, wurden jetzt
wieder, nach wie vor, byzantinische, vor ihrem
Herrn im Staube kriechende Sclaven und Jaherren.

IV.

1. Constans war ein Regent ohne allen Werth.
Die ersten Jahre seiner Regierung, weil noch ein
Knabe und ohne alle Erfahrung, verlebte er auf seinem
geerbten Thron in träger Ruhe. Als er nach und
nach zum Jüngling und zum Mann reifte, entwickelten sich auch schnell alle niedrigen Leidenschaften

einer gemeinen, für jedes Hohe und Gute unempfänglichen Seele. Schon sein Anblick war zurückstoßend, und seine äußere würdelose Haltung, verrieth die innere Leerheit seines Kopfes, wie seines Herzens. Seine ganze Regierung war blos ein Wechsel tyrannischer Launen. Von den Sarazenen ward er zur See geschlagen, entfloh aber selbst, bevor noch die Schlacht begann, verkleidet nach Constantinopel. Um sein gesunkenes Ansehen wieder etwas zu heben, machte er einen, obgleich ebenfalls erfolglosen Versuch, die Bulgaren aus seinen Ländern zu vertreiben. Mit beiden Völkern schloß er einen schimpflichen Frieden. Dem Geiste der Religion völlig entfremdet, warf er sich, ohne zu wissen, wovon die Rede sey, zum Haupt und Beschützer der monothelitischen Unruhestifter auf, wollte in seiner Unwissenheit nach Willkühr über das Dogma entscheiden, verfolgte rechtgläubige Priester und Laien, vergoß das Blut heiliger Märtyrer, und legte endlich sogar frevelnde, mörderische Hände an das geheiligte Oberhaupt der Kirche. Gequält von schwarzem Argwohn, dem gewöhnlichen Begleiter feiger Tyrannen, zwang er seinen tugendhaften, bei dem Volke seines edeln Herzens wegen allgemein beliebten Bruder Theodosius, in den geistlichen Stand zu treten. Aber auch die über Theodosius ausgesprochene Weihe der Kirche, konnte den furchtsamen Tyrannen noch nicht beruhigen; er gab Befehl, den Bruder hinzurichten; eine desto scheußlichere, verabscheuungswürdigere That, da an dem nämlichen Tage der fromme Theodosius, als Diacon, dem Bruder in der Kirche den mystischen Kelch des Heils gereicht hatte. Das Blut des Erschlagenen rächte zwar das Volk durch die gräßlichsten Verwünschungen, die es auf das Haupt des gekrönten Ungeheuers schleuderte; aber noch furchtbarer geißelten den Brudermörder die Furien seines eigenen Gewissens. Tag und Nacht verfolgte ihn ein Phantom seiner mit Blut befleckten Phantasie; wohin er ging oder sich wandte, sah er seinen Bruder in der Diakonen-Kleidung, ihm einen Becher voll Blut mit den Worten darreichend: „Trink, Bruder, trink!“ — Um wo möglich sich selbst zu entfliehen, und sich den Blicken seines ihn verabscheuenden Volkes zu entziehen, ging er in freiwillige Verbannung und schiffte nach Italien. Als die kaiserliche Fregatte, die den Tyrannen trug, die Anker lichtete, trat er auf das Verdeck, spie nach der Stadt und rief aus: „O, wie ekelt es mir vor den Mauern Constantinopels!“ *) — Zuerst besuchte er Athen, und brachte dort den Winter unter müßigen und frivolen Ergötzungen zu. Im Frühjahr segelte er nach den Küsten von Unteritalien, stieg bei Tarent an das Land, richtete durch ungeheure Erpressungen die ohnehin schon so bedrängten römisch-italienischen Provinzen noch mehr zu Grunde, unternahm ohne Ehre und Erfolg die Belagerung einiger longobardischen Städte, ward von den Longobarden geschlagen; ging hierauf nach Rom, verursachte durch einen

_____

*) Um mit Anstand Constantinopel verlassen zu können, gab Constans vor, er sey entschlossen, die longobardische Herrschaft in Italien zu zerstören, die schöne Halbinsel wieder mit dem Reich zu vereinigen, und hierauf Rom, weil, wie er sagte, die Mutter mehr als die Tochter geehrt werden müsse, auf das neue wieder zum Mittelpunkt des Reiches und zur beständigen Residenz der römischen Kaiser zu machen. Wirklich war auch die Flotte, auf welcher er absegelte, so wie das Heer, mit welchem er sich einschiffte, zahlreich genug, um, wenn von einem Belisarius oder Narses geführt, ganz Italien wieder zu erobern.

zehntägigen Aufenthalt den gutmüthigen Römern unge-
heuere Unkosten, plünderte dafür, zum Beweis seines Dankes, ihre Stadt und alle römische Kirchen;
zog nach dieser glorreichen Expedition wieder nach
Unteritalien, ward abermals von den Longobarden
geschlagen, immer mehr von ihnen in die Enge getrieben, und endlich ganz aus Italien verjagt. —
Mit seinem Heere und dem Raub seiner eigenen
Provinzen schiffte er nun nach Sicilien, wählte Syrakus zu seiner Residenz, erpreßte hier, wie überall
ungeheure Geldsummen von Siciliens unglücklichen
Einwohnern*), stürzte sich, um die Stimme seines
Gewissens zu betäuben, von einer Ausschweifung in
die andere, bestahl die Kirchen, raubte alle, dem
Gottesdienste geheiligten goldenen und silbernen Gefäße, verschlang das Mark der Provinzen, mästete
sich mit dem Schweiß der Unterthanen, und ward
endlich, nachdem er sechs Jahre die Pest von Sicilien gewesen war, von einem seiner untern Be-
dienten, Namens Andreas, im Bade ermordet. Dieser
Andreas mußte ihm, wenn er im Bade war, war-
mes Wasser über den Leib gießen; aber als er diesmal sein gewöhnliches Geschäft verrichtet hatte,
nahm er das leere, schwere eiserne Gefäß, und
schlug es dem Kaiser einigemal mit solcher Heftig-

---

*) Seine Erpressungen waren so grenzenlos, daß Tau-
sende der Einwohner, dadurch zur Verzweiflung gebracht, ihre glückliche Insel verließen, sich auf Schiffe
flüchteten und nach Syrien segelten, wo sie sich in
der Gegend von Damascus ansiedelten, und nach und
nach Mohamedaner wurden. Andere wanderten nach
Afrika aus. Constans Aufenthalt in Sicilien war
mit einer, nicht nur Menschen und Vieh, sondern
auch alle Erzeugnisse des fruchtbaren Bodens tödtenden und verzehrenden Pest zu vergleichen.

keit auf den Kopf, daß er, betäubt von dem Schlag, in das Wasser sank. Andreas verschloß sorgfältig das Gemach und ging davon. Als nach langem Warten und Harren der Kaiser nicht erschien, wurden endlich von dem Gefolge desselben die Thüren erbrochen, und ganz gleichgültig, und vielleicht selbst nicht ohne Lust, sahen nun die Eintretenden ihren Herrn im Wasser und in seinem Blute schwimmen. Als Constans erschlagen ward, hatte er 39 Jahre gelebt und 27 regiert, das heißt, den Purpur geschändet und das Diadem entweiht. (688)

V.

1. Nicht ohne Mitwissen und Theilnahme mehrerer Großen seines Hofes war Constans ermordet worden. Um der Strafe sich zu entziehen, bethörten durch Geld und Versprechungen die Verschwornen das Heer, und dieses rief einen jungen Armenier, Namens Mezizius zum Kaiser aus. Der Jüngling hatte kein anderes Verdienst, als das einer ungemeinen, ganz ungewöhnlichen körperlichen Wohlgestalt, und die Schönheit seines Kopfes und seine lieblichen einnehmenden Gesichtszüge schreckten auch die Hand des geübtesten Künstlers zurück, sein Bildniß zu entwerfen. Das ihm angetragene Diadem wollte er durchaus nicht annehmen, und blos durch Drohungen und äußere Gewalt gezwungen, legte er sich endlich den Purpur an.

2. Aber Constans hatte drei Söhne, Constantin, Tiberius und Heraklius in Constantinopel zurückgelassen. Zwar wollte er seine ganze Familie mit sich nach Italien nehmen; aber

das empörte Volk widersetzte sich der Abreise der Prinzen und deren Mutter, und Constans, der von seiner, ihm verhaßten Vaterstadt sich nicht eiligst genug entfernen konnte, gab der Flotte das Signal zur Abfahrt, sich wenig mehr bekümmernd um das fernere Schicksal seiner Kinder. Zum Glück war dieß in guten Händen; an der Erziehung der drei Prinzen ward nichts versäumt, und des Knaben Constantins frühzeitig sich entfaltende liebenswürdige Eigenschaften gewannen ihm die allgemeine Liebe des Volkes, das nun, während der Abwesenheit des Vaters, ihn eben so treu, wo nicht noch treuer bewachte, als die besoldeten Trabanten des kaiserlichen Palastes.

3. Auf die erste Nachricht von Kaisers Constans Tod und der Erhebung des Mezizius, rüstete der Hof von Constantinopel eiligst eine Flotte aus; und an der Spitze eines kleinen, aber ausgesuchten Heeres steuerte Constantin noch in demselben Jahre nach den Küsten von Italien. Unterweges stießen aus den italienischen Häfen noch mehrere Schiffe mit Truppen zu der kaiserlichen Flotte, und als Constantin bei Syrakus an das Land trat, verließen sogleich die mehrsten römischen und griechischen Soldaten, die Fahnen des Afterkaisers; die wenigen noch bei ihm beharrenden Truppen wurden mit leichter Mühe zerstreut; er selbst ward gefangen, der schöne Kopf mit dem Schwert von dem Körper getrennt, und dem rechtmäßigen Thronerben als ein Siegeszeichen überbracht.

4. Wegen des an seinem Vater begangenen Mords, ordnete Constantin eine Untersuchung an. Alle Mitschuldigen wurden hingerichtet, und keiner von ihnen ward bedauert, als der edle Graf Justi-

nian, den blos sein grenzenloser Abscheu vor den
Lastern seines Herrn zur Theilnahme an der Verschwörung bewogen hatte. Ueber den Tod des Vaters, der vielleicht in mancher Hinsicht Begnadigung
verdient hätte, entfuhren in unbewachten Augenblicken dem Sohne desselben einige, von kindlichem
Schmerz erpreßte, aber die Majestät des Kaisers
schwer beleidigende Klagen. Grausame und schmäh-
lige Verstümmelung war die Strafe dieser Unbesonnenheit. Jedermann nahm Antheil an des hoff-
nungsvollen und tugendhaften Jünglings traurigem
Geschick. Indessen war das Unglück, das ihn getroffen, blos ein Scheinübel, und offenbar das Werk
der, ihn vielleicht väterlich züchtigenden, aber eben
dadurch auch läuternden und zu etwas Höherem
führenden Hand der Vorsehung. Germanus,
durch die empfangene Schmach tief gebeugt, entsagte
der Welt und Allem, was sie zu bieten vermag,
zog sich in die Einsamkeit zurück, trat einige Zeit
darauf in den geistlichen Stand, und ward endlich
einer der, durch Gottseligkeit, Standhaftigkeit und
Flammeneifer für die heilige Lehre, ausgezeichnetesten
Patriarchen von Constantinopel. Von Hohen und
Niedern allgemein geehrt und geliebt, starb Germanus in sehr hohem Alter, lebt aber in beiden Kirchen in frommem und segenvollem Andenken von
Geschlecht zu Geschlecht. — Die Leiche seines ermordeten Vaters ließ Constantin, dem Namen nach,
der Vierte, unter den frommen Ceremonien der
ganzen hohen und niedern Geistlichkeit von Syrakus
ausgraben, legte sie in einen prächtigen Sarg, ließ sie
auf ein, eigen hierzu bestimmtes und mit allen Em-
blemen tiefer Trauer geschmücktes Schiff bringen,
und nahm diese, ihm immer theuern Ueberreste mit
nach Constantinopel, wo sie mit den größten Feierlichkeiten in der Kirche der heiligen Apostel beigesetzt

wurden.   Ein auf dem Grabe errichtetes einfaches, aber rührendes Denkmal ward der stumme Zeuge von Constantins kindlicher Liebe und Ehrerbietung gegen einen Vater, den er kaum gekannt, und dem er wenig oder gar nichts zu danken hatte; und sicher verdient dieser schöne, dem Herzen des jungen Fürsten Ehre bringende Zug, durch die Geschichte, auch der Nachwelt überliefert zu werden.

5. Nur 4 bis 5 Monate hatte Constantin sich in Sicilien aufgehalten.   Aber kaum war die kaiserliche Flotte mit dem Heere abgesegelt, als schon wenige Wochen nachher ein zahlreicher Schwarm Sarazenen auf der Insel landete.   Die erschreckten Küstenbewohner flohen, mit Zurücklassung ihrer ganzen Habe, in das Innere der Insel, auf die Gebirge und in die Wälder.   Aber das große und volkreiche Syrakus ward geplündert, beinahe die ganze Bevölkerung erwürgt, der größte Theil der Stadt verbrannt, und die vielen kostbaren, goldenen und silbernen Gefäße, welche Constans aus den italienischen und sicilianischen Kirchen gestohlen, und Constantin nur deßwegen hier gelassen hatte, damit sie den Kirchen, denen sie gehörten, wieder zurückgesendet werden könnten, wurden nun sämmtlich die Beute der raubgierigen Sarazenen.

6. Constantin war sehr jung zur Regierung gelangt.   Vor seiner Abreise von Constantinopel nach Sicilien bemerkte man an ihm auch noch nicht die mindeste Spur eines Bartes.   Aber während seiner Abwesenheit von ungefähr neun bis zehn Monaten, hatte nach und nach ein ziemlich dichter Anflug von Milchhaaren sein jugendliches Kinn umschattet.   Als das Volk von Constantinopel, welches seinem jungen, mit Sieg gekrönten Beherrscher jubelnd entgegen strömte,

dieses fah, nannte es ihn **Pogonatus**, das heißt, der **Bärtige**; und dieser alberne Beiname blieb dem edeln Fürsten nun auch in der Geschichte.

7. **Constantins IV.** Regierung war nicht unglücklich und größtentheils ruhig. Die Geschichte der erstern Jahre füllt zwar ununterbrochener Krieg mit den Sarazenen; aber derselbe ward mit wechselndem Erfolge und, im Ganzen genommen, mehr zum Vortheile der Römer als der Sarazenen geführt. Der Kaiser selbst stellte sich zwar nicht an die Spitze seiner Heere; aber während seine Feldherren öfters zahlreiche sarazenische Heerhaufen in die Flucht schlugen, schützte das von **Callinikus** erfundene griechische Feuer Constantinopel, und verbrannte und zerstörte die feindlichen Flotten*). Zwar durchzog raw

---

*) Am weittäufigsten von den ältern Geschichtschreibern verbreitet sich über das griechische Feuer und dessen Zubereitung die Prinzessin **Anna Comena**. Aber ihre Nachrichten sind so verworren, und im Ganzen genommen auch so dürftig, daß man über dieses schrecklichste aller Zerstörungsmittel, das je der menschliche Geist erfand, dennoch nur wenig belehrt wird. Gewiß ist es, daß Schwefel, Salpeter, Naphta und Steinöl, zu den mancherlei andern Ingredienzen gehörten, aus welchen dasselbe zusammengesetzt war. In blechernen oder zinnernen Röhren eingeschlossen, war es gleichsam wie todt; aber furchtbar und schreckhaft und noch weit stärker, als die des Schießpulvers, war seine Explosion, so bald der zündende Funke und die äußere Luft es berührten. Gegen die Natur des gewöhnlichen Feuers, lederten seine Flammen nicht aufwärts, sondern abwärts, stets treu der Richtung folgend, die man ihm gegeben hatte; daher brannte es auch tief unter dem Wasser, welches die Kraft des Feuers, statt dieses zu hemmen und zu ersticken, nur noch vermehrte. Man bediente sich desselben nicht blos

bend und verheerend der furchtbare Deba unter Con

auf den Flotten, sondern auch bei dem Landheere.
Durch Katapulten und Ballisten ward es geschleudert,
und vermöge einer künstlichen Vorrichtung bei diesen
Maschinen, konnte man ihm nach Willkühr jede be-
liebige Richtung geben. Nichts vermochte seiner Kraft
zu widerstehen; Eisen, Steine, die härtesten Körper,
die größten Gebäude wurden von demselben zermalmt
und verzehrt. Nur mit der größten Mühe und blos
mit Essig oder Urin und Sand, konnte man sich endlich der Wuth dieses Feuers bemeistern, und seine
Flammen löschen. Die brennbare Materie, welche dieses schreckliche Feuer hervorbrachte, ward bisweilen
auch als Pulver, gewöhnlich aber als ein Oel, das
man das Brandöl nannte, zubereitet; um auch im
Kleinen davon Gebrauch machen zu können, goß man
von diesem Oel bisweilen in kleine gläserne, oder
auch irdene, oben enge zusammenlaufende Gefäße,
welche alsdann die Soldaten, nachdem sie solche geöffnet, und das darin enthaltene Fluidum, mit einer bren-
nenden Lunte angezündet hatten, mit der Hand unter
die Feinde warfen, gerade so, wie ehemals unsere
Grenadiere die Granaden unter die feindliche Reiterei
warfen. Die Zubereitung des griechischen Feuers war
an dem byzantinischen Hofe das größte und heiligste
Staatsgeheimniß, das niemand bekannt war, als blos
dem Kaiser und einem besonders dazu angestellten Ingenieur von sehr hohem Range, der in Constantinopel seinen Sitz haben, und bevor er dieses Amt erhielt, einen furchtbaren, mit allen von der Kirche,
zur Abschreckung von Meineid, erfundenen Ceremonien umgebenen Eid ablegen mußte. Ueber jeden, der je
das Geheimniß verrathen würde, und sey es ein Kaiser
selbst, war der schrecklichste Fluch ausgesprochen, und
jeder einzelne Staatsbürger aufgefordert, denselben,
wie er nur könnte, zu ermorden. Constantin
Porphyrogenet, welcher im zehnten Jahrhundert
lebte, dessen Erzählungen aber nicht selten mit handgreiflichen Fabeln ausgeschmückt sind, versichert, ein
Ingenieur habe einmal das Geheimniß verrathen
wollen, sey aber in dem Augenblick, da er den Ver-

3 *

stantins Regierung, Afrika's ganze nördliche Küste
von Aegyptens Grenzen bis an das atlantische Meer.
Aber dieser für die Sarazenen glorreiche Zug konnte
nur ihren kriegerischen Ruhm, nicht aber ihre Besitzungen vermehren, und bis unter die Regierung
Justinians des Zweiten blieb Afrika eine Provinz
des römischen Reiches. Mit Hülfe der Mardaiten,
eines zwar kleinen, aber ungemein tapfern, beharrlichen, von heiligem Enthusiasmus für seine Religion entflammten, auf den Höhen und in den Thä-
lern des Libanon wohnenden, christlichen Völkchens,
erzwang Constantin endlich einen ziemlich ehrenvollen
Frieden. Die Sarazenen zahlten ihm einen jährlichen Tribut; er selbst zahlte ihn den Bulgaren, von

---

rath zu begehen, im Begriff gestanden, von dem
Blitze erschlagen worden. — Bundesgenossen, oder be-
freundeten Fürsten schickten die griechischen Kaiser bisweilen von der zubereiteten Materie; aber Mittheilung
des Geheimnisses der Zubereitung selbst ward stets,
so oft auch darum gebeten wurde, standhaft verweigert. — In der zweiten Hälfte des vorigen Jahrhunderts, ward das griechische Feuer auf das neue wieder entdeckt; aber die höllische Entdeckung durch die
Menschlichkeit Ludwigs XV., der dem Entdecker das
Geheimniß mit einer sehr großen Summe abkaufte,
auch sogleich wieder ewiger Vergessenheit übergeben.
Hätte jener Entdecker einige Decennien später, mithin zur Zeit der, alle göttliche und menschliche Ordnung umwälzenden französischen Revolution gelebt;
so würde seine unselige Entdeckung, durch Zerstörung
aller englischen Flotten, ganz Europa eine andere
Gestalt gegeben, das heißt, diesen ganzen Welttheil
in Barbarei, Anarchie und die gräßlichste Verwirrung
gestürzt haben. Durch diesen edeln, nicht allgemein
bekannten Zug seines Herzens, hat also Ludwig der
fünfzehnte auf den Dank aller civilisirten, christlichen
Völker, ja wohl der gesammten Menschheit den ge-
rechtesten aller Ansprüche.

welchem, weil in einer Hauptschlacht von ihnen be=
siegt, er den Frieden mittelst einer gewissen, jähr=
lich an sie zu zahlenden Summe erkauft hatte.

8. Auch in dem Innern des Reiches, in den
Provinzen wie in der Hauptstadt, herrschten unter
der Regierung dieses Kaisers vollkommene Ruhe. Nur
ein einzigesmal schien der, in unbefriedigten Wünschen
sich verzehrende Ehrgeiz junger, von eitler Selbst=
entzündung entflammter Prinzen, die bestehende Ord=
nung stören zu wollen. Constantin hatte nämlich
gleich im Anfange seiner Regierung seinen beiden
Brüdern Tiberius und Heraklius den Titel Augu=
stus verliehen, sie jedoch nicht zu eigentlichen Ge=
nossen seiner Herrschaft erhoben. Allen öffentlichen
Akten wurden zwar ihre Namen beigefügt, sie selbst
aber blieben ohne allen Antheil an der Verwaltung.
Aber der leere Schatten von Macht und deren äu=
ßres Gepränge, genügten bei weitem nicht den bei=
den regierungslustigen Brüdern. Durch geheime
Emissäre suchten sie die in Natolien zerstreuten Trup=
pen dahin zu stimmen, daß sie, was die beiden
Prinzen wünschten, aber nicht zu sagen wagten,
laut aussprechen, auch nöthigenfalls mit Gewalt
von dem Kaiser erzwingen sollten. Um den Sol=
daten zu beweisen, wie gerecht die Forderung der
kaiserlichen Brüder wäre, sagte man ihnen, daß, so
wie Himmel und Erde und die ganze Schöpfung
von drei göttlichen Personen gleichen Wesens regiert
würden, eben so auch das römische Reich von drei
Kaisern von gleicher Macht müßte beherrscht wer=
den. Den rohen Menschen schienen diese Gründe
unbestreitbar. Sie rotteten sich in zahlreichen Hau=
fen zusammen, marschirten nach Chalcedon, und
riefen aller Orte, daß sie Christen wären, und nun
durchaus verlangten, daß nach dem Bilde der aller=

heiligsten Dreifaltigkeit im Himmel, auch auf Erden eine kaiserliche Dreifaltigkeit herrschen sollte. Dieser Soldatenaufstand beunruhigte anfangs den Kaiser; aber Theodor, Constantins Minister, ein sehr kluger und entschlossener Mann, begab sich eiligst über den Bosphorus in das Lager der Aufrührer, sagte ihnen, daß ihr Verlangen sehr vernünftig sey, nur müsse es, wie sie es selbst einsehen würden, auch dem Senat vorgelegt werden, und nun gab er ihnen den Rath, an den Senat eine zahlreiche Deputation zu ordnen, die demselben ihr Begehren vortragen und es mit den nöthigen Gründen unterstützen könnte. Die Soldaten waren dies zufrieden, und nun lenkte Theodor die Wahl so geschickt, daß gerade die lautesten und frechsten der Meuterer gewählt wurden. Mit diesen fuhr Theodor zurück, ließ aber, sobald er an das Land getreten war, sämmtliche Herren Deputirten der Reihe nach aufhängen. Als die Aufrührer ihre Kameraden an großen, auf Anhöhen errichteten Galgen hangen sahen, entfiel ihnen der Muth, und mit diesem verging ihnen auch die Lust nach einer dreifaltigen Regierung. Ohne also abzuwarten, was allenfalls Weiteres noch folgen könnte, zerstreueten sie sich von selbst, und kehrten einzeln in ihre Kantonirungen zurück. Seinen beiden Brüdern gab der gutmüthige Kaiser nur einen Verweis. Als sie aber einige Jahre nachher auf das neue wieder verderbliche Anschläge schmiedeten, diese jedoch bei Zeiten entdeckt wurden, glaubte Constantin, nun strenger verfahren zu müssen. Er nahm seinen Brüdern jetzt den Titel Augustus und die mit demselben verbundenen Auszeichnungen und äußeren Ehrenbezeugungen; ihre Namen erschienen nicht mehr in den öffentlichen Akten; sie selbst sanken in den Privatstand herab, und alle

Ihre Schritte wurden nun, wie es kluge Vorsicht gebot, genau und scharf bewacht *).

9. Der Friede, welchen Constantin, durch die mit den Sarazenen, Bulgaren, Avaren und Longobarden abgeschlossenen Verträge, seinem Reiche verschafft hatte, sollte nun durch seine Bemühungen auch den Kirchen zu Theil werden. Längst schon lag dem frommen Kaiser die Wiedervereinigung der morgenländischen mit der abendländischen Kirche am Herzen. Jetzt, wo das Reich einer vollkommenen äußern und innern Ruhe genoß, schrieb er also diesfalls an den Pabst; und so kam nun gegen das Ende des Jahres 680 das berühmte sechste allgemeine Concilium in Constantinopel zusammen **), welches den

---

*) Daß Constantin seinen beiden Brüdern die Nasen habe abschneiden lassen, ist eine, auf kein gültiges historisches Zeugniß sich stützende, blos von zwei weit spätern Geschichtschreibern aufgeraffte und gedankenlos nachgeschriebene Verläumbung. Weil Constantin, als ein treuer Sohn der Kirche, sie schützte, endlich gar den unruhigen und unversöhnlichen Sektengeist zu bändigen wußte, und ihm daher von katholischen Schriftstellern die ihm gebührenden, gerechten Lobsprüche ertheilt wurden: so suchten die Feinde der Kirche, deren es zu jeder Zeit gab, und zu jeder Zeit geben wird, über Constantins Privatcharakter, um jenes Lob zu entkräften, irgend einen recht schwarzen Schatten zu verbreiten. Die den Brüdern abgeschnittenen Nasen waren also der Text, über welchen, wie es sich von selbst versteht, unter den gehässigsten Bemerkungen, unaufhörlich so eifrig geprediget ward, bis die in zahllosen Schriften unzähligemal wiederholte Lüge endlich zu einer, wenigstens scheinbaren Wahrheit sich verknöcherte.

**) Wird auch das dritte constantinopolitanische öcumenische Concilium genannt, zu welchem das

monothelitischen Streitigkeiten, und mit diesen überhaupt allen den Spaltungen und Unruhen ein Ende machte, welche, der Wesenheit nach immer die nämlichen und nur dem Namen und den äußern Formen nach verschieden, ganze vier Jahrhunderte hindurch im Orient, Kirche und Staat erschütterten, und den Verfall des Letztern theils unmittelbar herbeiführten, theils ungemein beschleunigten. Von diesem allgemeinen Concilium und seinen höchst merkwürdigen Verhandlungen wird weiter unten in diesem Bande, zu seiner Zeit und an seinem Ort noch weitläufiger und vollständiger gesprochen werden.

10. Nachdem der Kirche der so lange vergebens ersehnte Friede wieder gegeben war, beschäftigte den Kaiser vorzüglich die Einführung oder vielmehr festere Begründung des Erstgeburtrechts in seinem Reiche. Zwei abgeschnittene Haarlocken seiner beiden Söhne Justinian und Heraklius, wurden dem Pabst nach Rom geschickt, und Benedikt II., höchst erfreut über diesen sprechenden Beweis vollkommener Aussöhnung und Eintracht, nahm die beiden Prinzen an Kindesstatt an*), worauf dem äl-

---

zehn Jahre nachher gehaltene, und blos mit Disciplinarsachen sich beschäftigende Concilium nur als ein Zusatz zu betrachten ist, daher auch das Concilium Quinisertum genannt wird.

*) Das Senden einer Haarlocke drückte nach damaliger Sitte das Begehren aus, daß derjenige, dem sie geschickt ward, jenen, von dessen Haupt sie genommen war, an Kindesstatt annehmen möge. Uebrigens war die Ueberreichung einer Haarlocke überhaupt das Zeichen einer freiwilligen, ehrerbietigen Unterwerfung. So z. B. schnitt sich einige Jahre nachher ein König der Bulgaren Haare vom Kopf, und überreichte sie dem päbstlichen Legaten zum Zeichen, daß er als Vasall des römischen Stuhles sich und sein Reich demselben unterwerfe.

tern Bruder Justinian von feinem neuen geistlichen Vater und dem Kaiser die Thronfolge zugesichert ward. — Die letztern Jahre der Regierung Constantins sind an Ereignissen äußerst dürftig: ein Fall, der stets einzutreten pflegt, wenn unter einem milden Scepter die Völker glücklich und zufrieden leben. — Nach einer nicht ganz vollen achtzehnjährigen Regierung starb endlich Constantin IV. gegen das Ende des Jahres 686, viel zu frühe für das Wohl des Reiches, wie für das Glück seiner Unterthanen, besonders da ein, eines solchen Vaters höchst unwürdiger Sohn auf dem Throne ihm folgte. — Zwei merkwürdige Ereignisse verbreiten einen, zwar nicht blendenden, aber dem Auge des christlichen Geschichtforschers ungemein wohlthuenden Glanz über die Regierung dieses Kaisers. Erstens ward unter ihm der Kirche der Friede wieder gegeben, und die vierhundertjährige Hydra kirchlichen und religiösen Zwiespalts erstickt. Zweitens lernten unter seiner Regierung die Römer wieder, die Sarazenen zu besiegen. Die verlornen römischen Provinzen wurden zwar nicht wieder gewonnen; aber die stolzen Eroberer derselben wurden doch wenigstens diesem Kaiser zinsbar. Für Constantins Nachruhm ist es vielleicht kein kleiner Verlust, daß es den Zeiten, in welchen er lebte, an Geschichtschreibern gebricht, ein Gebrechen, das durch die weit spätern, mehrentheils unzuverlässigen, geschmacklosen Chronikschreiber nicht nur nicht gehoben, sondern erst recht fühlbar gemacht wird. Von Constantins Verwaltung des Reiches, von dem innern Zustande der Provinzen unter seiner Regierung, so wie von seinem häuslichen Charakter, haben wir beinahe keine, oder nur äußerst mangelhafte Nachrichten. Aber nicht gewonnene Schlachten, nicht eroberte Provinzen und unterjochte Völker, sondern das Maß von

Licht, das den Thron eines Monarchen umgibt, das Maß des Glückes, das seine Unterthanen durch ihn genießen, und die Stufe ächt christlich=geistiger Bildung, auf der sie unter seiner Regierung stehen, bestimmen den wahren, mithin moralischen, wie politischen Werth eines Regenten. Am Rande des Abgrundes, in allen seinen Grundpfeilern erschüttert, vom Sektengeist zerrissen, von übermächtigen Feinden hart gedrängt, und die Majestät des römischen Namens mit Schmach bedeckt, hatte Constantin das Reich von seinem Vater erhalten; und vollkommen beruhigt, mit äußerm und innerm Frieden gesegnet, mit allen seinen Nachbarn im Frieden, von fremden Völkern wieder geehrt, und die stolzen arabischen Welteroberer ihm zinsbar, übergab er es seinem Nachfolger. Um auf der neuen Grundlage, die er seinem Staate zu geben suchte, weiter fortzubauen, und seinen Einrichtungen Dauer und bleibenden Bestand zu geben, hatte Constantin bei weitem nicht lange genug gelebt; und was er in der verhältnißmäßig so kurzen Frist von achtzehn Jahren thun konnte, ward von dem Ungeheuer, das er zum Sohne und Erben seines Thrones hatte, wieder von Grund aus zerstört; und so wird es leicht erklärbar, warum Constantins Regentenverdienst und der ihm angeborne Edelsinn so wenig Anerkennung fanden, und sein Name, statt ihn unter den besten der byzantinischen Kaiser einzureihen, beinahe völlig der Vergessenheit übergeben ward. — Den Gebeinen seines Vaters gegenüber erhielten auch die des Sohnes ihr Grab in der Kirche des heiligen Apostels zu Constantinopel.

VI.

1. Nach Constantins des Vierten Tod ward die römische Welt das Eigenthum seines Sohnes Justinians des Zweiten, eines an Geist schwachen, an Einsicht und praktischem Lebensverstand armen, im höchsten Grade lasterhaften, durchaus verdorbenen, hoffnungslos verlornen Jünglings von sechzehn Jahren. — Seit unter Octavianus Augustus die Welt das Erbe eines Einzigen geworden, zählt die Geschichte unter den römischen Weltbeherrschern eine, gewiß nicht kleine Reihe werthloser Regenten, lasterhafter Prinzen und halb wahnsinniger Tyrannen; aber für wahr, ein größeres, scheußlicheres Ungeheuer, als Justinian II. kennen weder die römischen, noch byzantinischen Annalen. Nur zum Bösen hatte er Kraft, nur in dem Schlechten Beharrlichkeit, und nur zum Verderben seiner Mitmenschen, die der Bube im Purpur seine Unterthanen nannte und für seine Sclaven hielt, ward bisweilen eine gewisse, in allem Uebrigen ihm fremde, geistige Entwickelung seiner Verstandeskräfte merkbar. Die tiefste Verruchtheit wurzelte in allen Fasern seines Herzens. Nicht einen einzigen, auch nur schwachen Zug von Edelmuth, hat die Geschichte von ihm aufgezeichnet, und nicht die entfernteste Spur finden wir, daß auch nur ein einzigesmal in seinem Leben eine edle Empfindung oder ein menschliches, sympathetisches Gefühl diesen haßenswürdigsten aller Tyrannen überrascht, oder, ihm selbst unbewußt, im Stillen ihn beschlichen hätte.

2. Daß unter dem Thron eines solchen Wütherichs nur eine unversiegbare Quelle von Unheil
und Drangsalen jeder Art für alle Provinzen des
Reiches hervorsprudeln konnte, versteht sich von selbst.
Bethört durch des Kaliphen Versprechen, den ihm
jährlich zu zahlenden Tribut zu erhöhen, fing Justinian seine Regierung damit an, daß er das brave,
durch seine Tapferkeit das römische Reich so oft
schützende Völkchen der Mardaiten beinahe völlig
vertilgte *), dadurch das festeste Bollwerk Kleinasiens

----

*) Um dieses kleine, aber tapfere Gebirgsvölkchen zu un-
terdrücken, nahm Justinian zu der schändlichsten, selbst
eines gemeinen Räuberhauptmanns unwürdigen Verrätherei seine Zuflucht. Dem Johannes, Fürsten von
Byblos und Haupt der Mardaiten, wurden im Namen des Kaisers prächtige Geschenke überreicht, unter
Vorspiegelungen eines gemeinschaftlichen Angriffes,
aus den Gebirgen und Festungen der Mardaiten
zwanzigtausend ihrer streitbarsten Krieger herausge-
lockt, diese unter mancherlei Verwand von einander
getrennt, die einzelnen Haufen dann plötzlich von zahlreichen römischen Scharen umringt, in das Innere
von Kleinasien mit Gewalt fortgeschleppt, und in den
dortigen Provinzen vertheilt. Johannes ward mitten
in einem fröhlichen Gelag, welches Justinian als Feldherr ihm gab, sammt seinem ganzen Gefolge von den
Römern meuchelmörderisch erwürgt. Aber die wenigen noch übriggebliebenen, waffenfähigen Mardaiten,
kaum einige Tausende an der Zahl, flüchteten auf
ihre Gebirge, und behaupteten dort fortwährend noch
ihre Unabhängigkeit, sowohl gegen Römer, wie Sarazenen, waren aber nun zu schwach, ferner noch
Etwas gegen die Letztern zu unternehmen. Kurz, bevor Justinian diesen fluchwürdigen Völkermord beging,
hatte Johannes einen dreifach stärkern Sarazenenhau-
fen geschlagen, und stand im Begriff, mit zwanzigtausend Mann in Palästina einzufallen, und Jerusalem wieder zu erobern.

gegen die ärgsten Feinde des römischen Namens mit eigenen Händen niederriß, und doch gleich darauf mit unbegreiflichem Unverstand auf die muthwilligste Weise mit den Sarazenen einen Krieg begann, den er mit Kraft zu führen weder Muth noch Kriegskunde besaß. Von den Sarazenen geschlagen, wollte er die Schmach einer verlornen Schlacht dadurch von sich abwälzen, daß er nun ebenfalls den von seinem Vater mit den Bulgaren geschlossenen Frieden brach. Ohne vorhergegangene Kriegserklärung fiel er plötzlich mit einem zahlreichen Heer in ihr Land ein, verheerte anfangs, gleich einem barbarischen Anführer wilder Horden, Alles mit Feuer und Schwert, ward aber bald von den Bulgaren in einem blutigen Treffen völlig geschlagen, sein ganzes Heer vernichtet, und er selbst gezwungen, verkleidet in einem kleinen Schifferboot nach seiner Hauptstadt zu entfliehen. Während jetzt Sarazenen und Bulgaren seine asiatischen und europäischen Grenzprovinzen, mordend und raubend durchzogen, schwelgte Justinian, taub gegen die Klagen der Provinzen, sorgenlos in seinem Palaste zu Constantinopel. Gleich seinem Namensgenossen — obgleich auch nicht durch einen einzigen Zug mit demselben geistig verwandt — von einer grenzenlosen Bauwuth besessen, vergeudete er ungeheure Summen in Errichtung einer Menge offenbar ganz unnützer, blos seinen wechselnden tyrannischen Launen zusagender Gebäude. So z. B. erbauete er einen ungeheuern, blos zu Gastmahlen bestimmten Palast, der an verschwenderischer Pracht alles übertraf, und dem er den Namen Justinianeum gab. Um zu einem Theater, in der Nähe seines Palastes, den nöthigen Raum zu gewinnen, ließ er eine alte, ehrwürdige, der Mutter des Erlösers geweihete Kirche niederreißen; und an dem Ort, wo so viele Jahre hin durch täglich das allerheiligste aller Opfer war dargebracht worden, mithin jede Stätte dem Ewigen geweihet und heilig war, ergötzten nun elende Histrionen durch Zoten und Possenspiele den herzlosen Wüstling und müßigen Pöbel von Constantinopel *). Des Kaisers unmäßige Baulust und unerhörter Aufwand erforderten ungeheure Summen. Alle Steuern wurden demnach erhöhet, eine Menge neuer Auflagen eingeführt, alle längst erloschene und verjährte Rückstände auf das neue in Anregung gebracht, und Steuern und Zinsen, Abgaben und Auflagen, sogenannte freiwillige Geschenke und Geldstrafen, kurz, Alles mit beispielloser unmenschlicher Härte eingetrieben; und da demungeachtet des Tyrannen unersättliche Laune den, obschon vierfach und fünffach erhöheten Ertrag der Provinzen, stets eben so schnell wieder verschlangen; so wurden nun, um immer noch mehr Geld herbeizuschaffen, auch die schändlich-

---

*) Bevor Justinian die Kirche niederreißen ließ, foderte er von dem Patriarchen Callinicus, daß er unter kirchlichen Gebeten und Ceremonien die Kirche entweihen sollte. Callinikus entschuldigte sich, daß er für einen solchen ganz neuen unerhörten Akt in seinem Rituale weder Gebetformeln, noch Ceremonien vorgeschrieben fände. Aber der Tyrann bedräuhete ihn hart, und der Gewalt nachgebend, sprach endlich der Patriarch über die Kirche eine Gebetformel aus, ungefähr folgenden Inhalts: "Ehre und Preis sey dem Ewigen, dessen unerschöpfliche Langmuth nun auch das zuläßt, was mit dieser Kirche geschieht." Justinian, der nur des Volkes wegen eine, wie er wähnte, die Kirche ihrer Weihe und Heiligkeit beraubende Ceremonie begehrt hatte, verbiß seinen Grimm, ließ jedoch die Kirche niederreißen, und warf einen unversöhnlichen Haß auf den Patriarchen, der mehrere Jahre nachher noch die Folgen desselben schmerzhaft fühlen mußte.

sten, ungerechtesten und grausamsten Mittel nicht verschmähet. Oeffentliche Aemter und Ehrenstellen wurden an die schlechtesten Menschen verkauft; reiche Privatpersonen in gefährliche Criminalprozesse verwickelt, oder durch die Schikanen eines habsüchtigen gewissenlosen Fiscus entweder rein ausgeplündert, oder wenigstens der Hälfte ihres Vermögens beraubt. Die reichsten Familien wurden in Armuth versetzt, die weniger bemittelten zur Verzweiflung gebracht, und jeder stille Seufzer, jede leise Klage als des Todes würdige Verbrechen grausam bestraft. Seiner vollendeten Nichtswürdigkeit sich bewußt, konnte Justinian den Anblick keines Edeln vertragen; in jedem sah er einen Feind seiner Laster, und folglich, wie er vielleicht nicht mit Unrecht wähnte, auch seiner eigenen Person. Tugend und Verdienst wurden demnach jetzt Verbrechen, die am allerwenigsten Verzeihung zu hoffen hatten. Alle öffentlichen Gefängnisse, Kerker und unterirdische Löcher in Constantinopel, füllten sich in kurzer Zeit mit den angesehensten und verdienstvollsten Männern des Staats, mit Patriciern, Senatoren und selbst den brauchbarsten, unter dem Harnisch ergrauten Feldherren. An diesen Orten des Schreckens und der Schmach, raffte viele ein langsamer Tod dahin; Andere wurden heimlich im Kerker hingerichtet, und wieder Andere, die ihrer Tugend und Verdienste wegen, allgemein beim Volk beliebt waren, und über deren ungerechte Verhaftung es daher schon laut gemurrt hatte, wurden unter dem Schein kaiserlicher Begnadigung, ja selbst als Befehlshaber oder Statthalter in entfernte Provinzen gesandt, und bei ihrer Ankunft dort auf des Tyrannen heimliche Befehle sogleich erwürgt; kurz, sein glückliches Gestirn konnte der preisen, der blos mit dem Verlust seines ganzen Vermögens und nicht auch seines

Lebens oder seiner Freiheit, sich aus den Klauen des Tigers gerettet hatte.

3. Zu Gehülfen seiner Ungerechtigkeit und Grausamkeit hatte der böse Geist dem Kaiser zwei Männer entgegen geführt, die ganz gewiß weder in der römischen, noch überhaupt in der ganzen damals bekannten Welt ihres Gleichen mehr gefunden haben würden. Der Eine hieß Stephanus, war ein Verschnittener und von Geburt ein Perser; der Andere ein ehemaliger Mönch, den eine vornehme Dame, durch dessen gleisnerische Künste getäuscht, seiner hervorleuchtenden Frömmigkeit wegen, nach Constantinopel berufen und dem Hofe empfohlen hatte, und von Justinian, dessen hierin wohl geübtes Auge in ihm einen brauchbaren Spießgesellen erblickte, sogleich war in Dienste genommen worden *). Dem Stephanus hatte der Kaiser die Verwaltung des Palastes und die oberste Aufsicht über alle schon vorhandenen oder noch zu errichtenden kaiserlichen Gebäude, mit unumschränkter Vollmacht übertragen, den tückischen Mönch aber von Stufe zu Stufe schnell befördert, und endlich gar zum Logotheten, das heißt, ersten Schatzmeister des Reiches (Finanzminister) ernannt. Eine, seiner würdigere Wahl hätte Justinian nicht treffen, seiner Tyrannei keine besser zugerichtete Werkzeuge schaffen können. In Beiden glimmte

---

*) Dieser Bösewicht hieß Theodor, und bewohnte einige Jahre als Mönch und Einsiedler eine Zelle am jenseitigen Ufer des Bosphorus. Gewiß war es nicht Liebe zu Gott und zur Betrachtung göttlicher Dinge, sondern blos eingewurzelter Menschenhaß, der den Nichtswürdigen in seine Einsiedelei und Zelle getrieben hatte.

auch nicht ein Funke von Gerechtigkeit; Beide waren für jedes theilnehmende menschliche Gefühl durchaus unempfänglich; und diese beiden Elenden schalte-
ten und walteten nun nach Willkühr über Eigenthum, Leben und Freiheit ihrer Mitbürger. Indessen, da es ohnehin in der Natur keine zwei ganz
vollkommene Gleichheiten gibt, übertraf doch die bo-
denlose Schlechtigkeit des Mönchs noch bei weitem
jene des Persers; denn wenn Stephanus auch bisweilen Häuser und Gärten ihren Eigenthümern um
einen Spottpreis abtroßte, oder unter einem erlogenen Vorwand ohne alle Entschädigungen sie ihnen entriß, wenn er ferner den zahllosen Bauleu-
ten, von den Inspektoren bis zu den geringsten
Handlangern, den Lohn verkümmerte, jedoch der
Arbeit Last vermehrte und die mindeste Nachlässig-
keit oder Klage mit blutigen Geiselhieben grausam
bestrafte, wenn er endlich in seiner Insolenz und in
seinem Uebermuth gar so weit ging, daß er in der
Abwesenheit seines Herrn dessen Mutter, die Kaiserin Anastasia nicht nur mit Worten hart mißhandelte, sondern sogar mit Schlägen bedrohete*); so
sind alle diese Schändlichkeiten im Ganzen genommen doch nur Kleinigkeiten gegen die, von der in
einen Logotheten verwandelten Mönchskutte verübten
Greuelthaten. Als Finanzminister, war es des ruchlosen Theodors Geschäft, für die, immer ausschwei-
fender werdende Verschwendung des jungen, gedan-
ken- wie gefühllosen Tyrannen zu sorgen. Der sei-

---

*) Zwei Geschichtschreiber behaupten sogar, man habe
    jene Drohung an Anastasia wirklich vollzogen, die
    Gemahlin und Mutter eines Kaisers gegeißelt, und
    ihr unnatürlicher, ruchloser Sohn diesen beispiellosen
    Frevel nicht im mindesten an dem Majestätsschänder
    geahndet.

ner Ungerechtigkeit, Habsucht und Grausamkeit eröffnete Spielraum war demnach ohne Grenzen, und
eine aus Scorpionen gewundene Geißel schwang nun
der Unmensch über alle Stände der Nation, über
einzelne Familien, wie über ganze Städte und Provinzen. Täglich bewährte sich sein teuflisches Genie
in sinnreicher Erfindung neuer Künste und Mittel,
die Menschen zu quälen, zu schinden und zu berauben. Nicht zu erschwingende Geldstrafen, Confiscationen, Verbannungen oder Hinrichtungen mit
Einziehung der Güter, ruinirende ungerechte Prozesse, bei welchen der Mönch die Rolle des Klägers
und zugleich auch jene des Richters spielte, waren
jetzt an der Tagesordnung. Im Zahlen Saumse-
lige ließ Theodor im Kerker verschmachten, die aber,
welche wegen totaler Zahlungsunfähigkeit durchaus
nicht zahlen konnten, an den Füßen aufhängen, und
durch den Rauch eines mit nassem Stroh angemach-
ten Feuers langsam ersticken. Weder Geburt, noch
Rang oder Verdienste vermochten gegen die Gewaltthätigkeit des, mit der Allmacht des Kaisers ausgerüsteten Ministers zu schützen, und offenbar war es
dessen höllischer Plan, nach und nach die Gesammt-
habe der ganzen Nation mit seinem Herrn gemeinschaftlich zu verschlingen.

4. Aber nach neun Jahren unerhörter Drangsale und Leiden war endlich die Geduld des Volkes
oder, richtiger gesagt, Gottes Langmuth erschöpft.
Längst schon versammelten sich jede Nacht, an allen
Straßenecken und auf allen öffentlichen Plätzen, sehr
viele der Einwohner von Constantinopel, sich gegenseitig ihre Leiden klagend, einander tröstend, mitunter auch den Urhebern derselben fluchend. Diese
Versammlungen oder Zusammenrottirungen wurden
in kurzer Zeit immer zahlreicher. Aber nun klagte

man auch nicht mehr im Stillen; der Muth zu einem kühnen Unternehmen wuchs mit der Aussicht auf zahlreiche Theilnahme an demselben, und nicht selten erschallten jetzt die Straßen von lauten Verwünschungen gegen den Kaiser und dessen beide Minister. Ohne Scheu sprach man von der Nothwendigkeit, das tyrannische Joch zu zerbrechen, vom Sturze des Tyrannen und der Einführung einer neuen menschlichern Regierung; kurz, alle Bewegungen verkündeten einen furchtbaren, nahe bevorstehenden Sturm. Um diesem zuvorzukommen, fiel der Wütherich auf einen Gedanken, der, unerhört in der Geschichte aller Tyrannen, mit welchen Gottes strafende Gerechtigkeit ja noch mit Schuld belastete Völker gezüchtiget hatte, nur in dem Gehirn eines Justinians II. reifen konnte. Sämmtliche Einwohner von Constantinopel nämlich, wollte er ohne Ausnahme ermorden; ließ daher den Rufus, obersten Befehlshaber der in der Stadt liegenden Truppen, zu sich kommen, gab diesem wirklich diesen unerhörten Befehl, und bestimmte sogar schon die Nacht, welche Zeuge dieses schrecklichen Blutbades seyn sollte. Aber mit diesem Befehl war nun auch das Maß des Tyrannen voll, und Gottes Allmacht erbarmte sich wieder des zertretenen Volkes.

5. Leontius, einer der ausgezeichnetesten römischen Feldherren, schmachtete schon mehre Jahre in einem unterirdischen Kerker der Präfektur. Justinian hatte seinen Tod beschlossen, wagte aber aus Furcht vor dem Volke weder dessen heimliche und noch viel weniger öffentliche Hinrichtung in Constantinopel. Plötzlich ward jetzt Leontius aus seinem Kerker gezogen, ihm angekündiget, daß er nach wieder erlangter Gnade des Kaisers von demselben zum Statthalter in Griechenland sey ernannt wor-

4 *

den; aber auch unverzüglich mit der ihm unterge=
ordneten Schaar nach seiner neuen Bestimmung ab=
gehen müsse.   Eiligst ordnete also jetzt Leontius
seine häuslichen Angelegenheiten,   begab sich schon
am andern Tag nach dem Hafen, mußte aber dort,
weil das Schiff, das ihn nach Griechenland führen
sollte, noch nicht segelfertig war, sich einige Tage
aufhalten.   Während dieser Zeit erhielt er häufige
Besuche von Freunden und Bekannten; als aber ei=
nige der Erstern ihm zu seiner Erhebung und zu
der wieder erlangten Gnade des Kaisers ernstlich
Glück wünschten, antwortete ihnen Leontius mit ei=
nem nur halb unterdrückten Seufzer: "Freunde!
"Ihr irret Euch. Besser als Ihr kenne ich den
"Kaiser; er hat nur sein Opfer schmücken wollen,
"denn als ein solches gehe ich einem sichern, unver=
"meidlichen Tode entgegen." — "Aber, wenn dem
"so ist," erwiederten jetzt seine bestürzten Freunde,
"warum wagest Du nicht das Aeußerste.   Der Au=
"genblick ist günstig. Allgemein wird der Tyrann ver=
"abscheuet.   Zu verlieren, wie Du selbst weißt, hast
"Du Nichts, wohl aber Alles zu gewinnen; denn
"der Preis eines kühnen Entschlusses, wenn anders,
"wie beinahe nicht zu zweifeln ist, das Glück ihn
"begünstiget, ist nichts Geringeres, als das Dia=
"dem." — Ermuthiget durch das Zureden seiner
Freunde, entwirft Leontius gemeinschaftlich mit ih=
nen seinen Plan.   Mit Anbruch der Nacht bewaff=
nen er und die übrigen Verschwornen ihre gesammte
Dienerschaft, und verstärkt durch die wenigen Sol=
daten, welche unter dem Befehle des Leontius ste=
hen, begibt dieser sich ohne Zeitverlust nach der
Präfektur, und begehrt Einlaß im Namen des Kai=
sers: Bei dem Namen Justinians öffnen sich so=
gleich die Thore des Palastes.   Aber eben so schnell
wird nun auch der Präfekt ergriffen, gebunden und

eingesperrt. Alle Thüren der verschiedenen Gefängnisse werden jetzt erbrochen und die Gefangenen befreit; größtentheils waren es Männer von Ansehen,
und Alle, nichts als Rache athmend, greifen sogleich nach Waffen, wie der Zufall sie ihnen darbietet. Mit seinen nun schon so ziemlich zahlreichen
Gefährten eilt Leontius nach der großen Kirche.
Unterweges ruft er aus: „Christen! zu der Sophienkirche.‟ In einem Augenblick ertönt Leontius Ruf in allen Straßen von Constantinopel,
und bevor er noch selbst mit den Seinigen dahin
kommt, ist schon die Kirche bis in die Kuppel beleuchtet, mit Menschen gefüllt, und zahllose Volkshaufen lagern auf dem großen Platz vor derselben.
Jetzt besteigt der Patriarch Callinicus die Kanzel,
und seine Rede, die mit den Worten begann:
„Heute ist der Tag des Herrn erschienen‟
entflammt nun noch mehr die ohnehin schon auf das
höchste entzündeten Gemüther. Leontius wird auf der
Stelle zum Kaiser ausgerufen. „In den Circus,
„meine Mitbürger!‟ ruft der neue Imperator, und
sogleich folgt alles Volk ihm dahin nach. Aber während jetzt eine zahllose Menge nach der Rennbahn
woget, setzt sich Einer der Kühnsten von Leontius
Gefährten an die Spitze einer auserlesenen, wohl-
bewaffneten Schaar, und marschirt nach dem kaiserlichen Palast. Feldherr Rufus, welchem der vom
Kaiser erhaltene Befehl den größten Abscheu gegen
den Tyrannen eingeflößt hatte, schloß sich gleich
beim Ausbruch des Tumults in seiner Wohnung
ein; die Besatzung blieb demnach ebenfalls ruhig;
und so erhob sich nun auch nicht eine einzige
Stimme zu Gunsten des Tyrannen, kein einziges
Schwert ward zu seiner Vertheidigung gezückt. Ohne
Widerstand zu finden, dringen die Verschwornen in
den Palast, reißen Justinian aus dem Bette, und

kommen mit ihm, als schon der Morgen grauete, auf dem Circus an. "Tod und Verderben dem gestürzten Tyrannen, dem grausamen Mörder seiner ehemaligen Unterthanen!" brüllte alles Volk wie aus einer Kehle, sobald es den Justinian erblickte. Aber der mildere Leontius erbarmte sich seines im Staube vor ihm liegenden Feindes; Justinians Vater war sein Wohlthäter gewesen; dankbar erinnerte sich der Edle der von Constantin empfangenen Wohlthaten, bat also für den, obgleich ausgearteten, unwürdigen Sohn dieses guten Kaisers, und die erste Bitte seines neuen Beherrschers konnte ▬ wollte das Volk nicht zurückweisen. Justinian ward also am Leben erhalten, und blos zum Verlust der Nase verurtheilt. Aber des entthronten Kaisers beide ruchlose Minister, Stephanus und Theodor, welche man ebenfalls schon nach dem Circus geschleppt hatte, wurden ohne Nachsicht und Schonung von dem wüthenden Volk ergriffen, an zwei Pfähle gebunden, und beide unter dem wilden Jubel des über den Sturz seiner Tyrannen triumphirenden Volkes, lebendig verbrannt. Die in ihren Palästen aufgehäuften Reichthümer, Früchte ihrer Räubereien, wurden geplündert, ihre Wohnungen dem Erdboden gleich gemacht. — Durch die Güte und Nachsicht des neuen Kaisers ward selbst das dem Justinian gesprochene Urtheil nur sehr schonend und höchst unvollkommen vollzogen; er selbst jedoch nach Chersona in der krimmischen Tartarei verbannt, sogleich unter guter Bedeckung dahin abgeführt, und dort in ein Kloster, unter der strengen Aufsicht des Vorstandes, auf Lebenszeit eingesperrt.— Von Justinians Leben hatte also jetzt, in dem fünf und zwanzigsten Jahre seines Alters, der erste Akt ein Ende. Wollte Gott, daß es der erste und zugleich auch der letzte gewesen wäre! Aber leider werben wir nach wenigen Jahren dieses, auch nicht durch Unglück zu bessernde Ungeheuer schon wieder an der Spitze eines Heeres, dann auf dem Throne, und auf diesem, sein ganzes übriges Leben hindurch, ausschließend mit seiner Rache, das heißt, mit Henkerbeilen, Galgen und Henkersknechten beschäftiget finden.

VII.

1. Ruhig und zu noch frohern Aussichten berechtigend, ging des neuen Kaisers Leontius erstes Regierungsjahr vorüber. Aber desto größer und empfindlicher für das Reich wie für den Kaiser, waren die Unfälle der beiden folgenden Jahren. Ein römischer Feldherr, Namens Sergius, der den Truppen in Lazika vorstand, ward an seinem Kaiser zum Verräther, und verkaufte Armenien an den Kaliphen. In Afrika ward der tapfere Patricier Johannes von den Sarazenen geschlagen, und Carthago wieder erobert. Indessen wäre Afrika so wenig wie Armenien, jetzt schon verloren gewesen; denn der kriegskundige Johannes segelte nur deßwegen nach Constantinopel, um dort seine Flotte zu verstärken, neue Truppen an Bord zu nehmen, und dann wieder mit der Zuversicht gewissen Sieges nach Afrika zurückzukehren; aber ein Aufruhr, der in seinem Heere ausbrach, als er mit der Flotte in dem Hafen von Creta eingelaufen war, vereitelte auf einmal alle Pläne des klugen und tapfern Feldherrn.

2. Johannes hatte sehr gegründete Ursache, mit dem Betragen eines großen Theils seiner Offi-

ciere in dem letzten Feldzug, nichts weniger als zu=
frieden zu seyn; und diese, die Ahndung eines mit
Recht erzürnten Monarchen fürchtend, suchten nun
die Soldaten, unter Vorspiegelung allerlei Strafen
und Gefahren, die sie bei ihrer Ankunft in Con=
stantinopel erwarteten, zur Empörung zu reizen.
Ihr Vorhaben gelang ihnen über alle Erwartung.
Die Legionen aus Cilicien und Likaonien empörten
sich zuerst; ihrem Beispiele folgte bald das ganze
Heer, der brave Johannes, Leontius edler und
treuer Freund ward ermordet, und einer seiner Un=
terfeldherren, ein gewisser A p s i m a r zum Kaiser
ausgerufen. Mit beiden Händen nahm Apsimar
den von den Soldaten ihm angetragenen Purpur
an, legte sich den ehrwürdigen Namen: T i b e r i u s II.
bei, steuerte unverzüglich nach Constantinopel, über=
rumpelte, durch Verrätherei einer im Dienste des
Kaisers Leontius stehenden Schaar fremder Söld=
linge, die Stadt, bemächtigte sich der Person des
Leontius, ließ ihm die Nase abschneiden, und in ein,
nahe bei der Stadt gelegenes Kloster einsperren.
Leontius hatte keine volle drei Jahre regiert.

3.   Wie kurz aber auch die Regierung dieses
guten, milden und doch den größten Theil seines Le=
bens hindurch so unglücklichen Kaisers war; so fällt
doch unter dieselbe ein, seiner spätern, viel umfas=
senden Folgen wegen, höchst merkwürdiges Ereigniß,
nämlich die Gründung und Entstehung des Staates
und Herzogthums von V e n e d i g *).

_____

*) Unter V e n e d i g muß man aber hier nicht die, heute
   zu Tage unter diesem Namen begriffene Stadt, welche
   damals noch gar nicht existirte, sondern die Provinz
   Venetien verstehen. Dieses theilt sich nun in
   Land= und See=Venetien, und blos von dem letz=

4. Die Zerstörung von Aquileja durch den furchtbaren Attila, und der Brand von Padua und so vieler andern italienischen Städte, hatten schon in der Hälfte des fünften Jahrhunderts, einige Flüchtlinge nach den Lagunen des adriatischen Meerbusens getrieben *). Unbeachtet von den Völkern Oberitaliens fristeten die armen Vertriebenen viele Jahre hindurch, blos durch sparsamen Fischfang und unbedeutenden Salzhandel ihr mühsames, zu allen Entbehrungen verurtheiltes Leben. Demungeachtet ward ihre Anzahl besonders durch die Einfälle und Durchzüge der Heruler, Gothen, Franken, Sachsen und Longobarden ununterbrochen vermehrt. Aber mit der zunehmenden Bevölkerung jener Inseln erweiterte sich auch der Einwohner Schifffahrt und Handel; und unter des großen Theodorichs Regierung versahen sie schon Ravenna mit Oel, Wein und andern edeln Früchten aus Istrien **). Indessen standen

---

tern, als dem nun nach und nach sich constituirenden, unabhängigen Inselstaate ist jetzt die Rede.

*) Indessen stützt sich dieses blos auf eine, obgleich allgemein angenommene Sage. Selbst Dandulus, der erste der bessern venetianischen Geschichtschreiber, folgt derselben, kann sie aber auf kein Zeugniß eines gleichzeitigen, sondern erst lange nachher lebenden Geschichtschreibers gründen. Venedigs zuverlässige Geschichte beginnt erst mit dem Einfall der Longobarden in Italien. Man sehe Le Brets Geschichte von Italien. T. I. Abthl. 2. — In der speciellen Geschichte aller italienischen Staaten wird das ungemein schätzbare Werk des so eben genannten, gründlichen, kenntnißreichen und Wahrheit liebenden Geschichtforschers auch in der Zukunft stets unser treuester und sicherster Führer seyn.

**) Dies erhellt aus einem, auf uns gekommenen Schreiben Cassiodors, in welchem dieser ausgezeichnete

diese Inseln zu den Zeiten der Ostgothen doch noch
in keinem gemeinschaftlichen staatsgesellschaftlichen
Verband, sondern unter einem von dem Volke ge=
wählten Tribun bildete jede eine eigene Republik
für sich. Erst, als durch den Einfall der Longo=
barden in Italien, die Bevölkerung der Lagunen ei=
nen neuen und beträchtlichen Zuwachs erhalten hat=
ten, traten sämmtliche Inseln in einen Bund zu=
sammen *), gaben sich eine gemeinschaftliche Verfas=
sung, und wählten zu ihrem Oberhaupt einen Tri=
bun, dessen Geschäft es war, die Gerechtigkeit zu
verwalten und bei den Volksversammlungen den
Vorsitz zu führen. Diese Verfassung hatte jedoch
nicht einmal eine Dauer von hundert Jahren; sie
ward gestürzt durch die Eifersucht der kleinern In=

Staatsmann zugleich auch eine ungemein anziehende,
poetische Schilderung jener Inseln entwirft.

*) Dieser Inseln waren es der Zahl nach damals nur
zwölf; nämlich: 1. Grado, die Hauptstadt von See=
venetien, und Sitz des Patriarchen. 2. Torre delle
Bebbe, so genannt von den Ruinen eines uralten
Thurms. 3. Caorle, Sitz eines Bischofes. 4. He=
rakliana; erbaut von den Einwohnern von Oderzo
nach Zerstörung ihrer Stadt. Von dieser einst sehr an=
sehnlichen Stadt ist jetzt nicht eine Spur mehr zu fin=
den; so daß es völlig unmöglich ist, auch nur ihre Lage
mit einiger Wahrscheinlichkeit zu bestimmen. 5. Je=
solo, damals ebenfalls der Sitz eines Bischofes. 6.
Torcello. 7. Murano. 8. Rialto; wurde je=
doch etwas später und, nachdem seine Bevölkerung mehr
zugenommen hatte, in den Inselbund aufgenommen.
Nachher ward es die ansehnlichste Stadt und der Sitz
des Doge. 9. Malamocco, die gleichfalls einen Bi=
schof hatte. 10. Poveglia. 11. Klein=Chiozza.
12. Groß=Chiozza. — Durch die, nach und nach
sich ändernden Strömungen der Flüsse in die Lagunen,
ward auch im Laufe der Zeiten, die physische Beschaf=
fenheit aller dieser Inseln bedeutend verändert.

seln gegen die größern, die, weil ungleich bevölkerter, auch bei den Wahlen der Tribunen die Mehrzahl der Stimmen bildeten, daher stets den Tribun aus ihrer Mitte wählten. Statt eines einzigen Tribuns wurden nun zehn gewählt; das heißt, jede Insel wählte den Ihrigen, dem die Justizpflege übertragen ward, und der daher auch auf der nämlichen Insel residiren mußte. Nur zu gewissen Zeiten sollten die zehn Tribunen zusammentreten, um über das Gemeinwohl des Gesammt=Inselstaates sich zu berathen. Indessen erkannte diese neu aufblühende Republik, obgleich vollkommen frei und unabhängig, dennoch den Kaiser in Constantinopel für ihren Oberherrn, leistete öfters den Exarchen sehr wichtige Dienste, genoß stets des kaiserlichen Schutzes, und betrachtete sich noch immer als eine zu dem griechischen Reiche gehörige Seeprovinz. Auf allen Inseln waren daher auch größtentheils griechische Sprache, griechische Sitte, und griechische Gebräuche bei dem Gottesdienst, den öffentlichen Verhandlungen, Spielen und sogar bei Benennung der Schiffe, eingeführt.

4. Noch weniger, als die frühere, entsprach jedoch die unter zehen Tribunen vertheilte Verwaltung ihrem Zwecke. Von dem Jahre 608 an herrschte beinahe ununterbrochene Gährung auf allen Inseln. Immer höher stieg die Unzufriedenheit mit den Tribunen. Diese, statt auf ihren Inseln zu bleiben, hatten nun sämmtlich in der neu erbauten Stadt Heraclea ihre Sitze genommen, verfassungswidrig ihre Anzahl vermehrt, ihr Ansehen und ihre Macht erweitert, die sogenannten Rechte des Volkes geschmälert, und endlich die Dauer ihres Amtes lebenslänglich und von dem souverainen Willen des Volkes völlig unabhängig erklärt. Auf der andern Seite waren indessen mehrere Familien emporgekom-

men, denen ihr durch Handel erworbener Reichthum
bei dem Volke großes Ansehen, daher auch großen
Einfluß gab, und die sich nun an die Spitze der
Unzufriedenen stellten. Zwar erhielten die Patriarchen von Grado durch Klugheit und Ansehen die Partheien immer noch in den gehörigen Schranken;
aber demungeachtet brachen doch bisweilen schnell vorübergehende Volksaufstände aus, so daß einmal in
einem solchen Tumult die Häuser dreier Tribunen
zerstört wurden.

5. Im Jahre 683 ward Christoph von Pola
auf den Patriarchen-Stuhl von Grado erhoben.
Auf allen Inseln stand derselbe in dem größten Ansehen, und durch eigene wie durch fremde Erfahrung endlich überzeugt, daß Venedigs morsche Verfassung nicht länger mehr halten könnte, berief er
in dem Jahre 697 alle Einwohner des Inselstaates
zu einer allgemeinen Versammlung nach Heraclea.
Nebst dem Patriarchen erschienen auf diesem Natio-
nalconvent auch sämmtliche Bischöfe, es erschienen
ferner die Tribunen, der Adel und das gesammte
Volk. Christoph machte jetzt den Antrag, die Regierung des Staates den Händen eines Einzigen zu
übergeben, einen Mann, fähig, den Staat zu schützen,
und über dessen Erhaltung zu wachen, unter den
anwesenden Großen zu wählen, und den Gewählten mit dem Titel eines Herzogs zu schmücken; ein
Titel, vorzüglich geeignet für den, der zwar des
Staates Oberhaupt, nicht aber Herr desselben seyn
sollte. Christophs Antrag ward mit allgemeinem
Beifall angenommen, sogleich zur Wahl geschritten,
Paulus Anafestus zum ersten Doge von Venedig
gewählt, unter großen Feierlichkeiten gleich an dem
folgenden Tag auf den herzoglichen Stuhl erhoben,
und von der ganzen, in ihren Repräsentanten an-

wesenden Nation ihm gehuldiget. Die Gewalt der
ersten Herzoge von Venedig war nicht sehr beschränkt.
Sie hatten das Recht, mit fremden Mächten Unterhandlungen anzuknüpfen, und Friedens- und Handelsverträge zu schließen. Im Kriege waren sie die
Oberbefehlshaber der Landheere wie der Flotten der
Republik. Der Schiffbau, die Arsenäle, kurz die
ganze Marine, und was dazu gehört, waren einzig
ihrer Leitung und ihrer Einsicht überlassen. Die ge-
setzgebende Gewalt blieb zwar bei dem Volke, wie
die richterliche bei den Tribunen; aber der Doge berief die Volksversammlungen, führte den Vorsitz dabei, ernannte die Tribunen und alle übrigen Beamten des Staates, wachte über deren Amtsführung,
hatte das Recht der Begnadigung, und entschied alle,
durch Apellation von den Gerichtshöfen der Tribunen an ihn gebrachten Civilfälle in letzter Instanz.
Der Pabst und der Hof von Constantinopel bestätigten die neue Staatsverfassung von Venedig.
Aber auch zu einem Herzogthum erhoben, erkannte
der Inselstaat die griechischen Kaiser noch immer für
ihre Oberherren, unter deren Schutz sie standen,
und von welchen die Dogen und oft noch mehrere
andere von den Großen der Republik ausgezeichnete
Ehrentitel und Patricier-Würde erhielten.

6. Anafestus regierte mit Weisheit und Mäßigung. Unter seiner Verwaltung erweiterten sich Venedigs Handel und Schiffahrt; seine Marine gewann
ein größeres Ansehen; viele Schiffe wurden erbaut,
und die Arsenäle mit allem zum Schiffbau nöthigen
Vorrath gefüllt; endlich schloß dieser treffliche Fürst
auch mit dem Longobarden-König Liutprand einen
Vertrag, der den ersten Grund zu Venedigs nachherigen Besitzungen auf dem Festlande legte. Neunzehn Jahre stand Anafestus der Republik vor, und

nahm, hoch bejahrt, die allgemeine Achtung seiner Mitbürger mit in das Grab.

7. Aber demungeachtet hatte auch diese Verfassung kaum eine Dauer von vierzig Jahren. Schon der dritte Doge ward durch eine neue Umwälzung seines Herzogstuhles, seiner Augen und seines Lebens beraubt, und die herzogliche Würde auf immer aus dem Inselstaat verbannt. Mit sehr geschmälerter Gewalt, und nur auf eine bestimmte Zeit, setzten jetzt die Venetianer einen Magister Militum — eine in dem griechischen Reiche damals sehr übliche, einen Unterfeldherrn bezeichnende militärische Würde — an die Spitze der Republik. Da dieses Staatsoberhaupt aber von der Nation gewählt ward, und von ihr auch wieder seiner Stelle entsetzt werden konnte; so wird es sehr begreiflich, daß in dem kurzen Zeitraume von etlichen Jahren fünf solcher Staatsoberhäupter auf einander folgten, bis endlich der wankelmüthige, vornehme und niedrige Pöbel, auch dieser Verfassung müde, dieselbe stürzte, und dem fünften Magister Militum Fabriacus die Augen aus dem Kopf riß. — Man kehrte nun wieder zu der Regierung unter einem Doge zurück; auch ward dieselbe von jetzt an auf immer beibehalten; jedoch nahm das ewige Künsteln, Modeln, Niederreißen und Wiederaufbauen an der Verfassung noch lange kein Ende, und Constitutionen auf Constitutionen folgen sich in Venedig nun eben so schnell, wie die Schatten in einer magischen Laterne.

8. Aber bei allen diesen häufigen innern Erschütterungen, convulsivischen Bewegungen und stets sich wiederholenden Verschwörungen, welche wechselnd bald die Verschwornen an den Galgen, bald das Staatsoberhaupt um seine Augen oder sein Leben

brachten, schwang sich dennoch der, aus den Lagunen des adriatischen Golfs hervorgegangene Inselstaat nach und nach zu einer ganz unbegreiflichen
Stufe von Größe, Reichthum und Macht empor.
Im Anfange des fünfzehnten Jahrhunderts hatte
Venedig den Gipfel seiner irdischen Hoheit erreicht.
Als aber jetzt der unerträgliche Geldstolz der durch
den Welthandel reich gewordenen Republicaner, und
ihre, ohne Scheu sich nun kund gebende Eroberungssucht der großen Mächte Eifersucht erregte, und diese
endlich zum Ausbruch kam, fing Venedig sogleich
auch wieder an zu sinken, sank immer tiefer und
tiefer, bis es endlich seine precäre Existenz blos
noch durch jene Politik erhalten konnte, welche die
Schwäche kleiner italienischer Staaten erfand, die
man figürlich lange Zeit das System des Gleichge-
wichts nannte, vielleicht aber richtiger ein S y s t e m
s t e t e r E r r e g u n g u n d U n t e r h a l t u n g d e r
F u r c h t , d e s g e g e n s e i t i g e n M i ß t r a u e n s,
u n d d e r E i f e r s u c h t u n t e r E u r o p e n s P r i-
m a r - M ä c h t e n hätte nennen dürfen. — Was
Venedigs innere Verfassung betrifft, worauf doch
ganz allein, wenn sie Gottes natürlicher Weltord-
nung entspricht, wahres Bürgerglück grünen, blühen
und gedeihen kann; so werden wir finden, daß nach
einer langen, beinahe endlosen Reihe von Greul-
scenen, in welchen alle, mit den heftigsten und,
weil in einem engern Spielraume eingeschlossenen,
daher auch stärker sich reibenden und leichter sich ent-
zündenden Leidenschaften verbundenen Gewalt- und
Greulthaten stets im Vordergrunde erscheinen, und
nach einem eben so langen, fruchtlosen Abmühen,
der Schwungsucht unruhiger Großen, den Anmaßungen geldstolzer Familien, dem Leichtsinn des Pöbels,
der Willkühr, der Arglist, dem Hasse, der Rach-
sucht, wie dem Revolutions- und Neuerungsgeist

einen Damm und ein Ziel zu fetzen; daß, fagen
wir, nach allem diefem langen zweck= und frucht=
lofen Experimentiren, Venedigs fogenannte republi=
kanifche Verfaffung nichts anders ward, und werden
konnte, als eine drückende, im höchften Grade des=
potifche, mit dem Leben, der Freiheit und dem Ei=
genthum feiner Bürger das unerhörtefte Spiel trei=
bende, beifpiellofe o l i g a r ch i f ch e T y r a n n e i *).

———————————

*) Noch öfters werden wir auf die fpecielle Gefchichte
    Venedigs, wie auch der übrigen, fich nach und nach
    bildenden italienifchen Freiftaaten zurückkommen. Sie
    verdient im höchften Grade unfere Aufmerkfamkeit;
    denn in fcharf gezeichneten Umriffen ftellt fie uns ein
    treues und lebendiges Bild der Republiken aller Zei=
    ten und Völker auf, gibt uns manche warnende Be=
    lehrung über den, durch menfchliche Leidenfchaften ftets
    nothwendig herbeigeführten, zerftörenden Conflikt ge=
    rade aller jener Elemente, aus welchen Republiken
    zufammengefetzt find, und hat daher auch das ganze
    tragifche Intereffe, welches nur immer Leidenfchaften,
    menfchliche Verruchtheit, Verbrechen, kühner Frevel
    2c. 2c. im Kampfe entgegen gefetzter Kräfte, der Ge=
    fchichte eines Volkes zu geben im Stande find. —
    Es wäre vielleicht keine fehr fchwer zu löfende Auf=
    gabe, wenn man die Gründe angeben follte, warum
    den Republiken jeder Zeitperiode, jedoch mit Aus=
    nahme Venedigs *), ftets nur eine fehr kurze, höch=
    ftens auf einige hundert Jahre fich erftreckende Dauer
    zu Theil ward. Der Keim früher Verwefung liegt

———————————

*) Seine, in der Gefchichte unerhörte Dauer von
    1300 Jahren hatte Venedig theils feiner, in ihrer
    Art einzig glücklichen Lage, theils den ganz befon=
    dern politifchen Verhältniffen aller italienifchen
    Staaten zu fämmtlichen auswärtigen großen Mäch=
    ten, theils aber auch und zwar vorzüglich feinen
    B l e i k a m m e r n und feinem fchreckbaren, jede Zunge
    lähmenden, die leifefte Aeußerung von Unzufrieden=

in ihnen selbst; denn es sind entweder permanente, sich
selbst nach und nach auflösende Anarchien, oder die
unerträglichsten, nur unter republikanischen Namen und
Formen verhüllte Despotien einiger, durch ihre
unnatürliche Stellung nothwendig höchst argwöhnischer
und auf eine precäre Gewalt nur desto eifersüchtiger,
Optimaten, deren jedoch stets zu seiner Zeit richtig ein-
tretender und nie fehlender, aber auch immer mit Erschütterungen verbundener Sturz das sogenannte Gemein-
wesen jedesmal um einige Grade schwächt, und nur
bald mehr oder weniger von seinem Lebensprinzip ihm
entzieht. — Von persönlicher, individueller
Freiheit kann nirgends weniger, als gerade in solchen Republiken die Rede seyn; schonungslos aufge-
opfert wird hier dem Bürger der ganze Mensch;
dieser ist in Wahrheit nur der Leibeigene, ja oft wohl
blos der Sclave eines abstrakten Begriffes, dessen sich
Verschmitztheit und Kühnheit mit Gewandtheit zu bemächtigen wissen, um unter seiner Aegide um so despotischer zu herrschen, als ihre Herrschaft nie von langer
Dauer seyn kann. Gewöhnlich sind in solchen Freistaa-
ten, wie dies besonders ehemals in einigen Kantonen
der schweizerischen Eidgenossenschaft der Fall war, die
sogenannten Unterthanen ungleich freier, glücklicher,
zu wenigern Opfern verbunden, wenigern Lasten unterworfen, und im Gebrauch ihrer geistigen und physischen
Kräfte weniger gehemmt, als die wirklichen Bürger
und Mitglieder des in seiner Einbildung souverainen
Volkes. (Von Hallers Handbuch der allgemeinen Staa-
tenkunde, Winterthur 1808.) —— — Die Stärke der

---

heit mit dem Tode bestrafenden, hinter verschlosse-
nen Thüren über Leben und Freiheit aller Bürger,
selbst den Doge nicht ausgenommen, nach
Willkühr entscheidenden Inquisitionstribunal
zu danken. Salus reipublicae summa lex esto!
war der furchtbaren Olygarchen Lösung, kraft welcher
der, zum Götzen erhobenen Idee eines imaginären
Freistaates jedes Leben ungestraft zum Brand- und
Sühnopfer durfte gebracht werden.

Vorurtheile und Begriffe, die unter gefälligen Jugend-
träumen sich unvermerkt in die Seele einschleichen, und
selbst über die Denkart des reifern Mannes noch ihre
Macht behaupten, bewährt sich in nichts auffallender,
als in den durchaus irrigen, aber leider jetzt allgemein
verbreiteten und beinahe in allen Köpfen vorherrschenden
Ansichten von Republiken und republikanischen Formen,
und ihrer hohen, jedem Einzeln sich mittheilenden
Würde, und daher auch in dem Enthusiasmus, zu
welchem selbst besser organisirte Gemüther schon der
blose Name derselben entflammt. Sogar eigene Er-
fahrungen, für das praktische Leben gewöhnlich doch
so belehrend, ja nicht einmal das tägliche Anschauen
so mancher, seit einiger Zeit unsern Augen vorüber-
gaukelnden, mit Blut und Elend bezeichneten republikanischen Trauer- und Jammergestalten können jene,
so tief eingewurzelten Vorurtheile jetzt mehr überwin-
den. Aber für wahr; das, seit dem verhängnißvollen
Erlöschen des Jesuiten-Ordens, schon in der letzten
Hälfte des vorigen Jahrhunderts, auf niedern und
höheren Schulen eingeführte, nicht mehr christliche,
sondern ächt antik heidnische Studium griechischer
und römischer classischer Literatur; — die durch falsche
grammatikalische Deutung erzeugte Verwirrung vieler,
für das praktische Leben höchst wichtiger Begriffe; — die
abgeschmakte oft höchst alberne Anwendung einer Menge,
einem längst untergegangenen, auf Heidenthum basir-
ten, und daher jetzt gar nicht mehr möglichen Social-
zustande angehörender Vorstellungen auf eine, in ihrem Grundwesen wie in allen gedenkbaren menschlichen
Verhältnissen und Beziehungen, durch das Christenthum völlig veränderten Gegenwart, — das unheilige
Streben der Lehrer, Knaben und Jünglingen nicht
blos die lateinische und griechische Sprache, sondern
auch griechisch und römisch, und zwar in ächt antiker
Form denken und empfinden zu lehren; — der
in den Lehrvorträgen immer fühlbarer werdende Mangel an jenem würdevollen, mit heiliger Scheu vor jeder Unwahrheit, jedem Irrthum und jeder Uebertreibung verbundenen Ernst, an dessen Stelle nun eine
ungeregelte, an eitler Selbstsucht entzündete, stets in
einen Strom wohlklingender Phrasen sich ergießende,

VIII.

1. Was Tiber II. auf den Thron erhoben, stürzte ihn auch wieder von demselben herab. Indessen hatte seine Regierung doch eine Dauer von sieben Jahren; und hätte dieser Kaiser nicht durch schändlichen Verrath den Purpur an sich gerissen; so wäre er wirklich desselben nicht unwürdig gewesen. Tiber II. herrschte mit Klugheit und Mäßigung, achtete die Rechte anderer, zeigte sich als einen Freund der Gerechtigkeit, setzte dem, mit fremdem Gut sich mästenden Fiscus Maß und Ziel, wählte seine Beamten und Diener, so viel er konnte, unter redlichen Leuten, setzte taugliche Feldherren an die Spitze seiner Heere, übergab seinem tapfern,

---

und unerfahrne Jugend nur desto leichter hinreißende Phantasie trat; — das falsche, aber blendende und verführerische, und daher jugendlichen Seelen sich desto tiefer einbrennende Colorit, das man einer Menge, blos von der Einbildung erzeugten, aber der Geschichte als wirkliche Gestalten, unterschobenen Phantomen zu leihen sich bemühete: kurz alles dies hat, freilich in Verbindung mit einem noch **tiefer liegenden** Grundübel, mehr als man glauben sollte, dazu beigetragen, jenen unseligen, stets unzufriedenen, weil übermüthigen und hochfahrenden, alle Grundlagen eines christlich-staatsgesellschaftlichen Zustandes untergrabenden und zerstörenden Geist zu wecken, der das Unheil unserer Zeit ist, das noch größere Unheil kommender Geschlechter seyn wird; wenn nicht anders der Allmacht Hand, plötzlich eingreifend, das thut, was gewöhnliche menschliche Weisheit jetzt nicht mehr zu thun vermag, und vielleicht blos ein, mit **Macht** und **Sieg** gekrönter Heros von Kraft, Weisheit und Gerechtigkeit allenfalls noch zu thun im Stand seyn möchte.

5 *

kriegskundigen und edeln Bruder Heraklius den
Oberbefehl über ſämmtliche Truppen des Orients,
focht durch die kluge Auswahl ſeiner Feldherren mit
Glück gegen die Sarazenen, entriß ihnen wieder
Armenien, ſchlug mehrere ihrer Heerhaufen, verhalf
den römiſchen Waffen wieder zu einem Theil ihres
erloſchenen Glanzes, und ſtand eben im Begriffe, in
einem entſcheidenden Feldzuge in das Herz von Syrien einzudringen und, unter den Mauern von Da-
maſcus, die gehäuften Rückſtände des Tributs an
Geld und Pferden von dem Kaliphen zu fodern;
als plötzlich und ohne irgend ein vorhergegangenes,
den nahenden Sturm verkündendes Zeichen, gleich
einem Donnerſchlage aus heiterm Himmel, eine neue
Revolution dem Leben und der Regierung des Kai-
ſers ein Ende machte, das Reich auf das neue wieder in einen bodenloſen Abgrund von Schmach und
Elend ſtürzte.

IX.

1. Mit einem dunkeln, aber wie er nachher
ſagte, untrüglichen Vorgefühl ſeiner künftigen Wie-
derherſtellung auf den Thron, war Juſtinian nach
dem Orte ſeiner Verbannung an Scythiens Grenzen abgegangen. Noch viel höher ſtiegen ſeine Hoffnungen, als die Nachricht von Leontius Sturz und
Tiberius Thronbeſteigung in Cherſona ankam. Aber
bei jedem neuen Strahl von Hoffnung erglühete
auch immer ſtärker ſeine unverſöhnliche Rachgier.
Die Einwohner von Cherſona hatten ihm mißfallen;
und obgleich noch ein Verbannter unter ihnen und
völlig in ihrer Gewalt, behandelte er ſie doch jetzt
ſchon mit aller Inſolenz eines unumſchränkten Des-

poten, häufte Beleidigungen auf Beleidigungen, und machte gar kein Geheimniß daraus, wie schwer er die ihm verhaßte Stadt, sobald er wieder zur Herrschaft gelangt seyn würde, seine Rache wollte fühlen lassen. Geschreckt durch dergleichen Drohungen, beschlossen die Chersoner, den unbändigen Menschen, der vielleicht dennoch ihnen einst gefährlich werden könnte, sich sobald als möglich vom Halse zu schaffen. Aber nun waren die Meinungen getheilt. Die Klügern wollten, daß man das Unthier ohne weiters todt schlagen sollte; Andere gaben den Rath, daß man diese Gelegenheit benützen müsse, die Stadt ganz vorzüglich um den Hof von Constantinopel verdient zu machen, mithin ohne Zeitverlust den Kaiser von den verbrecherischen Hoffnungen des Verbannten zu unterrichten, und diesen in Ketten ihm nach Constantinopel zu senden. Die letztere Meinung behielt die Oberhand. Aber kostbare Augenblicke gingen darüber verloren. Justinian und die, welche gleiches Schicksal und gleiche Hoffnungen an ihn gefesselt hielten, argwohnten, was ihnen bevorstünde, verließen bei nächtlicher Weile Chersona, und entflohen zu den Zelten der zwischen dem Don und Dnieper wohnenden Kozaren.

2. Ueber alle Erwartung war die Aufnahme, die Justinian und seine Gefährten in Scythiens Wildnissen fanden. Der Khan, dessen Stolz es schmeichelte, einen römischen Kaiser, nun flüchtig und um Schutz flehend vor sich zu sehen, empfing den hohen Verbannten mit allen Beweisen der freundschaftlichsten Theilnahme, verhieß ihm seinen Schutz, überhäufte ihn mit Geschenken, gab ihm seine Schwester Theodora zur Gemahlin, und wies ihm die am schwarzen Meere gelegene Stadt Phanagria zu seinem Aufenthalt an. Aber es dauerte

nicht lange, so änderte der Khan seine Gesinnungen. Gesandte aus Constantinopel waren nämlich bei ihm angekommen, und theils gewonnen durch des Kaisers glänzende Versprechungen, theils durch dessen Drohungen eingeschüchtert, versprach der Barbar den kaiserlichen Abgeordneten, seinen bisherigen Schutzgenossen entweder in Person, oder doch wenigstens dessen Kopf dem Kaiser nach Constantinopel zu schicken. Unter dem Scheine, seinen Schwager zu ehren, gegen Nachstellungen ihn zu schützen, schickte der Khan einige Bewaffnete unter der Anführung zweier seiner Vertrauten nach Phanagria, mit dem geheimen Befehl, sich wo möglich, der Person des Justinians zu bemächtigen, oder, wenn er Widerstand leisten sollte, ihn zu ermorden, und seinen Kopf dann dem Kaiser nach Constantinopel zu überbringen.

3.   Durch die treue Anhänglichkeit eines Dieners des Khans an die Schwester seines Herrn, ward jedoch dieser Anschlag entdeckt, und Theodora warnte sogleich ihren Gemahl vor der ihm drohenden Gefahr. Justinian gerieth in Wuth, berief die zwei Vertrauten des Khans zu einer geheimen Unterredung zu sich, ermordete Beide mit eigener Hand in seinem Zimmer, schickte hierauf seine Gemahlin ihrem Bruder zurück, und schiffte sich mit seinen Getreuen auf dem Pontus Euxinus ein. Unterweges überfiel sie ein furchtbarer Sturm. Das schon entmastete Schiff, immer heftiger von den Wellen hin- und hergeworfen, schien mit Allem, was es trug, verloren. Wie in jeder Noth, und wann die Welt statt Hülfe blos hohle Phrasen zu bieten vermag, erhoben nun auch jetzt Justinians Gefährten ihr Herz und ihre Hände gegen Himmel. Einer derselben, Namens Myaces rief dem Kaiser

zu: "Herr! gelobe jetzt feierlich, daß, wenn du ja
"den Thron wieder besteigest, Du jedem deiner
"Feinde verzeihen wollest; vielleicht daß dies Ge-
"lübd den Ewigen besänftiget, Er alsdann dem
"Sturm gebeut, und uns alle am Leben erhält." —
"Was, Verzeihung" rief Justinian, "eher möge
"mich die tobende Fluth auf der Stelle verschlin-
"gen, eher Gott mich sogleich ersäufen, als daß ich
"des Lebens auch nur eines Einzigen meiner Feinde
"schonen möchte." — Der Ewige hörte die Lästerungen des furchtlosen Frevlers; aber dennoch legte
sich der Sturm; das Schiff lief in der Mündung
der Donau ein, und Justinian und sein Gefolg kamen glücklich an dem Hoflager des bulgarischen Königs Trebellis an.

4. Auch hier ward Justinian gastfreundlich
aufgenommen, mit fürstlicher Pracht bewirthet. Er
erbot sich, dem Bulgaren-König, wenn er ihm zur
Wiedererlangung der Herrschaft behülflich seyn wollte,
einen bedeutenden Strich Landes abzutreten, die
Hälfte alles in dem kaiserlichen Schatz in Constantinopel vorfindlichen Geldes zu überlassen, und noch
überdies ihm seine Tochter*) zur Gemahlin zu geben. Das Reich der Bulgaren erstreckte sich schon
bis an Thraciens Grenze. Den Kaiser Tiberius
unvorbereitet in Constantinopel zu überfallen, vielleicht selbst die Stadt zu überrumpeln, schien nicht
unmöglich. Willig nahm also Trebellis das Anerbieten an, und an der Spitze eines Heeres von
fünfzehn bis zwanzigtausend Mann, größtentheils
Reiterei, zogen Justinian und der König der Bul-

---

*) Von Justinians erster Gemahlin, deren Name jedoch
unbekannt ist.

garen in Eilmärschen gegen die Hauptstadt des
Reiches.

5. Justinians Flucht aus dem Lande der Kozaren war dem Tiberius noch nicht bekannt; und
nun gerade jetzt, wo er zufolge des mit dem Khan
geschlossenen Vertrages, mit jedem Tage den Kopf
seines gefürchteten Nebenbuhlers erwartete, erhielt
er plötzlich die höchst unerwartete Nachricht, Justinian rücke an der Seite des Trebellis mit einem
Heere von Bulgaren gegen Constantinopel heran.
Die Stadt war indessen in sehr gutem Vertheidi-
gungsstande; alle schadhafte Theile der Mauer hatte
man früher schon ausgebessert, und die paar tausend
Mann Palast=Truppen, vereint mit der zahlreichen,
des Waffengebrauchs nicht unkundigen Bevölkerung,
konnten lachend den Angriff von 16 oder 20000
Reitern erwarten. Ohne großen Verlust für die
Belagerten, wurden daher auch in den ersten drei
Tagen alle Stürme der Belagerer zurückgeschlagen.
Aber nun erschien Justinian selbst, nur von Wenigen begleitet, unter den Mauern der Stadt, hob
zum Volk die Hände empor, gelobte feierlich Besserung, völlige Vergessenheit des Gesche-
henen, Verminderung der Abgaben, Erweiterung
der Privilegien, mit einem Worte, häufte Gelübde
auf Gelübde, Verheißungen auf Verheißungen. ——
Ueber Justinians ehemalige Gräuelthaten waren
jetzt zehn Jahre hinübergeschritten; nur in matten,
halb erloschenen Zügen lebte noch das Bild seiner
ehemaligen Tyrannei in dem Andenken des wankel-
müthigen, stets mit der gegenwärtigen Regierung
unzufriedenen Volkes; es fing an, dem Mitleiden
Raum zu geben, und vergaß, daß nicht eine einzelne Faktion, nicht der Ehrgeiz eines Einzelnen,
sondern alle Stände und Klassen der Nation, nach

erduldeter zehnjähriger grenzenloser Mißhandlung, den Tyrannen gestürzt hatten. Bei dieser Stimmung der Gemüther war es für Justinian nun nicht mehr schwer, mit einigen Einwohnern ein geheimes Einverständniß anzuknüpfen. Man öffnete ihm den Eingang einer unterirdischen Wasserleitung; durch diese schlich ein Trupp Bulgaren mit anbrechendem Morgen sich in die Stadt, sprengte das nächste Thor, Charsias genannt, eiligst auf, und Trebellis Heer drang ungehindert durch dasselbe herein. An fernern Widerstand war jetzt nicht mehr zu denken; man verließ die Mauern, und warf die Waffen hinweg. Tiberius entfloh mit einem Theil des Schatzes aus Constantinopel, und Justinian zog ruhig, sogar von einem gedankenlosen Schwarm jubelnden Volkes begleitet, in den kaiserlichen Palast. (705.)

6. Die Bulgaren suchte nun Justinian sobald als möglich wieder aus Constantinopel zu entfernen. Da Trebellis ein Heer von zwanzigtausend Mann bei sich hatte, auf einen Wink seines Gebieters bereit, jede Treulosigkeit doppelt und dreifach zu züchtigen; so hielt Justinian Alles treulich, was er dem Bulgaren-König versprochen hatte. Trebellis erhielt die große Landschaft Zagoria in Thracien, ward mit Geld und Geschenken überhäuft, und zog nun mit wohl gefüllten Taschen, und nachdem er alle Staatskassen in Constantinopel so ziemlich rein ausgefeget hatte, wieder nach Hause*).

---

*) Außer dem ungeheuern Schatz, welchen Trebellis an gemünztem und ungemünztem Gold und Silber, und den prächtigsten orientalischen Stoffen hinwegfegte, mußte noch Jedem seiner Bulgaren die rechte Hand mit Goldstücken, die linke mit Silbergeld gefüllt werden.

7. Tiberius hatte mit seinen Schätzen nach Appollonias*) fliehen wollen, ward aber von den Nacheilenden eingeholet, nach Constantinopel gebracht, und in ein gemeines Gefängniß geworfen. Auch der im Gesichte verstümmelte, schon seit acht Jahren der Welt völlig abgestorbene, in klösterlicher Stille und Abgeschiedenheit lebende Leontius, ward jetzt aus seinem Kloster herausgerissen, und durch einen, nur einem Justinian eigenen Zug rafinirter Grausamkeit, gerade nach dem nämlichen Kerker, in welchem schon Tiberius lag, gebracht.

8. Zur Feier seiner Wiederherstellung gab Justinian gleich in den folgenden Tagen prächtige Spiele, unter diesen auch jene der Rennbahn, und zu größerer Verherrlichung des Festes, sollten auch die beiden entthronten Fürsten jetzt dienen. Auf der erhabensten Stelle im Circus saß Justinian auf einem goldenen Thron. Leontius und Tiberius wurden, nachdem man sie zur Schau verächtlicher Pöbelhaufen durch die vornehmsten Straßen von Constantinopel geführt hatte, in den Circus gebracht, und auf der Erde vor den Stufen des kaiserlichen Thrones so niedergeworfen, daß Justinian auf den Nacken eines Jeden derselben, einen Fuß setzen konnte. Statt in dieser, der Menschheit höhnenden Gruppe empörenden Stolzes und viehischer Gefühllosigkeit ein treues Bild neu beginnender blutiger Tyrannei zu erblicken, fand Constantinopels, im

---

*) Der Ort war gut gewählt; denn Appollonias lag am schwarzen Meere, trieb ziemlich starken Handel, und Tiberius konnte hoffen, ein segelfertiges Schiff dort zu finden, in demselben zu den Barbaren zu entfliehen, und deren Hülfe mit seinen mitgebrachten Schätzen zu erkaufen.

Circus versammelter Janhagel, vielmehr etwas Großes darin, wieherte dem auf dem Throne sitzenden Tyrannen lauten Beifall zu, und wiederholte unaufhörlich die Worte des Psalmisten: "Super aspidem et basiliscum ambulabis, conculcabis leonem et draconem." — Nachdem Justinian dem Laufe der Wagen eine ganze Stunde lang mit vieler Theilnahme zugesehen hatte, gab er Befehl, bei den Anmaßern, die überdies sich noch erkühnt hatten, das Reich ungleich besser, weiser und gerechter, als er, zu verwalten, die Köpfe abzuschlagen.

9. Leontius und Tiberius Hinrichtung war indessen nur ein mattes Vorspiel der grenzenlosen Grausamkeiten, denen der halbwahnsinnige Tyrann sich nun überließ. Befriedigung seiner unersättlichen Rachgier war seine höchste Wollust, diese in vollen Zügen bis auf die Hefen zu erschöpfen, das einzige Geschäft seiner leider noch 6 Jahre dauernden Regierung, und Henkerbeile und Henkerpfähle, Strang und Marterwerkzeuge waren von jetzt an die einzigen Insignien seiner Herrscherwürde. Dem Patriarchen Callinikus wurden die Augen aus dem Kopf gerissen; er selbst ward nach Italien verbannt. Des Tiberius Bruder, den tapfern, kriegskundigen, um das Reich so sehr verdienten Heraklius, ließ der Wütherich sammt allen höhern Officieren, welche unter dem Oberbefehl des Erstern so oft siegreich gegen die Sarazenen gefochten hatten, aufhängen. Um die blutigen Befehle des Tyrannen zu vollstrecken, durchzogen Schaaren von Schergen, Henkersknechten und Soldaten ganz Thracien, und selbst einige der entlegensten Provinzen des Reiches. Wer von den beiden Kaisern Leontius und Tiberius irgend einen Beweis ihrer Gnade, ein Amt, einen jährlichen Gehalt, oder auch nur einen Sold erhal-

ten hatte, mußte sterben; selbst der passive Gehorsam, mit welchem die Vornehmern und Angesehenern in den Städten sich der, jedesmal der That nach bestehenden Gewalt unterworfen hatten, ward als ein des Todes würdiges Verbrechen bestraft. Ströme Blutes flossen in allen großen und kleinen Städten Thraciens. Als Trebellis diese Gräuelthaten erfuhr, äußerte er sein Erstaunen, wie die Römer sich erfrechen könnten, die Bulgaren Barbaren zu nennen, da doch Gerechtigkeit und Menschlichkeit nur noch in den Hütten oder unter den Zelten der Bulgaren zu finden wären. Um den teuflischen Genuß befriedigter Rache zu erhöhen, vermannigfaltigte Justinian nicht nur die Art der Hinrichtung, sondern trieb auch mit denen, die er morden ließ, vorher noch das unerhörteste, schnödeste und grausamste Spiel. So z. B. ernannte er jene, welche er dem Tode geweihet hatte, vorher noch zu hohen Aemtern und Würden. Der Sitte gemäß, mußten sie nun sogleich sich nach Hofe begeben, um für die erhaltenen Beweise kaiserlicher Gnade zu danken; ungemein gütig und herablassend empfieng sie der Tyrann, und wenn er nun sah, wie Freude und Zufriedenheit in ihren Augen glänzten; dann entließ er sie, um die schreckliche Illusion, in welcher sie befangen waren, noch zu vermehren, mit der größten Freundlichkeit wieder von sich. Aber unten harrte ihrer schon ein Trupp Soldaten, und so wie die Unglücklichen ihren Fuß aus dem Palaste setzten, wurden sie sogleich ergriffen, und unter dem Hohngelächter der Henkersknechte nach dem Richtplatz geschleppt. Bisweilen lud er auch diejenigen, deren Tod er beschlossen hatte, zu einem glänzenden Gastmahl ein. Durch eigene heitere Laune suchte er nun Munterkeit und Heiterkeit unter seinen Gästen zu verbreiten; aber sobald er merkte, daß eine recht

lebhafte, geräuschvolle, von allem Hofzwange ent-
bundene Fröhlichkeit an der Tafel herrschte, dann
stand er plötzlich auf; und schrecklich wurden nun die
Getäuschten aus ihrem fröhlichen Taumel geweckt.
Einige wurden in Säcke gesteckt, und in das Meer
geworfen, Andere aufgehenkt, und wieder Andere
mit dem Schwert getödtet. Jedes Menschenleben
war für den Wütherich nur ein Spiel seiner tyrannischen Launen. Der Hingerichteten ganzes Vermögen, alle ihre liegende und fahrende Habe, wurden gewöhnlich confiscirt. Diese Confiscationen,
reich fließende Goldquellen, verschafften dem Tyrannen neue Mittel, seine grenzenlose Pracht- und Ver-
schwendungssucht zu befriedigen. Jetzt ward gemor-
det, nicht blos um zu morden, sondern auch um
zu rauben; und Raubsucht und Mordlust mit einander vereint häuften nun immer mehr und mehr
die Anzahl der unglücklichen Schlachtopfer. Da dem
Tyrannen bei seiner Entthronung die Nase war abgeschnitten worden, so hatte er das ihm fehlende
Glied durch eine sehr künstlich aus Gold verfertigte
Nase ersetzt; aber so oft er diese aus dem Gesicht
nahm, entbrannte er stets auf das neue in Wuth,
und neue, wo möglich noch grausamere Mordbe-
fehle waren dann gewöhnlich die Folge davon. Als
er den Rhinocopus zum Exarchen von Ravenna ernannt hatte, nahm dieser seinen Weg über Rom;
aber kaum angekommen, ließ er mehrere der angesehensten Männer von dem hohen Clerus verhaften, und, ohne einen Grund oder eine Ursache davon anzugeben, blos auf die geheimen Befehle des
Tyrannen in Constantinopel, im Gefängniß er-
würgen.

10. Indessen wüthete der Unmensch nicht blos
gegen Individuen oder einzelne Familien; auch

gegen ganze Städte und Provinzen, von denen er
sich beleidiget glaubte, schleuderte er jetzt die furchtbaren Blitze seiner Allmacht. Er hatte vernommen,
daß die Einwohner von Ravenna, bei der Nachricht von seiner Entthronung und Verbannung, wo
nicht gerade Freude darüber, doch wenigstens ihre
Zufriedenheit geäußert hätten. Mehr bedurfte es
für den Unversöhnlichen nicht, um auch über die,
ohnehin hart gedrückten und bedrängten Ravenner
das Rachschwert zu schwingen. Theodor, Statthalter von Sicilien, erhielt Befehl, mit der Flotte von
Syrakus und einer Anzahl Landtruppen längs der
Küste des adriatischen Meeres zu kreuzen. Als die
Flotte auf der Höhe von Ravenna angekommen
war, lief das Admiralschiff in den Hafen ein.
Theodor, von einer Schaar Soldaten begleitet, trat
an das Land, und schlug sein Zelt ganz nahe an
dem Gestade des Meeres auf. Sogleich kamen die
angesehensten und reichsten Einwohner von Ravenna,
den Erzbischof an ihrer Spitze, aus der Stadt heraus, um den Statthalter auf ihrem Gebiete zu begrüßen, und ihm ihre Ehrfurcht zu bezeigen. Um
sie noch mehr in falscher Sicherheit einzuwiegen,
empfing Theodor, der erhaltenen Instruktion gemäß,
sie alle mit ausgezeichneter Freundlichkeit; aber auf
einmal gab er das verabredete Zeichen; die Unvorsichtigen wurden nun schnell von Soldaten umringt,
geknebelt, ihnen Hände und Füße gebunden, und,
ehe sie noch zur Besinnung kommen konnten, nach
der Flotte gebracht, in die untern Schiffsräume geworfen, und unverzüglich nach Constantinopel transportirt. In Ketten wurden sie hier dem Tyrannen
vorgestellt, und, nachdem Justinian jeden derselben
mit seinem wüthenden Basiliskenblick schon halb getödtet hatte, größtentheils entweder heimlich oder öffentlich hingerichtet. Auch dem Bischofe ward das

selbe Loos bestimmt; aber ein Traum schreckte den aberglåubischen Tyrannen, und nun blieb zwar der Erzbischof am Leben, ward aber im Gefångnisse geblendet, und hierauf verbannt*).

11. Auch dem Trebellis, dem er doch Leben und Krone zu danken hatte, wollte Justinian jetzt nach Weise der Tyrannen lohnen. Ohne vorausgeschickte Kriegserklårung fiel er plötzlich mit einem zahlreichen Heer in Bulgarien ein, wollte des Königs Schåtze plündern, die abgetretene Landschaft Zagoria wieder erobern. Aber schnell zog Trebellis sein Heer zusammen, ging dem Wahnsinnigen entgegen, schlug ihn auf das Haupt, sperrte ihn in der Festung Anchialis ein, und würde ihn in seine Gewalt bekommen haben, hätte nicht eine, nicht übel ersonnene List des Elenden den tapfern Bulgaren-König getäuscht. Verkleidet und mit Schmach bedeckt, kam Justinian in einem elenden Schiffer-Nachen in Constantinopel an. — Schrecklich wurden jetzt auch Thracien und Griechenland von den Bulgaren verheert. Im Orient spielten ohnehin die Sarazenen den Meister. Die tapfersten und des Krieges kundigsten Feldherren und Officiere hatte Justinian ermorden lassen. Die römischen Heere ohne Anführer, ohne Disciplin, oft ohne Waffen und schlecht gekleidet, wurden überall von den Sarazenen geschlagen, viele reiche Städte, unter andern

---

*) Die bei den Griechen eingeführte Art der Blendung bestand darin, daß man eine silberne Platte am Feuer bis auf den höchsten Grad erglühen ließ, dann Essig darauf goß, und den Kopf des Unglücklichen, der geblendet werden sollte, mit weit geöffnetem Auge so lange darüber hielt, bis beide Augäpfel erstorben und völlig vertrocknet waren.

auch Tyana, der Schlüssel Capadociens, erobert und
geplündert, und die schönsten Provinzen Kleinasiens
von dem Feinde raubend und verheerend durchzogen.
Die Verachtung gegen die Römer stieg endlich bei den
Sarazenen so hoch, daß ihrer bloß dreißig an der Zahl,
ganz Kleinasien durchstreiften, bis nach Chrysopolis
ganz nahe bei Constantinopel vordrangen, einen Theil
der Stadt in Brand steckten, und hierauf ungestraft
nach Syrien sich wieder zurückzogen. — Unbeschreiblich
war das Elend, das unter der Regierung des ge-
haltlosesten aller Tyrannen von allen Seiten auf
das Reich hereinstürmte. In seinem Innern wüthete unaufhörlich ein grausamer Despot mit der
ganzen zahlreichen Schaar seiner, von gleicher Wuth
entflammten Spiesgesellen; von Außen seinen unversöhnlichsten Feinden preis gegeben, wurden seine
fruchtbarsten Gegenden, wie z. B. die Umgegend von
Tyana, in Wüsten und Einöden verwandelt. Bei
der in allen Zweigen der Verwaltung herrschenden
wilden Verwirrung, erlagen unter dem Druck nicht
zu erschwingender Auflagen, die letzten Kräfte der
Provinzen. Die allgemeine Noth, das immer höher steigende Elend erzeugten endlich Verbrechen,
Trotz und Zügellosigkeit, und diese wieder eine
Menge aller Orten sich bildender und herumstreifen-
der zahlreicher Räuberbanden.

12. Aber in einer, wenn auch noch so kleinen Linderung der Leiden seiner Völker, fand natürlicher Weise der Ehrgeiz eines Justinians keine
Befriedigung. Eine Angelegenheit, ihm ungleich
wichtiger und heiliger als das Wohl der gesammten
Menschheit, nahm jetzt seine ganze Thätigkeit in Anspruch. — Der, vor einigen Jahren auf dem Pontus Eurinus feierlich gethane Schwur unversöhnli-
cher Rache hatte damals vorzüglich den Einwohnern

von Chersona geholten; und nun schien es dem
Justinian Zeit zu seyn, jenes im Sturm tobender
Elemente ausgesprochene Gelübde endlich nach seinem
ganzen Umfange zu erfüllen. Eine neue schwere
Auflage ward auf das gedrückte Volk gelegt, denn
eine Flotte mußte ausgerüstet, ein Landheer bewaff=
net und eingeschifft werden. Den Oberbefehl bei
dieser Expedition erhielt Stephan, mit dem Beina=
men, der Wilde. Die Instruktionen, welche
Justinian ihm ertheilte, waren in wenigen Worten.
enthalten. "Alle," sprach der Tyrann, "sind schuldig;
Alle müssen daher auch sterben." Aber nicht gewöhn=
liche Hinrichtung, nicht gemeiner, obgleich gewaltsa=
mer, unter wechselnden, langsamen Martern gegebe=
ner Tod konnte den, durch Befriedigung nur im=
mer noch mehr erglühenden Durst nach Rache des
Tyrannen befriedigen. Die geheimen Befehle, die
er dem Stephan gab, waren demnach von der Art,
daß selbst dieses, zu allen Grausamkeiten seines
Herrn längst abgerichtete und abgehärtete Werkzeug
davor zurückschauderte *).

13. Höchst unvollständig vollzog also selbst

---

*) Zwischen Justinian und einem, in Folge einer aus=
gestandenen sehr schweren Krankheit halb verrückten
und halb wahnsinnigen heidnischen Cäsar, bietet sich
hier von selbst eine ganz zum Vortheil des Letztern
sprechende Parallele dar. Caligula, einst gegen alle
Römer erzürnt, wünschte, daß Alle nur Einen Hals
haben möchten, um mit Einem Hiebe auch Allen
die Köpfe abzuschlagen. Aber einen solchen Wunsch
fand Justinian, wie wir so eben gehört, Seiner und
seiner erfinderischen Grausamkeit unwürdig; und eben=
falls, wie einst Calligula, allen Einwohnern einer
volkreichen Stadt zürnend, konnte nur ein mannigfal=
tiger, grauen= und martervoller Tod der ihm er=
wünschte Vollstrecker seiner teuflischen Rache seyn.

der wilde Stephan, was sein unmenschlicher Gebieter ihm befohlen hatte. Aeußerst schläfrig und mit der größten Langsamkeit schiffte er seine Truppen aus, ließ vorsätzlich den Zweck seiner Sendung und die blutigen Befehle, deren Vollstrecker er seyn sollte, ruchbar werden, suchte dadurch die unglücklichen Einwohner zur Flucht zu bewegen, erleichterte ihnen sogar, so viel er konnte, die Mittel dazu. Aber leider durch Bande der Natur an den heimathlichen Boden gefesselt, blieb der, bei weitem größte Theil der Einwohner in der Stadt zurück. Die mehrsten vertrauten auf ihre Unschuld; viele Andere, obgleich sich einiger Beleidigungen gegen Justinian bewußt, hofften durch das Opfer ihres ganzen Vermögens ihr Verbrechen zu sühnen. Aber bald sahen sich Alle schrecklich getäuscht; denn selbst gegen seinen Willen mußte Stephanus nun das blutige Schauspiel beginnen lassen. Aber auch jetzt noch verfuhr er mit Milde und Schonung*); nur die sieben vornehmsten und einflußreichsten Chersoner, ließ er an den Füßen aufhängen, und über einem Kohlenfeuer langsam braten; zwanzig Andere wurden gebunden, schwere Steine ihnen an den Hals befestiget, und dann in das Meer geworfen; zwei und vierzig, und unter diesen zwei Anverwandten des Khans der Kozaren, sammt deren Frauen und Kindern in Banden geschlagen und nach Constantinopel gesandt, um dort aus dem Munde des erzürnten Despoten ihr Urtheil zu empfangen. Von Knaben und noch zarteren Kindern wurden nur wenige erwürgt; aber die ganze, schon waffenfähige Jugend sonderte Stephanus aus, um solche, wenn Justinian

---

*) Das heißt, im Vergleich mit den, von Justinian ihm ertheilten Befehlen.

feine Einwilligung dazu geben würde, unter die Legionen zu stecken.

14. Wüthend sprang Justinian auf, als er den Bericht seines Feldherrn erhielt. Auf der Stelle schickte er diesem den Befehl, die gesammte, von ihm zum Legionendienst ausgesonderte junge Mannschaft an Bord der Schiffe bringen zu lassen, und dann selbst unverzüglich mit der Flotte und dem Heere nach Constantinopel zurückzusegeln. Man war gerade am Ende Octobers, wo die Seefahrt mit den größten Gefahren verbunden war; denn die größten Stürme herrschten gewöhnlich um diese Jahreszeit auf dem gastfreundlichen *) Meere. Aber dem Befehle des furchtbaren Despoten mußte Folge geleistet werden. Stephanus schiffte sein Heer ein, und die Flotte lichtete die Anker. Aber schon am dritten Tag überfiel sie ein schrecklicher Sturm. Die Schiffe wurden zerstreut, viele in den Abgrund versenkt, andere an Felsen und Klippen geschleudert; kurz die ganze Flotte sammt dem Heere, und Allem, was sich darauf befand, ging elend in den Wellen zu Grunde. Als die Nachricht von diesem unerhörten Unglück in Constantinopel ankam, brach Justinian in lauten Jubel aus, und lobte und preißte das Meer, das, folgsam der Stimme seines Be-

---

*) Da bekanntlich die Griechen schreckbare Dinge nicht gern mit einem, eben diesen Begriff mit sich führenden Wort bezeichneten, sondern zu Bezeichnung derselben sogar oft, gerade das Gegentheil, aussprechende Wörter wählten; so nannten sie auch das, wegen seiner vielen Gefahren und häufigen Schiffbrüche berüchtigte und gefürchtete schwarze Meer, das anfänglich Pontos arcinos (das unwirthbare) hieß, nachher Pontos eurinos (das gastfreundliche Meer.)

6 *

herrschers, dessen strafender Gerechtigkeit vorgeeilet
wäre, und die den Befehlen ihres Kaisers Ungehor-
samen sammt allen Uebrigen, verschlungen hätte.

15. Aber weder die grauenvolle Hinrichtung
so vieler Einwohner von Chersona, noch der Tod
der gesammten jungen Mannschaft dieser Stadt in
den Wellen des Pontus Euxinus, noch auch der
Verlust einer Flotte und eines Heeres konnten den
Rachmüthigen besänftigen. Die ganze Bevölkerung
der proscribirten Stadt wollte er vertilget wissen.
Zu seinen Absichten schien ihm jedoch Elias, welchen
Stephanus als Befehlshaber des Landes und der
Stadt, mit einer hinreichenden Anzahl Truppen in
der Krimm zurückgelassen hatte, kein sehr taugliches
Werkzeug. Er schickte demnach den Patricier Georg,
Schatzmeister des Reiches mit Johannes, Präfekten
von Constantinopel, und dem Christoph, welcher den
Truppen in Thracien vorstand, nach Chersona. Die
beiden Erstern sollten den Oberbefehl in der Stadt
und dem Lande übernehmen, und dann die ihnen
ertheilten Befehle vollstrecken. Christoph, welchem
Justinian auch eine Schaar von dreihundert Mann
Soldaten mitgab, hatte blos den Auftrag, die beiden
Anverwandten des Kozaren Khans, welche Stephanus
unter den übrigen zwei und vierzig Gefangenen
nach Constantinopel geschickt hatte, wieder in ihr Land
zurückzugeleiten, über deren Verhaftung dem Khan
Entschuldigungen zu machen, und dann den Elias und
einen gewissen Philippikus, einen Sohn des Barda-
nes, welcher von dem Tiberius nach Cephalonia war
verbannt worden, sich aber jetzt in Chersona aufhielt,
gefänglich nach Constantinopel zurückzubringen.

16. Aber in Chersona selbst hatten sich indessen

alle Verhältniſſe total geändert. Die Einwohner, welche bei Stephans Ankunft durch die Flucht ſich gerettet hatten, waren wieder in die Stadt zurückgekommen; und die Verzweiflung im Herzen, und nur Rache athmend, war es ihnen ein leichtes, auch alle ihre übrigen Mitbürger zu bereden, das unerträgliche Joch des verhaßten Juſtinians zu zerbrechen, ſich zum Kampfe zu rüſten, und im äußerſten Falle lieber ihre Stadt ſelbſt in Brand zu ſtecken, und dann mit den Waffen in der Hand zu ſterben, als noch einmal der grauſamen Willkühr des Wütherichs ſich zu überlaſſen. Alle Cherſoner und Bosphoraner beſeelte jetzt ein und derſelbe Geiſt gerechter Empörung. Da man einen neuen Angriff erwartete, ſo ward nun Tag und Nacht an ſtärkerer Befeſtigung der Stadt gearbeitet. Die Mauern wurden erhöhet, die ſchadhaften Theile ausgebeſſert, neue Bollwerke errichtet. Von dem Khan der Kozaren, der ſeit dem Tode ſeiner Schweſter Theodora allen Verkehr mit ſeinem wahnſinnigen Schwager abgebrochen hatte, erhielt die Stadt ein Hülfscorps von einigen tauſend Kozaren; was aber den Muth der, ohnehin ſchon zu dem Aeußerſten entſchloſſenen Einwohner wo möglich noch mehr erhöhete, war, daß Elias, voll Abſcheu gegen einen Tyrannen, der mit gleicher Grauſamkeit gegen alle ſeine Unterthanen wüthete, deſſen Dienſt feierlich entſagte, und mit den braven Cherſonern nun gemeinſchaftliche Sache machte.

17. So war die Lage der Dinge, als Juſtinians beide neuen nach Cherſona geſchickten Miniſter mit Chriſtoph und deſſen 300 Mann allda ankamen. In der ſichern Vorausſetzung, nichts als ſtumme Unterwürfigkeit und leidenden Gehorſam zu finden, wollten ſie ohne alle, bei einer feindlichen Feſte zu beobachtenden Vorſichtsmaßregeln in die Stadt ein

ziehen. Wirklich öffnete sich ihnen auch sogleich das
Thor; aber kaum hatten der Patricier und der
Präfekt es hinter sich, als es sich auch eben so
schnell wieder verschloß. Mit diesen Beiden ward
nun kurzer Prozeß gemacht; das Volk fiel über sie
her, und zerriß sie in Stücken. Zu gleicher Zeit
marschirte ein beträchtliches Corps Kozaren, durch
ein anderes Thor, den vor der Stadt stehenden Römern in Rücken, umzingelte sie, und machte sie
sämmtlich zu Gefangenen. Da aber die beiden Anverwandten des Khans unter den Römern waren;
so machten die Kozaren sich sogleich auf den Weg,
diese Beiden zu ihrem Herrn zu geleiten. Unglücklicher Weise für die Römer starb Einer von jenen
Beiden auf dem Marsch, und zu größerer Feier seines Leichenbegängnisses, schlachteten nun die Kozaren
auf dem Grabe desselben, den Christoph sammt seinen dreihundert Römern.

18. In der Stadt Cherson hörte man nun
nichts, als die schrecklichsten Verwünschungen gegen
den Tyrannen. Nach dem, was jetzt geschehen war,
durften die Einwohner nie mehr Verzeihung hoffen;
Mäßigung von ihrer Seite wäre jetzt Thorheit gewesen. Alles Volk, sowie auch die Truppen des
Elias traten also in einer allgemeinen Versammlung
zusammen, erklärten den Justinian seiner Grausamkeit
wegen des Thrones für verlustig, und riefen den Elias
zum Kaiser aus; aber dieser wies die ihm angetragene Würde von sich, und nun ward Philippikus,
den Elias vorgeschlagen hatte, unter dem allgemeinen Jubel des Volkes und der Soldaten mit dem
Purpur bekleidet.

19. Als die Nachricht von dieser förmlichen
Empörung in Constantinopel ankam, durchbrach die

Wuth des Despoten alle Schranken selbst des äußern Anstandes. Gleich einem Rasenden, lief er mit gezücktem Dolch durch die Straßen von Constantinopel in die Wohnung des Elias, mordete dessen Kinder mit eigener Hand auf dem Schooße ihrer Mutter, und ließ diese hierauf durch einen häßlichen Mohren schänden*). Aber mit dieser, um Rache zum Himmel schreienden Greuelthat war die Empörung an den Grenzen Scythiens nicht gedämpft. In aller Eile ward also eine neue Flotte ausgerüstet, ein Landheer zusammengezogen, ein Ueberfluß von Belagerungsmaschinen an Bord der Schiffe gebracht, und der Patricier Maurus zum Anführer der gesammten Land- und Seemacht ernannt. Unter den furchtbarsten Drohungen befahl Justinian dem Patricier, auch nicht Eines Einwohners von Chersona, selbst nicht des lallenden Säuglings zu schonen, von der Stadt auch nicht einen Stein auf dem andern zu lassen; ferner sollte er ja nicht unterlassen, jeden Tag Eilboten mit einem genauen Bericht über den Fortgang der Expedition nach Constantinopel zu senden.

20. Sobald Maurus sein Heer bei Chersona gelandet hatte, fing er sogleich die Belagerung mit der größten Thätigkeit an. Tag und Nacht spielten seine zahlreichen Maschinen auf die Mauern der Stadt. Aber auch den Belagerten fehlte es nicht an Ballisten und Katapulten. Die Steine, die sie schleuderten, tödteten jeden, der zu sehr ihrer Mauer sich nahete. Nächtlicher Weile machten die Belagerten ebenfalls öftere Ausfälle, verbrannten einige

---

*) Der Kerl diente als Küchenknecht in dem kaiserlichen Palast.

mal dem Heere des Maurus einige seiner Maschinen,
und zerstörten jedesmal einen Theil der, am Tage
von dem Feinde aufgeworfenen Werke. Aber bei
allem dem schritt doch die Belagerung immer weiter
vor. Schon waren zwei der festesten Thürme der
Stadt eingestürzt, und der Patricier stand eben im
Begriff, einen allgemeinen Sturm zu wagen, als er
von seinen Vorposten auf einmal die ganz unerwartete Meldung erhielt: ein zahlreiches, ihm weit
überlegenes Heer von Kozaren rücke in Eilmärschen
gegen ihn an, und stehe jetzt schon nicht mehr ferne
von Chersona. Maurus, der wohl einsah, daß er
dem vereinten Angriffe der tapfern, an Zahl ihm
überlegenen Kozaren, und der mit dem Muth der
Verzweifelung fechtenden Bosphoraner nicht widerstehen könne, hob sogleich die Belagerung auf, zog
sich mit seinem Heere zurück, und gab Befehl, es
augenblicklich und ohne Zeitverlust wieder einzuschif-
fen. Aber Officiere, wie Soldaten, den Zorn des
unbändigen Despoten in Constantinopel fürchtend,
weigerten sich an Bord zu gehen. Nur in einer
allgemeinen Empörung, sagten sie, wäre jetzt noch
Rettung von schmählichem Tode zu finden. Maurus, der in seinem Herzen, wie seine Soldaten,
dachte, schickte auf der Stelle einige Abgeordnete in
die Stadt, schloß mit den Einwohnern nicht nur
Friede, sondern versprach auch gemeinschaftliche Sache
zu machen, und er und sein Heer riefen nun ebenfalls, unter wilden Verwünschungen gegen den Tyrannen, den Philippikus zum Kaiser aus.

21. Schon seit einigen Wochen waren keine
Berichte mehr von dem Heere vor Chersona in Constantinopel angekommen. Justinian schöpfte Verdacht. Mit dem Bulgaren-König Trebellia, hatte
er sich im vorigen Jahre wieder ausgesöhnt, und

dieser ihm jetzt eine Hülfsarmee von dreißigtausend
Mann gesandt. Mit diesem Heere, zu welchem
noch ungefähr zehn bis zwölftausend Mann von
den in Thracien liegenden römischen Truppen stießen, setzte Justinian über die Meerenge, und bezog
zwischen Chalcedon und Nicomedien bei der kleinen
Stadt Damatris ein Lager. Da seine Besorgnisse mit jedem Tage zunahmen, rückte er mit einem starken Detaschement seines Heeres bis nach
Ginglissa vor. Die Stadt lag am schwarzen
Meere, und Justinian hoffte mit Grunde, auf irgend eine Art hier früher und leichter, als anderswo,
einige Nachricht von der Flotte und dem Heere des
Maurus zu erhalten. Er hatte sich nicht geirret;
denn gleich an dem folgenden Tage sah man von
der Küste die ganze römische Flotte mit vollen Se-
geln nach dem Bosphorus steuern. Um das Nähere zu erkunden, sandte Justinian in einer leichten,
schnell segelnden Brigantine der Flotte sogleich einen seiner vertrauten Officiere nach. Dieser kam
bald wieder zurück, und brachte die, den Tyrannen
niederdonnernde Nachricht mit, daß Philippikus,
von beiden Heeren zum Kaiser ausgerufen, nun mit
der gesammten, in und bei Chersona gestandenen
Landmacht nach Constantinopel segele.

22. Justinian gerieth jetzt in eine Wuth, die
ihm alle Besonnenheit raubte. In seinem Unsinn
glaubte er, dem Philippikus noch zuvorkommen,
und früher als dieser Constantinopel wieder besetzen
zu können. Eiligst brach er also mit seinem Detaschement bei Ginglissa auf, stieß nach einigen Tag-
märschen wieder zu seinem, bei Damatris im Lager
stehenden Heere, und marschirte dann mit seiner gesammten Macht gegen Constantinopel. Aber noch
nicht sehr weit war er vorgerückt, als er die zweite,

ihn in noch größere Verzweifelung versetzende Botschaft erhielt, daß in ganz Constantinopel auch nicht
eine Hand zu seiner Vertheidigung sich erhoben,
die Stadt vielmehr unter Freudengeschrei ihre Thore
dem Philippikus geöffnet, und dieser von dem kaiserlichen Palaste schon Besitz genommen habe. Auf
diese Nachricht kehrte Justinian wieder nach Damatris zurück, ließ aber sein Heer in Schlachtordnung
lagern, fest entschlossen, sein und seines Nebenbuhlers Schicksal in einer Hauptschlacht zu entscheiden.

23. Aber schwach und schwankend ist jeder
Thron, den nicht Liebe und Treue umgeben, und
der blos Sclavenfurcht oder den Eigennutz feiler
Miethlinge zu seinen Stützen hat. Philippikus war
jetzt Herr der kaiserlichen Schätze, Herr aller Hülfsquellen, die eine ungeheure Hauptstadt ihm darbot.
Ein, weder durch Treupflicht, noch Ehrgefühl oder
Disciplin zusammengehaltenes Heer zum Abfall zu
reizen, war ihm also ein Leichtes. Elias übernahm
dieses Geschäft, und ungemein erleichtert ward es
ihm durch den, in jedem Herzen tief gewurzelten
Abscheu gegen den Despoten. Sobald also Elias,
an der Spitze einer kleinen, aber auserlesenen Schaar,
sich vor dem Lager bei Damatris zeigte, löste Justinians Heer sich sogleich von selbst auf. Mit eigenen Augen mußte der ohnmächtige, von Wuth
und Verzweifelung, wie von zwei Furien ergriffene
Tyrann jetzt sehen, wie die römischen Legionen zuerst zu Elias übergingen, und unter dessen Fahnen
sich reiheten, hierauf auch die Bulgaren ihre Schwer-
ter einsteckten, ihre Bogen abspannten, gegen die
Truppen des Elias, zum Zeichen des Friedens und
der Freundschaft, die Hände ausstreckten, ihre
Schlachtreihen verließen, und ruhig auseinander gingen. Durch eilige Flucht wollte Justinian sich ret-

ten, aber Elias, dem das blutige Bild seiner beiden, von dem Wütherich auf dem Schooße ihrer Mutter erwürgten Kinder vor der Seele schwebte, sprengte ihm nach, erhaschte ihn beim Mantel, riß ihn vom Pferde, hieb ihm den Kopf ab, und schickte diesen, als Zeichen des beendigten Bürgerkrieges, nach Constantinopel. So starb, mit dem Fluch der Menschheit belastet, Justinian II. im zwei und vierzigsten Jahre seines Alters.

24. Von seiner zweiten Gemahlin Theodora hinterließ Justinian einen Sohn, dem er den Namen Tiberius gegeben, und in der Wiege schon zum Augustus erklärt hatte. Als Philippikus in Constantinopel einzog, und die Stadt voll Tumult und Waffengeräusch, das Bild eines vom Feinde eroberten Lagers darbot, floh das kaum sechsjährige Kind in die, der Mutter Gottes geweihete Kirche in dem Stadtviertel der Blackerner; mit dem einen seiner kleinen Arme umfaßte es die dünne goldene Säule, auf welcher das Altarblatt ruhete, in der andern Hand hielt es die heiligste aller Reliquien, nämlich ein Stück des wahren Holzes von dem Kreuzstamme des Erlösers. Um das Leben des Kindes noch mehr zu schützen, stellte sich die Kaiserin Anastasia vor den Eingang der Kirche. Aber das tobende Volk, eben so verabscheuungswürdig, wenn es wüthet, als stupid und verächtlich, wenn es jubelt, achtete nicht der Thränen der ehrwürdigen Matrone, es sah in ihr nicht die ehemalige Gemahlin eines allgemein beliebten Kaisers, sondern blos die Mutter eines Ungeheuers, brach demnach unaufhaltsam in das Heiligthum, riß den schuldlosen, um Mitleiden flehenden Knaben erbarmungslos von den Stufen des Altars, schleppte ihn auf die Treppe der Kirche, und ermordete ihn hier unter den

Augen seiner jammernden Großmutter. Mit diesem letzten Sprößling erlosch das Haus des Heraklius; und da von jetzt an das Reich jedem kühnen, wenn nur vom Glücke begünstigten Abentheurer gehörte; so ward nun auch Philippikus allgemein als Kaiser erkannt. (711) *).

X.

1.　Durch Gundebergas Wahl bestieg Rotharis, Herzog von Brescia, im Jahre 636 den Thron der Longobarden **). Einige der Großen waren jedoch mit dieser Wahl nicht zufrieden; Andere wollten mit Gewalt sich derselben widersetzen. Aber Rotharis ließ weder seinen geheimen noch öffentlichen Feinden Zeit, sich gegen ihn zu verbinden, eilte mit kleiner, aber wohl disciplinirter Heeresmacht ihnen auf den Leib, zwang die Einzelnen, sich zu unterwerfen, strafte überall mit Härte, bis-

---

*) Um Justinians II. Regierungsgeschichte nicht zu unterbrechen, war obiger, die Grenzen des gegenwärtigen Zeitraums überschreitende Vorgriff in der Geschichte nothwendig. Ueberhaupt versteht es sich von selbst, daß in einer synchronistisch bearbeiteten allgemeinen Völker-, Kirchen- und Religionsgeschichte, die specielle Geschichte jedes einzelnen Volkes nie, oder nur selten auch gerade mit dem letzten Jahre des zu durchlaufenden Zeitraums sich endigen kann, sondern gewöhnlich einige Jahre bald früher, bald später einen in ihr selbst liegenden, dem Leser zum Ruhepunkt dienenden historischen Abschnitt darbietet.

**) Man sehe der Fortf. der G. d. R. J. 7ten Band. 19 Abschn. §. 26.

weilen selbst mit Grausamkeit, und ward nun in ganz Italien als König anerkannt *).

---

*) In der Periode der longobardischen Geschichte, mit der wir uns jetzt zu beschäftigen haben, fehlt es gänzlich an gleichzeitigen Geschichtschreibern. Der früheste ist Paulus Diaconus (Paul-Warnefried), der jedoch erst ungefähr hundert Jahre nachher lebte. Obgleich Paul Manches, was wahrscheinlich blos Volkssage war, in seine Geschichte aufnahm; so bleiben seine 6 Bücher de gestis Longobardorum doch immer die erste und vorzüglichste Quellenschrift. Die besten, mit erläuternden Noten versehene Ausgabe ist die im ersten Bande von Muratoris Script. Rer. Ital. — Fredegar ist in Allem, was nicht Frankreich betrifft, höchst unzuverlässig; nur gar zu oft verwirret er Zeiten und Personen, und, mit Ausnahme der Geschichte Frankreichs, ist sein Zeugniß von geringem Gewicht. — Die übrigen Geschichtschreiber sind weit später. Sigonius z. B. blühete erst in dem 16. Jahrhundert, und die Eleganz seines lateinischen Vortrages ist sein vorzüglichstes, wo nicht einziges, Verdienst. Indessen haben neuere italienische Geschichtforscher, wie Muratori, Zanetti, Gianoni und noch mehrere Andere, indem sie kirchliche Urkunden und gute, auf authentischen Zeugnissen beruhende Lebensbeschreibungen heiliger Männer zu benutzen wußten, so viel Licht, als möglich, in diese dunkle Periode der longobardischen Geschichte gebracht. Ein erst vor einigen Jahren erschienenes Werk eines deutschen Gelehrten, verdient ebenfalls hier eine sehr ehrenvolle Erwähnung; es heißt: Geschichte von Italien von Heinrich Leo, in der, von den Herren Heeren und Ukert herausgegebenen Geschichte der europäischen Staaten. Es enthält viel tief Gedachtes, ist daher belehrend, und vorzüglich zu empfehlen. Nur findet die, von uns schon einigemal gemachte Bemerkung auch hier ihre Anwendung. Man muß nämlich dem würdigen Verfasser Manches zu Gute halten, was nicht Leo, dem gelehrten und gründlichen Geschichtforscher, sondern Leo, dem Protestanten, und den tief eingewurzelten, gar nicht auszurottenden Vorurtheilen seiner kirchlichen Partei angehört, und zuzuschreiben ist.

2.   Als Gundeberga unter den longobardischen Herzogen wählte, hatte sie blos das Wohl des Reiches im Auge. Ihre Handlung war groß, denn sie erforderte ein großes Opfer; dieses ihrer Nation zu bringen, fühlte sich Theudelindens edle Tochter stark genug; und so gab sie dem Reiche einen großen Regenten, sich aber einen schlechten, ihrer selbst unwürdigen Gemahl. Ueberall in dem menschlichen Leben findet man zwar Licht und Schatten verbreitet; aber der glänzenden Lichtparthien wegen darf dennoch die Geschichte auch nicht die schwarzen, dunkeln Schatten übersehen. Rotharis war ein staatskluger Regent, ein tapferer, des Krieges kundiger Feldherr; er vergrößerte sein Reich, zügelte den Uebermuth unruhiger Großen, gab der Nation weise Gesetze, schützte die Ohnmacht gegen die Anmaßungen der Uebermacht, und entwickelte überhaupt gleich große Talente auf dem Schauplatz des Krieges, wie auf jenem der Politik und der innern Verwaltung. Aber als Mensch hatte sein Charakter, welchen grobe Laster befleckten, nicht eine einzige sanfte Tugend schmückte, durchaus keinen moralischen Werth. Zudem war er ein schlechter Gatte, zog die unreinen Liebkosungen feiler Buhlerinnen den keuschen Umarmungen seiner Gemahlin vor, und war endlich gegen seine Wohlthäterin im höchsten Grade undankbar und grausam. Schon im ersten Jahre nach seiner Vermählung ward er Gundebergas müde. Ohne eine Ursache anzugeben, beraubte er sie des königlichen Schmuckes, entzog ihr alle Insignien ihrer Würde, und ließ sie, gleich einer Privatperson, in einem Gemache des Palastes zu Pavia einsperren. Tief empfand die hochherzige Fürstin die unschuldig empfangene Schmach; aber die Tröstungen der Religion gaben ihr Stärke, sich ihrem harten Schicksale, als einer, von der Hand der Vorsehung ihr

geschickten Prüfung mit Geduld zu unterwerfen. Ganz Gott ergeben, weihete sie auch jetzt ihr ganzes Leben ausschließlich ihrem Gotte; und die fünf Jahre, welche sie noch zu dulden hatte, füllte nun ununterbrochene Uebung jener höhern Tugenden aus, welche blos das Christenthum kennt, weil nur das Evangelium sie lehrt, und sie zu üben die nöthigen Kräfte leihet. Gundeberga gehörte der wahren allgemeinen Kirche an; ihr ungerechter gegen sie so harter Gemahl war ein Arianer *).

3. Als nach Kaisers Heraklius Tod Familienzwist und blutiger Kampf wegen der Thronfolge Constantins Reich erschütterten und verwirrten, glaubte Rotharis diesen, ihm so günstigen Zeitpunkt benutzen zu müssen, um auf Unkosten der Römer die Grenzen seines Reichs zu erweitern. Zwar hatte sein Vorfahrer einen sechs und dreißigjährigen Waffenstillstand mit den Römern geschlossen; aber selten halten der Macht, wenn Aussicht auf Vergrößerung sie reizt, Recht und Gerechtigkeit die Wagschale. Unvermuthet fiel also im sechsten Jahre seiner Regierung Rotharis mit starker Heeresmacht in die cottischen Alpen, eroberte Genua und alle Städte längs der toscanischen Küste bis an die Grenzen des fränkischen Reiches. Er zog hierauf nach Venetien, eroberte die ganze Provinz und alle Städte, welche bis jetzt auf dem venetischen Festland den Römern gehörten. Aber der tapfere Widerstand der Einwohner von Oderzo reizte den Zorn des Siegers; als er nach langer Belagerung die Stadt eroberte,

---

*) Beispiele der gefährlichen Folgen gemischter Ehen, sogar unter den Großen und Mächtigen dieser Erde, liefert die Geschichte aller Jahrhunderte; und selbst die allerneueste Geschichte ist daran noch nicht verarmt.

machte er sie dem Erdboden gleich. Die flüchtigen und vertriebenen Bürger von Oderzo vermehrten nun die Bevölkerung der Lagunen, und die neue Stadt Heraclea, welche sich bald darauf aus den Sümpfen der Brenta erhob, und lange Zeit der Sitz der Regierung des venetianischen Inselstaates blieb, war eine Folge der Zerstörung von Oderzo. Um den Eroberungen der Longobarden Einhalt zu thun, hatte der Exarch Isaacius ein bedeutendes Heer zusammengezogen. Rotharis war gerade mit der Belagerung von Perugia beschäftiget. Unverrichteter Dinge wollte er vor dieser Stadt nicht abziehen; Isaacius hatte also Zeit, einige Grenzbezirke des longobardischen Reiches mit Feuer und Schwert zu verheeren. Sobald aber der König Perugia zur Uebergabe gezwungen hatte, ging er mit seinem Heere dem Isaacius entgegen, schlug ihn bei dem Fluß Panaro auf das Haupt, tödtete ihm acht tausend Mann, machte überdies eine Menge Gefangene, und setzte den Exarchen außer Stand, noch ferner Etwas gegen ihn zu unternehmen. Obgleich Rotharis nun nirgends großen Widerstand zu befürchten hatte; so setzte er dennoch seinen Eroberungen ein Ziel, begnügte sich mit dem, was er den Römern entrissen hatte, und diese, sehr zufrieden, daß der König ihnen jetzt dasjenige ließ, was sie noch besaßen, suchten ebenfalls nicht, das Verlorne wieder zu erobern; und so ward, ohne daß man einen Waffenstillstand oder förmlichen Vertrag schloß, der Friedenszustand zwischen den Römern und Longobarden auf mehrere Jahre wieder hergestellt.

4. Die Longobarden entbehrten noch immer der Wohlthat geschriebener Gesetze, und bei ihren Fortschritten in der Civilisation ward dieses Bedürfniß um so fühlbarer, da die Großen und Mächti-

gern gleichsam ein Recht erworben zu haben glaubten, die Ueberlieferungen der Vorfahren, nach welchen alle Criminal = und Civilfälle entschieden wurden, stets auf eine, ihrem Interesse entsprechende Weise zu deuten. Um nun, wie es in der Vorrede zu dem longobardischen Gesetzbuch heißt, dem Uebermuth der Reichen Einhalt zu thun, und auch dem Niedrigsten den Besitz des Seinigen ungekränkt zu sichern, ließ Rotharis alle, bis jetzt gesetzliche Kraft habende Gewohnheiten und Gebräuche sammeln, sonderte, nach reifer Prüfung, das Unzweckmäßige, wie Ueberflüssige davon ab, ergänzte das Mangelhafte, fügte nach den gestiegenen Bedürfnissen der Zeit mehrere neue Verordnungen hinzu, und ließ nun die ganze Sammlung in teutonisch = lateinischer Sprache niederschreiben. Rotharis versammelte hierauf, und zwar im achten Jahre seiner Regierung und fünf und siebenzig Jahre nach Alboins Einfall in Italien, im Palaste seiner Residenz sämmtliche Großen der Nation, und als diese dem neuen Gesetzbuch ihre Zustimmung gegeben hatten, ward es auch von dem, in den Feldern von Pavia versammelten Volke bestätiget und angenommen.

5. In dem Coder der Longobarden war das Criminalrecht von dem Civilrecht nicht getrennt. Nur auf Hochverrath *) an der Nation oder der

---

*) Hierher gehörte: 1. Mordanschlag gegen das Leben des Königes, so wie jeder Angriff auf seine Person. 2. Flucht zu dem Feinde. 3. Verrath des Landes an den Feind. 4. Schutz, den man einem zum Tode Verurtheilten gewährte. 5. Empörung gegen den Anführer in einem Feldzug. Flucht aus der Schlacht. 6. Eigenmächtiges Ergreifen der Waffen gegen irgend eine Person in der königlichen Burg.

Person des Königes, war Todesstrafe gesetzt. Jeder andere Frevel, selbst Mord, konnte durch Geld gebüßet werden. Indessen wurde doch demjenigen, der falsche Münze, oder falsche Schriften und Briefe verfertiget hatte, die rechte Hand abgehauen; und auch der Sclave, der seinen Herrn getödtet hatte, mußte, gleich dem, der an dem König oder der Nation ein Majestätsverbrechen begangen hatte, sterben *). Aber dem sittlichen Gefühle des germanischen Völkerstammes der Longobarden machte es Ehre, daß sie Keuschheit dem Leben gleich achteten, mithin gewaltsame Entführung, oder Schändung ehrbarer Frauen und Jungfrauen, mit der nämlichen, auf vorsätzlichen Mord gesetzten Strafe belegten. Dieses letztere Verbrechen ward als das größte betrachtet, daher auch die höchste Geldbuße, nämlich 900 Goldgulden, dafür entrichtet, jedoch dabei ein empörender Unterschied zwischen einem freien und unfreien gemacht; so daß der Mord des Letztern schon mit fünfzig Goldstücken gesühnt werden konnte **). Andere, minder schwere Verbre-

---

*) Ward jedoch eine Frau im Ehebruch ergriffen, so war es ihrem Manne ebenfalls erlaubt, den Ehebrecher zu tödten, ohne daß dessen Verwandte berechtigt gewesen wären, vor Gericht die auf einen Mord gesetzte Geldbuße zu fodern. Auch wenn eine Freie ihren leibeigenen Knecht heirathete, konnte ihr Vormund beide tödten, oder die Erstere als Sclavin im Auslande verkaufen; that er dieses nicht, so fiel sie dem König heim, und ward dessen Magd.

**) Und dies höchst wahrscheinlich auch nur in dem Falle, wenn der getödtete Knecht einem andern Longobarden gehörte, welcher alsdann auch zu seiner Entschädigung die von dem Gesetze vorgeschriebene Geldbuße empfing; das heißt, nach Abzug des, was davon dem königlichen Fiscus zufiel; denn von allen Geldbußen erhiels der

chen, als: Diebstahl, Verwundung, Mißhandlung durch Schläge 2c. 2c., waren mit einer beinahe über: triebenen Sorgfalt abgewogen. Zerschlug oder zer: brach Einer einem Andern einen Knochen, so mußte Ersterer eine Geldbuße von zwölf Goldstücken er: legen, für zwei Knochen vier und zwanzig, für drei Knochen sechs und dreißig; waren es aber noch meh: rere, so wurden sie nicht mehr gezählt, und wenn der Verletzte an seinen Wunden nicht starb, nur mit sechs und dreißig Goldstücken bezahlt. Aber nun war auch noch auf eine, man kann wohl sagen, lächerliche Art bestimmt, was unter einem Knochen zu verstehen wäre; dieser mußte nämlich, wenn die bestimmte Geldbuße dafür bezahlt werden sollte, wenigstens von der Stärke seyn, daß er, wenn man ihn aus einer Entfernung von zwölf Schritten gegen ein Schild warf, einen in der nämlichen Entfer: nung hörbaren Schall von sich gab. Indessen war der mindeste Diebstahl ungleich höher taxirt, als die schwerste körperliche Verletzung, und die Beraubung der Gräber ward sogar einem vorsätzlichen Todt: schlage gleich geschätzt, und mit hundert Goldgulden gebüßt *).

Beleidigte nur die Hälfte, die andere Hälfte gehörte dem König.

*) Es ist unverständig, wenn man, wie schon geschehen, dem Rotharis den Vorwurf macht, Leben und Ehre mit Geld abgewogen und demselben gleich geschätzt zu haben. Man muß sich in jene Zeiten versetzen, und die Verfassung und den Charakter der Nation kennen; der Longobarde, noch ziemlich roh, in allen seinen Verhältnissen, außer in jenen zum Staate, völlig unabhängig und dabei zornmüthig, war gar zu sehr zur Selbstrache geneigt; auch ward ihm durch die beinahe ununterbrochenen Kriege, welche die Na: tion führen mußte, das Rauben und Stehlen gleich-

6. Ein, das longobardische Gesetzbuch sehr vortheilhaft auszeichnender Zug ist es, daß darin alle sogenannten Hexenprozesse, welche in dem fränkischen Criminalrecht eine Hauptsache ausmachten, als unchristlich verworfen und verboten wurden. Grenzenlosem, grausamem Unfug wurde dadurch ein Ende gemacht. Als der fränkischen Königin Fredegunde ein Sohn starb, ward beinahe ein ganzes Heer alter Weiber, die den Prinzen verhext haben sollten, in Paris lebendig verbrannt *).

7. Schon von den ältesten Zeiten her hatte die Nation der Longobarden, weil an sich nicht sehr zahlreich, ihren im Kriege erlittenen Verlust, durch willige und zuvorkommende Aufnahme der Fremden, selbst der im Kriege Gefangenen, denen sie stets gleiche Rechte mit ihren eigenen Bürgern zusicherte, zu ersetzen gesucht. Dieser Staatsmaxime zufolge, ward nun auch in Rotharis Gesetzbuch durch eine klar ausgedrückte Verordnung festgesetzt, daß alle Fremde,

_____

sam zur andern Natur. Würde man also Mord, körperliche Verletzungen und Raub mit dem Tode oder Einkerkerung haben bestrafen wollen; so hätte man auch wenigstens ein Drittel der Nation hinrichten, und ein anderes Drittel einsperren müssen.

*) In Rotharis Gesetzbuch, Kap. 579 heißt es: Nullus praesumat aldiam alienam aut ancillam quasi strigam, quae dicitur Masca occidere, quia Christianis mentibus nullatenus est credendum, nec possibile est, ut hominem vivum intrinsecus mulier possit comedere etc. Murat. scr. rer. It. T. I. p. 2. pag. 47. — Der Glaube an Hexen herrschte schon bei den alten Römern, denn Striga und Strix sind ächt alt-römische, selbst classische Wörter; Letzteres findet man beim Horaz und Petronius; dieser sagt: quae striges comederunt nervos tuos? — —

alle aus den entferntesten Weltgegenden, in das longo=
bardische Reich geflüchtete Leute; wenn sie auch kein Ei=
genthum hatten, und daher in andern Ländern so herab=
gewürdiget waren, daß man, wie z. B. in Frankreich
und nachher auch in Deutschland, Sachsen 2c., weder
ihre Ehen noch ihre Kinder anerkannte, ohne Unter=
schied gleiche Rechte mit den Longobarden, und wie
diese alle Wohlthaten der Gesetze genießen sollten. *)

     8. Ungleich länger, als burgundisches, baieri=
sches und fränkisches Recht, erhielt sich der longobar=
dische Codex, und er herrschte auch dann noch, als
das Reich der Longobarden längst schon erloschen war.
Selbst nach Wiederauffindung der Pandekten, blieb
derselbe noch in Kraft, und fand eben so viele und
eben so berühmte Commentatoren, als das römische
Recht **). Nachdem die Normänner Sicilien und
Unteritalien erobert hatten, unterwarfen sie sich eben

---

*) Solche Herren=, Eigenthum= und mithin ganz bürger=
lose Fremdlinge, nannte das spätere deutsche Recht
Wildfänge, die Sachsen Biesterfreie; sie wur=
den bei diesen Völkern für so völlig rechtlos gehalten,
daß man, wie schon oben bemerkt worden, nicht ein=
mal ihre Ehen und Kinder anerkannte.

**) Ueberhaupt war die ganz unbedingte Einführung des
alten römischen Gesetz=Corpus, ohne alle Rücksicht so=
wohl auf das Princip und den Begriff einer
christlichen Rechtsgesinnung, als auch auf die, in al=
len ältern germanischen Gesetzgebungen liegende, hö=
here Billigkeit, nichts weniger, als ein sehr se=
genvolles Geschenk, und der Enthusiasmus, oder viel=
mehr Fanatismus, mit dem man sich überall in dem
Abendlande dem neuen Studium der römischen Rechts=
lehre hingab; nichts als ein höchst gefährliches Symp=
tom einer neuen Krankheit des damaligen Zeit=
geistes. Man sehe v. Schlegels Phil. d. Gesch. B. 2.
S. 162.

falls den longobardischen Gesetzen, und Friederich II. aus dem schwäbischen Kaiserhause, Erbe des normännischen Reiches in Neapel und Sicilien, suchte das fränkische Recht aus Italien zu verbannen, und erhob dafür das longobardische zur einzigen Richtschnur der Gerechtigkeitspflege in allen seinen italienischen Staaten.

9. Am Ende des Coder, den Rotharis unter dem Titel: Königliches Edict bekannt machte, fordert der longobardische Gesetzgeber seine Nachfolger auf, das daran noch Mangelhafte zu verbessern, das Fehlende durch neue Verordnungen zu ersetzen, und durch sein Beispiel ermuntert, haben wirklich die weisesten der folgenden Könige die Verbesserung der Gesetze zu einem vorzüglichen Gegenstand ihrer Aufmerksamkeit gemacht*). Schon der tapfere und kühne Grimoald erlaubte sich manche Verbesserungen; aber unter allen longobardischen Königen zeichnete sich, wie wir in der Folge sehen werden, König Liutprand, der im Anfange des 8ten Jahrhunderts den

---

*) In keiner der Abschriften des von Rotharis gegebenen Coder, findet sich zwar dessen hier oben erwähnte Aufforderung an seine Nachfolger; aber sie muß doch da gewesen seyn, weil König Liutprand in der Einleitung zu seinem neuen Gesetzbuche sagt: — — recolimus, quoniam robustissimus decessor noster atque eminentissimus Rotharis rex, sicut ipse est in scriptis effatus suis, superius in Longobardis edictum renovavit, atque instituit, ubi et prudenter inserere curavit, dicens, ut quisque Longobardorum princeps ejus successor, superfluum, quod ibi reperiret, ex eo sapienter auferat, et quod minus inveniret, Deo inspirante adjiceret.

Thron der Longobarden bestieg, durch einen, über seine Nation und sein Zeitalter hervorragenden Geist weiser Gesetzgebung aus; so daß das longobardische Gesetzbuch, allgemein anerkannt als das minder unvollkommenste unter allen Gesetzbüchern der, in die Provinzen des römischen Reiches eingewanderten Barbaren, nachher die Grundlage des Feudalrechts aller europäischen Nationen ward*).

10. Nach sechzehnjähriger, ruhmvoller Regierung, starb endlich Rotharis im Jahre 652. Von seinen Unterthanen geliebt, von den Großen seines Reiches gefürchtet, und von allen seinen Nachbarn geehret, übertraf Rotharis an Klugheit, Tapferkeit, Kriegskunde und Regentenweisheit alle übrige Fürsten seiner Zeitgenossen. Obgleich ein Arianer, hatte er doch nicht den Verfolgungsgeist seiner Sekte. Seinen Unterthanen ließ er völlige Freiheit, zu welcher von beiden Religionen sie sich bekennen wollten, daher er auch dafür sorgte, daß in allen Städten, welche bischöfliche Sitze waren, stets zwei Bischöfe gewählt wurden, nämlich ein Rechtgläubiger und ein Arianer. Zum Nachfolger hatte Rotharis seinen Sohn Rodoald, welchen er schon seit vier Jahren zum Mitregenten ernannt hatte.

11. In den ersten Jahren der Regierung Königs Rotharis starb auch Arechis, zweiter Herzog von Benevent, nach einer fünfzigjährigen Regierung, während welcher er als Regent und als Heerführer sich Ruhm und Ehre erworben hatte. An seinem Hofe lebten des erschlagenen Herzoges Gisulphs von Friaul,

*) Auch Montesquieu gesteht dem longobardischen Gesetzbuch diesen Vorzug zu. Esp. des loix, l. 28, c. l.

beide Söhne Rodoald und Grimoald*). Arechis liebte beide Prinzen mit der Zärtlichkeit eines Vaters, und da er selbst nur einen einzigen Sohn, Namens Ajo hatte, so verordnete der sterbende ehrwürdige Greis, daß im Falle sein Sohn ohne männliche Erben sterben würde, Gisulphs beide Söhne das Herzogthum erhalten sollten. Ajo war ein gutmüthiger, jedoch an Geist schwacher Herr, hatte aber an Rodoald und Grimoald zwei kräftige Stützen, denn auf seinem Sterbebette hatte ihnen Arechis seinen Sohn noch empfohlen. Das erste Jahr nach des Vaters Tod, ging daher auch für den neuen Regenten ruhig und glücklich vorüber; aber in dem zweiten fielen die Slaven in das Herzogthum. Ajo ging ihnen gleich mit einem Theile des Heeres entgegen; mit dem andern rückten Rodoald und Grimoald ihm nach. Aber Ajo erwartete nicht die Ankunft der beiden Brüder, griff das feindliche Lager an, stürzte in einen Graben, und ward von dem Feinde erschlagen. Gisulphs Söhne rächten den Tod des jungen Herzogs, schlugen die Slaven auf das Haupt, und jagten sie wieder aus Italien hinaus. Der von Arechis getroffenen Verfügung zufolge, übernahmen nun Rodoald und Grimoald gemeinschaftlich die Regierung des Herzogthums. Fünf Jahre nachher starb Rodoald; und Grimoald, von welchem wir jetzt bald sehr vieles werden zu erzählen haben, war nun alleiniger Herzog von Benevent.

XI.

1. Nach seines Vaters Tode regierte Rodoald nur sechs Monate; denn mit einer edeln Longobar-

---

*) Man sehe des 7ten Bandes 29. Abschn. §. 18.

din im Ehebruch getroffen, ward er von dem beleidigten Gatten ermordet. Die Geschichte sagt nicht, ob und wie dieser Königsmord bestraft worden. Zwei von Rotharis Gesetzen stehen hier im schneidenden Widerspruch; das Eine überläßt den Ehebrecher der Willkühr des, durch die Schande seiner Frau gleichfalls mit Schmach bedeckten Gatten; tödtet ihn dieser, so können die Anverwandten des Getödteten keine Geldbuße von ihm fordern; und Kraft eines andern Gesetzes, muß Jeder, der einen Anschlag auf das Leben des Königs macht, ohne Ausnahme sterben. Es wäre höchst interessant, die gerichtliche Entscheidung über Rodoalds Ermordung zu wissen; denn sie würde uns über das religiöse Band zwischen den longobardischen Königen und der Nation, sowie über deren Begriffe von der Majestät der königlichen Würde willkommene Belehrung ertheilen. Mit Rodoald erlosch zwar Theudelindens Nachkommenschaft; aber das Bild dieser großen Fürstin lebte noch immer in dem Andenken der Nation, und so ward jetzt durch freie Wahl Theudelindens Bruders Sohn, Aripert auf den Thron der Longobarden erhoben. Durch ihn kam das Reich auf einige Zeit in das Bayer'sche Haus. (653.)

2. Aripert war ein friedliebender Herr; seine Regierung, welche jedoch leider nur eine kurze Dauer von 9 Jahren hatte, war daher auch ruhig und, weil arm an geräuschvollen Ereignissen, wahrscheinlich auch glücklich für sein Volk. Ein Sprößling des Bayer'schen Hauses, war Aripert ein Katholik; als ein rechtgläubiger Sohn der Kirche, sorgte er demnach auch für das Beste derselben, und der Eifer gottseliger Bischöfe, unterstützt durch die Bemühungen des frommen Königs, vermehrte sehr bedeutend

während der Regierung desselben, die Anzahl der rechtgläubigen, dem arianischen Wahne nicht mehr ergebenen Longobarden.

3. Seitdem die Longobarden sich in Italien niedergelassen hatten, war Aripert der erste König, welcher, als er starb (662.) zwei Söhne, Godebert und Bertharid hinterließ. Unter diesen Beiden theilte Aripert das Reich; ein Beweis, daß, wie die Franken, auch die Longobarden demselben Erbrecht huldigten, und die Söhne eines Königs zur Theilung dessen Reiches sich berechtiget fühlten. Aber bei der ohnehin schon zu sehr angewachsenen Macht der Herzoge, ward deren unruhiger Ehrgeiz durch diese Theilung nur noch mehr geweckt; jeder war sicher, entweder an dem Einen oder Andern der beiden Könige einen Anhaltpunkt zu finden; und beide Monarchen, in die Privatzwiste ihrer Großen hinein gezogen, mußten nun nothwendig bald miteinander selbst in Conflict gerathen. Die Einigkeit der beiden Brüder war demnach von kurzer Dauer. Jeder strebte nach der Alleinherrschaft, und jeder rüstete sich im Stillen, seine gegründeten oder ungegründeten Ansprüche durch Waffengewalt zu unterstützen.

4. Godebert hatte seinen königlichen Sitz zu Pavia, Bertharid zu Mailand. Ersterer bewarb sich um die Freundschaft und den Beistand des mächtigen Herzogs Grimoald von Benevent. Zu diesem sandte er also den Garibald, Herzog von Turin mit kostbaren Geschenken*), und ließ ihm die Hand seiner Schwester anbieten, jedoch unter der

---

*) Wovon aber der schelmische Herzog einen größen Theil für sich zurück behielt.

Bedingung, daß er in der ihm bevorstehenden Fehde mit seinem Bruder, seinen Fahnen folgen sollte. Aber Garibald, dessen Stolz sich vielleicht beleidiget fühlte, der Herrschaft einer fremden Dynastie zu gehorchen, ward zum Verräther an seinem Herrn. Statt den tapfern Herzog von Benevent in das Interesse des Königs zu ziehen, ermunterte er ihn vielmehr, sich selbst des Thrones zu bemächtigen. Die beiden Brüder, sagte er, wären junge, unruhige und unerfahrne Prinzen, deren immerwährender Zwist endlich das ganze Reich in Verwirrung und innere Kriege verwickeln würde. An dem Ohr des eben so ehrgeizigen und herrschsüchtigen, als mächtigen Herzogs ging Garibalds verrätherischer Rath nicht unbeachtet vorüber. Unter allen longobardischen Herzogen war der von Benevent der mächtigste. Grimoald hatte mit Glück gegen Slaven und Griechen *) gefochten, durch kluge und ge-

---

*) Es war nämlich den Griechen, die seit einiger Zeit schon das Berauben und Plündern der Kirchen mit vielem Segen in Italien getrieben, und unlängst erst die lateranische Kirche in Rom ganz methodisch rein ausgeplündert hatten, nun eingefallen, in derselben frommen Absicht auch der, auf dem Berge Gargano in Apulien erbaueten, mithin in dem Gebiete von Benevent gelegenen, sehr reichen Kirche zum Erzengel Michael einen Besuch abzustatten. Aber bei der ersten Nachricht davon, schwang Herzog Grimoald sich auf das Pferd, nahm blos eine Hand voll in der Eile zusammengeraffter Leute mit, erreichte die ihm an Zahl weit überlegenen Griechen, als sie gerade mit ihrer, auf so ehrenvolle Weise gewonnenen Beute wieder den Rückmarsch antreten wollten, griff sie sogleich mit seiner gewöhnlichen Tapferkeit an, tödtete viele der Ihrigen, jagte die übrigen in die Flucht, nahm ihnen den ganzen Raub wieder ab, und gab ihn der Kirche zurück.

rechte Verwaltung sich Ehre und die Liebe seiner
Unterthanen erworben, stand bei der ganzen Nation
in großem Ansehen, und konnte bei seinem kühnen
Unternehmen, nicht ohne Wahrscheinlichkeit, auf
zahlreichen Anhang in allen Theilen des Königreiches zählen. Mit einem ziemlich zahlreichen, in aller Eile zusammengebrachten Heere, zog also jetzt
Grimoald gegen Pavia. Thrasimund, Grafen von
Capua, sandte er voraus, um in Umbrien, Tuscien,
Aemilien die Stimmung der Gemüther zu erforschen, und in diesen Provinzen ihm so viele Anhänger
als möglich zu gewinnen. Thrasimund erledigte sich
dieses Auftrages mit so gutem Erfolge, daß er auf
dem Aemilischen Wege, zwischen Modena und Reg-
gio, mit einer bedeutenden Verstärkung an Mannschaft wieder zum Heere des Herzogs von Benevent stieß.

5. Bei Placenza machte Grimoald mit dem Heere
Halt, und schickte den Garibald nach Pavia, um König Godebert seine Ankunft zu melden. Der arglose
Monarch, außer sich für Freude über die Ankunft und
den Beistand eines so mächtigen Vasallen, war jetzt
blos darauf bedacht, wie er seinem, ihm so will-
kommenen Gast einen recht glänzenden Empfang bereiten möchte. Garibald, der, wie es scheint, zwischen dem König und Grimoald, die Möglichkeit
einer Aussöhnung fürchtete, wovon er alsdann ganz
gewiß das Opfer seyn würde, nahm nun abermals
zu schändlicher Arglist seine Zuflucht; er gab dem
König warnende Winke und unter anderen den verrätherischen Rath, daß er zu seiner größern Sicherheit bei dem Empfang des Herzoges, einen Harnisch unter seinem Oberkleide anlegen möchte. Der
treulose Rath ward von dem unvorsichtigen Könige
befolgt. Garibald eilte nun in das Lager bei Pla-

cenza, und auch hier gelang es ihm, den Herzog
durch allerlei Phantome zu schrecken, ihn gegen Godeberts treulose Anschläge zu warnen. — Um dem
Manne, dem er die Hand seiner Schwester bestimmte, recht zu ehren, hatte Godebert seinen eigenen Palast dem Herzoge zur Wohnung angewiesen;
und eilte nun, als er hörte, daß derselbe im Palaste angekommen wäre, ihm entgegen, um ihn zu
bewillkommen und zu umarmen. Aber bei dieser
Umarmung fühlte Grimoald, daß der König einen
Harnisch unter dem königlichen Mantel trage; Garibalds verrätherischer Warnungen eingedenk, schien
es ihm nun außer allem Zweifel, daß Verrath hier
im Hinterhalt laure, und um jedem Mordanschlag
zuvorzukommen, zog er schnell sein Schwert, und
stieß es dem unglücklichen König durch den Leib.
Grimoald nahm hierauf sogleich von dem Palaste
und den königlichen Schätzen Besitz. Regimbert,
Godeberts Söhnchen, ward durch die Treue einiger
Diener gerettet und verborgen; da das Kind aber
noch von sehr zartem Alter war, so schien es selbst
dem Grimoald so unschädlich, daß er nicht einmal
Nachforschungen anstellen ließ. Von Pavia brach
Grimoald jetzt unverzüglich gegen Mailand auf. Als
Bertharid erfuhr, welches traurige Loos seinem Bruder zu Theil worden, entsank ihm so sehr der Muth,
daß er, ohne an Widerstand zu denken, und blos
auf eigene Sicherheit bedacht, selbst mit Zurücklassung seiner Gemahlin Rodelinde, und seines
Sohnes, des Knaben Cunibert, Mailand eiligst
verließ, und zu dem Chagan der Avaren floh. Rodelinde und Cunibert fielen nun in die Hände Grimoalds, der Beide nach der Stadt Benevent verbannte.

6. Da Grimoald jetzt auch Herr von Mai-

land war; so berief er, seiner Macht sich bewußt, die Nation zu einem Reichstage auf den Feldern von Pavia, und ward dort mit Zustimmung aller Großen, deren Zunge die Furcht eben so fesselte, wie der Schrecken ihre Arme lähmte, zum König der Longobarden ausgerufen. Von seinen benevens tanischen Truppen behielt er einen Theil als Leibs wache bei sich, und schenkte ihnen Güter und Grund stücke in der Gegend von Pavia. Den Rest des Heeres, nachdem er es reichlich belohnt hatte, sandte er nach Benevent zurück, und übergab das Herzog thum seinem tapfern, jetzt kaum noch zum Jüngling gereiften Sohn Rodoald.

7. Gleich einem Landflüchtigen, obgleich von einem Heere begleitet, war indessen Kaiser Constans bei Tarent gelandet. Sein vor seiner Abreise von Constantinopel bekannt gemachter Entschluß, das Reich der Longobarden in Italien zu zerstören, war, wie der Leser schon weis, blos ein lügenhafter Vorwand, unter welchem er das Schmähliche seiner Flucht oder Selbstverbannung aus der Hauptstadt seines Reiches zu verhüllen suchte. Aber jetzt, als er den von Truppen entblößten Zustand des Herzogthums Be nevent erfuhr, ward der Reichthum der vielen blü henden Städte des Landes für seine Habsucht eine unwiderstehliche Lockung. Seine mitgebrachten Trup pen verstärkte er durch die Besatzungen aller, den Römern in Italien noch unterworfenen Städte, fiel in das Herzogthum ein, plünderte und zerstörte die reiche Stadt Luzeria (jetzt Nocera), zog un verrichteter Dinge vor Acerenza wieder ab, und begann endlich die Belagerung von Benevent, der Hauptstadt des Herzogthums.

8. Die wohl befestigte Stadt vertheidigte der

junge Herzog selbst.   Zwar war die Besatzung nicht sehr zahlreich; aber demungeachtet leistete Romuald tapfern Widerstand, schlug alle Stürme des Feindes zurück, machte viele Ausfälle, und hielt Tag und Nacht des Kaisers Heer in Athem.

9. Der junge Herzog hatte schon vor der Belagerung, nämlich so bald ihm von den feindlichen Bewegungen der Griechen einige Kunde geworden war, seinen ehemaligen Hofmeister Sensuald zu dem Könige nach Pavia geschickt, um schleunige Hülfe von demselben zu erbitten.   Auf diese Botschaft brach Grimoald sogleich mit seinem Heere auf. An den Grenzen des Herzogthums angekommen, sandte er den Sensuald wieder zurück, um den vielleicht sinkenden, oder schon gesunkenen Muth der schwachen Besatzung durch die Versicherung des herannahenden Entsatzes, auf das neue wieder zu beleben.   Unglücklicher Weise fiel Sensuald den Griechen in die Hände; von ihm erfuhren sie, daß Grimoald in Eilmärschen gegen sie anrücke.   Mehr bedurfte es nicht, um den Kaiser zu bewegen, die Belagerung sogleich aufzuheben.   Bevor er aber abzog, wollte er wenigstens durch List noch einige Vortheile sich erringen.   Er zwang also den Sensuald, unter die Mauer der Stadt zu treten, eine Unterredung mit dem Herzog zu begehren, und diesem dann die traurige Botschaft zu bringen, daß sein Vater außer Stände wäre, ihm Hülfe zu leisten; er also, so gut er könnte, einen Vergleich mit dem Kaiser schließen möchte.   Sensuald versprach Alles, was man von ihm forderte; als aber Romuald auf der Stadtmauer erschien, rief er ihm zu: „Edler Herzog! „fasse Muth; mit einem mächtigen Heere eilt Dir „der König, dein Vater zu Hülfe; und schon heute „gegen Abend wird er an den Ufern des Sangro

„stehen. Da ich voraus sehe, daß die treulosen „Griechen mich jetzt ermorden werden; so empfehle „ich deiner Fürsorge meine Frau und meine Kin„der." — Sensuald hatte sich nicht geirret. Constans, unfähig das Edle dieser Handlung zu fühlen, ließ ihn auf der Stelle enthaupten, und den Kopf durch eine Balliste in die Stadt schleudern. Als Sensualds abgeschlagenes Haupt dem Romoald gebracht wurde, benetzte er es mit seinen Thränen, bedeckte es mit Küssen, und ordnete ihm fürstliches Begräbniß. — In aller Eile brach der Kaiser nun sein Lager ab, und zog sich mit seinem Heere gegen Neapel zurück. Aber Mitela, Graf von Capua, ereilte die mehr fliehenden, als sich zurückziehenden Griechen bei dem Fluß Calor, griff sie an, hieb ihren Nachtrab zusammen, und jagte des Kaisers ganzes Heer in die Flucht. Saburrus, einer der kaiserlichen Unterfeldherren, ein tapferer und kühner Mann, erbot sich diese Schmach zu rächen, wenn man ihm ein Heer von zwanzigtausend Mann mit unbeschränkter Vollmacht überlassen wollte. Saburrus Anerbieten ward angenommen. Sogleich marschirte er mit seinem Heere an den Paß Formiä (der heutigen Mola di Gaeta) schlug da sein Lager auf, sowohl um den Zug des Kaisers, der jetzt nach Rom ging, zu decken, als auch den Longobarden in dieser gut gewählten Stellung ein Treffen zu liefern. König Grimoald wollte unverzüglich dem Saburrus entgegen gehen; aber Romuald bat es sich von seinem Vater als eine besondere Gnade aus, daß man es ihm allein überlassen möchte, die Römer, wie es sich geziemte, zu bewillkommen. Der Vater willigte ein, und mit dem Kern des Heeres marschirte Romoald nach Formiä. Sobald beide Heere einander gegen über standen, kam es auch zur Schlacht. Durch Saburrus

Beispiel ermuntert, fochten Römer und Griechen mit ungewöhnlicher Tapferkeit. Aber auch Romoald befeuerte durch sein Beispiel den Muth der Seinigen. Lange ward mit gleichem Erfolge gekämpft. Als aber ein Longobarde, Namens Amelung, ein Mann von ungeheurer körperlicher Stärke, der die königliche Standarte führte, mit dieser einen, ebenfalls durch seine Größe hervorragenden Griechen aus dem Sattel hob, und hoch in der Luft über das Pferd hinüber schleuderte, ergriff die nächst dabei stehende römische Schaar ein solcher Schrecken, daß sie sämmtlich davon floh. In die dadurch entstandene Lücke drangen nun die Longobarden, sprengten das feindliche Centrum, fielen den Griechen in die rechte und linke Flanke, und richteten ein furchtbares Blutbad unter ihnen an. Mit dem Reste des geschlagenen Heeres zog Saburrus, der ein besseres Schicksal verdient hätte, nach Tarent. — Im Kranze des Siegers kehrte Romuald nach Benevent zurück. Der König, sein Vater, der am Thore ihn erwartete, ging ihm mit glänzendem Gefolge entgegen, und unter dem lauten Jubel des herbeiströmenden Volkes, hielt der junge Held seinen triumphirenden Einzug in die Stadt*).

*) Auch in noch anderer Hinsicht war Benevents Belagerung für die in dem Herzogthum wohnenden Longobarden von nicht minder großem Segen. Obgleich getauft, mithin Christen und Anbeter Jesu, hatten die Longobarden doch noch manchen heidnischen Aberglauben und abergläubische Gebräuche beibehalten. So z. B. erzeigten sie einer Otter, wovon jeder ein Bild zu Haus hatte, abgöttische Verehrung; auch einen gewissen Baum hielten sie für heilig, brachten Opfer unter demselben und befestigten an dessen Aesten bisweilen ein Stück Leder, warfen dann nach demselben zu Pferde in vollem Jagen rückwärts den Wurfspies, und wem es gelang, ein

9. Dem bösen und arglistigen Herzog von
Turin war indessen, wie er es verdient hatte, ge-
lohnt worden. Ein Anverwandter des ermordeten
Königes Godebert übernahm die Blutrache. Derselbe war von ganz ungewöhnlich kleiner Statur,
und da seine beinahe zwergenartige Gestalt ihn zur
Königswürde untauglich machte, so achtete niemand
desselben und man ließ ihn ruhig und ungestört in
Turin. Mit dem Plane seiner Rache beschäftiget,
erfuhr er, daß Garibald am ersten Osterfeste in
die Kirche des heiligen Johannes zu Turin kommen
würde. Mit einem Schwert unter dem Mantel begab er sich ebenfalls dahin, und da er wußte, daß
Garibald, um in der Kirche zu seinem Herzoglichen
Stuhl zu gelangen, bei dem Taufstein vorüber ge-

Stückchen davon abzuwerfen, der pries sich glücklich, betrachtete es als ein Heiligthum, schnitt es in kleine
Stückchen, und verzehrte es mit den Seinigen als ein
Verwahrungsmittel gegen allerlei körperliche Uebel.
Fruchtlos hatte öfters der heilige Barbatus gegen diesen
gottlosen Unfug gepredigt. Aber im Anfang der Belagerung versprach ihm Romuald, daß, wenn Gott die
Stadt befreien würde, er alle diese heidnischen Gebräuche
abschaffen wolle. Barbatus verbürgte ihm den göttlichen Beistand. Als nun die Griechen die Belagerung
aufgehoben hatten, gingen Barbatus und Einige seiner
Geistlichen, mit Aerten versehen, nach dem Baum,
hieben ihn um, und ließen ihn verbrennen. Barbatus
begab sich hierauf in den Herzoglichen Palast, ging in
einem Augenblick, wo der Herzog nicht zu Hause war,
in dessen Gemach, nahm das darin hängende Bild der
Otter zu sich, zerbrach es in Stücken und ließ einen
Kelch mit einem Deckel von besonderer Größe daraus
verfertigen. Romuald nahm dieses nicht übel. Dem
Beispiele des Herzogs folgten auf der Stelle alle Großen an seinem Hofe, und so kam nun die abgöttische
Verehrung des Otters und des Baums, sammt den übrigen heidnischen Alfanzereien, auch bei dem Volke bald
außer Brauch.

ben müßte, so stieg er auf denselben, und gab dem Garibald einen so gewaltigen Streich auf den Nacken, daß er dessen Kopf beinahe völlig von dem Körper trennte. Von Garibalds Trabanten durchbohrt, stürzte in dem nämlichen Augenblick auch Godeberts Verwandter todt zur Erde; und die Leiche des Bluträchers lag nun neben jener des Königsmörders.

10. Um seinen usurpirten Thron einigermaßen zu befestigen, und die Liebe der Longobarden zu gewinnen, hatte Grimoald sich, zur größten Freude der Nation, mit Gundeberta, Godeberts und Bertharids Schwester vermählt. Jetzt, als er von seinem Zug gegen die Griechen wieder in Pavia zurückgekommen war, erfuhr er, daß Bertharid an dem Hoflager des Chagans der Avaren eine Zufluchtsstätte gefunden habe. Grimoald, der wohl fühlte, daß er, bei dem unruhigen, stets zu Empörungen geneigten Geiste seiner Großen, und seinem eigenen, so schwankenden, blos auf seinem Schwerte beruhenden Recht zum Throne, so lange Bertharid lebe, nie ruhig und ungestört in dem Besitze des Reichs seyn würde, ordnete unverzüglich Gesandte an den Chagan, um die Auslieferung des an sein Hoflager geflüchteten Königes von ihm zu ertrotzen. Zwischen Krieg oder einem Scheffel voll Goldstücken ließen Grimoalds Gesandte jetzt dem Chagan die Wahl. Aber der Avaren-Fürst wollte weder das Eine noch das Andere, lieferte daher zwar den Bertharid nicht aus, gebot ihm aber, sein Gebiet zu verlassen, in einem andern Lande eine Freistätte sich zu suchen. Der unglückliche Prinz, müde des Herumirrens in einer, für ihn öden Welt, faßte jetzt den kühnen Entschluß, sich geradezu seinem Feinde in die Arme zu werfen, ging über die Alpen und sandte,

8 *

als er in Lodi angekommen war, den Onulph, der ihn bisher noch keinen Augenblick verlassen hatte, nach Pavia zu dem König, um diesem die Ankunft seines gestürzten, ihn jetzt um Schutz flehenden Nebenbuhlers zu melden. Grimoald bei dieser Nachricht eben so erstaunt, als von diesem schönen Zug grenzenlosen Zutrauens gerührt, sprach freundliche Worte zu Onulph, versicherte ihn, daß sein Hoflager für ihn und seinen Herrn stets die sicherste und heiligste Freistätte seyn würde. Als Bertharid vor dem König erschien, warf er sich demselben zu Füßen; aber Grimoald hob ihn auf, umarmte ihn, küßte ihn und nannte ihn seinen Bruder. Er ließ ihm hierauf einen geräumigen Palast zu seiner Wohnung anweisen, ordnete ihm fürstlichen Haushalt, und warf ihm ein sehr bedeutendes Jahrgeld aus.

11. Grimoalds Großmuth machte zwar einen, für ihn vortheilhaften Eindruck auf die Nation, steigerte aber auch zu gleicher Zeit in eben dem Verhältniß der Longobarden Theilnahme an dem Schicksale ihres ehemaligen, jetzt so sehr gedemüthigten Königes. Hohe und Niedere strömten daher täglich nach dem Palaste des Bertharids, um ihm ihre Aufwartung zu machen. Da dies mehrere Monate fortdauerte, ward zuletzt Grimoalds Eifersucht rege. Böser Argwohn gegen Bertharid faßte jetzt in der Brust des Königes mit jedem Tage tiefere Wurzeln; der ängstlichen Sorge für eigene Erhaltung mußte endlich seine Großmuth weichen, und so ward Bertharids Tod auf das neue wieder beschlossen. Schon war die Nacht bestimmt, in welcher der Frevel begangen werden sollte. Am Vorabend schickte der König dem Bertharid eine Menge auf das beste zugerichteter Speisen und eine noch größere Quantität des köstlichsten Weines. Er ließ

ihm sagen, er möchte beim frohen Mahl sich mit seinen Freunden diesen Abend ergötzen. Man hoffte nämlich, Bertharid werde sich ganz gewiß berauschen, nach dem Rausche in tiefen Schlaf verfallen, und dann die That ohne Geräusch und ohne ein zurückbleibendes Merkmal äußerer Gewalt vollbracht werden können.

12. Aber scharf sieht das Auge eines wahrhaft treuen, seinem Herrn mit Leib und Seele ergebenen Dieners. Schon seit einiger Zeit hatte der wackere Onulph Argwohn geschöpft, daher Alles genau beobachtet, und nun war es ihm abermals gelungen, den Mordanschlag gegen Bertharids Leben zu entdecken. Um bei dem König keinen Verdacht zu erregen, gab Bertharid seinen Freunden ein glänzendes Mahl, trank aber keinen Wein, sondern blos Wasser, das in einem silbernen Becher ihm von Onulph gereicht ward. Als man von der Tafel aufgestanden war, und die Gäste sich entfernt hatten, wollten auch Bertharid und Onulph, nebst noch einem andern nicht minder treuen Diener, sich sogleich auf die Flucht begeben, und schon standen sie im Begriffe, ihre Wohnung zu verlassen, als in demselben Augenblicke königliche Wachen ankamen, und den Palast umringten. Aber auch in diesem gefahrvollen Moment verlor der wackere Onulph nicht die Gegenwart des Geistes; eiligst zog er seinem Herrn Sclavenkleider an, hängte ihm Betttücher über den Kopf, legte ihm einige Matrazen auf den Rücken, nahm einen Stock in die Hand, und trieb ihn wie einen Sclaven vor sich her. Die Wachen fragten, was dies zu bedeuten habe; „der „Kerl da,“ antwortete Onulph, „hat den tollen „Gedanken gehabt, mir für diese Nacht mein Bette „in Bertharids Zimmer aufzuschlagen. Aber Ber-

„tharid, so betrunken, daß er kaum auf den Füßen „stehen konnte, ist jetzt in tiefen Schlaf gesunken, „und wird schwerlich vor Morgen Mittag seinen „Rausch ausgeschlafen haben. Ich sehe also nicht „ein, warum ich einen Betrunkenen, fest Schlafenden „noch bewachen soll; ich will wie gewöhnlich auch „diese Nacht in meinem Hause ruhig schlafen. „Also, fort, fort" rief er jetzt dem verkleideten Sklaven zu, indem er ihm noch einige leichte Streiche auf den Rücken gab. Die Soldaten lachten, und ließen Beide ihres Weges ziehen. Onulph eilte mit seinem Herrn an jene Seite der Stadt, vor welcher der Tessino vorbeifließt, und ließ ihn an einem Strick über die Stadtmauer herab. Bertharid schwamm über den Fluß, wählte sich eines von den dort auf der Weide herumlaufenden Pferden, floh nach Asti, wo er mehrere Freunde hatte, ging von da nach Turin, und kam endlich glücklich in Frankreich an.

13. Als der, die Wache vor Bertharids Palast befehligende Officier endlich glaubte, daß es Zeit sey, die königlichen Befehle zu vollziehen, begehrte er in Bertharids Schlafgemach eingelassen zu werden. Aber einer von Bertharids Dienern hatte sich darin eingeschlossen, und um seinem Herrn Zeit zu gewinnen, zögerte er, so lange er konnte, das Zimmer zu öffnen. Die Wache ward endlich ungeduldig, und brach die Thüre mit Gewalt auf. Als die Soldaten Bertharid nicht sahen, und in dem ganzen Palaste nicht fanden, zwangen sie den Diener, ihnen zu gestehen, was aus seinem Herrn geworden wäre. Er sagte ihnen gerade zu, Bertharid sey entflohen. Wüthend fielen sie nun über ihn her, ergriffen ihn bei den Haaren, und schleppten ihn vor den König. Furchtlos und unumwunden erzählte er

nun auch dem Monarchen die Art und Weise, wie Bertharid aus dem Palaste entkommen war. Grimoalds natürlichen Seelenadel befleckten blos Ehrgeiz und Herrschsucht; wo diese nicht in Berührung kamen, war seine edle Seele für alles Große und Schöne empfänglich. Er fragte jetzt die Umstehenden, welche Strafe wohl derjenige verdiene, welcher sich zum Werkzeug hätte brauchen lassen, seine Befehle zu verhöhnen und dem, demselben schuldigen Gehorsam sich zu entziehen. „Den Tod,“ riefen Alle, wie mit einer Stimme. „Dafür sey Gott,“ antwortete der König, „nicht Strafe, sondern ausgezeichnete Be-„lohnung hat der treue Knecht verdient, der um sei-„nen Herrn zu erhalten, sein eigenes Leben preis „geben wollte. Von jetzt an ist er in meine eige-„nen Dienste aufgenommen; ein seiner Redlichkeit und „Tugend würdiges Amt soll er um meine Person „bekleiden, und ich bin gewiß, daß er auch mir „mit der nämlichen Treue, wie seinem bisherigen „Herrn, in Zukunft dienen wird.“ — Der König fragte jetzt, wo Onulph sey; man sagte ihm, er habe sich in die dem heiligen Erzengel Michael geweihete Kirche geflüchtet. Er ließ ihm sagen, daß er, vertrauend seinem königlichen Wort, ohne Furcht vor ihm erscheinen sollte. Onulph kam und erzählte dem König den ferneren Verlauf von Bertharids Flucht. Auch Onulphs Treue ertheilte Grimoald die ihr gebührenden Lobsprüche, ließ ihn im Besitze aller ihm geschenkten Güter, und sagte, daß er noch ferner mit großem Vergnügen an seinem Hofe ihn sehen würde. Aber der ehrliche Onulph dankte für Alles; erklärte dem König, daß er lieber mit seinem Herrn alles Elend und alle Mühseligkeiten eines unsteten Lebens theilen, als ohne ihn im Ueberfluß hier leben wollte. Grimoald pries Bertharid glücklich, solche Diener, oder vielmehr solche Freunde gefunden zu haben. Er gab Befehl, dem Onulph Pferde aus dem königlichen Stall, dann Geld und alles zu einer weiten Reise nöthige Geräthe zu reichen.

14. Gastfreundliche Aufnahme fand Bertharid in Frankreich bei Clothar III., König von Paris und Burgund. Die günstige Stimmung dieses Hofes, wußte Bertharid trefflich zu benutzen. In kurzer Zeit besaß er nicht nur das Zutrauen des Königes, sondern auch aller Großen am Hofe; und da die Franken, weil eifersüchtig auf der Longobarden bisher immer steigende Macht, sich ohnehin gerne in Italiens Angelegenheiten mischten; so kam schon im folgenden Jahre ein auserlesenes, ungemein zahlreiches Frankenheer über die Alpen, um Bertharid wieder auf den Thron seines Vaters zu erheben. An Tapferkeit waren die Franken den Longobarden gleich, aber an Zahl ihnen bei weitem überlegen. Mit Zuversicht eines gewissen Sieges rückten also die Franken in Italien vor, nicht ahndend, daß ihre Tapferkeit, ihre Stärke und ihr ganzer Plan blos an Grimoalds Schlauheit scheitern würden. Nicht ferne von der Stadt Asti hatte derselbe ein Lager bezogen; aber sobald die Franken sich näherten, zog er sich in verstellter Flucht so eilend zurück, daß er sein ganzes, mit einem ungeheuern Vorrath von Lebensmitteln und Wein überfülltes Lager, dem feindlichen Heere überließ. Die Franken, nun einen Feind verachtend, der schon bei ihrem ersten Anblick geflohen war, plünderten das Lager und überließen sich sorgenlos dem Fraß und der Völlerei. Bald war das ganze Heer berauscht, und schon vor der zweiten Nachtwache in tiefem Schlafe versunken. Aber gegen die Mitternachtsstunde kehrte Grimoald zurück, fand sogar die fränkischen Vorposten schlafend, und griff plötzlich unter dem Getöse zahlloser Kriegstrompeten das Lager an. Die Franken, vom Weine und

Schlaf berauscht, taumelten umher, konnten nicht einmal ihre Waffen finden, und schrecklich war das Blutbad, das der Longobarden Schwert unter ihnen jetzt anrichtete. Nur Wenige entkamen, um in Frankreich dem König und ihren Landsleuten von dieser unerhörten Niederlage die traurige Kunde zu bringen.

15. Während Grimoald gegen äußere Feinde beschäftiget war, hatte Lupus, der wilde, ungerechte aber tapfere Herzog von Friaul, sich dem Gehorsam gegen seinen König entzogen. Grimoald, dem die Art, wie er zum Throne gelangt war, stets die größte Mäßigung gegen die Großen seines Reiches zum Gesetze machte, ließ den Herzog ermahnen, wieder in die Schranken eines Vasallen zurückzukehren; aber wohl einsehend, daß diese Ermahnung fruchtlos seyn würde, ordnete er zu gleicher Zeit in Geheim Gesandte an den Chagan der Avaren, um diesen zu einem Einfall in das Herzogthum Friaul zu bereden. Lupus zusammengeraubte, unermeßliche Schätze, sagten Grimoalds Abgeordnete dem Chagan, würden ihm und den Seinigen für diesen Heereszug reichlich lohnen. Der Chagan zeigte sogleich die größte Bereitwilligkeit, zog mit zahlreichem Heere nach Friaul, verlor zwei Schlachten, gewann jedoch die dritte, in welcher Herzog Lupus getödtet ward. Reich war die Beute, die den Avaren in die Hände fiel. Aber diesen Gästen gefiel jetzt gar zu sehr das schöne Land; sie wollten nun gar nicht mehr aus demselben heraus. Sobald Grimoald davon Nachricht erhielt, war er auch, da es nun einem auswärtigen Feind galt, gleich wieder zu Pferde, zog gegen die Avaren, schlug sie auf das Haupt, nahm ihnen den größten Theil der Beute ab, und schickte sie sammt ihrem Chagan wohl gezüchtiget und gewitziget wieder in ihre Heimath.

16. Indessen war Clothär III. gestorben, und als Grimoald mit Clothars Nachfolger einen Bund des Friedens und der Freundschaft schloß, mußte der unglückliche Berthario Frankreich verlassen. Er wanderte jetzt nach Britanien, und fand, nach manchem dort bestandenen Abentheuer, endlich am Hofe des Königs der Angelsachsen, Schutz und freundliche Aufnahme.

17. Von äußern Feinden hatte nun Grimoald nichts mehr zu befürchten; durch Strenge und die anerkannte Ueberlegenheit seines Geistes zügelte er den Uebermuth der Großen, und sicherte die Ruhe im Innern, und stetes Glück und ununterbrochene Siege hatten endlich seinen Thron vollkommen befestiget. Ungetheilt widmete er jetzt seine Aufmerksamkeit der innern Verwaltung und den Künsten des Friedens, überschaute mit waltender Thätigkeit sein ganzes Reich, verbesserte den Codex des Rotharis, milderte einige zu harte Gesetze, hob andere ganz auf, fügte neue hinzu, und indem er jene, ihren Gegenstand ganz falsch auffassende Gesetzgebung, welche das Erbrecht bestimmte, und auch in andern Ländern zur Richtschnur diente, in einem ihrer wesentlichsten Punkte verbesserte, erzeigte er seiner Nation eine Wohlthat, die den übrigen germanischen Völkerstämmen erst mehrere Jahrhunderte nachher zu Theil ward. Wenn nämlich von mehrern Brüdern Einer noch zu Lebzeiten des Vaters starb, jedoch Kinder hinterließ, so waren diese bei dem Tode des Großvaters, nach den Gesetzen der Longobarden, Franken, Burgunder, Gothen ꝛc. von der großväterlichen Erbschaft ausgeschlossen. Grimoald fühlte zuerst das Falsche und Ungerechte dieser Bestimmung, und verordnete daher, daß in einem solchen Falle in Zukunft die Kinder an die Stelle ihres

verstorbenen Vaters treten, und mit ihren Oheimen
die Verlassenschaft ihres Großvaters theilen, das
heißt, den nämlichen Theil davon erhalten sollten,
welcher auch ihrem Vater, wenn er noch lebte, zu
gefallen seyn würde.

18. Grimoald trat jetzt das zehnte Jahr seiner Regierung an. Stets hatte er bisher das Glück
einer ununterbrochenen Gesundheit genossen, war dabei von starkem und festem Körperbau, und hatte,
nach dem gewöhnlichen Laufe der Natur, die frohe
Aussicht auf eine noch ziemlich lange Reihe von
Jahren, als ganz unvermuthet, ein sonst gar nicht
gefährlicher Zufall, plötzlich seiner Herrschaft und
seinem thatenvollen Leben ein Ende machte. Grimoald hatte zur Ader gelassen. Einige Tage darauf wollte er aus dem Fenster seines Palastes eine
Taube schießen, griff aber nach einem Bogen, den
zu spannen es große Kraft erforderte. Der König
spannte ihn; durch die allzugroße Anspannung des Arms
aber sprang die Ader auf. Heftig quoll das Blut
hervor; man vermochte es nicht zu stillen; Aerzte wurden herbeigerufen; aber auch ihrer Kunst widerstand
das Uebel, und Grimoald starb an einer Verblutung,
nachdem er 9 Jahre mit eben so vieler Kraft als
Weisheit regiert hatte. Obgleich in der arianischen
Irrlehre erzogen, war er doch in den Schoos der
wahren Kirche zurückgeführt. Dem Johannes von
Bergamo, einem sehr frommen und heiligen Bischofe, wird die Bekehrung dieses Königes zugeschrieben; zwar wird dieselbe in Zweifel gezogen; da es
jedoch nicht bezweifelt werden kann, daß Grimoald
dem heiligen Ambrosius zu Ehren, eine Kirche in
Mailand erbauete; so muß nothwendig dadurch auch
jener erstere Zweifel verschwinden; denn wie würde
ein, dem arianischen Wahn noch ergebener Fürst je

zu Ehren des größten und entschiedensten Gegners der Arianer, eine Kirche erbauet haben. Unter Grimoalds Regierung fing die katholische Kirche an, auch unter den Longobarden die Herrschende zu werden.

XII.

1. Nach Grimoalds Tod war mit Uebergehung des ältern Prinzen Romuald, dessen jüngerer, aber mit Grimoalds zweiter Gemahlin, Königs Ariperts Tochter und Bertharids Schwester erzeugter Bruder Garibald zum König ausgerufen. Derselbe war noch sehr jung, und nach 3 Monaten hatte seine Regierung schon wieder ein Ende.

2. Aus England war Bertharid indessen wieder in Frankreich angekommen; aber auch diesmal war sein Aufenthalt allda nicht von langer Dauer: er glaubte seine Freiheit in diesem Lande noch immer gefährdet, und beschloß wieder nach Britanien zurückzukehren. Schon hatte das Schiff, welches ihn dahin führen sollte, die Anker gelichtet, als in noch nicht sehr weiter Entfernung Jemand vom Ufer dem Schiffer zurief, und ihn fragte, ob nicht Bertharid sich auf dem Schiffe befinde. Der Schiffer bejahete es; „nun gut;“ erwiederte der Rufende, „so „meldet ihm gleich, daß König Grimoald vor drei „Tagen gestorben sey, er daher jetzt unbesorgt und „mit aller Zuversicht wieder nach Italien zurückkeh„ren könne.“ — Bertharid, obwohl er einsah, daß eine Nachricht von Pavia nicht in 3 Tagen an der westlichen Küste Frankreichs angekommen seyn könnte, befahl doch sogleich das Schiff zu wenden, stieß

wieder an das Land, und sandte Leute aus, um von demjenigen, der ihm die frohe Botschaft gebracht, die nähern Umstände zu erforschen; aber eine weite Uferstrecke hinauf und hinab, konnte man keine lebende Seele entdecken, und doch hatten Bertharid, der Schiffer und die gesammte Schiffmannschaft die Stimme gehört; Bertharid beschloß ihr unbedingt zu folgen, und machte sich unverzüglich mit seinen wenigen Gefährten auf den Weg nach Italien. An der Grenze des Landes angekommen, sandte er Einen seiner Diener nach Pavia, um die wahre Lage der Dinge zu erkunden. Aber nun ward auch seine Ankunft ruchtbar, und schon das bloße Gerücht, daß Bertharid wiederkehre, hatte einen allgemeinen Abfall von dem jungen Garibald zur Folge. Mehrere der Herzoge begaben sich nach Pavia, andere gingen dem Zurückkommenden entgegen, und aus den entferntesten Provinzen strömten alle, ihrem rechtmäßigen König mit Treue Anhangenden zusammen. Mit zahlreichem, jeden Tag sich mehrendem Gefolge kam endlich Bertharid in Pavia an, ward mit dem größten Jubel, unter den lauten Glück- und Segenswünschen der Einwohner empfangen, und nahm nun nach neunjähriger Verbannung wieder Besitz von dem Palast und den königlichen Schätzen.

3. Willig ergab sich Garibald in sein Schicksal. Als er sich von seinen Großen, wie von der Nation verlassen sah, entwich er, nur von einigen Dienern begleitet, aus einer Stadt, die jetzt eines Andern war. Was ferner aus ihm geworden, sagt uns die Geschichte nicht; aber daß Bertharid des Lebens seines Neffen schonte, daran ist nicht zu zweifeln; dafür bürgt uns des frommen Königs sanfter, menschenfreundlicher Charakter. Wahrscheinlich verlebte nachher Garibald, an der Seite seines Bru

ders, zu Benevent in der Verborgenheit des Privatstandes ruhigere Tage, als ihm vielleicht je auf dem Throne geworden wären. Bertharid ließ nun seine, von Grimoald nach Benevent verbannte Gemahlin Rodelinde, nebst seinem Sohne Cunibert zu sich nach Pavia kommen, und Herzog Romuald dachte nicht daran, der Abreise der Königin und des Prinzen Hindernisse zu setzen.

4. Bertharid war ein frommer, daher gerechter, liebevoller Regent, ein wahrer Freund der Menschheit, denn Wohlthun war das süßeste Bedürfniß seines Herzens. Unter seiner Regierung genoß die Nation den Segen eines ununterbrochenen Friedens. Mit Romuald, Herzog von Benevent, lebte er stets in dem besten Vernehmen, und gab dessen ältestem Sohne Grimoald, welcher auch dem Vater in dem Herzogthum folgte, seine Tochter Vigilinde zur Gemahlin. Vor der Stadt, an jener Seite, wo sein treuer Diener Onulph ihn einst an einem Strick über die Mauer herabgelassen hatte, bauete Bertharid, um Gott dafür zu danken, daß er ihn damals aus Grimoalds Händen erlößte, ein Nonnenkloster; und da ihm diese Wohlthat am Vorabend des Festes der heiligen Agatha war erzeigt worden; so nannte er auch Kloster und Kirche nach dem Namen dieser heiligen Jungfrau und Märtyrin.

5. Im achten Jahre seiner Herrschaft schrieb Bertharid einen allgemeinen Reichstag nach Pavia aus. Mit Genehmigung der Großen und des gesammten Heeres der treuen und beglückten Nation der Longobarden, erklärte er auf demselben seinen Sohn Cunibert zum König und Mitregenten. Bald darauf empörte sich Alachis, Herzog von Trent.

Aber beide Könige gingen mit ihrer ganzen Macht auf ihn los, belagerten ihn in seiner Burg, zwangen ihn, sich zu unterwerfen. Auf Cuniberts Fürbitte, der mit Alachis war erzogen worden und diesen als den Gespielen und Freund seiner Jugend liebte, ward der Aufrührer begnadiget. Dies wollte jedoch Cuniberts liebevollem Herzen noch nicht genügen; er drang in seinen Vater, durch gehäufte Wohlthaten den Alachis zu zwingen, sie beide zu lieben, ihn daher jetzt auch zum Herzog von Brescia zu ernennen, und dieses Herzogthum mit jenem von Trent zu vereinigen. Der zarten Bitte des guten Sohnes vermochte der eben so zärtliche und gute Vater nichts zu versagen; er willigte also ein, sagte aber zu Cunibert die bedeutenden Worte: „Mein Sohn! statt „einen Freund zu gewinnen, wirst du nur die Kräf„te eines Feindes vermehren." — Gemeinschaftlich mit seinem Sohne regierte Bertharid noch acht Jahre; aber Cunibert war das wahre Ebenbild seines trefflichen Vaters, und Gottesfurcht, Weisheit, Gerechtigkeit und Demuth schmückten den Thron der beiden Monarchen. Bertharid starb endlich im Jahre 686 und von allen Longobarden innigst geliebt, ward auch sein Tod von der ganzen Nation aufrichtig betrauert.

6. Kaum hatte jetzt Cunibert das Regiment allein übernommen, als auch des Vaters prophetisches Wort in Erfüllung ging. Der undankbare Alachis sann auf das neue wieder auf Mittel, sich des Thrones zu bemächtigen. In die Verschwörung gegen seinen Wohlthäter und rechtmäßigen König zog er die zwei reichsten und angesehensten Einwohner von Brescia, Aldo und Granso. Mit ihrer Hülfe und durch ihr Geld unterstützt, erschien er an einem Tage, an welchem Cunibert von Pavia abwesend war,

vor den Thoren der Stadt, drang mit bewaffneten
Schaaren in dieselbe, bemächtigte sich des königlichen
Palastes, und ließ sich von den Einwohnern Pavias
als König begrüßen. Auf Cuniberts Kopf setzte er
einen Preis. Der überraschte, unvorbereitet überfal-
lene König floh mit einigen Getreuen in eine, auf
einer Insel in dem Lago di Como gelegene feste Burg.
Hier wollte er sich so lange vertheidigen, bis seine
treuen Vasallen ihm zu Hülfe kommen würden.
Aber zu sehr gelöst war schon das Band zwischen
dem König und den longobardischen Herzogen und
Grafen; das Interesse des Einzeln verschlang das
Gesammtinteresse der Nation *). Aus Furcht vor dem
mächtigen und wilden Kronräuber regte sich jetzt keine
Hand zum Schutz des rechtmäßigen Königes, und
Alachis würde sich auf dem Thron behauptet haben,
hätten nicht eigene Unbesonnenheit und tyrannische
Gewaltthat ihn wieder gestürzt. Mit eisernem Zepter herrschte er über Hohe und Niedere, schmähete,
unterdrückte und verfolgte die Geistlichkeit, stellte irre-
ligiöse Ungebundenheit zur Schau und, von Geiz und
Habsucht beherrscht, suchte er das Eigenthum jedes
Einzelnen zu verschlingen. Eines Tages mit Geld
zählen in einem Gemach seines Palastes beschäftiget,
fiel ihm ein Goldstück auf die Erde. Aldos kleines
Söhnchen, ein Knabe von noch sehr zartem Alter,
der gegenwärtig war, hob es ehrerbietig auf, und überreichte es dem König. Statt dem lieben Kleinen etwas freundliches darüber zu sagen, starrte Alachis

---

*) Die longobardischen Herzoge und auch einige der mäch-
  tigern Grafen, wie z. B. jener von Capua, verhielten sich zu ihrem Könige, ungefähr wie in Deutschland, nachdem die ständische Verfassung sich schon völlig entwickelt hatte, die deutschen Fürsten sich zu dem
  Reichsoberhaupt, dem Kaiser verhielten.

mit wildem Blicke ihn an, und in der Voraussetzung,
daß des Knaben kindliches Alter nicht in den Sinn
seiner Worte eindringen werde, sagte er zu ihm: „Dein
„Vater hat noch viele dergleichen Goldstücke; aber so
„Gott will, sollen sie bald mein seyn.“ — Als das
Kind nach Hause kam, wiederholte es seinem Vater
die Worte des Königes, und Aldo, auf das höchste
empört über Alachis beispiellose Undankbarkeit, bera-
thete sich sogleich mit seinem Bruder, seinen Freunden
und Clienten, wie sie dem Tyrannen zuvorkommen
wollten. Eine Verschwörung kam zu Stande, zu deren Eingeweihten mehrere vornehme Longobarden und
die angesehensten Einwohner von Pavia gehörten.
Man wußte den Tag, wann Alachis sich aus der
Stadt entfernen würde, um in dem, ungefähr eine
Tagreise von Pavia entfernten, ungeheuren Wald
bei Castello mit der Jagd sich zu belustigen. Aldo
und Granso begaben sich jetzt selbst nach dem Lago
di Como, fielen Cunibert zu Füßen, bereueten ihre
Empörung und versprachen ihm unter einem Eide,
ihn unverzüglich wieder in Besitz seines Palastes und
der Hauptstadt seines Reiches zu setzen; nur baten sie
ihn, an einem gewissen Tag, den sie ihm bestimmten,
welcher der nämliche war, an welchem Alachis auf
die Jagd gehen wollte, sich mit seinem kleinen Gefolge in der Nähe von Pavia verborgen zu halten.

7. Der mit Sehnsucht erwartete Tag erschien.
Alachis ging auf die Jagd; aber sobald er einige
Meilen von der Stadt entfernt war, brach auch die
Verschwörung aus. Alle Einwohner von Pavia griffen zu den Waffen. Zahlreiche Scharen zogen König
Cunibert entgegen, und führten ihn im Triumphe wieder in die Stadt und in seinen Palast zurück. Auf
die erste Nachricht von diesem Aufstand eilte Alachis
nach Pavia, fand aber die Thore geschlossen, die Mau-

ern mit Geharnischten besetzt. Zeit hatte er jetzt keine zu verlieren; er floh in das longobardische Austrien *), und brachte dort durch allerlei Künste des Truges und der Treulosigkeit bald ein ziemlich zahlreiches Heer zusammen. Aber von seiner Seite blieb auch König Cunibert nicht müßig, und in kurzer Zeit waren alle treue Vasallen unter der königlichen Hauptfahne versammelt.

8. An den Ufern der Adda auf den Feldern von Coronata stießen beide Heere aufeinander. Cunibert, um das Blut der Longobarden zu schonen, forderte den Alachis zum Zweikampfe auf **); aber Alachis

---

*) Es ist ein, durch Unkunde in manchen Ausgaben der Geschichte des Paul Warnefried eingeschlichener Irrthum, wenn man allda statt Austrien, Istrien liest. Der nördlich und gegen Osten gelegene Theil des longobardischen Reiches wurde damals Austrien genannt, um es von dem Westlichen, der Neustrien hieß, zu unterscheiden, gerade so, wie die Franken den westlichen und östlichen Theil ihres ungeheuern Reiches, Neustrien und Austrien, oder Austrasien nannten. Das longobardische Austrien und Neustrien, kommen auch in den Gesetzen der Longobarden vor. Murat. Rer. Ital. T. I. p. 2.

**) Um sich darüber zu rechtfertigen, daß er den ihm angebotenen Zweikampf nicht angenommen, sagte Alachis, Cunibert sey zwar ein Trunkenbold und zu regieren unfähig, aber übrigens ein Mann von ungewöhnlicher körperlicher Stärke; denn, als sie beide noch sehr jung gewesen und mit einander wären erzogen worden, sey ihnen einst in dem Schloßhofe zu Pavia eine ganze Heerde ungeheuer großer Schöpse begegnet, von welchen damals schon der kleine Cunibert einen jeden, ihn mit einer Hand bei der Wolle auf dem Rücken fassend, schwebend emporgehoben habe, welches er (Alachis) trotz aller gemachten Versuche niemals zu thun im Stande gewesen wäre.

wies diese Ausforderung zurück, worauf einige Longobarden, denen dieses Zeichen der Feigheit mißfiel, ihm gerade zu sagten, daß, da er das Herz nicht habe, sich mit seinem Gegner zu schlagen, sie auch nicht für ihn fechten wollten. Sie gaben ihren Pferden die Sporen und gingen zu ihrem rechtmäßigen König über. In Cuniberts Gefolge befand sich ein Diacon aus Pavia; dieser war, wie die gesammte Geistlichkeit, dem frommen und menschenfreundlichen Könige innigst ergeben, und des tückischen Alachis gefährliche Anschläge ahnend, bat er Cunibert, daß er, um sein eigenes, der Kirche und dem Staat gleich kostbares Leben drohender Gefahr zu entziehen, ihm erlauben möchte, königliche Rüstung anzulegen. Nach langem Bitten gab Cunibert nach. Zeno legte also des Königs Waffenrock an, bedeckte sein Haupt mit dem königlichen Helm und nahm des Königs Schild und Lanze. Unverzüglich ward jetzt das Zeichen zum Angriff gegeben. Zeno hatte ungefähr die nämliche Größe seines Königs, war überhaupt in der äußern Gestaltung ihm ungemein ähnlich; leicht ward also Alachis getäuscht; sobald dieser also den vermeintlichen Cunibert erblickte, sprengte er sogleich, von einer zahlreichen Schar begleitet, auf ihn los. Als die beiden Heere sahen, daß die zwei Könige mit ihren Getreuen im einzelnen Kampf begriffen waren, senkten sie die Waffen und schauten ruhig dem Zweikampfe zu. Zeno war nur von wenigen Leuten begleitet, und Schwert und Lanze zu führen noch weniger geübt; bald erlag er also unter den Streichen seines kräftigern Gegners, ward tödtlich verwundet und stürzte vom Pferde. In seinem Herzen schon triumphirend, befiehlt Alachis sogleich ihm den Kopf abzuhauen, diesen auf einen Speer zu stecken und beiden Heeren zu zeigen. Aber wüthend ward er jetzt, als er, nachdem man dem Getödteten den Helm gelößt hatte, nicht Cuniberts,

sondern den Kopf eines Geistlichen sah; gleich einem
Unsinnigen schrie er unter einem gräßlichen Schwur
laut auf, daß, wenn ihm der Sieg zu Theil würde,
er einen tiefen Brunnen mit lauter abgeschnittenen
Nasen und Ohren von Priestern und Diaconen ausfüllen wolle. Cunibert sprengte jetzt hervor, öffnete
das Visir, zeigte sich beiden Heeren, und bot Alachis auf das neue den Zweikampf an. Aber auch
diesmal wagte es der Feige nicht, den Kampf mit
dem Tapfern zu bestehen. Beide Heere geriethen also
aneinander. Lange Zeit ward mit gleicher Tapferkeit
und gleichem Erfolge gefochten; aber von einem Wurf-
spieß getroffen, stürzte endlich Alachis zu Boden; und
nun nahm sein ganzes Heer die Flucht. Ein Theil
von Alachis Truppen ging zu Cunibert über, und die,
welche durch die Flucht dem Schwert zu entrinnen
suchten, fanden in den Wellen der Adda ihr Grab.

9. Mit Alachis Tod war auch die Empörung
gedämpft. Großmüthig verzieh Cunibert Allen, die,
uneingedenk des ihm geschwornen Eides der Treupflicht, den Fahnen des Aufrührers gefolgt waren.
Ruhig und glücklich regierte nach dieser gedämpften
Empörung der gute König noch volle zehn Jahre;
und von der ganzen Nation, die er mit allen Segnungen des Friedens und einer gerechten und milden
Verwaltung beglückte, gleich einem zärtlichen Vater
geliebt, starb er endlich nach zwei und zwanzigjähriger Regierung in dem Jahre 701. — Cunibert
war einer der wohlgestaltetsten und zugleich tapfersten
Männer seines Volkes. Stets heiter, freundlich
und lieblich, und ohne Unterschied gegen Jedermann
herablassend, strömte, so oft er sich öffentlich zeigte,
alles Volk zusammen, um den guten Herrn zu sehen und
zu segnen. Aufrichtig und unverstellt war seine Frömmigkeit; und als ein treuer Sohn der Kirche, schützte,

ehrte und liebte er sie auch wie seine Mutter. Der
durch zweifache Empörung und schwarzen Undank ge-
brandmarkte Alachis nannte ihn zwar einen Trunkenbold; aber durch kein historisches Zeugniß wird dieser
Vorwurf gerechtfertiget. Mag auch Cunibert den
Wein geliebt haben; so erfreut auch der Wein des
Menschen Herz, ermuntert die Guten zum gegenseitigen Austausch edler Gefühle und sanfter Empfindungen, und vereiniget sie bisweilen bei fröhlichem Mahl,
das alsdann ihnen nicht selten Gelegenheit wird, zu
Werken der Wohlthätigkeit und ächter, christlicher
Nächstenliebe; kurz, hat auch der Wein dem herzguten
Fürsten trefflich geschmeckt; so trank er ihn auch ge-
wiß stets auf die Gesundheit und das Wohl seines
Volkes, das er wahrhaft liebte, und das unter seinem
milden Zepter sich zufrieden' und glücklich fühlte. ——
Als ein Enkel Ariperts I., war Cunibert ein Prinz aus
dem Bayerischen Hause.

XIII.

1. Nach Cuniberts Tod ward dessen, mit Her-
melinde, einer angelsächsischen Prinzessin erzeugter
Sohn Liudpert von der Nation zum König ausgerufen; da jedoch derselbe beinahe noch ein Kind war, so
hatte der sterbende Vater den Ansprand, einen
durch Verstand und Redlichkeit ausgezeichneten longobardischen Großen zum Vormunde seines Sohnes, und
während dessen Minderjährigkeit zum Regenten des
Reiches geordnet.

2. Aber auch Reginbert, des von Grimoald getödteten Königs Gundebergs Sohn, war
längst schon wieder nach Italien zurückgekehrt und

Herzog von Turin geworden. Dem gemeinschaftlichen Stammvater Aripert näher verwandt, als Liudpert, glaubte er, nach den, bei allen germanischen Völkern damals noch sehr schwankenden Begriffen von der Erbfolge, auch zum Thron ein näheres Recht zu haben, als Cuniberts Sohn. Um diese seine Ansprüche geltend zu machen, griff er also zu den Waffen, schlug den Ansprand in einem mörderischen Treffen, und ließ sich hierauf von der Nation zum König ausrufen.

3. Regimberts Regierung hatte nur eine Dauer von einigen Monaten; er starb noch in demselben Jahre, und auf dem Thron folgte ihm sein Sohn Aripert II. Aber Ansprand suchte jetzt dem Prinzen Liudpert das entrissene väterliche Reich wieder zu erobern. Mit Hülfe mehrerer Herzoge, besonders des Rotharis von Bergamo, brachte er ein zahlreiches Heer zusammen, ward jedoch abermal auch von Aripert bei Pavia völlig geschlagen. Ansprand floh nach der, im Lago di Como gelegenen festen Burg, verließ sie aber bald wieder, ging nach Chiavenna und von da über Coira, einer Stadt in Rhätien, nach Bayern, wo er an dem Hofe des bayerischen Herzogs Theudeberts, eine sichere Zufluchtsstätte fand.

4. Gegen die Häupter der überwundenen Parthei, verfuhr Aripert mit tyrannischer Härte. Herzog Rotharis ward in der Hauptstadt seines Herzogthums von ihm belagert, gefangen genommen, nach Turin geschickt, und dort auf seinen Befehl enthauptet. Den jungen Prinzen Liudepert, welcher in der Schlacht bei Pavia, Ariperts Gefangener geworden war, ließ er im Bade ersticken. Am ärgsten wüthete er gegen die Familie des entflohenen

Ansprand. Theuderade, Ansprands Gemahlin, weil sie sich gerühmt hatte, einst dennoch Königin zu werden, wurden, wie auch ihrer Tochter Aurona, Nasen und Ohren abgeschnitten, und Ansprands ältestem Sohne Siegebrand die Augen ausgestochen. Nur Ansprands jüngsten Sohnes Liutprand, der, weil noch ein Kind, ihm unschädlich schien, schonte Aripert, verbannte ihn aber aus dem Reiche und schickte ihn zu seinem Vater nach Bayern.

5. Mehrere Jahre lebte nun Ansprand an dem Hofe der Agilolfinger, stets auf Rache sinnend, aber auch stets fruchtlos den Herzog um Beistand bittend. Erst im achten Jahre seines Aufenthalts in Bayern gelang es ihm, den Herzog zu bewegen, ihm ein ansehnliches bayerisches Hülfscorps zu überlassen. Zu diesem stieß nun noch ein zahlreicher Haufe geflüchteter, oder aus ihrem Vaterlande verbannter Longobarden, und an der Spitze dieses, theils aus Bayern, theils aus seinen Landesleuten bestehenden Heeres, zog Ansprand nun wieder nach Italien. Aripert ging ihm entgegen. An den Grenzen Italiens stießen beide Heere auf einander, und sogleich begann auch die Schlacht. Einen ganzen Tag hindurch ward von beiden Seiten mit gleicher Tapferkeit und gleicher Erbitterung gefochten. Erst die Nacht machte dem Kampfe ein Ende. Indessen hatte das bayerische Heer ungleich mehr gelitten, als jenes der Longobarden; und Ansprand war entschlossen, einer zweiten Schlacht auszuweichen, und wieder über die Alpen zurückzugehen. Aber Aripert, von dem Zustande des feindlichen Heeres übel unterrichtet, brach in der Nacht noch sein Lager ab, und zog sich mit dem Heere nach Pavia zurück. Dieser Rückzug befeuerte auf das neue den Muth der Bayern. Ansprand zog dem

sich zurückziehenden Feinde nach, um ihm, sobald er
sich aufstellen würde, auf das neue die Schlacht zu
bieten. Aber noch gefährlichere Folgen hatte Ariperts übel berechnete Bewegung für ihn unter seinen
eigenen Soldaten. Die Longobarden betrachteten
diesen Rückzug als das Geständniß einer verlornen
Schlacht, glaubten ihre kriegerische Ehre befleckt,
zürnten daher ihrem König, und schon auf dem
Marsche bemerkte man deutliche Spuren aufrühreri-
scher Bewegungen in dem Heere. Noch höher stieg
die Unzufriedenheit, als man in Pavia angekommen war. Aripert ahnete Verrath, und nichts so
sehr fürchtend, als in die Hände des schwer beleidigten, daher unversöhnlichen Ansprands zu fallen,
faßte er den verzweifelten Entschluß, sein Heer und
seine Residenz zu verlassen, und nach Frankreich zu
fliehen. Zu diesem Zwecke nahm er so viel Gold
aus dem Schatz, als er nur zu sich stecken konnte,
und ging, um desto sichererer den Nachstellungen
seiner Feinde zu entgehen, bei nächtlicher Weile ganz
allein und ohne alle Begleitung aus dem Palaste.
Den Weg über die, bei Pavia über den Tesino
führende, jetzt aber mit doppelten Wachen besetzte
Brücke, durfte er natürlicher Weise nicht nehmen.
Er suchte also einen entfernten einsamen Punkt am
Ufer, wo er den Fluß zu durchschwimmen dachte.
Aber leider vereitelte jetzt die Menge des zu sich ge-
steckten Goldes alle seine Anstrengungen; die Schwere
des edeln Metalls zog ihn immer mehr in die
Tiefe; er vermochte nicht das jenseitige Ufer zu er-
reichen, und ging nun elend in den Fluthen des
Tesino zu Grunde. Am folgenden Tage spülten
die Wellen den entseelten Körper an das Ufer; und
Ariperts Leiche ward nun mit aller, bei königlichen
Begräbnissen üblicher Pracht in der, von des Ver-
storbenen Großvater, Aripert I. vor dem westlichen

Thore von Pavia erbauten St. Salvators-Kirche begraben.

6. Zwölf Jahre war Aripert II. König der Longobarden gewesen. Nur der Anfang seiner Regierung war blutig und grausam; als er sich auf dem Thron befestiget glaubte, herrschte er mit Milde und vieler Mäßigung. Den Großen der Nation erzeigte er geziemende Ehre, schützte und ehrte aber auch nicht minder die Kirche, und gab dem römischen Stuhl das, von Rotharis ihm in den cottischen Alpen widerrechtlich entzogene Patrimonium wieder zurück*) Fremder Noth blieb sein Herz nie verschlossen, und seine Freigebigkeit gegen Arme und Nothleidende wird von den Geschichtschreibern vorzüglich gepriesen. Aber gerechte und partheilose Verwaltung der Gerechtigkeit war ein Hauptgegenstand seiner Aufmerksamkeit; öfters verließ er daher spät am Abend seinen Hof, ging ganz allein und verkleidet

---

*) Unter Patrimonium werden hier Allodial-Güter verstanden, als Hofmärkte, Maierhöfe, Häuser, Zinsen rc., keineswegs aber königliche Kammergüter, welche ganze Städte, Festungen und Provinzen begriffen. An solchen Allodialgütern war die römische Kirche damals unermeßlich reich; sie besaß derselben eine Menge, nicht nur aller Orten in Italien, Sicilien, Sardinien, sondern auch in Afrika, Spanien, im fränkischen Reiche und selbst noch im Orient. Welchen Gebrauch die Päbste von diesen Reichthümern machten, davon haben wir in dem Laufe dieser Geschichte schon eine Menge überzeugender Beispiele, nicht blos in dem Leben des großen Pabstes, Gregors des Heiligen, sondern noch vieler andern Päbste gesehen. Freilich traten bisweilen auch kleine Ausnahmen ein; aber ihre Zahl ist äußerst gering; und bisher sind wir, obgleich jetzt schon bis an die Schwelle des achten Jahrhundert vorgerückt, dennoch nur zwei solcher Ausnahmen begegnet.

in der Stadt umher, besuchte öffentliche Oerter, un-
terhielt sich mit Fremden und Einheimischen, und
ward dadurch nicht selten in Stand gesetzt, Unordnungen zu steuern, und leichtsinnige Beamten an ihre
Pflicht zu erinnern. — Man erzählt von ihm, daß,
wenn er fremden Gesandten Audienz gab, er gewöhnlich die schlechtesten Kleider anlegte, bisweilen
vor ihnen sogar in Fellen, wie das gemeine Volk
sie trug, gekleidet erschien; auch war seine Tafel,
wenn er Gesandten fremder Höfe eingeladen hatte,
nie mit auserlesenen Speisen, oder kostbaren Wei-
nen besetzt. Sein Beweggrund war, solchen Fremden keine hohen Begriffe von des Landes Reichthum
beizubringen; denn wohl wissend, daß es stets Italiens milder und fruchtbarer Himmel gewesen, der
die fremden Völker und barbarischen Nationen über
die Alpen oder das Meer herüber gelockt hatte; wollte
er deren Begierlichkeit nach dem schönen Lande,
durch eitele Prachtausstellung und prangenden Ueberfluß, doch wenigstens nicht selbst auf das neue
wieder reizen.

7. Nach Ariperts II. Tod, ward nun Ansprand einstimmig von der Nation zum König gewählt. Von allen Eigenschaften eines guten und
weisen Regenten fehlte ihm keine; aber leider starb
er nur zu frühe für das Wohl seiner Nation; denn
schon im Anfange des vierten Monates nach seiner
Erhebung, machte in seinem fünf und fünfzigsten
Jahre eine, anfänglich unbedeutend scheinende Krankheit, seinem Leben und seiner Regierung ein Ende.
(712.) Auf dem Thron folgte ihm sein Sohn
Liutprand, dessen merkwürdige Regierungsgeschichte
jedoch nicht mehr in den gegenwärtigen Zeitlauf
gehört.

XIV.

1. **Geschichte der Franken *).** Abermal war es jetzt wieder ein Clothar, und zwar der Zweite dieses Namens, welcher in dem Jahre 613 das, seit Clothars I. Tod zertheilte und zerstückte un-

---

*) Quellen erster Art sind: Fredegar, die Gesta Fran-corum, Marculfs Formeln, und dann noch, und zwar bisweilen vorzüglich, die Lebensbeschreibungen mehrerer Heiligen, wie z. B. des heiligen Arnulphs, Eligius, Wilfrieds ꝛc. Nicht selten werden, wie auch Muratori bemerkt, durch dergleichen Lebensbeschrei-bungen bedeutende historische Lücken ausgefüllt, und Manches, was ganz unverständlich seyn würde, be-friedigend erläutert. Uebrigens ist diese Periode der fränkischen Geschichte eben so dunkel und verwirrt, wie jene der Longobarden, mit der wir uns in den vor-hergehenden Abschnitten beschäftigten. Dieses Dunkel aufzuhellen, haben sich Valois, Mabillon, Le Cointe ꝛc. besondere Mühe gegeben, und zwar nicht ohne Erfolg, weil ihnen die Lebensbeschreibungen meh-rerer heiligen Bischöfe und Aebte aus eben dieser Pe-riode zu Gebot standen; ein Hülfsmittel, welches die Italiener für den nämlichen Zeitraum der longo-bardischen Geschichte, beinahe gänzlich entbehrten. (Muratori Gesch. v. Ital. Th. 4. S. 165.) — Von den Neuern benutzten wir vorzüglich des Abbe Velly histoire de France, eine ungemein vollständige Ge-schichte; ferner die Antiquités françaises, einige Abhandlungen in den Memoires de l'Académie franc. und des père Daniel abregé de l'hist. franc.; auch haben wir, nicht ohne Nutzen, Schmidts und Mascovs Geschichte der Deut-schen, und den zweiten Band von Schlossers Weltgeschichte in zusammenhängender Erzählung da-bei zu Rathe gezogen.

geheure Franken-Reich, auf das neue wieder unter seinem Scepter zu einer Gesammtmonarchie
vereinte*). Aber auf einem, auf Frevel und Verbrechen erbauten Thron ruhet kein Segen, und mit
Clothars II. Regierung beginnt nun auch der sichtbar immer mehr zunehmende Verfall der königlichen
Macht. Schon den drei Verräthern, Rado, War-
nacher und Gundeland, mußte der König ihre
Macht und Würde, als Major Domus in Austrasien, Burgund und Neustrien, auf Lebenszeit
überlassen, das heißt, ihnen Macht und Recht ertheilen, in Zukunft alles was sie wollten, ungestraft
thun zu können. Auch die übrigen Großen suchten
in Ungebundenheit und völliger Hintansetzung des
königlichen Ansehens, einen Lohn für ihren, an
Brunehilde und deren Enkeln begangenen scheußlichen
Verrath; und Herzoge, die in ihren Bezirken den
Landfrieden erhalten und keinen Raub dulden wollten, wurden, wie Herzog Herpo in der Schweiz,
von den gegen sie verbündeten Grafen und Baronen
erschlagen; kurz man gehorchte dem König nur da,
wo er mit dem Schwert sich Gehorsam erzwingen
konnte.

2. Nicht weniger, jedoch auf gerechtere Weise,
ward die königliche Macht auf der, im Jahre 615
zu Paris gehaltenen National-Versammlung beschränkt**). Hier mußte Clothar ein Edict unter-

---

*) Man sehe der Fortsetz. 6ter Bd. Abschn. 12. §. 35.
und 36.

**) Neun und siebenzig Bischöfe fanden sich in dieser Ver-
sammlung ein, daher sie auch in die Zahl der französischen National-Concilien aufgenommen ward. (Der
Fortf. B. 7. Abschn. 16. §. 3.) Beinahe alle Großen

schreiben, das man sehr wohl einen Sicherheitsbrief für die Nation zu nennen befugt ist. In der That hatten die Könige bisher nicht selten von ihrer Gewalt einen empörenden Mißbrauch gemacht. Alles, glaubten sie, sey ihr Eigenthum. Sie vergaben Kirchen-, Allodial- und Fiscal-Güter, Bisthümer und geistliche Beneficien, reiche Erbschaften, endlich sogar auch wohlhabende Wittwen und reiche noch unverheirathete Töchter, und die hierüber schriftlich erlassenen königlichen Verordnungen, wurden Präceptiones oder Präcepta genannt. — Um in ihren Familienzwisten sich Anhänger zu machen, hatten die Könige die Güter ihres Fiscus verschleudert, dann um den Ausfall zu decken, schwere, das Volk drückende Auflagen ersonnen. Mit Bisthümern und geistlichen Beneficien wurden, ohne Rücksicht auf Gelehrsamkeit und Reinheit des Wandels, blos im Kriege oder am Hofe geleistete Dienste belohnt, und zum Vortheil Derjenigen, welche man begünstigen wollte, erlaubten sich die Könige nicht selten die willkührlichsten Eingriffe selbst in die heiligsten Rechte des Menschen und Bürgers. Niemand war mehr sicher, das väterliche Erbe ruhig und ungeschmälert anzutreten, und wohlhabende Wittwen und unverheirathete reiche Töchter mußten jeden Tag befürchten, daß sie durch ein königliches Präceptum einem Manne zu Theil würden, den sie nie gekannt, nie gesehen, und der, bisweilen ihrer ganz unwür-

---

des Reiches waren gegenwärtig; und noch größer war die Anzahl der königlichen Leute (Leudes), das heißt, solcher, welche von dem Könige Beneficien oder Lehen erhalten hatten, und diesfalls dem Monarchen noch ganz in das Besondere verpflichtet waren. Alle diese wohnten ebenfalls dieser Nationalversammlung bei.

dig, nicht sowohl ihr Gatte, als blos ihr und ih=
res Vermögens Herr zu werden beabsichtigte. Die=
sem unerhörten Mißbrauch der höchsten Gewalt,
mußten jetzt nothwendig gesetzliche Schranken gesetzt
werden, und zwar Schranken, die sowohl in posi=
tiven göttlichen Gesetzen, als auch, weil aus der
Natur und dem Zweck jedes gesellschaftlichen Zu=
standes hervorgehend, selbst schon in der Vernunft
ihren Grund hatten.

3.   In der allgemeinen National=Versammlung,
welche Clothar zusammen zu berufen gezwungen war,
forderten also Geistliche und Weltliche die ihnen zu=
stehenden Rechte zurück. Die Erstern: freie Bischofs=
wahlen und Immunität der Geistlichkeit. Die Andern:
Sicherheit der Erbfolge nach den Gesetzen; völlige
Abschaffung des, in Ansehung der Verheirathung
reicher Wittwen und Jungfrauen, bisher getriebe=
nen, schändlichen Mißbrauches königlicher Präceptio=
nen, und endlich Aufhebung drückender und will=
kührlicher Abgaben und Auflagen. Diese gerechten
Forderungen zurückzuweisen, stand nicht mehr in des
Königes Gewalt. Clothar bewilligte demnach Alles,
und unterzeichnete den ersten, großen Sicherheits=
brief der fränkischen Nation. Mit den freien Bi=
schofswahlen waren jedoch die Großen nicht sehr zu=
frieden; denn sie sahen wohl ein, daß durch freie
Wahl es ihnen viel schwerer seyn würde, als durch
blose Hofgunst, Bisthümer und reiche Beneficien,
für sich und die Ihrigen zu erhalten. Durch ihren
Einfluß ward also eine Clausel eingerückt, welcher
zufolge, wenn ein Bischof vom Hofe ge=
wählt würde, auf die Verdienste und Ge=
lehrsamkeit des Gewählten, Rücksicht ge=
nommen werden müßte. Auf diese Weise blieb

bei den Bischofswahlen, des Königs Hand noch immer mit im Spiel*).

4.   Clothar II. war ein Regent ohne allen Werth, und nichts ist lächerlicher, als die Lobsprüche, mit welchen neuere französische Geschichtschreiber, besonders der Pater Daniel diesen Fürsten überhäufen, und zu denen man doch in dessen ganzen Lebensgeschichte nirgends auch nur die schwächsten Belege findet. Gegen die Königin Brunehilde und deren Enkel hatte er, wie der Leser weiß, mit einer Grau-

---

*) Ein offenbarer Beweis, daß es den Bischöfen blos um das Wohl ihrer Kirchen, und ganz und gar nicht darum zu thun war, sich selbst von der königlichen Gewalt immer unabhängiger zu machen. Sie ließen also obige Clausel, die sie wohl hätten verhindern können, gerne zu, schon vollkommen befriediget und beruhiget, sobald nur der Hof sich verpflichtete, blos fromme und gelehrte Männer auf erledigte bischöfliche Stühle zu erheben. — Auch gegen die Befreiung der Geistlichen von der weltlichen Gerichtsbarkeit, sträubten sich die Großen, und durch deren Einfluß nun ebenfalls der König. Es ward also abermals eine Clausel, und zwar so zweideutig, so künstlich gedreht und geschraubt, eingerückt, daß deren wahrer Sinn äußerst schwer zu fassen ist. Indessen könnte man dieselbe doch so deuten, daß in Civilfällen weltliche Richter über Geistliche, welche erst die untern Weihen erhalten haben, und noch nicht Priester oder Diacone sind, ihre Gerichtsbarkeit, jedoch nur in Fällen, welche ganz klar sind, ausüben können; in allen Criminalfällen aber ohne Ausnahme nach den Canons erkannt werden soll. Nachher scheint es jedoch herrschender Brauch worden zu seyn, daß in allen Civilsachen ohne Unterschied, die weltlichen Richter auch über die Geistlichen, jedoch nicht anders, als mit Vorwissen und im Beiseyn der Bischöfe zu sprechen hatten.

samkeit gewüthet, die selbst die Wildheit und Rohheit jener Zeiten nicht entschuldigen. Gleich seinen
Vorfahren, unter welchen man doch schwerlich Vor-
bilder weiser und tugendhafter Regenten wird suchen
wollen, ließ Clothar mehrere seiner Großen meuchelmörderisch aus dem Wege räumen; Einige blos
aus bösem Argwohn, und den B o s o m, einen jungen, ungemein wohlgestalteten edlen Franken gar aus
Eifersucht und falschem Verdacht, daß derselbe mit der
Königin ein geheimes Liebesverständniß unterhalte.
Beweise seiner Tapferkeit zu geben, hatte Clothar
nie Gelegenheit gehabt; denn nicht seinem Degen,
sondern blos Künsten der Bestechung und des Verrathes dankte er seine Universalherrschaft über das fränkische Reich; und sein vorgeblich glorreicher Zug gegen
die Sachsen, auf welchem er einen ganzen Volksstamm
ausgerottet haben soll, wird von den besten Geschichtschreibern in Zweifel gezogen. Ueber alles Maß
der Jagd und den Weibern ergeben, raubte jene
ihm den größten und kostbarsten Theil seiner Zeit,
und diese, denen er zu großen Einfluß in alle Geschäfte gestattete, brachten ihn um die Liebe und Achtung der Nation. Mehr aus Trägheit und Liebe zu
seinen Vergnügungen, als aus Zärtlichkeit gegen seinen Sohn, trat er diesem in dem Jahre 622 das
Königreich Austrasien ab. Aber der Sohn war nicht
viel besser, als der Vater, und immerwährender
Zwist zwischen Beiden war die Folge dieser aberma-
ligen Theilung des Reiches. Clothar hatte verschiedene zu dem Königreich Austrasien gehörige Länder,
bei der Theilung für sich behalten. Trotzig forderte
der noch unbärtige, gekrönte Jüngling sie zu Clichi
von seinem Vater zurück. Statt die Insolenz des un-
dankbaren Sohnes zu züchtigen, nahm Clothars furchtsame Politik zu zwölf Schiedsrichtern ihre Zuflucht,
und diese entschieden, daß von den kürzlich von

Austrasien getrennten Ländern, der Vater jene an
der Loire und in der Provence, der Sohn aber alles,
zwischen den Ardennen, Voghesen und den Reichen
Burgund und Neustrien gelegene Land behalten
sollte. Clothars Nachgiebigkeit sänftigte jedoch nicht
den wilden und trotzigen Sinn seines Sohnes, und
unter andern Beweisen des schnödesten Undankes,
ließ Letzterer auch einen seiner Großen, der Clothars Gunst im höchsten Grade besaß, und den daher Dagobert vor Allen zu ehren dem Vater feierlich versprochen hatte, dennoch meuchelmörderischer
Weise hinrichten. — Clothar erreichte kein hohes Alter; er starb im Jahr 628, im sechs und vierzigsten Jahre seines Alters und seiner Regierung *).

3. Mit Uebergehung seines jüngern Bruders
Charibert, bemächtigte, nach Clothars II. Tod,
Dagobert sich wieder der ganzen fränkischen Monarchie. Aber diese offenbare Verletzung der Erbfolge-
setze empörte das Volk und die Großen in Neustrien **), und um innern, vielleicht sehr gefährlichen

---

*) Clothar II. kam, wie man sich erinnern wird, erst
nach dem Tode des Königes, seines Vaters, zur Welt;
mit dem Tag seiner Geburt begann also auch zugleich seine Regierung.

**) Das jetzt in allen königlichen und fürstlichen Häusern
Europas eingeführte Apanagen-System, das heißt,
nachgeborne Prinzen mit Geld abzufinden, war dem
richtigen natürlichen Gefühle und dem gesunden Men-
schenverstand der alten germanischen Völker unbekannt.
Sie glaubten, und zwar mit gutem Grunde, daß
solchen Prinzen nur durch Theilung des Gebietes eine
solide, und derselben würdige Existenz gegeben werden
könne und müsse. Aber leider fielen sie dabei in einen Irrthum, der, weil, wie jeder falsche Wahn,
gefährlich in seinen Folgen, nachher zu dem traurigen

Unruhen vorzubeugen, trat Dagobert - seinem Bruder

Apanagen - System gerade die scheinbarsten und verführerischsten Gründe darbot. Sie mißkannten nämlich die, der Erstgeburt nothwendig gebührenden und schon in göttlichen Gesetzen des alten Bundes gegründeten Vorrechte und Vorzüge, und unter dem albernen Vorwand, daß, weil alle gleiche Kinder eines und desselben Vaters, auch alle gleiche Erben seyn müßten, ward nun eine vollkommen gleiche Theilung des ganzen Reiches unter allen eines verstorbenen Königes zurückgelassenen Söhnen eingeführt. Nie endende Familienzwiste, blutige innere Kriege, Verfall des königlichen Ansehens und Erhebung der ständischen Macht auf Kosten der Könige, wodurch endlich alle Concentrirung der Kräfte gegen äußere Feinde unmöglich ward, waren die nothwendigen und unabwendbaren Folgen dieses Mißgriffes. Aber um diese Gefahren abzuwenden, bedurfte es durchaus nicht des nicht minder traurigen Apanagen - Systems. Man durfte ja den nachgebornen Prinzen nur ungleich kleinere Gebietsportionen anweisen und dann sie unter die Oberhoheit des regierenden Familienoberhaupts stellen. Bei verminderter Ländermacht und geschmälerter Würde — denn auch den Königstitel hätten die nachgebornen Prinzen nicht führen müssen — hätte es ihnen nie einfallen können, auch nur einen Versuch zu machen, sich der nothwendigen und so sehr heilsamen Abhängigkeit von dem Chef des Regentenhauses zu entziehen. In seinem Landesantheil war alsdann jeder vollkommen souverain, ohne daß dadurch jener aufgehört hätte, ein integrirender Theil der Gesammtmonarchie zu seyn. Die Leitung aller staatsrechtlichen Verhältnisse des Gesammtreiches mit auswärtigen Staaten, die Frage über Krieg und Frieden, mithin auch die Abschließung aller Friedens- oder Handelsverträge, blieben ausschließlich dem regierenden Familienhaupt und Oberherrn überlassen. Im Kriege würde keiner der minder mächtigen Fürsten es wagen, sein Contingent zurückzuhalten, im Gegentheil unter diesen, weil von ihren Fürsten selbst ange-

die Landschaften Cahors, Quercy, Perigord,

---

führt, sich bald ein wahrhaft heldenmäßiger Wetteifer an Tapferkeit und jeder kriegerischen Tugend sich erzeugen. Die schwere Aufgabe der Verbindung einer leichten und schnellen Concentrirung aller innern Kräfte nach Außen, mit allen Vortheilen getheilter Localadministrationen, wäre unstreitig auf diese Weise vollkommen gelößt, und die nachgebornen Prinzen, nur gar zu oft durch eine gewisse, ziemlich natürliche, bei dem regierenden Familienoberhaupt oder dessen Ministern leicht sich einstellende Eifersucht von allem Antheil an den Regierungsgeschäften entfernt, wären nicht mehr verurtheilt, sich ausschließlich dem Kriegsdienste zu weihen und, weil selbst die längsten Kriege stets von einem, noch dreimal länger dauernden Frieden abgelößt werden, in solchen Friedensperioden ihr ganzes Leben mit Soldatenspielerei zu verständeln, und dadurch oft die Entwickelung so mancher, in ihnen schlummernden Kräfte und großer Anlagen zu hemmen, oder gänzlich zu ersticken. Man mache nicht den Einwurf, daß bei oft wiederholter Theilung solcher Länderantheile, das Ganze endlich völlig zerfallen, und vielleicht schon in der dritten Geschlechtsfolge die Prinzen keine, ihrer und ihres Hauses mehr würdige Existenz haben würden. Dieser Fall würde äußerst sparsam und selten, höchstens nur theilweise eintreten, und auch dann noch sehr leicht eine Remedur finden. Werden nicht auch jetzt überall die apanagirten Prinzen vermählt, und gibt es ein einziges Regentenhaus in Europa, das wahrhaft zu sagen einen Ueberfluß an Prinzen hätte? Und endlich, warum hat man zugegeben, daß eine aus dem Abgrunde heraufgestiegene Revolution, in Deutschland, Frankreich, und noch in einigen Nebenländern, die erhabensten bischöflichen, oft fürstlich-bischöflichen Stühle, die höchsten, mit allem, ihnen gebührendem, äußern Pomp und Pracht umgebenen kirchlichen Würden, gestürzt, geplündert und darnieder getreten hat? Wie aber auch dem sey; so muß man übrigens stets der, Alles über-

10*

Saintogne und alles Land zwischen der Garonne und den Pyrenäen ab; und Charibert, der nun den Titel eines Königes von Aquitanien annahm, schlug, in Nachahmung der ehemaligen westgothischen Könige in Gallien, seinen Sitz in Toulouse auf (630). Charibert war ein tapferer Prinz, bezwang die wilden, unruhigen Gascogner und erwarb sich in kurzer Zeit die Liebe des Volkes und aller Großen seines Reiches. Leider starben schon im Jahre 632 Charibert und sein Sohn Chilperich schnell nach einander. Dagobert vereinigte nun wieder alle Länder seines verstorbenen Bruders mit seinem Reiche. Aber Charibert hatte zwei Prinzen, Namens Boggis und Bertrand in noch sehr zartem Alter hinterlassen. Ihrer Mutter Bruder nahm sich derselben an. Es entstand ein blutiger Krieg. Wegen ihrer Anhänglichkeit an seines Bruders Söhnen, verheerte, verbrannte und schleifte Dagobert ganze Gegenden und blühende Ortschaften. Endlich, um Friede zu haben, weil der Krieg seine Ruhe störte, gab er doch den jungen Prinzen einen Theil des väterlichen Erbes zurück; behielt sich jedoch die Oberhoheit vor, wie auch einen, an ihn jährlich zu bezahlenden Tribut; und so entstand nun in Aquitanien eine neue Herzogslinie, die schnell aufblühend in kurzer Zeit in eben dem Verhältniß an Macht und Größe stieg, in welchem Dagoberts Enkel in immer größere Verachtung und Ohnmacht herabsanken.

---

schauenden und über Allem waltenden Vorsehung ebenfalls Etwas überlassen; denn, wahrhaftig, würde ihr, mit unendlicher Weisheit und Erbarmung über der Menschheit waltendes und weilendes Auge, sich nur ein einzigesmal von ihr abwenden, wie jämmerlich und über allen Ausdruck erbärmlich, würde es dann nicht auch bald mit der Welt und den Menschen, mit Staaten und Völkern bestellt seyn!

4. Als Clothar II. seinem Sohne Dagobert Austrasien abtrat, gab er ihm die zwei größten Männer seines Reiches an die Seite, nämlich den heiligen Arnulph, Bischof von Metz, und Pipin von Landen *). Beide Staatsmänner, gleich gottesfürchtig, gleich redlich und allen Geschäften gewachsen, wollten, weil fremd jeder Lockung der Selbstsucht, nur das Beste des Staates und ihres Herrn. Beide große Männer lebten daher stets mit einander in vollkommenster Eintracht; und diese gegenseitige Freundschaft legte den Grund zu der zweiten französischen Dynastie; denn Arnulphs Sohn, Ansegisel, heirathete Pipins Tochter, die schöne Begga, und ein Sprosse dieser Ehe war in dritter Geschlechtsfolge Pipin der Kurze, der, wie wir in der Folge sehen werden, sein und seines Vaters Verdienst um das fränkische Reich wie um die ganze Christenheit, endlich auf den Thron des verdorrten, in sich erstorbenen merovingischen Königstammes erhob.

5. Löblich war demnach, unter dem Beistand solcher Männer auch der Anfang von Dagoberts Regierung, besonders nach dem Tode seines Vaters. Er durchreiste, um den Zustand seines weitschichtigen Reiches kennen zu lernen, alle Provinzen desselben, forschte nach dem Betragen seiner höhern und niedern Beamten, sorgte für gewissenhafte Gerechtigkeitspflege, erwarb sich dadurch, trotz der zwischen den Austrasiern und Neustriern herrschenden Eifersucht, dennoch die Liebe aller seiner Unterthanen, und überall, wo er hinkam, strömte das Volk, das ehemals den Für-

---

*) Eine Stadt in Brabant. Pipins Vater, Carlomann hatte große Güter im Haspengow, (Hasbania) ein Strich Landes an der Maas, welcher ehemals theils zum Herzogthum Brabant, theils zum Stift Lüttich gehörte.

sten auch schon wegen des Guten dankte, das sie erst in der Zukunft thun wollten, seinem gerechten und guten König jubelnd entgegen. Aber es dauerte nicht lange, so verwandelte sich das Jubeln der Nation auf einmal wieder in laute Wehklage. Als Dagobert, unter dem Vorwand der Unfruchtbarkeit seiner Gemahlin G o m a t r u d i s, obgleich er erst sieben Jahre mit ihr vermählt war, gegen Gottes und der Kirche heilige Gebote sich von derselben scheiden ließ, und die Nantildis, der verstoßenen Königin Hoffräulein heirathete, schied auch der heilige Arnulph, und mit diesem des Königs guter Schutzgeist auf immer von demselben; und wie jedes Verbrechen beinahe stets zu neuen und noch größern Verbrechen führt; so überließ sich auch von diesem Augenblick an, der König ganz zügellos allen seinen Leidenschaften und unlautern Begierden. Am Busen der Wollust erstarb nun jede schöne und edle Anlage seines Geistes, wie seines Herzens; an Ausgelassenheit übertraf er bald die Ausschweifendsten unter seinen Vorfahren; nahm drei Gemahlinnen zu gleicher Zeit, welche alle drei sich Königinnen nennen ließen, und hatte neben diesen noch ein ganzes Heer von Concubinen. Um die Habsucht solcher Geschöpfe, so wie seine eigene grenzenlose Prachtliebe *) zu be-

---

*) Von der ausnehmenden Pracht des königlichen Hofes unter Dagobert I., geben uns die Lebensbeschreibungen mehrerer Heiligen aus dieser Periode, einen ungemein hohen Begriff. Der h. Eligius z. B., als er noch Goldarbeiter und Aufseher der königlichen Münze war, verfertigte für Dagobert einen Thron aus durchaus gediegenem feinem Golde. Alles in ungeheurer Menge vorhandene königliche Geschirr, war größtentheils aus Gold. An allen Geräthschaften in den königlichen Palästen und Lustschlössern erblickte man überall eine beinahe

friedigen, reichten weder die, von seinem Vater gesammelten Schätze, noch die Einkünfte seiner Kron-
und Fiscalgüter mehr zu. Dagoberts Verwaltungs-
system ward nun ein System des Raubes und der
Erpressung. Troß dem, von Clothar II. der Nation ertheilten Sicherheitsbrief, sann der König täglich auf neue, das Volk immer mehr drückende Auflagen, beschwerte, belastete und hemmte jedes bürgerliche Verkehr*), legte endlich sogar räuberische
Hände an das Eigenthum und die Güter der Kirche,
jagte heilige Männer, die seine Ausschweifungen
rügten und zur Besserung ihn ermahnten, zum Lande
hinaus, schenkte aber dafür wieder der Kirche von
St. Denis, damit man dort für ihn beten möchte,
eine Menge Güter und Einkünfte. Daß bei diesen
Verirrungen des Monarchen und dem immer mehr
zunehmenden Scandal, des edeln und tugendhaften
Pipins Verhältnisse an dem Hofe immer schwieriger
und gefährlicher wurden, versteht sich von selbst.

———————

unglaubliche Verschwendung der edeln Metalle. Ju-
welen und orientalische Perlen schmückten die Waffen
des Königes; und alle seine Kleidungsstücke, besonders
der Königsmantel waren mit den kostbarsten Steinen
gleichsam übersäet. Am Hofe folgte eine Schimmer-
scene auf die andere, und jedes Auge ward von der
dort herrschenden Pracht geblendet. — Wo indessen
dieser ungeheure Reichthum hergekommen seyn mag,
ist schwer zu erklären. Wohl kann der Handel, den
einige Städte des südlichen Frankreichs mit Constantinopel und dem Orient trieben, die königlichen Einkünfte vermehrt, unmöglich aber, wenn nicht noch
andere Quellen hinzu flossen, eine solche ungeheure
Masse von Reichthümern geschaffen haben.

*) In Du-Cange Glossarium, findet man die Nomen-
clatur einer ganzen Litanei solcher, die Industrie gänzlich darnieder drückender Auflagen erläutert und ver-
ständlich gemacht.

Die Thorheiten und Laster des Herrn, legte man dem Minister zur Last, und sogar gegen sein Leben wurden einigemal mörderische Versuche gemacht. Aber Pipin hatte Gott vor Augen, trotzte daher jedem Sturm wie jeder Gefahr, that so viel Gutes, als er thun konnte, und ließ geschehen, was er zu verhindern nun nicht mehr vermochte.

6. Dagobert liebte nicht den Krieg, und in den wenigen, die er zu führen hatte, erschien er nur selten an der Spitze seines Heeres; und überhaupt möchte man beinahe sagen, daß ungefähr schon mit Dagobert I. jene Reihe der sogenannten Rois fainéans unter den Franken beginnt. Weil die Slavonier einige fränkische Kaufleute geplündert, und auf die, vom fränkischen Hofe dießfalls erhobene Klage nur mit trotzigem Uebermuth geantwortet hatten, so war Dagobert, selbst gegen seinen Willen gezwungen, sie mit Krieg zu überziehen. Aber die Austrasier, die nicht von dem König, sondern Einem ihrer Herzoge geführt wurden, waren in diesem Feldzuge nicht glücklich, wurden bei Voitsberg in Steyermark geschlagen und die Slaven, ermuthiget durch diesen Sieg, erkühnten sich jetzt sogar, verheerend und raubend in die fränkischen Grenzprovinzen, vorzüglich in Thüringen einzufallen*).

---

*) König von Slavonien war damals S a m o, ein geborner Franke aus der Stadt S e n s. Selbst Kaufmann, war er vor mehrern Jahren, Handelsgeschäfte wegen, zu den Slaven gereist. Als er ankam, war die Nation, um der Avaren drückendes Joch zu zerbrechen, mit denselben in Krieg verflochten. Samo, dem es weder an Verstand, noch an Kühnheit und Tapferkeit gebrach, stand mit Rath und That den Slaven bei, lehrte sie manche, ihnen bis jetzt noch nicht bekannte

7. Um die Slaven zu demüthigen und seine Länder gegen fernere Einfälle zu schützen, ließ Dagobert im folgenden Jahre ein allgemeines Aufgebot in Neustrien und Burgund ergehen. Er selbst setzte sich diesmal an die Spitze des Heeres. Als er aber nach Mainz kam, fand er allda die Gesandten einiger angrenzenden, sächsischen Völkerstämme. Seit Clothar I. hatten dieselben jährlich als Tribut fünf hundert Kühe zur königlichen Küche liefern müssen. Ihre Gesandten machten jetzt dem König den Vorschlag, daß, wenn man ihnen diesen Tribut erlassen würde, sie mit ihren eigenen Kräften den Krieg gegen die Slaven fortsetzen, deren Einfällen in das fränkische Gebiet ein Ende machen wollten. Nur ungerne waren die Neustrier und Burgunder in diesem Feldzuge ihrem König gefolgt; der Feind war ihnen zu weit entfernt, auch hatten sie, im Falle sie die Slaven besiegen würden, wenig Hoffnung, große Schätze bei ihnen zu finden. Bereitwillig nahm also Dagobert den Vorschlag der Gesandten an, erließ den Sachsen den bisherigen Tribut, und zog mit seinem Heere wieder nach Hause. Aber die Sachsen, die jetzt ihren Zweck erreicht ha=

Vortheile des Krieges, brachte mehr Ordnung unter ihre Schaaren, führte sie mit dem glücklichsten Erfolg gegen den Feind, und erkämpfte seinen neuen Freunden endlich Friede und Unabhängigkeit. Theils aus Dankbarkeit, theils weil sie die Ueberlegenheit seines Geistes anerkannten, wählten die Slaven ihn nun zu ihrem König. Mit großer Klugheit und noch größerm Glücke, herrschte Samo eine lange Reihe von Jahren; gab sich aber nicht die mindeste Mühe, das Christenthum unter seinem Volke zu verbreiten, hörte vielmehr selbst auf, ein Christ zu seyn, nahm zwölf Weiber, und hinterließ über dreißig bis vierzig Kinder, theils Söhne, theils Töchter.

ten, bekümmerten sich wenig um Thüringen und die Slaven, und diese setzten nach wie vor ihre feindlichen Einfälle ungestraft fort.

8. Seine Ruhe und sein Vergnügen hatten für Dagobert eben so großen Werth, als ein ganzes Königreich. Um sich aller Sorgen wegen des slavischen Krieges zu entschlagen, faßte er also den Entschluß, den Austrasiern wieder einen eigenen König zu geben. Von den drei Königinnen hatte keine noch dem Dagobert einen Prinzen geboren, aber von Ragnetrude, einer reizenden Austrasierin, hatte er einen natürlichen Sohn, Namens Sigebert, und diesem trat er jetzt das Königreich Austrasien ab. Da aber der neue König noch kaum drei Jahre alt war; so folgte Dagobert dem Beispiele seines eigenen Vaters, wählte für das zum König erklärte Kind, zwei taugliche Minister, war in dieser Wahl nicht minder glücklich, als Clothar, und übertrug demnach dem eben so verständigen und der Geschäfte kundigen, als durchaus rechtschaffenen und wahrhaft frommen Erzbischof Cunibert von Cöln, dem er Arnulphs Sohn, den Herzog Ansegisel beiordnete, die Verwaltung der Reichsgeschäfte während der Minderjährigkeit seines Sohnes.

9. Aber bald darauf gebar die Königin Nantildis ihrem Gemahl einen Sohn, welcher in der heiligen Taufe den Namen Chlodowig erhielt. Nicht ohne Grund befürchtete jetzt Dagobert, daß einst nach seinem Tod Sigebert sich gegen seinen jüngern Bruder Chlodowig das nämliche erlauben möchte, was er selbst sich ehemals gegen seinen Bruder Charibert erlaubt hatte. Um solchem Uebel vorzubeugen, schrieb er nach Paris einen allgemeinen Reichstag aus; und mit Genehmigung der Neustrier, Bur-

gunder und Austrasier ward nun festgesetzt, daß in Neustrien und Burgund, Chlodowig seinem Vater auf dem Throne folgen, aber dafür seinem Bruder, dem König von Austrasien, Alles das herausgeben sollte, was ehemals Austrasiens Könige auch in den übrigen Provinzen Galliens besessen hatten *).

10. Nach dieser Theilung des Reiches lebte Dagobert nur noch einige Jahre. Sein Tod erfolgte in dem Jahr 638. Als er zu Epynai, einem Lustschlosse nicht ferne von Paris, von einer heftigen Krankheit ergriffen ward, und dem Tode sich nahe fühlte, ließ er sich, in der Hoffnung wunderbarer Genesung, in die Kirche des Klosters von St. Denis bringen. Aber Bitte um Fristung des Lebens, damit man den Taumelkelch der Weltfreuden bis auf den letzten Tropfen hinunter schlürfen könne, wird von Gott nicht erhört, und an seinem Throne legen dießfalls seine Heiligen eben so wenig eine Fürbitte nieder; und so starb nun auch in der Kirche von St. Denis Dagobert I. in dem sechs und dreißigsten Jahre seines Alters und dem sechzehnten seiner Regierung.

11. Da Dagobert in seinem Leben Klöster gestiftet, sie reichlich dotirt, auch gegen deren fromme Bewohner sich stets gnädig und huldvoll erwiesen hatte; so wurden nun ebenfalls mehrere derselben seine Biographen, überhäuften ihn mit Lobsprüchen.

---

*) Nämlich einen großen Theil der Champagne, das Wasgau, das jetzige Departement der Ardennen, wie auch alle die Städte, welche die frühern austrasischen Könige in Aquitanien und in der Provence besessen hatten. Zu den letztern gehörte damals auch die Stadt Marseille.

und drangen ihn beinahe ihren Zeitgenossen und der
Nachwelt als einen Heiligen auf. Wenn dankbare
Mönche das Andenken der Stifter ihrer Klöster seg=
nen; so ist dies sehr begreiflich, auch gewiß nicht
weniger billig; aber das Stiften und reichliche Bega=
ben der Klöster macht noch nicht das Wesen eines Hei=
ligen aus, und zwar um so weniger, wenn jenes blos
geschah, um gleichsam mit dem Himmel wegen des
Uebrigen sich gütlich abzufinden. Das schönste Mo=
nument aus der Regierung Dagoberts I. ist unstreitig
die auf seinen Befehl unternommene Sammlung,
Sichtung und Verbesserung der fränkischen Gesetze.
Zwar hatten die Franken längst schon geschriebene Ge=
setze; Theuderich I., Chlodowigs Sohn, gab sie ihnen,
das heißt, er ließ die Gesetze der Franken, Allemann=
nen und Bayern sammeln, einige neue hinzufügen
und sie dann sämmtlich in ein Buch niederschreiben.
Childebert suchte dieselben wenigstens von den gröbsten
Schlacken des Heidenthums zu reinigen, sie mit dem
Geiste des Christenthums mehr in Uebereinstimmung
zu bringen. Indessen blieb noch ungemein Vieles zu
wünschen übrig. Einem Verein einsichtsvoller, un=
terrichteter, und des Herkommens und der Gebräuche
aller, der fränkischen Herrschaft unterworfenen Völ=
ker kundiger Männer, wovon der größte Theil aus
Bischöfen bestand, gab nun Dagobert den Auftrag,
die, unter Franken, Burgundern, Allemannen und
Bayern bestehenden Gesetze auf das neue zu durch=
sehen, genau zu prüfen, das Ueberflüssige, oder
nicht mehr Passende davon zu scheiden, die, von
dem indessen fortgeschrittenen Culturzustand der Na=
tion geforderten, neuen Verordnungen hinzu zu fü=
gen, und die ganze Gesetzgebung mit dem Christen=
thum und dessen Lehren in vollkommenern Einklang

zu bringen*). — Wie bei den Longobarden, war auch bei den Franken die Criminalgesetzgebung nicht von der bürgerlichen getrennt. Alle Strafen bestunden ebenfalls blos in Geldbußen, jedoch mit Ausnahme des Hochverraths, welcher mit dem Tode bestraft ward. Sicherheit der Person, des guten Namens, wie des Eigenthums war vorzüglich berücksichtiget. Alle Verbrechen, Vergehen, Beleidigungen, körperliche Mißhandlungen oder Verletzungen

---

*) Wie Chlodowig I., eben so ließen auch dessen Söhne und Nachfolger allen Völkern, die sie nach und nach der fränkischen Monarchie unterwarfen, ihre Autonomie, das heißt, ihre volle Selbstständigkeit, mithin ihre Regierungs- und Verfassungsformen, ihre Herzoge, ihre Gesetze und sogar auch ihre Religion, die nicht den fränkischen Waffen, sondern blos den Bemühungen frommer Missionäre endlich weichen mußte. Was die Gesetze dieser Völker betrifft, so suchten die fränkischen Bischöfe nur das darin nach und nach zu tilgen, was offenbar den Charakter des Heidenthums trug, auch die bisweilen zu schreiende Divergenz, besonders wenn sie auf das Wohl des Gesammtreiches Einfluß hatten, zu mildern, und dadurch so viel möglich in die Gesetzgebung eine größere Uebereinstimmung zu bringen. Uebrigens blieb jedes Volk bei seinen Gesetzen. Selbst die Franken folgten nicht einer und derselben Richtschnur des Rechts. Bei Jenen, welche zwischen der Maas und der Loire wohnten, herrschte das Salische, und bei denen zwischen der Maas und dem Rhein, das Ripuarische Recht. Uebrigens blieb auch das ungeschriebene Gewohnheitsgesetz neben dem Geschriebenen noch immer in Kraft, war sogar in mehreren Ländern der fränkischen Monarchie eine Zeit lang noch vorherrschend, weil gar oft, wo nicht die Richter, doch ihre Brisitzer das geschriebene Gesetz nicht verstanden und, weil des Lesens unkundig, auch nicht durch die, von Verständigern darüber geschriebenen Glossen und Erläuterungen sich belehren konnten.

waren demnach, jedoch in steter Hinsicht auf die Qualität sowohl des Beleidigten, als auch des Beleidigers, auf das sorgfältigste abgewogen, und die darauf gesetzten Strafen genau und deutlich bestimmt. Wenn ein Mörder die vorgeschriebene Geldbuße zu zahlen unfähig war, so mußten, bis zu einem gewissen Grade, dessen Anverwandten dieselbe erlegen; vermochten diese es ebenfalls nicht, so ward der Mörder der Sclave des nächsten Anverwandten des von ihm Getödteten. Ein Freier, der eine Unfreie, eine Magd oder Sclavin heirathete, ward durch eine solche Heirath ein Unfreier, Knecht oder Sclav. Ueberhaupt enthielt die fränkische Gesetzgebung über die Ehen und die daraus entspringenden Verpflichtungen treffliche Verordnungen. Ohne Einwilligung der Eltern war keine Heirath gültig. Eheliche Verbindungen mit Wittwen waren ungleich mehrern gerichtlichen Formen unterworfen, als jene mit noch unverheiratheten Töchtern. Wenn der Mann, der eine Wittwe geehlichet hatte, deren ganzes Vermögen verschwendete, so hatte Letztere nicht das Recht, welches Frauen hatten, die noch in erster Ehe lebten; jene konnte nämlich wegen ihres, ihrem verschwenderischen Manne zugebrachten Vermögens, keine Forderung vor Gericht aufstellen. Der Grund dieser, zwischen in erster und zweiter Ehe lebenden Frauen unterscheidenden Bestimmung lag darin, weil ledige Töchter, bevor sie zur Ehe schritten, unter der Vormundschaft ihrer Eltern oder nächsten Verwandten standen, und aus dieser nun unmittelbar bei ihrer Verheirathung wieder unter die Vormundschaft ihrer Männer traten; da im Gegentheil eine Wittwe sogleich nach dem Tode ihres Mannes völlig frei ward, mithin, weil von aller Vormundschaft entbunden, ganz nach eigener Einsicht handeln, prüfen und wählen konnte. — Auch die Erbfolge ward durch die, unter Dagobert I. verbesserte Gesetzgebung genauer und sicherer festgesetzt. Der liegenden Güter gab es bei den Franken dreierlei Klassen. Erstens, Allodialgüter, oder vollkommen freies Grundeigenthum, worüber der Besitzer ganz nach Willkühr verfügen konnte. Zweitens, Beneficien, oder Lehen, welche man von dem König, oder den Kirchen erhalten hatte; und drittens, Salische Güter, welche man nur unter der Verpflichtung, Kriegsdienste zu leisten, besitzen konnte. Natürlicher Weise erbten die Frauen nur die Erstern. Die Beneficien fielen an den König oder die Kirchen zurück, und die Letztern, nämlich die salischen Güter konnten nur in männlicher Linie vererbt werden. — Da von jeher bei den Franken die Frauen, bisweilen auch die Töchter, ihren Gatten oder Vätern auf ihren kriegerischen Heerzügen folgten, so sorgten die fränkischen Gesetze vorzüglich dafür, daß Jene gegen jeden Ausbruch der Rohheit von Seiten der Männer geschützt wären. Wer einer freien Frau oder Jungfrau, liebkosend die Hand drückte, mußte fünfzehn Goldstücke (solidos aureos) Strafgeld zahlen. Eine doppelte Summe war darauf gesetzt, wenn man sie bei dem Arm anfaßte; und wer sich gar erkühnt hätte, ihren Busen zu berühren, mußte die vierfache Summe, also sechzig Goldstücke erlegen. Ueberhaupt war auf jede, auch die mindeste Verletzung der, der holden Schamhaftigkeit der Frauen schuldigen Achtung eine, dem Grade der Unverschämtheit des Beleidigers entsprechende Geldbuße gesetzt; ein Beweis, daß bei den alten Franken, besonders so lange sie noch ächt germanisches Blut hatten, nicht wie bei den spätern Franzosen, Frechheit gegen das schöne und zarte Geschlecht als eine liebenswürdige Unart, und Verführung der Unschuld, als eine blofe Galanterie betrachtet wurden.

XV.

1. Kraft des zu Paris geschlossenen Theilungstraktats, folgte Chlodowig II. seinem Vater in den Königreichen Neustrien und Burgund. Von den beiden Monarchen, welche jetzt das ungeheure fränkische Reich beherrschten, war der Eine 3, der Andere 6 Jahre alt. Aber beide junge Fürsten hatten treffliche Männer an ihrer Seite. Nantildis, Chlodowigs Mutter, war Vormünderin ihres Sohnes und Regentin des Reiches, und durch ihren Einfluß ward der tugendhafte und verständige Aega zum Majordomus in Neustrien und Burgund erwählt. Pipin war gleich nach Dagoberts Tod, nach Austrasien zu Siegebert zurückgekehrt, und theilte nun, als Majordomus dieses Reiches, mit seinem Freunde, dem Bischof Cunibert von Cöln, alle Lasten und Sorgen der Regierung.

2. Leider starb Pipin schon in dem zweiten Jahre nach Dagoberts Tode. Kein König ward je von den Franken so allgemein und so sehr betrauert, als Pipin. In Neustrien, wie in Austrasien, hatte er mit eben so viel Weisheit und Kraft, als Gerechtigkeitsliebe und Milde die Zügel der Regierung geführt, das königliche Ansehen stets zu erhalten gesucht, das Reich tapfer vertheidigt, die Großen, deren Stolz er durch eigene Bescheidenheit, gerechte Behandlung und Mäßigung zu zügeln wußte, in gehöriger Unterwürfigkeit erhalten, zu Verbreitung des Christenthums kräftig mitgewirkt, nur

tugendhafte und gelehrte Männer auf bischöfliche Stühle befördert, und am Ende noch die Königin Mantildis gezwungen, die von ihrem Gemahl hinterlassenen Schätze, die sie für ihren Sohn Chlodowig allein behalten wollte, mit Austrasien zu theilen. — Pipins Lebensgeschichte liefert abermal einen Beweis, daß ächte Staatskunst, wie schwer auch ihre Anwendung, besonders in gesetzlosen oder wild bewegten Zeiten seyn mag, dennoch nie der Künste des Truges und der Verstellung bedarf, daß sie aber ewig schwankend und unsicher bleiben wird, so lange sie nicht auf der Politik des Evangeliums, als der einzigen festen, sich selbst bewahrenden Grundlage beruhet; und endlich daß der Mensch in allen, auch den verwickeltsten Verhältnissen des staatsgesellschaftlichen Zustandes, und wenn selbst sein Beruf ihn mitten unter die tobenden Wogen des thätigsten und verwirrtesten Weltlebens führte, dennoch sich selbst und alle seine Geschäfte heiligen, und so am Ende die Palme der Bekenner erringen könne. Seiner höhern Tugenden wegen, versetzte die Kirche den Pipin nach seinem Tode unter die Zahl der Heiligen, und ehrt auch jetzt noch dessen Andenken jedes Jahr, am 21. des Monates Februar. — Pipins Wittwe Itta, lebte noch 12 Jahre nach dem Tode ihres Gemahls, erbauete die Abtei Nivelle, ward die erste Aebtissin dieses Klosters, und ertheilte bald darauf auch ihrer, in Jugend und Schönheit blühenden Tochter Gertrudis, den klösterlichen Schleier. Mutter und Tochter starben als Aebtissinnen von Nivelle, im Rufe der Heiligkeit, die auch die Kirche nachher anerkannte, und daher beide Namen in dem römischen Martyrologium eintrug.

3. Grimoald, Pipins zwar nicht ganz un-

würdiger, aber demselben bei weitem nicht ähnlicher
Sohn, strebte jetzt nach der Majordomuswürde.
Otto, Erzieher des Königes, war sein Nebenbuhler. Beide junge, ehrgeizige Männer, hatten ihre
Anhänger. Bald kam es zu einer offenen Fehde,
die drei Jahre dauerte, bis endlich Otto, als König Sigebert ihn nicht mehr begünstigte, und nach
seinem unglücklichen Feldzug in Thüringen sich wieder mehr auf Grimoalds Seite neigte, auf Anstif-
ten dieses Letztern, von dem alemannischen Herzog
Leutharis, im Zweikampfe erschlagen ward*).

4. Bald nach Pipin war auch Aega, Majordomus in Neustrien gestorben. An die Stelle
desselben trat nun Erchinoald, nach Fredegars
Zeugniß, ein sehr kluger, sanfter, Gerechtigkeit lie-
bender und geduldiger Mann**), durch welchen

---

*) Dieser alemannische Herzog Leutharis ist in den Ge-
schlechtsregistern vorzüglich berühmt, denn er ward der
Stammvater der Grafen von Elsaß, und seinem an
Helden so fruchtbaren Stamme, sind die Häuser
Habsburg, Lothringen und Baden entsprossen. (Masc.
Gesch. d. Deut. T. 2.)

**) Man möchte sich vielleicht jetzt wundern, daß frän-
kische Geschichtschreiber bei dem Lobe eines, mit der
höchsten Würde bekleideten Staatsdieners, auch dessen
Geduld in Anschlag bringen. Indessen wird dies
leicht begreiflich, sobald man bedenkt, daß unter einer
noch rohen, in allen ihren Leidenschaften unbändigen
Nation, es nur sehr selten Männer gab, die, besonders wenn Reichthum und Macht ihnen zu Gebote
standen, sich selbst und ihre Leidenschaften zu beherrschen und zu bezähmen im Stande waren. Uebrigens wird nun auch bei uns, das heißt, in allen jenen Ländern, wo die sogenannten repräsentativen Ver-
fassungen eingeführt sind, eine ganz ungeheure Portion Geduld bald die allererste, allernothwendigste und
höchste Tugend eines Ministers seyn.

Der redliche Aega vielleicht vollkommen wäre ersetzt worden, hätte die Königin Nantildis es nicht für rathsam gefunden, die, unter Dagobert, in Burgund eingegangene Majordomuswürde, auf das neue wieder aufleben zu lassen. Durch ihren Einfluß und auf ihren Wunsch ward demnach zu Orleans Flacoat zum Majordomus von Burgund gewählt. Die Königin gab ihm hierauf ihre Nichte Reginberta zur Gemahlin, und es hat allen Anschein, daß irgend ein geheimer Plan, dessen Ausführung sich jedoch nachher Hindernisse entgegensetzten, ganz vorzüglich Flacoats Erhebung zum Grund lag. Wie dem aber sey, so beging die Königin eine große Unklugheit; denn nun gab es gar drei Majordomus in dem fränkischen Reiche, die in vollkommenem Einklange mit einander handelnd und sich gegenseitig unterstützend, während der noch fortdauernden Minderjährigkeit der beiden Könige, vollkommen Zeit und Muße hatten, auf dem Grund, welchen zu ihrer Größe schon Clothar II. gelegt hatte, jetzt immer noch höher, fester und kühner fortzubauen *).

_____

*) Was am meisten zur Vergrößerung und Erhöhung der Macht der Majordomus beitrug, war unstreitig, daß vermöge eines ganz besondern, über dem Merowingischen Hause waltenden Schicksals, die Könige nach Dagobert I., beinahe alle als Kinder und noch in der Wiege den Thron bestiegen, und dann größtentheils schon in der Blüthe ihres Lebens wieder starben. Der Könige Minderjährigkeit und der Majordomus Vormundschaft, wurden dadurch gleichsam permanent; und da die Letztern nun ununterbrochen alle königliche Gewalt ausübten, so gewöhnte sich auch die Nation, obwohl ungerne, doch nach und nach an das Regiment der Majordomus, die nebenbei die jungen Fürsten von allen Geschäften entfernten, ihnen Liebe zum Müßiggang und frivolen Beschäftigungen einflöß-

5. Im Namen Siegeberts III. und Chlodowigs II. herrschte nun Grimoald in Austrasien, Erchinoald in Neustrien und Flaovat in Burgund. Letzterer gehörte zu jenen Männern, welche im Privatstande der höchsten Ehrenstellen würdig scheinen, sobald sie aber solche erlangt haben, auch nicht den

---

ten, auch nicht selten ihre Erziehung, so viel sie konnten, vernachlässigten rc. Ihre höchste Stufe erstieg die Gewalt der Majordomus, als Pipin von Heristal, diese Würde in seinem Hause erblich machte. Jetzt waren die Merovinger so gut als entthront; und unter dem Heristaler beginnt nun auch die Reihe der sogenannten rois Fainéans. Ein Beiname, den man übrigens diesen Fürsten mit Unrecht beilegt; denn zum Theil fehlte es ihnen weder an Anlagen noch guten Willen; aber auf ihren königlichen Landhäusern, wahre Gefangene in der Gewalt des Majordomus, waren sie alles Antheils an den Geschäften der Regierung gleichsam verfassungsmäßig beraubt. — Um der zweiten französischen Dynastie zu schmeicheln, und die Art, wie sie zur Herrschaft gelangte, so viel als möglich zu beschönigen und zu rechtfertigen, machten die Geschichtschreiber aus der Periode der Carolinger es sich zu einer ganz besondern Aufgabe, die letztern Fürsten aus dem Merovingischen Hause, so viel wie möglich herabzuwürdigen, sie als ganz unfähige, nutzlose, auf ihren königlichen Meierhöfen in Trägheit und völlige Apathie versunkene Landjunker darzustellen. Schon bei einigen Lebensbeschreibern der Heiligen, unter Pipin und seinen unmittelbaren Nachkommen, findet sich diese höfische Geschichtschreiberei; und so bildete sich nun bald, in Beziehung auf die letzten Merovinger, jene eben so unrichtige als gehässige Ansicht, welche, zur Schmach der gestürzten Dynastie, sich nachher alle Jahrhunderte hindurch, in den Geschichtbüchern erhalten hat. — Auch für die Lüge gibt es eine Art von Präscriptionsrecht; nach einer gewissen Zahl von Jahren gelangt sie zur Würde der Wahrheit, und wird alsdann als solche, auch stets überall und allgemein anerkannt.

gemäßigsten Erwartungen entsprechen. Sein Regiment nahm zwar bald ein Ende, dauerte aber immerhin lange genug, um die Gemüther der Burgunder dem König zu entfremden, das Reich zu verwirren, und die burgundischen Großen in blutige Fehden mit einander zu verwickeln. Graf Willibald, einer der mächtigsten Großen in Burgund, hatte den Stolz des übermüthigen Majordomus beleidiget, und dessen Eifersucht gereizt; sogleich ward dessen Tod beschlossen; auch der König mußte seine Einwilligung dazu geben; und offenbar waren doch des Grafen Reichthum, Ansehen und Tugenden, dessen einziges Verbrechen. Es entstand darüber eine Art bürgerlichen Krieges, wenigstens eine, ein paar Jahre dauernde mörderische Fehde. Treuloser und verrätherischer Weise ward endlich Willibald nach Lyon gelockt, dort in seinem Lager überfallen, und nach tapferm Widerstand im Treffen erschlagen. Als der heilige Eligius Kunde von diesem Vorfall erhielt, und man ihm sagte, Willibald sey jetzt todt und Flacoat Sieger und am Leben geblieben, gab er zur Antwort: "Ihr irret euch, Willibald lebt, aber Flacoat wird nach wenigen Tagen todt seyn *). Die Prophezeihung des Heiligen ging in Erfüllung; denn zehn Tage nach seinem, durch Arglist und Uebermacht errungenen Sieg, ward Flacoat plötzlich von einem heftigen Fieber ergriffen, und starb auf seiner Rückreise von Lyon nach Paris. Die in Burgund erledigte Majordomuswürde ward nun wieder mit jener in Neustrien vereint.

6. Alle Sorgen der Regierung überließ Chlodowig seinem Majordomus Erchinoald, der ihn mit

---

*) Aud. vita Eligii, l. 2, c. 27.

der eben so schönen, als tugendhaften und geistvollen Bathildis vermählte. Sie war eine Angelsächsin und von vornehmer Geburt, aber in zartem Alter ihren Eltern geraubt, an einen Sclavenhändler verkauft und von diesem nach Frankreich, um da als Leibeigene abermals verkauft zu werden, gebracht worden. Erchinoald hatte sie gekauft, oder vielmehr aus den Klauen des Menschenhändlers gerettet. Als eine, seiner Familie verwandte Waise, ließ er das holde Mädchen erziehen. In dem Palaste seines Majordomus sah sie der König; ihre Reize fesselten, ihr Geist und ihre Anmuth bezauberten das Herz des jungen Monarchen; Chlodowig heirathete die Bathildis, und eine Leibeigene ward nun die Zierde des Thrones von Neustrien und Burgund.

7. Auch in Austrasien herrschte unter Siegebert III. der Majordomus Grimoald mit der unumschränkten Gewalt eines Souverains. Das merkwürdigste Ereigniß der Regierung Siegeberts ist dessen unglücklicher Feldzug gegen den mächtigen Herzog Radulph von Thüringen. Um die fränkischen Grenzländer gegen die Einfälle der Slaven zu schützen, hatte Dagobert I. diesen Radulph zum Herzog von Thüringen ernannt. Tapfer und im Kriege erfahren, überwand er in mehrern Treffen die Slaven, und machte ihren räuberischen Einfällen ein Ende. Aber stolz auf seine erfochtenen Siege, wollte er, Siegeberts Jugend verachtend, denselben nicht mehr für seinen Oberherrn erkennen. Dem erhaltenen königlichen Befehle, an dem Hofe von Metz zu erscheinen, leistete er keine Folge, rüstete im Gegentheil sich zum Kriege. Dieß Beispiel offenbarer Empörung konnte böse Folge haben, auch die bayerischen und alemannischen Herzoge zu ähnlichem Versuch ermuntern. In seinem ganzen Reiche ließ also

Siegebert ein allgemeines Aufgebot ergehen. Alle höhere und niedere Vasallen mußten der königlichen Fahne folgen*), und an der Spitze eines zahlreichen, furchtbaren Heeres ging der junge König über den Rhein, schlug einen jungen, mächtigen bayerischen Herrn, Namens Faar, aus dem Geschlecht der Agilolfinger, der mit einem, aus Bayern und mehreren anderen Völkerschaften zusammengerafften Heere, den Thüringern zu Hülfe geeilet war, in die Flucht, und rückte hierauf durch den buchonischen Wald in Thüringen ein. Auf einer steilen Anhöhe an der Unstrut hatte Radulph sich auf das Beste verschanzt; aber weniger auf seine Verschanzungen sich verlassend, als auf das geheime, mit einigen vornehmen Verräthern in Siegeberts Heere unterhaltene Einverständniß, machte er jetzt plötzlich einen Ausfall, griff die, von einem äußerst beschwerlichen Marsch noch ermüdeten und zugleich verrathenen Austrasier wüthend an, schlug sie in die Flucht und richtete ein schreckliches Blutbad unter ihnen an. Der Verlust dieser mörderischen Schlacht benahm dem jungen König allen Muth. Der Kern seines Heeres, die Blüthe des austrasischen Adels, waren in dem Treffen gefallen; auch der edle Herzog Ansegisel, befand sich unter den Todten. Um sich den Rückzug über den Rhein zu sichern, mußte man mit dem Sieger einen Vergleich eingehen. Radulph huldigte König Siegebert auf das neue, erkannte ihn dem Schein nach für seinen Oberherrn; herrschte

----

*) Jussu Sigeberti omnes Leudes Austrasiorum in exercitum gradiendum banniti sunt, et Sigebertus Rhenum cum exercitu transiens, gentes undique de universis regni sui pagis ultra Rhenum cum ipso adunatae sunt. (Fredeg. Chr. c. 87.)

aber fortan in Thüringen, ganz nach Weise eines vollkommen unabhängigen, selbstständigen Fürsten.

8. Zu seinem Majordomus, dem Grimoald, hatte König Siegebert ein unbeschränktes Zutrauen, und jener eine solche Gewalt über das Herz des jungen Monarchen, daß Siegebert, obgleich noch jung und erst unlängst vermählt, dennoch jetzt schon auf den Fall, wenn er selbst keine Kinder bekommen sollte, Grimoalds Sohn Childebert, an Kindesstatt annahm. Als nachher die Königin Immihildis ihrem Gemahl den Prinzen Dagobert gebar, verlor zwar jene Adoption ihre Kraft, benahm aber dem ungeachtet dem ehrgeizigen Grimoald nicht die Hoffnung, seinen eigenen Sohn einst das Erbe einer Krone zu verschaffen.

9. Bald darauf starb Siegebert in der Blüthe seines Lebens, in dem 24ten Jahre seines Alters (656). Seiner vielen frommen und milden Stiftungen, so wie seines sittlich reinen, stets mit gläubiger und glühender Andacht verbundenen Wandels wegen, ward dieser, mehr um eine ewige, unvergängliche, als zeitliche und hinfällige Krone besorgte Monarch, von der Kirche den Heiligen zugezählet, und die jährliche Erneuerung seines segenvollen Andenkens, auf den 1ten des Monates Februar gesetzt.

10. Seinem Vater Siegebert folgte jetzt Dagobert II. in der Regierung. Aber nur wenige Tage führte das Kind den Titel eines Königes. Eine mörderische Hand wagte zwar Grimoald nicht an das Leben des Knaben zu legen; aber er bemächtigte sich desselben und übergab ihn dem, zum Werkzeuge dieses Frevels sich darbietenden Bischof Dido von Poitiers, welcher den Prinzen nach England schaffte, wo

er, unbekannt der Welt, in irgend einem entfernten Winkel dieses Königreiches erzogen ward. Grimoald verbreitete nun am Hofe, wie in dem ganzen Reiche das Gerücht von Dagoberts plötzlich erfolgtem Tode, ordnete ihm sogar ein prächtiges Leichenbegängniß; machte aber auch unverzüglich zum Vortheil seines Sohnes die wahre oder unterschobene Adoptions= urkunde Siegeberts III. geltend, und da vor dem übermächtigen Majordomus, wenigstens an dem Hofe, Alles die Knie beugte, so ward nun Childe= bert ohne Widerspruch zum König von Austrasien ausgerufen.

11. Der heilige Romarich, welcher schon zu Lebzeiten Siegeberts, des Majordomus gefährliche Absichten ahnete, hatte denselben ernstlich gewarnt, ihm die verderblichen Folgen eines solchen, bis jetzt noch nicht erhörten Frevels gezeiget. Die Worte des Heiligen schienen anfänglich auf Grimoald tiefen Eindruck zu machen; er versprach, seinem Rathe zu folgen; vermochte aber leider dennoch am Ende nicht, den Lockungen des Ehrgeizes zu widerstehen; und so gingen auch des heiligen Romarichs Vorhersa= gungen jetzt bald in Erfüllung. Des Majordomus kühne That empörte die Gemüther der Mächtigsten unter den Großen. Man argwohnte schändlichen, an Siegeberts Sohne begangenen Verrath. An das Geschlecht ihrer Könige knüpften ohnehin die Fran= ken ein gewisses Vorurtheil der Heiligkeit; die ganze Nation zürnte also Grimoald und dem frechen Thron= anmaßer, seinem Sohn. Die Häupter der Unzu= friedenen wendeten sich unverzüglich an den Hof von Neustrien und Burgund und, als sie dessen kräftigen Beistandes versichert waren, überfielen sie auf der Jagd, oder einer Reise, den Majordomus sammt seinem Sohne, nahmen sie gefangen, und lieferten

beide dem König von Neustrien aus.   Chlodowig
ließ den Grimoald in dem Gefängniß hinrichten*),
wahrscheinlich auch dessen Sohn Childebert, denn
man weis nicht, was von jetzt an aus dem Letztern
noch ferner geworden ist.   Der unglückliche junge
Prinz Dagobert ward jedoch nicht zurückgerufen;
vielleicht, daß man den Ort seines Aufenthalts nicht
wußte, wahrscheinlicher, daß man denselben nicht
wissen wollte.   Austrasien wurde mit Neustrien und
Burgund vereint, und Chlodowig II. wieder Herr
der ganzen fränkischen Gesammtmonarchie.   Aber
schon gegen das Ende desselben Jahres starb Chlodowig, und zwar ebenfalls noch sehr jung; denn er
war erst in dem 21ten Jahre seines Alters und dem
18ten seiner Regierung, als eine schwere Krankheit,
welcher eine periodische Geistes-Abwesenheit voranging, seinem Leben ein Ende machte.

12.   Chlodowig II. hatte drei Söhne hinterlassen, Clothar, Childerich und Thiederich.
Der älteste war ungefähr drei oder vier Jahre alt,
und folgte jetzt, unter der Vormundschaft seiner
Mutter, der Königin Bathildis, seinem Vater in
der Regierung der drei vereinten Reiche, Austrasien,
Neustrien und Burgund.   Bathildis war eine Fürstin, wie nur selten Eine dieser Art einen Thron
besteigt.   Gleich groß durch Geist und Gemüth,
und nur athmend in der Furcht des Herrn, strahlte
sie als ein wahres Muster der schönsten, veredeltesten
weiblichen Natur unter allen Frauen ihrer Zeit hervor.   Jetzt als Regentin eines großen Reiches, bot

---

*) Die Art seines Todes ist unbekannt, war aber, wie es
scheint, ziemlich grausam, denn in den Gestis Franc.
heißt es: „valido cruciatu vitam finivit.“

ihr christlich und daher gründlich gebildeter Verstand, ihrem gefühlvollen Herzen stets die zweckmäßigsten Mittel dar, nach allen Seiten wohlthuend und erfolgreich zu wirken. Mehr, wie irgend einer der bisherigen fränkischen Könige, wußte sie ihre Völker mit segnender Menschlichkeit zu regieren, dem schwungsüchtigen Ehrgeiz der Großen mit Kraft und Geistesüberlegenheit zu begegnen, die Armuth gegen die gewissenlosen Speculationen des Wuchers und der Gewinnsucht zu schützen; und eine Menge weiser und heilsamer Gesetze, erlassen in einer Zeit frevelhafter Gewalt und schwer zu bändigender Wildheit, zeugt eben so laut für die Größe und Klarheit ihres Verstandes, wie für die Reinheit ihres Strebens und eines, stets auf Gott und das Wohl der Menschen gerichteten Willens. Nichts lag ihr mehr am Herzen, als das heilige Interesse der Religion und das reine, fleckenlose Gewand der Kirche, dieser himmlischen Braut Jesu. Daher ihre wohl überdachten Verordnungen über die Besetzung geistlicher Stellen; und nur durch Gelehrsamkeit und Frömmigkeit ausgezeichnete Männer wurden unter ihrer Regierung auf bischöfliche Stühle, oder zu andern geistlichen Würden befördert. Eben so weise und menschenfreundlich waren auch ihre, den, größtentheils von Juden getriebenen Sclavenhandel beschränkenden Gesetze. Die Leiden vieler tausend Unglücklichen wurden dadurch gemildert, und die Mittel, ihre Freiheit wieder zu erlangen, ihnen erleichtert und vermehrt. Auch die Kopfsteuer, die auf einer gewissen Klasse ihrer Unterthanen so schwer und drückend lastete, hob sie auf, und verstopfte dadurch eine Quelle unsäglicher Verbrechen und Greuelthaten. Dieser Steuer wegen enthielten viele von denen, welche sie entrichten mußten, sich gänzlich des Heirathens, versanken aber, was bei einer rohen, ungebildeten, und

daher der Selbstbeherrschung unfähigen Volksklasse,
nothwendig zu befürchten war, nur um so tiefer in
mancherlei grobe, oft selbst unnatürliche Laster; Andere ermordeten sogar ihre Kinder, oder verkauften
sie an jüdische Sclavenhändler, blos weil sie jene
unselige Kopfsteuer für dieselben zu zahlen nicht vermochten*). Allem diesem Verderbniß und so manchem andern Elende steuerten jetzt Bathildis Weisheit und Frömmigkeit; und ihre leider nur fünf bis
sechs Jahre dauernde Regentschaft war unstreitig
eine der segenvollsten Perioden für die Menschheit
der damaligen Zeit.

13.   Der Majordomus Erchinoald war einige
Monate vor König Chlodowig II. gestorben**). Vorsätzlich und aus weiser Absicht hatte Bathildis ein
paar Jahre hindurch diese Stelle nicht besetzt. Aber

---

*) Diese Kopfsteuer wurde von den Abkömmlingen der al-
ten Einwohner Galliens erhoben.

**) Dem Lebensbeschreiber des heiligen Eligius zufolge, ließ
Erchinoald, nachdem er mehrere Jahre das Reich mit
Gerechtigkeit und Schonung verwaltet hatte, sein Herz
vom Geiz und Durst nach Reichthümern beherrschen,
sammelte Schätze und befleckte sein Gewissen. Als er
dem Tode sich nahe fühlte, ließ er den heiligen Eligius
zu sich rufen, und dieser gab ihm den Rath, von den
vielen, mit Gold gefüllten Säcken, worin sich vielleicht
doch manches, nicht mit Recht gewonnene Goldstück
finden könnte, wenigstens einige jetzt der Armuth zu
schenken, damit diese ihn, gleich dem ungetreuen Verwalter in dem Evangelium, in ihre Hütte aufnehmen
möchte. Aber eher geht ein Kameel durch ein Nadel-
öhr, als daß derjenige, den der Mammon gefangen hält,
seine Fesseln wieder zerbricht. Erchinoald, obgleich er auch
nicht einen einzigen Sack in die Ewigkeit mitnehmen
konnte, gab dennoch keinen davon hinweg.

jetzt ließ sie in einer zu Paris gehaltenen Versammlung der Neustrischen und Burgundischen Großen,
den E b r o i n, einen vornehmen, tapfern, den
schwersten Geschäften gewachsenen fränkischen Herrn,
zum Majordomus von Burgund und Neustrien
wählen. Nichts war unseliger, als diese Wahl,
denn sie fiel auf einen der häßlichsten, verabscheuungswürdigsten Charaktere in der Geschichte. Stolz und
grenzenlose Herrschsucht hatten in Ebroins Seele
jede edle Anlage, jede bessere Kraft verzehrt; und
wenn es darauf ankam, diese beiden Leidenschaften
zu befriedigen, konnten auch die größten Frevel, die
schauervollsten Verbrechen ihn nicht zurückschrecken.
Der Königin sonst so scharfer Blick durchschauete
diesmal nicht den trügerischen Schein von Tugend
und Gerechtigkeit, hinter welchem Ebroin, so lange
Bathildis regierte, seine Laster zu verbergen wußte,
und so schienen des neuen Majordomus anerkanntes
Talent und große Gewandtheit in den Geschäften
dessen Wahl anfänglich vollkommen zu rechtfertigen.

14. Aber bei der anhaltenden, immer noch
mehr zunehmenden Eifersucht zwischen den beiden
Reichen Neustrien und Austrasien, konnte selbst die
gegenwärtige gerechte und milde Verwaltung, bei
den Austrasiern den Wunsch nicht ersticken, wieder
einen eigenen König zu haben. Da man jetzt wirklich nicht wußte, ob Dagobert noch am Leben wäre,
oder wo man ihn suchen müßte, so gab Bathildis
ihren zweiten Sohn Childerich den Austrasiern zum
König. Während seiner Minderjährigkeit sollte die
nicht minder tugendhafte und verständige Immihildis, Siegeberts III. hinterlassene Wittwe, zu welcher Bathildis sich vorzüglich mit Liebe hingezogen
fühlte, unter dem Beistande Wulfoalds, welcher jetzt
zum Majordomus von Austrasien ernannt ward,

des jungen Königs Vormünderin und zugleich Regentin des Reiches seyn*). Immihildis war in Austrasien allgemein beliebt. Mit dem größten Jubel ward demnach Childerich von den Austrasiern empfangen, zur größten Freude der Nation in Metz feierlich gekrönt; und in allen drei Reichen herrschten nun Friede, Zufriedenheit und Ruhe.

15. Bathildis ließ stets den Bischöfen einen großen Antheil an den Geschäften der Regierung. Es ist nicht schwer zu begreifen, daß bei der damaligen noch ziemlich großen Rohheit und geringen Geistesbildung der fränkischen, blos der Jagd und des wilden Waffenspiels kundigen Großen, die Königin unter ihnen nicht leicht die Leute finden konnte, deren Beistand sie jetzt als Regentin bedurfte. Nur die Kirche konnte ihr Männer geben, die mit höherer Geistesbildung und den nöthigen vielseitigen Kenntnissen in der Verfassung, Gesetzgebung und Verwaltung des Reiches auch die, zur Bezweckung des Staatswohls nicht minder nothwendigen, in ungeheuchelter Gottesfurcht wurzelnden Tugenden verbanden. Indessen möchte es bei Allem dem vielleicht dennoch einen, obgleich nur schwachen Schat-

---

*) Der Beweis, daß Bathildis, weil vielleicht der schlaue Ebroin es ihr sorgfältig verbarg, wirklich nicht wußte, ob Siegeberts Sohn, Dagobert, noch am Leben sey, oder wo er sich in England aufhalte, geht daraus klar hervor, daß sie Immihildis, Dagoberts Mutter, zur Regentin und Vormünderin Childerichs ernannte. Uebrigens müssen wir auch noch bemerken, daß Wulfoald nur den Namen eines Majordomus führte, und des regierungssüchtigen, keinen Nebenbuhler duldenden Ebroins Einfluß in Austrasien, auch nach der Trennung dieses Reiches von Neustrien, immer noch eben so mächtig und entscheidend wie vorher blieb.

ten auf das übrigens so schöne und fleckenlose Leben dieser liebenswürdigen Fürstin werfen, daß sie
bisweilen nur gar zu unbedingt, mit nur gar zu
großer Willfährigkeit sich den Meinungen der Bischöfe hingab. Jetzt hatte sie seit einiger Zeit zwei
Bischöfe von ganz ausgezeichneten Gaben an ihrem
Hofe. Der Eine war Leodegar von Autún, ein
Verwandter des königlichen Hauses, der andere Siegebrand, Bischof von Paris. An wahrer Heiligkeit stand Letzterer tief unter dem Erstern. Zwar
befleckten seinen Charakter keine positive Laster, auch
war im Ganzen sein Wandel ohne Tadel, aber ihn
schmückte doch auch keine jener höhern, seinem heiligen Berufe geziemenden Tugenden, und eine beinahe
kindische Eitelkeit, war die größte von allen seinen
Schwachheiten. Die Gnadenbezeugungen, womit die
Königin ihn überhäufte, machten ihn schwindeln.
Seine, nicht selten in Verachtung Anderer übergehende Selbstgenügsamkeit verletzte jetzt bei jeder Gelegenheit die Eigenliebe und den Stolz der übrigen
Großen, und um diesen einen immer noch höhern
Begriff von der Gunst zu geben, in der er bei der
Königin stünde, ließ der unbesonnene eitle Geck sich
nun sogar vorsätzlich öfters Ausdrücke entfallen,
welche Anlaß geben mußten, die von der Königin
ihm bisher erwiesenen Gnadenbezeugungen auf eine,
der Ehre dieser Fürstin höchst schmähliche Weise zu
deuten. Um den stolzen Günstling zu stürzen, fing
man an, die Königin zu verläumden, und jede
Verläumdung, welche die Bosheit ersann, ward nun
auch jedesmal von der Leichtgläubigkeit gierig auf-
gefaßt, und eben so schnell wieder verbreitet. Bald
ward Siegebrand, ohnehin schon von den Großen gehaßt, nun auch ein Gegenstand des allgemeinen
Widerwillens der Nation. Diese Stimmung eilten
des Bischofes Feinde zu benutzen. Unter dem Vor-

wande, einen Verbrecher zu bestrafen, den die Gesetze nicht erreichen könnten, drangen sie in den bischöflichen Palast, und ermordeten Siegebrand mitten
unter den um ihn versammelten Geistlichen seiner
Kirche.

16. Unverzüglich nach vollbrachtem Mord, eilten die Mörder mit ihren, gleichsam von dem Blute
des erschlagenen Bischofes noch rauchenden Schwertern nach dem königlichen Palaste, versicherten mit
geheuchelter Ehrerbietung die Königin, die Ehre der
Mutter ihres Königes an dem ehrenräuberischen Bischof gerächt zu haben, erklärten ihr aber zu gleicher
Zeit ganz unumwunden, daß es, nach Allem, was
jetzt vorgefallen wäre, für sie das rathsamste seyn
würde, die Regentschaft niederzulegen und, ohne zu
zögern, von dem Hofe sich zu entfernen. Längst
schon war es Bathildis sehnlichster Wunsch, nicht blos
den Hof, sondern überhaupt die Welt sammt aller
ihrer Herrlichkeit auf immer zu verlassen. Mehr
als der übermüthige Trotz undankbarer, blos durch
die größte Strenge zu bändigender Großen ihres Hofes, beschleunigte jetzt das schmerzhafte Gefühl ihrer
gekränkten Ehre die Ausführung ihres, seit mehreren
Jahren gefaßten Entschlusses. Das Wohl ihres
Sohnes, wie des ganzen Reiches, glaubte sie in
Ebroins Händen vollkommen gesichert. Gerne entsagte
also Bathildis einer Gewalt, deren sie sich bisher blos
zum Besten der Religion und zum Heil der Menschheit bedient hatte, übergab ihrem ungefähr vierzehn
oder fünfzehnjährigen Sohn Clothar III. die Regierung und ging in das, von ihr zu Chelles gestiftete Kloster. Hier nahm die fromme Königin
den Schleier, nachdem sie vorher auf Anrathen der
Bischöfe den Großen ihres ehemaligen Hofes, die
sie so grob beleidiget hatten, nicht nur verziehen,

sondern sogar, in dem Falle, wenn sie selbst vielleicht unwissend ihnen Unrecht gethan hätte, deren Verzeihung nachgesucht hatte *). Mit der Demuth einer reinen, wahrhaft christlichen Seele unterwarf sie sich in vollkommenem Gehorsam allen Verordnungen der Aebtissin des Klosters, wies jedoch alle Auszeichnungen, die man ihr wollte wiederfahren lassen, standhaft zurück, und wollte durchaus nicht anders — sie die ehemalige Beherrscherin des mächtigsten Reiches von Europa — als wie die letzte und niedrigste Klosterfrau behandelt seyn. Gleich einer wahren Heiligen, lebte Bathildis noch vierzehn oder fünfzehn Jahre in dem Kloster zu Chelles; starb endlich ungefähr in dem Jahre 680 den, Gott so gefälligen Tod des Gerechten, und ward von der Kirche, die auch jetzt noch Bathildis Andenken jedes Jahr am 28ten Jänner, als an deren Sterbtage feiert, den Heiligen zugezählt.

17. Sobald Bathildis sich von der Regierung und dem Hofe entfernt hatte, legte auch Ebroin die bis jetzt mit so vielem Zwang getragene Maske ab. Voll Verstand, unerschöpflich an Hülfsquellen, besonnen und schlau, dabei tapfer, kühn und unternehmend, aber auch grenzenlos stolz, habsüchtig, rachgierig, treulos und grausam, zeigte er sich jetzt in seiner wahren, ihm eigenthümlichen Gestalt. Sein Betragen war nun nicht mehr das eines untergeordneten Ministers, sondern eines völlig unab-

---

*) Unter Siegebrands Mördern befanden sich einige Großen, welche nicht nur auf Kosten und gleichsam unter der mütterlichen Aufsicht der Königin erzogen, sondern nachher auch von ihr mit Wohlthaten waren überhäuft worden. (vit. S. Bath.)

hängigen, selbstherrschenden Monarchen, seine Verwaltung ein zusammenhängendes System von Raubsucht, Ungerechtigkeit, und Gewaltthat, und seine
Politik ein völliges Hinwegsetzen über alle göttlichen
und menschlichen Rechte und Gebote. Schonungslos
wüthete er gegen alle, welche er für seine offenen
oder heimlichen Feinde hielt, und zu diesen gehörte
jetzt jeder tugendhafte, jeder redliche, besonders aber
jeder vornehme und reiche und daher bei der Nation in großem Ansehen stehende Franke. Es dauerte
nicht lange; so ward Ebroin allgemein gehaßt, aber
zugleich auch allgemein gefürchtet, und da nie oder
nur selten eine tyrannische, sondern gewöhnlich bloß
eine schwache Regierung die Gebärerin von Aufruhr
und Empörung ist; so schmiegte auch jetzt sich die
fränkische Nation unter Ebroins eisernem Scepter
in geduldiger und ruhiger Unterwerfung.

18. Aber auch Clothars III. Regierung war
von kurzer Dauer. Er starb 669, bevor er noch
das 18., vielleicht selbst nicht einmal das 17. Jahr
seines Alters vollendet hatte, und des Königes un-
vermutheter Tod, änderte nun plötzlich die Scene,
nicht blos am Hofe in Paris, sondern im ganzen
fränkischen Reiche. — Ebroin war seit ein paar
Jahren mit Childerich II., König von Austrasien, zerfallen. Zwar hatte der Majordomus, um auch in
dem austrasischen Reich seinen Einfluß und sein Ansehen zu befestigen, den König Childerich, gleich nach
Bathildis Entfernung mit Siegeberts III. und Immihildis Tochter Bilhildis, trotz den Gesetzen der
Kirche, verlobet; aber demungeachtet ward der junge
König des lästigen Vormünders aus der Ferne bald
überdrüßig, und that ihm endlich ganz unumwunden
kund und zu wissen, daß er für die Zukunft weder seines Rathes, noch seines Beistandes mehr bedürfe.

Natürlich befürchtete jetzt Ebroin nichts so sehr, als eine
abermalige Vereinigung der Reiche Neustrien und
Austrasien unter Childerichs Scepter. Bei der Abneigung dieses Königs gegen den Majordomus, und
dem allgemeinen Haß aller Großen in Neustrien
und Burgund gegen denselben, war dessen Sturz,
wenn die Vereinigung beider Reiche zu Stand kam,
eine nothwendige, unvermeidliche Folge. Ebroin
sah dies wohl ein, und um der ihm drohenden Gefahr zuvor zu kommen, ließ er, und zwar weil er
eilte, mit Umgebung und Verletzung aller, von der
Verfassung vorgeschriebenen Formen, Chlodowigs
zweiten Sohn Thiederich zum König von Neustrien und Burgund ausrufen. Dieser, in den fränkischen Annalen unerhörte Gewaltstreich, empörte
auf das neue die Nation gegen den Tyrannen; besonders stark war die Bewegung unter dem Adel in
Burgund. Alle burgundischen Großen, sammt den
übrigen kleinern Vasallen, machten sich auf den Weg
nach Paris; vielleicht blos um ihrem neuen Monarchen zu huldigen, vielleicht auch um bei diesem
Regierungswechsel Abstellung gerechter Beschwerden
zu ertrotzen. Als Ebroin dieses erfuhr, argwohnte
er böse Anschläge, und ließ an alle Großen in
Neustrien und Burgund ein königliches Schreiben
ergehen, in welchem ihnen geboten ward, ohne besondere, vorher erhaltene Erlaubniß, nicht an dem
Hoflager des Königes zu erscheinen. Dieser Befehl
steigerte die Erbitterung der Gemüther auf das
höchste. Neustrien und Burgund riefen den König
von Austrasien zu Hülfe, boten ihm jetzt auch die,
durch Clothars III. Tod erledigte Krone an. Schnell
rückte Childerich mit einem Heere herbei. Sobald
er erschien, ging Alles zu ihm über, und der Abfall war nun so allgemein, und kam so plötzlich,
daß Ebroin, von allen gehaßt, verlassen, und ver-

folgt, kaum noch Zeit hatte, mit seinem König Thiederich in eine Kirche zu fliehen. Hätte Childerich jetzt die grausame Politik jener Zeit befolgt; so würde er unabsehbares künftiges Elend von dem Reiche abgewandt haben. Aber die Natur hatte Childerich ein theilnehmendes Herz nicht versagt. Er hatte nicht nur Mitleiden mit seinem Bruder, welches man ihm freilich nicht als ein sehr großes Verdienst anrechnen kann; sondern er erbarmte sich auch desjenigen, der selbst bis jetzt, was Erbarmung sey, nie noch gekannt hatte. Ebroin blieb am Leben, und da er den Wunsch äußerte, ein Mönch zu werden, so gab ihm der König die Erlaubniß, in das Kloster von Luxeuil zu gehen. Seinem Bruder ließ er zwar die langen Haare, dieses auszeichnende Merkmal der merovingischen Königsfamilie abschneiden, zwang ihn jedoch nicht zum Mönchsstande. Als er ihm sagte, er möchte, was er nur immer wolle, von ihm begehren, jeder seiner Wünsche sollte erfüllt werden, gab Thiederich ihm zur Antwort: "da man mich ungerechter Weise entthront "hat; so habe ich auch jetzt weder Etwas zu wün- "schen noch zu begehren, und übergebe mein ferneres "Schicksal unbedingt den Händen der Vorsehung." Er begab sich hierauf in das Kloster von St. Denis, aber nicht um Mönch zu werden, sondern blos seine langen königlichen Haare dort wieder wachsen zu lassen.

19. Nicht aus Abneigung, und noch viel weniger aus Haß gegen Thiederich, sondern nur um das Reich von Ebroin, dieser fürchterlichen Landplage, zu befreien, hatte Leodegar, Bischof von Autun, zu der zu Gunsten Childerichs bewirkten Revolution mehr als Andere beigetragen. Der König erzeigte sich dankbar gegen denselben, berief ihn an seinen

Hof, zog ihn bei allen und den wichtigsten Geschäften zu Rathe, und indem er sich allen Vorschlägen und Ansichten des Bischofes fügte, ward dieser gleichsam des Königs erster Rath und Minister*). Wohlthätig und vielversprechend war demnach auch jetzt der Anfang von Childerichs Regierung. Eine Menge unter Ebroin eingeführter Mißbräuche ward abgeschafft, viel geschehenes Unrecht wieder gut gemacht, und statt despotischer Willkühr, traten nun Gesetze und Herkommen wieder in Kraft. Aber Leodegar war nicht blos Staatsmann; er war auch Bischof, und zwar ein sehr frommer, gottesfürchtiger Bischof, dem das heilige Interesse der Religion wenigstens eben so sehr am Herzen lag, wie jenes des Staates. Childerich stand im Begriffe, sich mit der von Ebroin ihm anverlobten Braut, die Prinzessin Bilhildis, seines Vaters Bruders Tochter zu vermählen. Dieser blutschänderischen Ehe widersetzte sich der Bischof aus allen Kräften, und als er sah, daß alle seine Ermahnungen fruchtlos wären, erkühnte er sich, den Monarchen an die, von der Kirche ihm gedrohten göttlichen Strafgerichte zu erinnern. Schon dies mißfiel dem König. Aber jetzt

___

*) Dieses gab nun Anlaß zu dem Irrthum so vieler Geschichtschreiber, welche in vollem Ernste erzählen, Leodegar sey unter Childerich II. Majordomus von Neustrien und Burgund gewesen. Dieses ist offenbar unmöglich. Eines der Hauptattributen in dem Amte eines Majordomus war es, gegen den Feind das Heer anzuführen, selbst an dessen Spitze zu fechten, und dann auch der Todesstrafe würdige Verbrecher zum Tode zu verurtheilen. Aber mit dem Berufe und den Pflichten eines Bischofes war Beides unverträglich, da ja selbst die Canons einem Bischofe nicht einmal erlaubten, gegen einen wirklichen, auf Tod und Leben angeklagten Verbrecher auch nur ein Zeugniß abzulegen.

fing Childerich an, sich auch andern Lüsten zu er=
geben. Leodegar suchte ihn wieder auf den Pfad
der Tugend zurückzuführen, wiederholte daher seine
Strafpredigten, ward aber eben deswegen dem, schon
auf Abwege gerathenen König immer noch mehr zur
Last. Leodegar hatte Feinde am Hofe. — denn wel=
cher Mann von Einfluß, besonders wenn er Schalk=
heit rüget, selbst rein ist und Gott vertrauet, hätte
je an irgend einem Hof nicht Feinde gehabt? — Des
Königs sichtbare Kälte gegen Leodegar benutzten
dessen Feinde nun auf alle nur mögliche Weise,
suchten den Bischof immer noch mehr bei dem Mo=
narchen zu verdächtigen, und brachten es endlich bald
dahin, daß Childerich den Bischof vom Hofe und
den Geschäften entfernte und in das Kloster von
Luxeuil verbannte. — Zwar steht es in der Macht
eines jeden Monarchen, von seinem Hofe einen Bi=
schof zu entfernen und nach seinem bischöflichen Sitz
zu verweisen, nicht aber ihn in ein Kloster zu sen=
den und auf diese Weise in seinem bischöflichen Amte
ihn gleichsam zu suspendiren. Dieses vermag keine
weltliche Macht; sondern blos ein freies, auf cano=
nischem Wege zusammenberufenes Concilium von Bi=
schöfen, und zwar erst nach gesetzmäßigem, eben=
falls durch die Canons vorgeschriebenem, gerichtlichem
Verfahren gegen den Beklagten. Um jedoch Chil=
derich ein noch größeres Verbrechen zu ersparen,
fügte sich Leodegar dem königlichen Befehle; und in=
nerhalb derselben Klostermauern vereinte nun ein
sonderbares Geschick den heiligen Leodegar und den
ehemaligen, jetzt in einen Mönch verwandelten
Majordomus Ebroin. Letzterer schloß sich sogleich
an Erstern an, und bat ihn sogar um seine Freund=
schaft, die natürlicher Weise der arglose Bischof ihm
bald und gerne schenkte. Fürwahr eine bemerkens=
werthe Freundschaft zwischen dem Geyer und der

Taube; freilich nur dann möglich, wenn, wie jetzt der Fall war, dem Erstern der Schnabel, wie die Klauen gebrochen sind.

20. Nach Leodegars Entfernung fiel Childerich von einer Ausschweifung in die andere, vergaß über seinen Vergnügungen immer mehr die Pflichten seines königlichen, von Gott ihm anvertrauten Amtes, ließ ungestraft die Gesetze übertreten, übertrat sie selbst, achtete keines Menschen Rechte, erlaubte sich Gewaltstreiche, die an Grausamkeit grenzten, und überließ sich ohne Scheu und Scham, allen Leidenschaften eines durchaus verdorbenen Herzens. Aber bald war auch jetzt das Maß seiner Thorheiten voll. In einer Anwandlung einer seiner tyrannischen Launen, ließ er den Bobilo, einen der mächtigsten und angesehensten fränkischen Großen, weil er ihm über eine drückende Auflage, welche der König einführen wollte, vernünftige Vorstellungen gemacht hatte, öffentlich entkleiden, an einen Pfahl binden und mit Geiselhieben züchtigen. Diese eben so unerhörte als grausame, dem gesammten fränkischen hohen Adel angethane Schmach, empörte die Gemüther der Großen in allen drei Reichen. Mit zahlreichem Gefolge versammelten sich mehrere derselben in der Nähe von Paris. Bobilo selbst stand an ihrer Spitze. Um sich mit der Jagd zu ergötzen, begab sich Childerich mit seiner ganzen Familie nach einem, in dem Wald von Livry, nahe bei Chelles, gelegenen Jagdschloß. Diesen, ihrem Mordanschlag günstigen Augenblick hatten die Verschwornen erwartet. Ganz in der Stille begaben sie sich zur Nachtzeit nach dem königlichen Lustschlosse, umringten dasselbe, drangen mit anbrechendem Morgen in den Palast, und ermordeten in ihrer Wuth nicht nur den König, sondern auch dessen, gerade jetzt schwan-

gere Gemahlin, die Königin Bilhildis, sammt ihrem kleinen Sohn Dagobert. Childerichs zweites, noch zarteres Söhnchen D a n i e l entrann ganz unerklärbarer Weise den Händen der Mörder; denn das Schicksal hatte den Kleinen bestimmt, in der Folge, unter dem Namen C h i l p e r i c h s II. noch einer der letzten Schattenkönige des erlöschenden merovingischen Stammes zu werden.

21. Als Childerich ermordet ward, zählte er erst 23 Jahre seines Lebens und 19 seiner Regierung, nämlich von dem Tage an gerechnet, wo er als ein kaum vierjähriges Kind den Austrasiern zum König gegeben ward.

XVI.

1. Nach Childerichs II. Tod trat ein, zwar nur kurzes, aber dennoch die Ruhe und Sicherheit im Innern nicht minder gefährdendes Interregnum wenigstens von einigen Wochen ein*). König Thiederich verließ, auf die erste Nachricht von seines Bruders Ermordung, die Abtei von St. Denis, ging nach N o g e n t, dem heutigen St. Cloud und sah in wenigen Tagen sich von einem, zwar noch nicht

---

*) Die französischen Geschichtschreiber sagen, ganz Frankreich sey in dieser kurzen Zwischenzeit ein blutiger Tummelplatz jeder nur denkbaren Gewaltthat und Zügellosigkeit gewesen: ein Beweis mehr von dem völligen Verfall des sittlichen Zustandes der Nation, und daß diese unter der unnatürlichen Herrschaft der Majordomus noch ungleich roher und verwilderter geworden, als selbst unter Chlodowigs ersten Nachfolgern und deren Söhnen.

sehr zahlreichen, aber doch schon ziemlich glänzenden
Hofe umgeben. Aber auch nach Luxeuil eilten von
allen Seiten Leodegars Freunde und Anhänger, entrissen ihn seiner klösterlichen Einsamkeit und führten
ihn im Triumph zu seiner Kirche nach Autun. Voll
Freude, ihren lange vermißten Bischof wieder zu sehen, strömten alle Einwohner der Diöcese ihm entgegen, und verbanden sich untereinander, in der gegenwärtigen Zeit gefahrvoller Anarchie für ihren guten Oberhirten zu leben und zu sterben. Leodegar
war jetzt nicht blos für seine eigene Person vollkommen gesichert, sondern, da täglich noch mehrere
seiner Anhänger, und unter diesen auch verschiedene
Großen, die seine Freunde waren, ● ihm kamen,
sogar im Stande, dem rechtmäßigen Thronerben bedeutende Dienste zu erzeigen.

2. Auch Ebroin hatte bei der Nachricht von
Childerichs Tod, seinen Mönchshabit unverzüglich
gegen eine weltliche Kleidung vertauscht; aber leider
waren mit dieser nun auch zugleich wieder alle seine
frühern, verderblichen Leidenschaften in seiner Seele
erwacht. Den Bischof Leodegar begleitete er zwar
nach Autun, machte aber, weil er einen künftigen
gefährlichen Nebenbuhler in ihm zu erblicken glaubte,
gegen dessen Leben schon unter Weges einen Mordanschlag. Zum Glück verhinderte der Bischof Genes von Lyon die Ausführung dieses teuflischen
Vorhabens, und unter der Larve der Freundschaft
blieb Ebroin, um den sich indessen ebenfalls Verschiedene seiner frühern Anhänger gesammelt hatten,
noch einige Zeit bei dem Bischofe in Autun. Aber
dieser brach endlich auf, um mit seinem ganzen Anhang sich zum König nach Nogent zu begeben.
Ebroin begleitete ihn wieder eine Strecke dahin; als
sie aber Nachricht erhielten, daß Thiederich schon

zum König sey ausgerufen worden, trennte sich
Ebroin von dem Bischofe, ging nicht zu dem König,
sondern in eine entfernte Stadt an den Grenzen
von Austrasien.

3.   Gleich einem schützenden Engel, ward Leodegar von Thiederich empfangen.   Der König
schenkte ihm sein ganzes Vertrauen, zog bei allen
Geschäften ihn zu Rath und überließ sich ganz dessen Leitung und bessern Einsichten.   Eine der ersten
Sorgen des Bischofes war es jetzt, einen Majordomus wählen zu lassen, und durch seinen Einfluß
fiel die Wahl auf Leudes, den unter der Aufsicht
des Bischofes erzogenen Sohn Erchinoalds.   Ebroin,
der ohnehin schon wieder auf neue Entwürfe sann,
das Reich abermal in Verwirrung und bürgerliche
Kriege zu stürzen, hatte bis jetzt mit Zuversicht ge-
hofft, daß zur Erlangung der Majordomuswürde
ihm Leodegar, den er durch seine heuchlerischen
Künste völlig gewonnen zu haben glaubte, behülflich
seyn würde; was er bisher besorgt hatte, war blos,
seine Gewalt und seinen Einfluß bei dem König
mit dem Bischofe theilen zu müssen.   Bei der ganz
unerwarteten Nachricht von der Erhebung des Leudes, gerieth Ebroin in Wuth, schwur Leodegar und
dessen Anhang blutige Rache, und eilte nach Austrasien, wo er wirklich noch eine Menge geheimer
Freunde und Anhänger hatte.

4.   Aus Liebe zu Immihildis, welche ihrer
Tugend und trefflichen Eigenschaften wegen von der
ganzen Nation mit Liebe verehrt ward, hatten die
Austrasier, wahrscheinlich noch zu Lebzeiten und vielleicht selbst mit Genehmigung Childerichs, Siegeberts
und Immihildis Sohn, Dagobert II. aus seiner Verbannung in England auf den Thron von Austrasien

gerufen. Wie es scheint, hatte Wulfoald zu Dagoberts Wiederherstellung kräftig mitgewirkt; denn auch unter diesem König erhielt er sich in seiner Würde als Majordomus von Austrasien. Zwischen ihm und Ebroin bestand eine Freundschaft, wie sie unter Männern dieser Art zu bestehen pflegt; das Band derselben war Beider gemeinschaftlicher Haß gegen den tugendhaften, einsichtsvollen, in Neustrien und Burgund allgemein geehrten Bischof von Autun. Mit Wulfoalds Hülfe brachte Ebroin bald ein Heer zusammen, verbreitete überall das falsche Gerücht von Thietherichs Tod, und stellte einen unbekannten Knaben auf, den er für einen Sohn Clothars III. ausgab und zum König von Neustrien krönen ließ. Zu Gehülfen dieses Bubenstückes hatte er zwei ihres bodenlos schlechten Wandels wegen, von der Kirche ihrer bischöflichen Stühle entsetzte Bischöfe, nämlich den Desiderius, ehemaligen Bischof von Chalons an der Saone, und den Bobbo von Valence. Ebroin brach hierauf mit seinem Heere in Neustrien ein, und wußte seine Bewegungen so geschickt zu verbergen und seinen Marsch so sehr zu beschleunigen, daß er den König in der Gegend von Paris ganz unvorbereitet überfiel, und beinahe ihn sammt seinem ganzen Hofe gefangen genommen hätte. Nur durch schleunige Flucht hatten der König und Einige der bei ihm anwesenden Großen sich gerettet, aber der ganze königliche Schatz fiel in Ebroins Hände. Mit Feuer und Schwert verheerte er nun alle Gegenden, welche das Schattenbild, das er unter dem Namen Chlodowigs III. mit sich herum führte, nicht für ihren König erkennen wollten, plünderte dabei alle Kirchen, und vermehrte und bereicherte mit diesem Raub sein Heer, das ohnehin durch den thätigen Beistand der oben erwähnten ehemaligen Bischöfe mit jedem Tage zahlreicher und furchtbarer ward.

5.   Wenige Tage vor dem feindlichen Ueberfall bei Paris, war Leodegar zu seinem bischöflichen Sitze nach Autún zurückgekehrt.   Sobald Ebroin dieses erfuhr, sandte er den Desiderius von Chalons, der jetzt selbst an der Spitze der Aufrührer focht, mit einem Heerhaufen dahin, die Stadt zu belagern. Autúns Einwohner leisteten tapfern Widerstand; aber Leodegar hielt es nicht für geziemend, daß die Heerde für den Hirten, sondern der Hirt für die Heerde das Leben lassen müsse; er theilte also alles Silbergeräthe, das er hatte, unter die Armen aus, ließ die Thore der Stadt öffnen, und übergab sich freiwillig als Gefangener den Händen seiner Feinde.   Statt diese schöne That edler Selbstaufopferung gehörig zu würdigen, trieb der infame Desiderius die Grausamkeit so weit, daß er dem ehrwürdigen Bischofe, seinem ehemaligen Mitbruder im heiligen Amte, die Augen ausstechen ließ, und unter gefänglicher Haft ihn einem von Ebroins Anhängern übergab *).

6.   Ebroin, der Paris erobert und sich mehrerer andern großen Städte bemächtiget hatte, ließ dem König nicht Zeit, ein Heer zu sammeln. Thietherich mußte einen Vergleich mit ihm eingehen, und ihm wieder die Majordomuswürde übertragen; da Ebroin aber durchaus auch nicht den Schatten eines Nebenbuhlers dulden wollte, so lud er den Leudes, nachdem er ihn durch allerlei sehr gemäßigte Vorschläge und trügerische Vorspiegelungen persönlichen Wohlwollens sicher zu machen gewußt hatte, zu einer freundlichen

---

*) In dem Leben des heiligen Leodegar wird erzählt, daß er während dieser grausamen Operation auch nicht einen Ton der Klage von sich gegeben, sondern mit lauter Stimme Psalmen gesungen habe.

und friedlichen Unterredung ein. Erchinoalds Sohn gerieth in die Schlinge, ward ermordet, und Ebroin nun wieder alleiniger Herr der Person des Königs und mit dieser des ganzen Reiches. Das Phantom von einem König, welches unter dem Namen Chlodowig III. eine kurze Zeit figurirt hatte, verschwand nun auf einmal wieder; denn da Ebroin dessen nicht mehr bedurfte; so bekümmerte er sich auch nicht weiter darum, und so kehrte es nun von selbst in sein voriges Nichts wieder zurück.

7. Ebroin machte jetzt eine allgemeine, unbedingte Amnestie im ganzen Reiche bekannt; damit ihm aber dennoch kein Opfer seiner Rache entgehen sollte, verordnete er zugleich eine strenge Untersuchung wegen des an König Childerich begangenen Mordes. Wer mittelbar oder unmittelbar an der Verschwörung gegen diesen Monarchen theilgenommen hatte, sollte zum Tode verurtheilt werden. Ebroin hatte jetzt einen grenzenlosen Spielraum, seine teuflische Rachgier zu befriedigen. Alle, welche seinen Haß sich zugezogen, seinen Verdacht oder Argwohn erregt hatten, wurden in den mörderischen Prozeß verwickelt, schuldig gefunden und hingerichtet. Graf Guerin, Leodegars Bruder, obgleich bekanntlich einer der unbescholtensten und treuesten von Childerichs Dienern, ward als Mörder dieses Königs gesteiniget. Der blinde Bischof von Autun selbst auf das neue vor Gericht gestellt und verurtheilt. Man riß ihm die Zunge aus dem Halse, schnitt ihm die obere und untere Lippe ab, zerriß ihm die Fußsohlen, und führte ihn hierauf mit blosen, nun schwer verwundeten Füßen, halb nackt, dem Volke zur Schau in der Stadt herum. Nach dieser grausamen Behandlung ward Leodegar in dem Kloster zu Fecamp eingesperrt. Aber auch damit war Ebroin noch nicht zufrieden. Ungefähr zwei Jahre nachher

berief er ein, aus einigen schlechten, ihm knechtisch ergebenen Bischöfen bestehendes Concilium zusammen; auf demselben befanden sich auch die von Ebroin auf ihren Stühlen wieder hergestellten Bischöfe Desiderius und Bobbo. Vor diesem saubern Concilium ward der Bischof von Autun abermals des Königmordes angeklagt und wie man leicht denken kann, schuldig erfunden und ihm das Urtheil gesprochen. In Gegenwart der Bischöfe ward der Rock des Heiligen zerrissen und hierauf er selbst dem Grafen Chrodobert übergeben, welcher ihm in einem Walde in der Diöcese von Arras den Kopf abschlagen ließ *). Das von dem Namen des so ungerecht hingerichteten heiligen Bischofes genannte, französische Städchen St. Leger bezeichnet noch heute die Gegend, wo derselbe begraben ward. Aber nach Ebroins Tod wurden seine Gebeine wieder ausgegraben, nach Poitou gebracht und in der Kirche zum heiligen Maxentius beigesetzt; er selbst ward heilig gesprochen und nach dem damaligen Brauch der Kirche, welche alle als Märtyrer betrachtet, die nach einem, durch Frömmigkeit und höhere Tugend ausgezeichneten Leben eines gewaltsamen Todes starben, in die Reihe glorreicher, heiliger, Blutzeugen gesetzt.

8. Während Ebroin jetzt abermal gleich einem reißenden, nur nach Blut dürstenden Thier in Neustrien wüthete, brach zwischen Dagobert und Thietherich, oder vielmehr dessen Majordomus ein Krieg aus. Man weiß nicht, was dazu Anlaß gab, so wie man überhaupt von der Geschichte Dagoberts und seiner

---

*) Das Zerreißen des Rockes eines Bischofes auf einem Concilium, war damals eine Ceremonie, wodurch die völlige Degradirung desselben von allen geistlichen Weihen und Würden angedeutet ward.

Regierung wenig oder gar nichts weiß*). Der Krieg
mag ein paar Jahre gedauert haben. Die Grenz-
provinzen, und besonders Champagne wurden von
Freund und Feind schrecklich verheert. Dem Krieg
und dessen Verheerungen machte Dagoberts Tod ein
Ende. Auf einer Jagd ward er sammt seinem Sohne
Siegebert von einigen austrasischen geheimen Anhängern
Ebroins ermordet. Indessen war die Faktion, welche
Ebroin noch in Austrasien hatte, nicht sehr bedeutend,
sie bestand blos aus dem Ueberrest der ehemaligen
Anhänger Grimoalds, nämlich aus jenen, welche zu
dem Complott gehört hatten, welches, nachdem man
Dagobert nach England gesandt, Grimoalds Sohn auf
den Thron von Austrasien erheben wollte.

9. Nach Dagoberts II. Tod hätte das Königreich Austrasien wieder mit jenem von Neustrien vereint werden sollen. Aber die Austrasier wollten lieber
das Aeußerste wagen, als Ebroins tyrannischer Herrschaft sich unterwerfen, und ernannten Pipin von
Herstal und dessen Vetter Martin zu Herzogen
und Regenten von Austrasien**). Diese Verletzung

---

*) Dagobert II. war sehr lange Zeit aus den französischen
Geschichtbüchern völlig verschwunden. Erst Henschenius
und Valesius, besonders der Erstere in seinem Buch de
tribus Dagobertis, haben ihn wieder in die Geschichte
und die Reihe der fränkischen Könige eingeführt.

**) Von Seite seines Vaters, des Herzogs Ansegisel, war
Pipin ein Enkel des heiligen Arnulphs, Bischofes von
Metz, und von Seiten seiner Mutter Begga, ein Enkel des Majordomus Pipin von Landen. Herstal oder
Heristal war ein, ihm gehöriges, nicht ferne von Lüttich, an der Maas gelegenes Schloß, zu welchem er
eine besondere Vorliebe hatte, und daher auch allda sich
öfter und länger, als an andern Orten aufzuhalten

oder vielmehr diesen Umsturz der Verfassung wollte König Thietherich oder dessen Majordomus nicht zugeben. Martin und Pipin glaubten, ihren Feinden zuvorkommen zu müssen, fielen mit einem zahlreichen Heere in Neustrien ein, wurden aber bei Lufav *) von Ebroin mit ungeheuerm Verlust völlig geschlagen. Pipin zog sich in das Innere von Austrasien zurück; aber Martin warf sich mit einem Theile des geschlagenen Heeres in die, damals sehr feste Stadt Laon, und machte Anstalten, den Feind, wenn er sich zeigen sollte, tapfer zu empfangen. Bei einer langwierigen Belagerung, deren Erfolg noch sehr zweifelhaft war, wollte Ebroin sein Kriegsglück nicht auf das Spiel setzen; er nahm also auch jetzt wieder zu den schon bekannten Künsten der Treulosigkeit seine Zuflucht. Zwei Bischöfe, Agilbert von Paris und Riol von Rheims, wurden nach Laon geschickt, um Martin an das königliche Hoflager in Ecri zu einer friedlichen Unterredung einzuladen. Die Bischöfe, getäuscht und bethört durch Ebroins Betheuerungen seiner Aufrichtigkeit, schwuren dem Martin einen feierlichen Eid, daß er weder für sein Leben noch für seine Freiheit etwas zu befürchten hätte, es ihm auch völlig frei

pflegte. Martin war ein Sohn Chlodulfs, des heiligen Arnulphs jüngern Bruders, der nachher ebenfalls Bischof von Metz ward. Beide Brüder waren, wie der Leser schon weiß, bevor sie in den geistlichen Stand traten, verheirathet, und bekleideten bedeutende Staatsämter am Hofe Clothars II. und Dagoberts I. Der heilige Chlodulf, denn auch er ward von der Kirche den Heiligen beigezählt, überlebte seinen Sohn Martin, und starb in einem Alter von einigen neunzig Jahren erst im Jahre 696.

*) Lufao, das schon lange nicht mehr vorhanden ist, lag zu seiner Zeit in der Gegend von Tull.

stehen sollte, sobald er es für gut fände, wieder
nach Laon zurückzukehren *). — Gewöhnlich kann von
dem, wenig Talente erfordernden Kunststück, irgend
einen Zweck durch schnöde Verletzung der öffentlichen
Treue zu erreichen, höchstens nur einmal Gebrauch
gemacht werden; aber auch öfters wiederholt und in
Anwendung gebracht, sollte es doch stets dem Ebroin
gelingen. Auch Martin gerieth in die, ihm gelegte
Falle, und ward gleich in der ersten Stunde nach
seiner Ankunft in Ecri, sammt allen seinen Leuten
ermordet. — Nach Martins Tod war Pipin regie-
render Herzog von ganz Austrasien. (679.)

9. Nicht lange genoß Ebroin die Früchte seines bei Lufao erfochtenen Sieges. Er hatte einen
fränkischen Edeln, Namens Hermanfried, den
er längst schon verfolgte, aller seiner Güter beraubt,
und Verzweifelung erzeugte nun in diesem den Entschluß, das Reich von seinem furchtbaren Tyrannen
zu befreien. Mit dem Schwert unter seinem Mantel verbarg er sich in einer engen Straße, welche
Ebroin, wenn er in die Kirche ging, nicht vermei-

---

*) Der damaligen Sitte zufolge, wurden bei Eidesleistun-
gen gewisse Heiligthümer ausgestellt, über welchen der
Schwörende seinen Eid ablegen mußte. Durch einige
Vertrauten, welche Ebroin, wie es sich von selbst ergibt, sogar unter der Geistlichkeit in Laon haben
mußte, ließ er nun, bevor die Bischöfe zum Schwören hinzutraten, aus dem Reliquienkasten die Heiligthümer heraus nehmen, so daß jetzt die Bischöfe, ohne
es zu wissen, über den leeren Kästchen schwuren, worauf alsdann der Majordomus, durch den, von den
Bischöfen in seinem Namen und auf seine Seele geschwornen Eid sich nicht gebunden glaubte. — Wie
man sieht, hatte Ebroin ein sehr zartes Gewissen,
und war dabei kein schlechter Casuist.

den konnte, stürzte sich dann plötzlich auf ihn hin, und gab ihm einen so kräftigen Hieb auf den Kopf, daß er sogleich todt zu Boden stürzte. Nach vollbrachter That war Hermanfried noch so glücklich, sich durch schleunige Flucht zu retten. Er ging nach Austrasien, wo er an Pipins Hofe Schutz und gastfreundliche Aufnahme fand.

10. „Dem Ebroin folgte in der Majordomuswürde Waratto, welcher den Pipin als Herzog von Austrasien anerkannte, wofür dieser eine jährliche Abgabe an König Dietherich zu zahlen versprach. Aber zwischen Waratto und seinem Sohn Gislemar erhob sich ein blutiger Zwist; der Vater ward vom Sohne vertrieben und suchte in Austrasien Schutz. Pipin eilte mit einem Heere herbei; Gislemar zog ihm entgegen und Ersterer ward, obgleich nicht eigentlich geschlagen, doch mit ziemlichem Verlust zum Rückzug gezwungen. Aber schnell ergänzte und verstärkte Pipin sein Heer, nahm eine noch drohendere Stellung an, und bewirkte durch sein entschlossenes, kräftiges Einschreiten, daß der Vater wieder seine Stelle erhielt. Diese edle, und dem Scheine nach ganz uneigennützige That erwarb dem Pipin nun auch großes Ansehen in Neustrien, besonders bei den Freunden und Anhängern des, durch den Herzog von Austrasien, wieder in seiner Würde hergestellten Majordomus.

11. Wie es scheint, verwaltete Waratto das Reich mit Gerechtigkeit und Einsicht, wenigstens befleckt in den fränkischen Geschichtbüchern kein Vorwurf sein Andenken; aber er starb schon nach einigen Jahren und die Wahl zum Majordomus fiel nun auf Berthar, einen Mann, gleich häßlich an Leib und Seele. Wie Ebroin, ein vollendeter Ty-

rann zu werden, dazu hatte er den besten Willen, nur fehlte es ihm an dessen teuflischem Verstand. Berthars grenzenloser Stolz und tyrannische Will= kühr trieben eine Menge edle Franken aus dem Lande, die alle zu Pipin nach Austrasien flohen. An dem Hofe desselben hielten sich ohnehin schon längst sehr viele von denen auf, welche unter Ebroin ihrer Güter beraubt und des Landes waren verwie= sen worden. Die unglücklichen Verbannten drangen mit Bitten nun täglich in den Herzog, durch seine Vermittelung ihnen von König Dietherich die Er= laubniß zu erwirken, ungekränkt und in Sicherheit wieder in ihr Vaterland zurückkehren zu dürfen. Pipin vermochte endlich nicht länger mehr zu wi= derstehen, und sandte einige der Vornehmsten an seinem Hofe als Abgeordnete nach Neustrien. Aber gegen alle Erwartung war die Antwort des, von seinem Majordomus übel unterrichteten Königs tro= tzig und höhnend. "Pipin," sagte Dietherich, "braucht "sich nicht zu bemühen, die Verbannten hierher zu "senden, denn um sie abzuholen, werde ich bald "selbst an der Spitze eines Heeres in Austrasien "erscheinen."

12. Unvermeidlich war jetzt der Krieg, und kräftig rüsteten beide Theile sich dazu. König Dietherich mit seinem Majordomus schlug sein La= ger bei Testri auf, einem Dorfe zwischen St. Quentin und Peronne. Pipin ließ nicht lange auf sich warten. Ein kleiner Fluß*) trennte beide feindlichen Lager. Dietherichs Heer war beinahe um die Hälfte zahlreicher, als jenes des Herzoges.

---

*) Der Fluß Daumignon, welcher sich in die Somme ergießt.

13*

Die Neustrier wollten den Angriff der Austrasier erwarten, um mit dem Vortheile ihrer überlegenen numerischen Stärke auch noch den zu verbinden, welchen ihnen die, bei jedem Uebergang über einen Fluß im Angesichte des Feindes, immer beinahe nothwendig eintretende Verwirrung darbieten würde. Aber dieser Plan scheiterte an Pipins kriegerischer Schlauheit. In der Nacht brach er mit dem Heere auf, marschirte ein paar Stunden den Strom aufwärts, ging mittelst einer Furth, die ihm bekannt war, über den Fluß, und rückte langsam den Neustriern in den Rücken. Von seinem Lager ließ er hie und da Zelte stehen, auch einiges Gepäcke, und viele halb verbrannte oder zerstörte Munitions- und Packwagen. Mit Anbruch des Tages ward dem Könige von den, von ihm ausgeschickten Spionen gemeldet, der Feind habe sich zurückgezogen, und wahrscheinlich in größter Eile, weil er sogar einen Theil seines Lagers und Gepäckes zurückgelassen, und das Uebrige zerstört oder in Brand gesteckt habe. Sogleich gaben auf Befehl des Königs alle Trompeten im neustrischen Lager der Reiterei das Zeichen zum Aufsitzen. Das Lager ward abgebrochen, das ganze Heer setzte sich in Bewegung, um über den Fluß zu gehen, und den fliehenden Feind zu verfolgen. Indessen war Pipin mit seinem Heere herangekommen. Eine Reihe von Hügeln maskirte alle seine Bewegungen dem Feinde. In dieser Stellung erwartete er ruhig den günstigen Augenblick zum Angriff, und sobald er glaubte, daß ungefähr die Hälfte des feindlichen Heeres über den Fluß gesetzt sey, rückte er eiligst über die Anhöhen herab, und griff die noch diesseits des Flusses stehende Hälfte des feindlichen Heeres mit der größten Entschlossenheit an. Schnell rief zwar der König seine schon über den Fluß gegangenen Truppen zurück;

aber der Uebergang konnte jetzt nicht ohne Verwirrung und große Unordnung geschehen; zudem hatten
die Neustrier auch noch den Nachtheil, daß sie, weil
von Pipin von der Morgenseite angegriffen, während der Schlacht die Sonne im Gesicht hatten.
Indessen ward von beiden Seiten mit ungewöhnlicher
Tapferkeit gefochten. Der Kampf war hartnäckig
und mörderisch; aber endlich erfocht Pipin einen
vollständigen Sieg. Der größte Theil des neustrischen und burgundischen Adels blieb auf dem Platz.
Dietrichs ganzes Heer ward zusammen gehauen
oder zersprengt; der König selbst verdankte seine
Rettung nur der Schnelligkeit seines Rosses; auch
der Majordomus Berthar entrann den Händen der
Austrasier, aber nicht den Schwertern seiner eigenen
Soldaten, die, ihm allein die Schmach einer verlornen Schlacht zuschreibend, auf der Flucht ihn
unter Weges ermordeten. In Eilmärschen rückte
nun Pipin dem König nach. Als er vor Paris
erschien, öffnete die Stadt dem Sieger ihre Thore.
Dietrich ward gezwungen, mit Pipin einen Vergleich einzugehen, das heißt, sich und mit seiner Person
abermals wieder auch zugleich sein Reich zu übergeben.

13. Pipin war zu verständig, als daß er dem
gefangenen König nicht seine Würde, den Franken
nicht ihren König gelassen hätte. Er begnügte sich
also mit dem Amt und der Gewalt eines Majordomus, war aber in der That unter dem doppelten
Titel: Dux et Princeps Francorum, unbeschränkter Herr des ganzen fränkischen Gesammtreiches*).

---

*) Von jetzt an wurden in allen öffentlichen Urkunden
neben den Regierungsjahren der Könige, auch die
Jahre der Herrschaft des Majordomus bemerkt.

14. Als Folge der. zwischen Austrasien und Neustrien, schon so lange Zeit herrschenden, wahrhaft leidenschaftlichen Rivalität, waren zwar jetzt die austrasischen Völker Pipin mit grenzenloser Treue ergeben; denn daß durch ihn ihr Reich endlich die Oberherrschaft über jenes von Neustrien errungen; dies hielten sie, weil es ihrem Nationalstolz schmeichelte, für ihren höchsten Ruhm, für ihren schönsten und herrlichsten Triumph; und Bewunderung und Dankbarkeit fesselten sie nun auf immer an den Heristaller und dessen Familie. Aber aus der nämlichen Ursache sträubten sich nun auch die Neustrier mit desto größerm Widerwillen gegen die Herrschaft eines austrasischen Fürsten. Ueberhaupt erforderte es jetzt eine mehr als gewöhnliche Weisheit und Staatsklugheit, und die ganze Energie einer Heldenseele wie Pipin, um so viele und verschiedene, bisher oft und lange getrennte, in ihrem Interesse getheilte, und an wilde Gesetzlosigkeit gewöhnte Völker wieder in eine Gesammtnation zu verschmelzen, jenen längst entflohenen, gemeinschaftlichen Nationalgeist wieder in ihnen zu wecken, und so das ganze ungeheure Reich ruhig und mit segenreichem Erfolge zu beherrschen. Gewiß war dieses nicht eine leichte Aufgabe; aber Pipin, der selbst die Liebe und Bewunderung seiner Feinde zu erzwingen wußte, verstand auch die Kunst, diese schwerste aller Aufgaben zu lösen.

15. Während der vielen und anhaltenden, blutigen, bürgerlichen Kriege, und der damit verbundenen furchtbaren Verwirrung, war das fränkische Reich in allen seinen Theilen, in seinem Innern, wie in seinen äußern Beziehungen und Verhältnissen, in den schrecklichsten und zugleich traurigsten Verfall gerathen. In seinem Innern waren beinahe alle

Bande eines staatsgesellschaftlichen Zustandes aufgelößt. Statt der Gesetze herrschten überall nur Tyrannei und freche Willkühr; die größten Laster und Schandthaten jeder Art füllten das wilde, wüste Leben ausgelassener Großen; Treulosigkeit, Mord, Straßenraub und grausame Mißhandlung des wehrlosen Volkes, waren ununterbrochen an der Tagesordnung; Niemand war seines Eigenthums mehr sicher; frevelhafte Gewalt galt überall für Recht. Sogar ein Theil der Geistlichkeit blieb von der, an Allem was schändlich ist, überschäumenden Sittenlosigkeit nicht unangesteckt; immer sichtbarer verfiel die heilsame Zucht und Disciplin der Kirche; unter ihren sonst so mütterlich schützenden Flügeln, fand jetzt keine unterdrückte und verfolgte Tugend, keine verlassene Wittwe oder Waise mehr Schutz, und bei der allgemein herrschenden Ruchlosigkeit, dem völligen Verschwinden alles praktischen Christenthums und christlichen Sinnes, und der daher auf das höchste gestiegenen Verwirrung und Verwilderung, fand das unterdrückte, unaufhörlich gequälte und mißhandelte, übrigens aber noch christliche und gläubige gemeine Volk, blos noch einige Erleichterung seiner Leiden in dem Wahne, daß das Ende der Welt herannahe, und mit dem nun bald erscheinenden jüngsten Tage, auch all sein Elend sich endigen werde.

16. Nicht minder traurig und niederbeugend war auch der Zustand des Reiches in seinen äußern Verhältnissen. Die Alemannen, Schwaben, Thüringer, Bayern, Sachsen und Friesen hatten die Gewalt der Majordomus nicht anerkannt, und unter diesem Vorwande sich völlig der fränkischen Herrschaft entzogen. Ihre Herzoge leisteten mehr weder Heersfolge, noch zahlten sie an die Krone den ihr

schuldigen Tribut; betrugen sich ganz, wie völlig unabhängige Fürsten, und die nördlichen Friesen, welche von Antwerpen bis an die Weser hin wohnten, erlaubten sich sogar feindliche Einfälle in das fränkische Gebiet. Eben so hatten die Völker jenseits der Loire längst schon dem Reich den Gehorsam aufgekündiget. Während des immerwährenden Familienzwistes der fränkischen Könige und der lange anhaltenden bürgerlichen Kriege, hatten die Herzoge von Aquitanien ihre Macht auf Kosten des Reiches ganz unmäßig vermehrt, eine Stadt nach der andern, ja ganze Strecken Landes ihren Vettern, den fränkischen Königen entzogen und mit ihrem Gebiete vereiniget. Selbst das kleine, aber wilde und, obgleich oft überwundene, dennoch stets unruhige Volk der Basken riß sich auf das neue von der Monarchie los, erkannte nicht mehr der Könige Oberhoheit und unternahm sogar räuberische Streifzüge auf fränkischem Gebiete. Kurz, das Reich glich einem völlig morschen, von allen Seiten Einsturz drohenden Gebäude, und es bedurfte durchaus eines großen, von der Vorsehung geweckten Geistes, um den fast entseelten, fränkischen Leichnam auf das neue wieder zu beleben.

17. Weislich begann Pipin damit, daß er an die, am tiefsten liegenden, das wahre Lebensprinzip des Staats verzehrenden Grundübel vor Allem seine heilende Hand legte: Gesetzgebung, Gerechtigkeitspflege, Polizei, innere Verwaltung, Wiederherstellung der Kirchenzucht und öffentlicher Sitten 2c., wurden daher die ersten und wichtigsten Gegenstände seiner thätigen, über Alles waltenden Sorgfalt. Mit raschen und daher stets gewaltsamen Einschreitungen wollte er zwar nicht auf einmal und plötzlich den Staat wieder blühend und glücklich machen; denn er sah nur zu

gut ein, daß dieses gerade die Grundlage noch größerer Verwirrung werden könnte. Eine klug und sicher berechnete Schonung aller bestehenden und bestandenen Verhältnisse, um die alte Ordnung wieder einzuführen, war also der Grund, auf welchem er zu bauen anfing, und sieben und zwanzig Jahre mit dem glücklichsten und glänzendsten Erfolge fortbauete. Unermüdet war jetzt Pipin mit Reorganisirung aller Zweige der Verwaltung beschäftiget. Bald traten nun die alten Gesetze, mit ihren der Nation angewöhnten Formen, wieder in Kraft. Ebroins neue, größtentheils gehässige Einrichtungen wurden abgeschafft. Alle, den Gewerbsfleiß danieder drückenden Auflagen wurden aufgehoben. In den Finanzen ward Ordnung, unter den Truppen Kriegszucht wieder eingeführt und auch der Geringste vom Volke gegen die Anmaßungen der Mächtigern durch die Gesetze geschützt. Die Großen, welche die Tyrannei der vorigen Regierung ihrer Würden entsetzt hatte, wurden in denselben wie der hergestellt, und alle, denen der Fiscus ihre Güter eingezogen, oder gar offenbare Gewalt sie ihnen geraubt hatte, erhielten dieselben wieder zurück. Ueber das Letztere hatten vorzüglich sich die Kirchen zu beklagen, und da Pipin ihnen volle Gerechtigkeit wiederfahren ließ, so gewann er auch das Zutrauen der Bischöfe, und deren, bei seinen schweren und wichtigen Arbeiten, ihm so ungemein nützlichen und mächtigen Beistand. Um der allgemein eingerissenen Zügellosigkeit zu steuern, wurden nun wieder mehrere Concilien gehalten, und eine Menge der weisesten und heilsamsten Verordnungen zur Verbesserung der Sitten, zur Belebung eines ächt christlichen Sinnes, zur Erleichterung der Armuth und zum Schutz der Wittwen, Waisen und noch unerzognen Kindern von den Bischöfen gemacht, und von dem Majordomus genehmiget und in Vollziehung gesetzt. In kurzer Zeit

ergoß sich neues Leben in alle Adern des Staatskör-
pers. Alle Stände der Nation fühlten die Wohlthaten ihres neuen Regenten; und da Pipin stets der
Richtschnur der Gerechtigkeit folgte, und mit einer
ungemeinen, ihm alle Herzen gewinnenden Milde auch
eine, oft zeitgemäße, durchaus nothwendige Strenge
zu verbinden wußte, so erwarb er sich, durch die
Weisheit, Milde und Gerechtigkeit seiner Verwaltung,
nach und nach eben so sehr das Zutrauen und die
allgemeine Liebe der Großen, als auch aller übrigen
Stände und Classen der Nation, und auf diese Weise
ein Ansehen und eine Gewalt, wie vielleicht, seit dem
Gründer der Monarchie, kein fränkischer König bisher sie je noch gehabt hatte. Aber wodurch Pipin
vorzüglich die Gunst und ein ganz unbeschränktes Vertrauen bei der Nation gewann, war unstreitig, daß
er die alten, ganz in Vergessenheit gerathenen Märzfelder wieder einführte. Diese jährlichen National-
versammlungen lagen den Franken, die überhaupt an
allen ihren alten Gewohnheiten mit Leib und Seele
hingen, ungemein am Herzen. Pipin umgab sie
daher mit allen nur möglichen Feierlichkeiten, und
auf ihnen erschienen nun auch jedesmal wieder die
Könige, in ihrem ganzen königlichen Pomp und geschmückt mit allen Insignien ihrer Würde, um dem
Volke sich zu zeigen, und dann die Beschlüsse ihrer
Majordomus zu genehmigen.

18. Sobald Pipin den Staat in seinem Innern befestiget hatte, ordnete er auch, jedoch mit
gewaffneter Hand, dessen äußere Verhältnisse. Die
Alemannen, Schwaben, Thüringer und Bayern
hatte er schon als Herzog von Austrasien bezwun-
gen. Jetzt zog er gegen die nördlichen Friesen,
schlug deren Fürsten Radbod in mehrern Treffen,
nahm ihm einen Theil seines Gebietes, vereinigte

diesen mit der Monarchie, und machte die übrigen
Länder, die er ihm ließ, dem fränkischen Reiche
zinsbar. Der Uebermuth der Gascogner, der das
Verhältniß ihrer Kräfte weit überstieg, ward mit
leichter Mühe von Pipin gedemüthiget, ihre Verfassung aufgehoben und das Band im strengern Sinne
des Worts zu einer fränkischen Provinz gemacht.
Gleiches Glück folgte Pipins Fahnen auch in Aquitanien; er schlug den mächtigen Herzog Charibert
in zwei mörderischen Treffen, zwang ihn, sich zu
unterwerfen; und stellte den ehemaligen Lehnsnerus
zwischen Aquitanien und dem fränkischen Reiche in
seiner vollen, frühern Kraft wieder her. — Eine
solche Reihe glänzender Thaten, verbunden mit allen Segnungen einer weisen, gerechten und milden
Verwaltung, unterwarfen dem Pipin immer noch
mehr die Gemüther eines Volkes, das bis jetzt es
für sein größtes Verbrechen gehalten hätte, Andere,
als blos Sprößlinge seines alten Königstammes, für
seine Herren zu erkennen.

19. In dem Jahre 695 starb endlich König
Dietherich, und auf dem goldenen Stuhle*) folgte
ihm sein ältester Sohn unter dem Namen Chlodowig III. Wie den Vater, umgab auch diesen
thatenlose Herrlichkeit, und als er schon nach 4
Jahren starb, führte nach ihm sein zwölfjähriger
Bruder Childebert, der Dritte dieses Namens,
sechzehn oder siebenzehn Jahre lang den königlichen

_____

*) Der Thron der alten fränkischen Könige war ein gol-
dener Stuhl ohne Rücken- und Arm-Lehnen, um dadurch anzuzeigen, daß ein König der Franken, ohne
fremde Stützen, blos durch eigene Kraft bestehen
müsse.

Titel. Das ganze Regierungsgeschäft der Könige bestand jetzt blos darin, daß sie bei ihrer Thronbesteigung sich der Nation zeigten, und von ihr die Huldigung und die gewöhnlichen Geschenke empfingen; aber damit war es nun auch ein für allemal am Ende, und für die ganze übrige Zeit ihres Lebens blieben sie, auf ihren prächtigen, mit allem Ueberfluß versehenen Lustschlössern, den Regierungsgeschäften eben so fremd, wie ein der Welt abgestorbener Mönch in irgend einem Kloster. Indessen bekam die Nation, die, obgleich von keinem König beherrscht, doch durchaus einen König haben wollte, ihre Titularkönige jedes Jahr einmal, nämlich bei Gelegenheit der Märzfelder zu sehen, wo man dem königlichen Schatten die nämlichen Ehrerbietungen erzeigte, die man wirklichen Königen zu erzeigen pflegt.

20. Auf Childebert III. folgte dessen zwölfjähriger Sohn Dagobert III. (611). Aber dem Pipin machten indessen die Alemannen, Schwaben, Sachsen und Friesen auf das neue wieder viel zu schaffen. Eine schreckliche Niederlage dieser Völker war die Folge ihrer Schilderhebung. Der tapfere und unruhige Radbod, Fürst der Friesen, war die Seele dieser wiederholten Empörungen gewesen; um ihn zu gewinnen und für die Zukunft den fränkischen Grenzländern unschädlich zu machen, begehrte Pipin Radbods Tochter Teutsinda für seinen ältesten Sohn Grimoald. Teutsindas Vater fühlte durch diesen Antrag sich hochgeehrt, die Heirath kam also zu Stande, brachte aber, wie wir in der Folge sehen werden, dem Reiche, besonders Austrasien nicht die Vortheile, die man von dieser Verbindung sich versprochen hatte.

21. Bald darauf starb Pipin nach einer beinahe acht und zwanzigjährigen, eben so thaten= als ruhmvollen Regierung, in seinem Palaste zu Jopil, an den Ufern der Maas, dem alten Stamm= schloß Heristal gegenüber. Die letzten Tage sei= nes Lebens verbitterte dem Helden die ganz uner= wartete und daher desto schrecklichere Nachricht von dem Tode seines ältesten und geliebtesten Sohnes Grimoald, der, auf einer Reise zu seinem Vater begriffen, unter Weges zu Lüttich in der St. Lam= bertuskirche unter dem Dolche eines Meuchelmörders gefallen war. — Ueber dem Grabhügel Pipins trauerte das ganze fränkische Reich, das 'er auf eine, den Franken bisher unbekannte Höhe von Macht, Ruhm und Wohlstand erhoben hatte. Auch für die Ausbreitung des Christenthums und die Bekehrung der, noch im Heidenthum versunkenen Völker, ge= schah unter seiner Verwaltung mehr; als seit Clo= thar II. bis auf seine Zeiten geschehen war; so wie überhaupt Pipins Verdienste um Religion, Kirche und gute Sitten wahrhaft groß und unverkennbar sind. — Um diesen außerordentlichen Mann, ganz wie er war, in seiner Heldengröße, wie in seiner menschlichen Schwäche der Nachwelt zu zeigen, darf die Geschichte nur dessen Thaten erzählen; ist dieses geschehen; so werden jedes weitere Lob, wie jeder weitere Tadel mehr als überflüssig; denn daß Pipin den rechtmäßigen Königsstamm unterdrückte und, ob= gleich zum Wohl der Kirche, zum Heil seiner Völ= ker und zum Besten der Menschheit, eine jedoch nur usurpirte Gewalt ausübte: dies sind unläugbare Thatsachen. Aber bei Allem dem ist doch nicht immer die Weltgeschichte auch die Stimme des Weltgerichts; denn offenbar vermag eigentlich nur die Hand der All= macht die Wagschale ewiger Gerechtigkeit zu halten, die oft nach ganz andern Gesetzen richtet, als denen der

Pandekten des Justinians, und ihrer gelehrten oder un-
gelehrten Commentatoren aller Zeiten und Zungen. ——
Von Pipins letzten Verfügungen, sowohl in Beziehung auf das fränkische Reich, als auch auf seine eigene, nicht sehr zahlreiche Familie, kann wegen ihres
großen Einflusses auf die gleich darauf erfolgten
merkwürdigen Ereignisse, erst in der Geschichte des
nächsten Zeitraums die Rede seyn.

XVII.

1.   Geschichte der Westgothen.   An
dem Grabe Königs Sisebuts und seines Sohnes Recareds (621.) verließen wir im siebenten
Bande unserer Fortsetzung die westgothische Nation in Spanien. Wenn der Blüthenglanz dieses
Reiches, von Recareds I. Zeiten bis jetzt, wenn
dessen schnelles Wachsthum an Größe und Macht, die
immer höher steigende, geistige Bildung der Nation,
ihre christliche Sittung und Gesinnung, und das
schöne, harmonische Verhältniß der spanischen Kirche
zum Staate der Westgothen, unser Herz bisher oft mit
freudiger Bewunderung erfüllten; so wird nun auch
bald das allmählige Verbleichen jenes Blüthenschim-
mers, die überhandnehmende Zerrüttung in dem Innern des Reiches, und die dadurch vorbereitete, und
endlich durch eine einzige verlorne Schlacht vollendete gänzliche Zerstörung und Vernichtung desselben,
ein nicht minderer Gegenstand unsers Erstaunens
werden.

2.   Das Grundübel und der Keim der so frü-
hen Verwesung des westgothischen Reiches in Spanien
lag in der Verfassung desselben. Seit dem Erlöschen
des alten baltischen Königstammes nämlich, war es

ein Wahlreich geworden. Aber nach einer Krone,
jedem erreichbar, streckt gewöhnlich auch jeder Ehrgei-
tzige die Hand aus, und da sie nur Einem zu Theil
wird; so werden stets dem Einen Glücklichen hundert,
in ihren Hoffnungen getäuschte Unzufriedene gegenüber stehen; diese haben dann, weil ihr eigenes Herz
in unerfüllten Wünschen sich verzehrt, für das Gesammtwohl des Staates keinen Wunsch mehr übrig,
oder lassen sich gar, um dennoch das Ziel ihres
Ehrgeizes zu erreichen, zu förmlicher Empörung,
wie zu jedem andern Frevel und Verbrechen hinrei-
ßen. Jede Thronveränderung ist nun gewöhnlich
mit innern Unruhen, wo nicht mit bürgerlichen
Kriegen verknüpft; und selbst nach Besiegung der
einen oder andern Parthei, dauern größtentheils die
krampfhaften Zuckungen in dem Staatskörper noch
fort; und nimmt endlich der unterliegende Theil in
seiner Verzweifelung gar zu einer großen, an den
Grenzen des Reiches lauernden Macht seine Zuflucht, dann macht der herbeigerufene, geharnischte
Schiedsrichter dem blutigen Prozeß gewöhnlich damit ein Ende, daß er selbst den Gegenstand desselben verschlingt. — Dies in wenigen Worten das
Wesentlichste der Geschichte Spaniens in dieser
Periode. Zwar gelangen noch immer kräftige Regenten auf den Thron; aber sie vergeuden mehrentheils ihre Kraft in fruchtlosem Streben, die Krone
auf ihre Nachkommen zu vererben, und erschüttern
eben dadurch nur noch mehr einen Thron, welchen
in ihrem Hause zu befestigen, sie es zum Hauptgegenstand ihres Regentengeschäfts machen *).

---

*) Für diese Periode der westgothischen Geschichte sind
die Quellen wieder äußerst dürftig und unzuverlässig.
Die vornehmsten, aus welchen auch alle spätern spanischen Geschichtschreiber schöpften und schöpfen mußten, sind die Chroniken des Isidors von Sevilla

(Hispalensis) und des Isidors von Beja (Pacensis) ferner, des Julius Toletanus Regierungsgeschichte Königs Wamba. Mit Suintilas Absetzung endigte Isidor von Sevilla seine Geschichte, die aber von Isidor von Beja bis auf die Zeit, in welcher er selbst lebte, nämlich bis zum Jahre 754 fortgesetzt ward. Weit später sind die Chroniken des Königs Alphonsus, des Roderichs von Toledo und des Diacons von Tuy (Tudensis) nachherigen Bischofes dieser Stadt. Indessen müssen wir doch auch diese als Quellen betrachten. — Den neuern spanischen Geschichtschreibern, wie z. B. Savedra, Mariana, Ferreras ꝛc. ist es nicht gelungen, das Dunkel aufzuhellen, das diese Periode der westgothischen Geschichte umgibt. Getäuscht wurden Viele durch die, von Michael de Luna vergeblich aus dem Arabischen übersetzte Geschichte Roderichs, letzten Königes der Westgothen. Diese Geschichte ist offenbar ein bloser Roman, und dieses um so weniger zu bezweifeln, als man trotz allem langen und mühsamen Aufsuchen dennoch das arabische Original niemals hat finden können. — Unter den neuesten deutschen Gelehrten hat Herr Professor Aschbach, durch seine Geschichte der Westgothen, sich ganz vorzüglich um diesen Zweig der Literatur verdient gemacht. Aber eine nicht minder erfreuliche und willkommene Erscheinung ist auch Herrn F. W. Lembkes Geschichte von Spanien (Hamb. bei Perthes 1831.) Eine umfassende Kenntniß der Quellen, gründliche Forschung, judiciöse Sichtung und gefällige Anordnung der wohl geprüften Detail-Massen, geben dieser Geschichte einen vorzüglichen Werth; auch läßt sie in Ansehung des Styls und einer, sich stets gleich bleibenden, ernst- und würdevoll fortschreitenden Darstellung wenig mehr zu wünschen übrig; nur hinwegsetzen muß sich der katholische Leser über des protestantischen, gelehrten Herrn Verfassers, ziemlich oft sich kundgebenden Widerwillen gegen die spanische Geistlichkeit, deren Verbrechen, hier wie in so manchen andern Schriften, blos darin besteht, daß sie eine katholische Geistlichkeit war. — Der erste Band dieser Geschichte Spaniens zerfällt in zwei Theile, wo-

von der Erste mit der westgothischen Monarchie auf
der spanischen Halbinsel, vom Jahre 531 bis 714 sich
beschäftiget, und der Andere die Zeiten von der Eroberung Spaniens durch die Araber, bis zur Mitte
des neunten Jahrhunderts umfaßt. Wie in Herrn
Aschbachs schätzbarem Werke, ist auch hier dem ersten
Theil eine Darstellung des innern Zustandes des westgothischen Reiches beigefügt, als: Verhältnisse der
Kirche; Staats- und Rechtsverfassung, und endlich
auch geistige und sittliche Cultur der Nation. — Alles
trefflich und lichtvoll vorgetragen. Ueberall beurkundet
sich der Verfasser als gründlichen, besonnenen und
größtentheils auch unbefangenen Forscher. Nur
Schade wieder, daß, in der Darstellung der Verhältnisse der Kirche, einige, und man möchte beinahe
sagen, bisweilen ganz zur Unzeit eingeschaltete Bemerkungen, und vorzüglich die am Ende gegen die
ganze spanische Geistlichkeit gerichtete Schlußbe-
merkung zu hart und ungerecht, und hie und da
offenbar bles aus der Luft gegriffen sind. Auf einzelne Ausnahmen läßt sich doch wahrhaftig kein allgemeines, eine ganze zahlreiche Corporation umfassen-
des Urtheil begründen; in dem ganzen menschlichen
Leben, in dem öffentlichen, wie in dem häuslichen,
begegnen sich überall Licht und Schatten. — Wie
sehr wäre es zu wünschen, daß ein Geschichtschreiber,
der zu Aschbachs und Lembkes unverkennbarem
Talent und dem Reichthum ihrer historischen Kenntnisse auch einen, von allen Banden politischen,
wie religiösen Sektengeistes völlig entfesselten, ächt
religiös-philosophischen, und daher nicht blos für die
niedern, materiellen, sondern auch höhern geistigen
überirdischen Interessen empfänglichen Geist, und ein
für das Göttliche, was in der Geschichte liegt, tief
erglühetes Herz, mitbrächte, sich die an Stoff und
großen Charakteren so reiche Geschichte Spaniens zur
ausschließlichen Aufgabe seiner historischen Arbeiten
machen, und so endlich einmal diese edle, hochherzige,
kraftvolle Nation und den wundervollen Wechsel ihrer
Ereignisse aus jenem dichten Nebel hervortreten lassen
möchte, welchen krasse Unwissenheit, alberner Nationalstolz und die größten Vorurtheile anderer Völker

uns fie her gezogen haben: Vorurtheile, die, weil von
gehäßigen Leidenschaften erzeugt und genährt, nun
schon seit langer Zeit in alle, über Spaniens Geschichte, Verfassung, Verwaltung, Religion und wissenschaftliche Cultur sich verbreitenden Schriften der
Deutschen, wie der Franzosen und Engländer, eine
ganz ungeheure Last von Unrath und Unflath hinein
trugen, und diesen, zum hohen Genuß der zahlreichen, lesenden Pöbelhaufen, täglich noch immer mehr
anhäufen. — Um die Geschichte Spaniens zu schreiben, und dieses starke, edle und ausharrende Volk,
so wie es aus dem oft wechselnden und wilden Strom
so mancher wunderbarer Ereignisse, in dem Laufe
vieler Jahrhunderte nach und nach hervorgegangen
ist, in seiner ganzen innern und äußern Gestaltung,
in allen seinen geistigen, sittlichen, bürgerlichen und
politischen Beziehungen, mit historischer Treue, un-
befangen und von einem höhern Standpunkt aufge-
faßt, darzustellen, würde freilich, nebst den, so eben
erwähnten Erfordernissen, auch ein ziemlich langer
Aufenthalt in diesem Reiche selbst, ein unmittelbares
Anschauen des Landes, des Bodens und des Volkes,
und gleichsam ein freies, frisches Einathmen der physischen, wie geistigen Atmosphäre Spaniens durchaus
erforderlich seyn. — Hätte Spanien so viele und reiche
Marmorgruben, wie Italien, und hätten die ernsten,
treuen Spanier die Industrie der leicht gewandten
Italiener, alten Marmorblöcken nämlich, nachdem sie
vorher lange genug oft zu dem niedrigsten Gebrauch
gedient hatten, allerlei antike Formen zu ertheilen,
und sie dann fremden, sogenannten Kunstfreunden
und Kunstliebhabern um schweres Geld, für kostbare,
unlängst ausgegrabene Bruchstücke alt römischer und
griechischer Kunst zu verkaufen; dann würde es auch
gewiß der pyrenäischen Halbinsel an häufigen, mitunter sehr vornehmen Besuchen nicht fehlen. Da aber
ein Volk, das weder mit den Künsten tändelt, noch
mit Constitutionen wie mit Moden spielt, und sich
blos durch seine kraftvolle, lebendige und farbenreiche
Einbildungskraft, durch tiefes, inniges Gefühl, einen
ernsten, scharfen Verstand, ausdauernde Beharrlichkeit, und unerschütterliche Anhänglichkeit an die Re-

3. Nach Sisebuts und Recareds II. Tod[*], ward durch die Wahl der Nation, Suintila auf den Thron der Westgothen erhoben. (621). Er war Sisebuts bester Feldherr, und hatte in frühern Kriegen schon manche blutige Lorbeeren sich errungen. Der griechischen Herrschaft in Spanien machte jetzt Suintila sogleich ein Ende. Theils freiwillig, theils durch sein Schwert gezwungen, unterwarfen sich dem neuen Könige die kaiserlichen Statthalter; alle dem griechischen Kaiser in Spanien noch gehörende Städte öffneten ihre Thore, und seit Athanagild war nun Suintila wieder der erste westgothische König, der auf der ganzen spanischen Halbinsel keinen fremden Herrscher mehr neben sich erblickte. Auch die unruhigen Basken fühlten die Stärke seines Arms; sie wurden von ihm besiegt, und gezwungen, sich selbst einen Zaum anzulegen, das heißt, sie mußten, um ihren räuberischen Einfällen für die Zukunft einen Damm zu setzen, auf ihre

---

ligion seiner Väter, die es noch immer als sein höchstes Nationalgut betrachtet, vor allen Völkern auszeichnet, und dieses Gepräg seines intellektuellen, wie sittlichen Charakters, allen seinen Werken und Institutionen aufdrückt, für seine, immer seichter und frivoler werdenden nahen und entferntern Nachbarn nichts Anziehendes hat; mithin Niemand dahin kommt; so gibt es auch für Alle, die dazu Lust haben, nichts Bequemeres, als aus weiter Ferne, blos von Hörensagen, über Spanien so recht in das Graue und Blaue hinein zu räsonniren, und unaufhörlich eine Menge Albernheiten und Absurditäten nachzuschwätzen, die Jeder, der nur je einen Fuß auf spanischen Boden gesetzt, und ein paar helle, ungetrübte Augen dahin mitgebracht hätte, mit allen fünf Sinnen würde greifen und betasten können.

[*] Man sehe der Fortsetzung d. G. d. R. J. 7. B. 6. Absch. 19. §.

14 *

Unkosten und mit ihren eigenen Händen die feste Stadt Oligitis *), oder Oligito erbauen.

4. Der heilige Isidor, der seine Chronik mit der Regierungsgeschichte dieses Königes schließt, ertheilt demselben große Lobsprüche; er rühmt die Weisheit und Gerechtigkeit seiner Verwaltung, seine Milde und Freigebigkeit, und nennt ihn einen Vater der Armen. Aber bei allem dem hatte Suintila nichts Angelegentlicheres am Herzen, als die Krone in seiner Familie zu erhalten. Er hatte einen tapfern, wohlgestalteten und viel versprechenden Sohn, Namens Riccimer, und diesen ernannte er in dem sechsten Jahre seiner Regierung, zum einstweiligen Genossen und künftigen Erben seiner Macht. Zwar gaben die Großen des Reiches ihre Einwilligung dazu, jedoch höchst ungerne, besonders jene, die ihrer glänzenden Geburt und andern Verhältnisse wegen selbst einst auf den Thron Ansprüche machen zu können glaubten. Diese Unzufriedenheit eines Theils des hohen Adels, erzeugte nun schnell nach einander mehrere Verschwörungen, die jedoch alle entdeckt wurden, aber, weil zu hart, bisweilen grausam bestraft, nur wieder neue Verschwörungen, und noch grausamere Strafen zur Folge hatten. Die wiederholten verbrecherischen Versuche mehrerer Großen verengten und erbitterten nun immer mehr und mehr des Königes Herz; es öffnete sich jetzt dem Argwohn, und jeder Verdacht, gegründet oder

***

*) Ueber diese Stadt sind die Meinungen der Geschichtschreiber und Geographen sehr getheilt. Einige halten sie für die heutige Stadt Olita in dem Königreiche Navarra; Andere für Fontarabia und wieder Andere für Valladolid. Diese verschiedenen Angaben beruhen jedoch auf blosen Muthmaßungen, wovon keine im Ganzen genommen viel wahrscheinlicher, als die andere ist.

nicht, ward, wo nicht mit dem Tode, doch mit Landesverweisung und Einziehung der Güter bestraft. Auch seiner Gemahlin, und seinem Bruder Geila gestattete Suintila zu großen Einfluß und, von diesen mißleitet, erhöhete er die Steuern, führte eine Menge neuer drückender Auflagen und Abgaben ein, verlor dadurch die Liebe seines Volkes, und trat so nach und nach aus dem bisherigen Charakter eines gerechten und milden Regenten in jenen eines vollendeten Tyrannen über.

5. Eine sich weit verzweigende Verschwörung, an deren Spitze Sisenand stand, brach endlich in eine allgemeine Empörung aus. Sisenand, seinen und seiner Verbündeten Kräften mißtrauend, hatte sich vorher schon der Hülfe des fränkischen Königes Dagobert versichert, und diesem, zum Lohne seines Beistandes, das größte Kleinod des gothischen Schatzes, nämlich das große, fünfhundert Pfund schwere goldene Waschbecken versprochen, welches vor noch nicht gar 200 Jahren der große Aëtius dem westgothischen König Thorismund, zum Preis seiner Tapferkeit auf den catalaunischen Feldern*), geschenkt hatte. Unter zwei fränkischen Herzogen zog man ein zahlreiches Heer Franken über die Pyrenäen. Aber schon die Nachricht von ihrer Annäherung ward das Signal zu einem allgemeinen Abfall von Suintila; selbst das Heer verließ ihn, ging zu Sisenand über, und dieser ward nun zu Saragossa, gerade in dem Augenblicke, da das fränkische Heer vor den Thoren der Stadt erschien, feierlich als König der Westgothen gekrönt. (631.) Ohne das Schwert gezogen zu haben, kehrten nun die Franken wieder über die Pyrenäen zurück. Sise-

---

*) M. s. sehr Fortf. d. G. d. Mr. J. Band 2. Abschn. 16.

nand aber ging nach Toledo, wo er, unter dem ge=
wöhnlichen Jubel, womit überall und zu allen Zei=
ten das Volk, weil es Volk ist, einem jeden, vom
Glücke begünstigten Emporkömmling entgegen kommt,
abermals als König begrüßt und ausgerufen ward.
Suintilas fernere Schicksale sind unbekannt; aber
seines Lebens ward wenigstens für jetzt geschont;
denn er lebte noch zur Zeit der vierten toletanischen
Kirchenversammlung in dem Jahre 633.

6. Sisenand hatte nun den Thron bestiegen;
aber bald erschienen jetzt auch an seinem Hofe zu
Toledo Dagoberts Gesandte, ihn erinnernd an das
ihrem Könige gemachte Versprechen. Sisenand zau=
derte anfänglich es zu erfüllen, wohl wissend, daß
er der Nation dadurch mißfällig werden würde.
Indessen war ihm auch an Dagoberts Freundschaft
viel gelegen, und so ließ er endlich den Gesandten
das ihrem Könige versprochene Geschenk ausliefern.
Aber kaum hatten es die Gothen erfahren, als ein
allgemeiner Schrei des Unwillens erscholl. Ein so
kostbares Denkmal des Waffenruhms ihrer Vorfah=
ren wollten sie sich nicht rauben lassen, jagten da=
her den Gesandten nach, erreichten sie noch diesseits
der Pyrenäen und nahmen ihnen das kostbare
Kleinod wieder ab. Es ihnen wieder zu geben,
stand nicht in der Macht des Königes, und Dago=
bert, er mochte wollen, oder nicht, mußte sich mit
zweimalhunderttausend Goldsolidis begnügen, die für
seinen geleisteten Beistand ihm von den Gothen nun
ausbezahlt wurden*).

*) Es ist sonderbar, daß weder Isidor, noch Rodé=
rich von Toledo noch Lucas Tudensis dieser Thron=
revolution auch nur mit einer Sylbe erwähnen. Alle
drei lassen Suintila im ungestörten Besitze seiner Krone
zu Toledo natürlichen Todes sterben. Der Diakon Lu=

7. Sisenand, dem die Art, wie er zur Krone gelangt war, nichts weniger als auch den ruhigen Besitz derselben verbürgte, war nun darauf bedacht, mit Hülfe der Bischöfe, und ihres Einflusses auf die Nation, seinen durch Verrath und Aufruhr errungenen Thron zu befestigen. Nach Toledo berief er also im Anfange des dritten Jahres seiner Regierung ein allgemeines Nationalconcilium. — Solche Concilien waren jetzt zugleich auch Reichstage. — Theils in Person, theils durch ihre Bevollmächtigten versammelten sich nun sechs und sechzig Bischöfe, unter dem Vorsitze Isidors von Sevilla, in der, nach der heiligen Leocadia genannten Kirche zu Toledo; auch viele der Großen des Reiches fanden sich auf dieser Versammlung ein. Mit zahlreichem und glänzendem Gefolge, und mit den Zeichen seiner königlichen Würde geschmückt, trat König Sisenand in die Versammlung, warf sich aber sogleich bei seinem Eintritt in die Kirche vor den versammelten Bischöfen zur Erde, sie in dieser demüthigen Stellung bittend, seiner in ihrem Gebete zu Gott sich zu erinnern; jetzt aber nicht blos das Wohl der Kirche, sondern auch jenes des Staates zum Gegenstand ihrer gemeinschaftlichen Berathung zu machen. Natürlicher Weise beschäftigten sich die versammel-

---

das macht sogar den Sisenand zu einem Sohne des Suintila, und läßt denselben seinem Vater ruhig in der Herrschaft folgen. Roderich von Toledo sagt zwar von Sisenand: "Isto sese tyrannidem in Gothorum solio collocavit." — Aber dieß kann sich auch auf Etwas anderes beziehen; und das Stillschweigen dieser drei Männer würde das Zeugniß Fredegars, welches ganz allein Suintilas Entthronung und Sisenands Erhebung mit allen hier oben angegebenen Umständen erzählt, sehr entkräften, wenn dasselbe nicht durch die Akten der vierten Toledanischen Kirchenversammlung außer allen Zweifel gesetzt würde.

ten Väter zuerst mit den Bedürfnissen der Kirche,
und nachdem sie alle dahin sich beziehende Angelegenheiten in vier und siebenzig Canons geordnet
hätten, suchten sie nun auch, wenigstens so weit
menschliche Vorsicht es vermochte, den häufigen Verschwörungen und gewaltsamen Thron-Revolutionen
für die Zukunft zu steuern. Das Concilium setzte
demnach fest, daß nach dem Tode eines Königes
die Großen des Reiches gemeinschaftlich mit der hohen Geistlichkeit zur Wahl eines neuen Königes
schreiten sollten. Alle aber, welche es in Zukunft
wagen würden, verrätherische und treulose Anschläge
gegen das Leben oder die Krone des Königes zu
schmieden, oder gar ihn zu tödten, oder seines
Reiches zu berauben, und durch Aufruhr und
Empörung sich selbst einen Weg zum Thron zu
bahnen, sollten mit dem größen Banne belegt,
von der Kirche ausgestoßen, nicht mehr als Glieder derselben betrachtet und aus aller Gemeinschaft
mit Christus und seinen Heiligen ausgeschlossen
werden; und dreimal ward nun dieser furchtbare Fluch von der ganzen Versammlung, von
den Bischöfen, wie von den anwesenden Großen,
über dem Haupt derjenigen ausgesprochen, welche
in Zukunft sich solcher abscheuungswürdigen Verbrechen würden schuldig machen. Die Bischöfe bestätigten hierauf die Absetzung des Suintila, erklärten ihn, seine Gemahlin und Kinder, ihrer begangenen Verbrechen wegen, u n f ä h i g z u a l l e n f e r -
n e r n W ü r d e n u n d E h r e n s t e l l e n *) verordneten,

---

*) Diese Stelle in dem 75ten Canon dieses Conciliums ist
sehr merkwürdig; sie ist ein Beweis, daß die Westgothen zu jener Zeit das Königthum aus einem ganz andern Gesichtspunkt, als die übrigen damaligen abendländischen Völker betrachteten, bei den Westgothen war

daß ihnen alle, ungerechter Weise erworbenen, oder von dem Volke erpreßten Schätze sollten abgenommen werden, und überließen es endlich der Einsicht und Gnade des Königes, für Suintilas und seiner Familie fernern Unterhalt zu sorgen.   Auch gegen Geila und dessen Gemahlin ward gleiches Urtheil gefällt.   Zum Beschluß ermahnten die Bischöfe in den ehrerbietigsten Ausdrücken den König, die von Gott ihm gegebene Gewalt auch nach den göttlichen Absichten, das heißt, zur Ehre Gottes und zum zeitlichen wie ewigen Wohl der, seinem Scepter unterworfenen Völker zu gebrauchen *).

---

es blos ein Amt; und der König blos der höchste, mit großer Macht ausgerüstete Reichsbeamte, den sie aber, weil sie ihn zu wählen das Recht hatten, auch wieder absetzen zu können sich berechtigt fühlten. Einen entthronten König, wie z. B. Suintila, ließ man daher auch am Leben, weil man wegen desselben ganz unbesorgt seyn zu dürfen glaubte; so bald er einmal für unfähig erklärt war, je wieder den Thron zu besteigen. Um diesen Zweck desto vollkommener zu erreichen, und dadurch die Ruhe im Innern desto sicherer zu erhalten, erklärte daher das Concilium den Suintila und dessen Familie sogar für unfähig, auch jede andere Würde oder Ehrenstelle in dem Reich zu bekleiden.

*) Die protestantischen Herren Geschichtschreiber sprechen von den Verhandlungen dieses, in der Geschichte Spaniens wirklich sehr merkwürdigen Conciliums gerade so, als wenn sie nicht nur in eigener Person dabei gegenwärtig, sondern auch, vermöge ihres, jede Falte des menschlichen Herzens erspähenden und durchdringenden Blickes, selbst von den geheimsten Gedanken, Gefühlen und Empfindungen der versammelten Bischöfe, gleichsam Augenzeugen gewesen wären. Wenn z. B. König Sisenand, als er in die Kirche trat, sich zur Erde warf; so wissen sie, daß bei diesem Akt königlicher Demuth, auch sogleich der Stolz in den Gemüthern aller Bischöfe sich nicht wenig erhob, und daß sie,

durch diese ihnen erzeigte Ehrerbietung im höchsten
Grade geschmeichelt, und weil sie jetzt offenbar in
Sisenand einen ungleich lenkbarern Sohn der
Kirche, als in Suintila erblickten, nun auch ohne weiteres den Letztern sogleich des Thrones verlustig erklärten. — Ferner waren die Bischöfe auf diesem Concilium auch nicht wenig auf ihr eigenes Interesse
bedacht; denn sie maßten sich ja sogar das Recht an,
gemeinschaftlich mit den Großen des Reiches zu jeder
neuen Königswahl zu schreiten; und die allgemeine
Weltgeschichte (5. B. 2. T.), diese, im Ganzen sonst
ziemlich gutmüthige, nur zur Unzeit oft ganz stumme,
zur Unzeit wieder sehr geschwätzige Alte erzählt sogar, daß auf diesem Concilium die Macht der Bischöfe dadurch ganz ungemein wäre erweitert worden, daß man ihnen das Recht hätte zugestehen müssen,
zu den allgemeinen National-Versammlungen, in Zukunft von den weltlichen Großen nur jene, welche ihnen
angenehm wären, zu berufen, alle übrigen aber davon
auszuschließen, wodurch sie nun in Stand gesetzt wurden, auf solchen Kirchenversammlungen, welche gleichsam gothische Reichstage vorstellten, nur mit Personen,
welche ihnen vollkommen ergeben waren, mithin ganz
allein zu regieren. — — Welchen Begriff muß auf
diese Weise der Leser, dem die geschichtlichen Quellen
verschlossen sind, sich nicht von der spanischen Geistlichkeit des 7ten Jahrhunderts machen! Indessen darf man
nur die Akten dieses Concilums mit jener Unbefangenheit lesen, ohne welche kein richtiges Urtheil möglich
ist, um sich vollkommen zu überzeugen, daß allem diesem ganz anders sey. Schon aus der Einleitung ergibt
es sich, daß, als der König den versammelten Vätern
zu Füßen fiel, es nichts weniger als Stolz oder eitle
Selbstgenügsamkeit war, was die Bischöfe empfanden.
Ein allgemeines Erstaunen ergriff vielmehr die ganze
Versammlung, und nichts war alsdann natürlicher, als
daß dieser ganz unerwartete Erguß eines demuth-
vollen Herzens, der jedoch offenbar nicht den einzelnen
Individuen, sondern der ganzen, durch die hier versammelten Bischöfe, repräsentirten spanischen Kirche,
und durch diese Gott selbst galt, nun auch alle Gemüther tief bewegen und in ihnen jene sanfte, fromme
Rührung erzeugen mußte, welche der Anblick ächt christ-

licher, mithin auch der Demuth, dieser gemeinschaftlichen Wurzel aller evangelischen Vollkommenheit, entsprossenen Tugend stets in jedem nur einigermaßen frommen Herzen hervorbringen wird. — Daß die Bischöfe die Absetzung des Königes Suintila bestätigten, war ein, durch die Gewalt der Umstände ihnen zum Gesetze gemachter Akt. Was hätten sie auch anderes thun sollen, oder vielmehr thun können. Die Gothen, welche, weil Spanien ein Wahlreich war, auch die Könige wieder zu entsetzen sich berechtiget glaubten, hatten einstimmig den Suintila des Thrones verlustig erklärt. Der Beweis davon liegt in dem allgemeinen Abfall aller Stände, selbst des Heeres; sobald nur von Ferne die fremde, fränkische Hülfe sich zeigte. Eine Thronumwälzung, bei welcher nicht ein einziges Schwert gezückt, nicht ein einziger Tropfen Blutes vergossen wird, kann nur durch die übereinstimmende Mitwirkung einer ganzen Nation — was gewiß nicht ohne Grund einen vorhergegangenen, großen Mißbrauch der königlichen Gewalt vermuthen läßt — zu Stande gebracht werden. Hätten die Bischöfe sich wirklich als Schiedsrichter über die Thronfolge aufwerfen und Suintilas Rechte nur von weitem vertheidigen wollen; so würde, ohne daß dadurch etwas hätte bezweckt werden können, die augenblickliche Hinrichtung des entsetzten Königes eine unvermeidliche Folge dieser Unbesonnenheit gewesen seyn. Daß aber das Concilium den ganzen Hergang mittelbar und gleichsam stillschweigend mißbilligte, bewies es dadurch, daß es den furchtbarsten Fluch gegen jeden aussprach, der in Zukunft durch Aufruhr und Empörung (also auf die Weise wie Sisenand) sich einen Weg zum Thron zu bahnen, den Versuch machen würde. — Wenn ferner das Concilium das Recht in Anspruch nahm, bei erledigtem Thron, den neuen König gemeinschaftlich mit den Großen des Reiches zu wählen: so kann man ihm doch wahrhaftig deßwegen nicht den Vorwurf einer Anmaßung machen. Spanien war ja ein Wahlreich: alle Stände hatten demnach das Recht, an der Wahl eines Königes Theil zu nehmen, mithin auch die Geistlichkeit, welche den ersten, wichtigsten und aufgeklärtesten Stand der Nation ausmachte, und gegen den Ehrgeiz unruhiger, schwungsüchtiger und durch Privatin-

8. Unter Sifenands Regierung, welche nur die kurze Dauer von fünf Jahren und einigen Monaten hatte, fiel nichts vor, was des Aufzeichnens würdig gewesen wäre. Der König starb in dem Jahre 636, in der zweiten Hälfte des Monates März, der in diesem Jahre in den Sterbregistern Spaniens sich ganz vorzüglich auszeichnete; denn außer dem König starben in demselben auch Justus, Erzbischof von Toledo, und der heilige Isidor, Metropolitan=Bischof von Sevilla, und der gelehrteste Mann seiner Zeit*); Letzterer starb einige Tage vor, Ersterer wenige Tage nach dem König.

---

teresse irre geleiteter Großen ein sehr heilsames, durchaus nothwendiges Gegengewicht bilden könnte. Was endlich das Ausschließungsrecht von Concilien und Reichstagen betrifft; so ist an allem, was die allgemeine Weltgeschichte hierüber vorbringt, auch nicht eine wahre Sylbe, indem in den Beschlüssen und Verhandlungen dieser Kirchenversammlung nirgends auch nur die mindeste Spur davon zu finden ist. Kurz, die bei dem vierten tolebanischen Kirchenrath anwesenden Bischöfe gingen mit aller der christlichen Weisheit, Gerechtigkeit und Vorsicht zu Werke, welche man nur immer von einem, unter dem Vorsitze eines Heiligen, versammelten, und selbst in seiner eigenen Mitte mehrere, durch hervorleuchtende Heiligkeit des Wandels ausgezeichnete Männer zählenden Concilium erwarten konnte. Indessen ist es nun jetzt einmal so Sitte, daß, wo immer diese Herren unserm katholischen Clerus, besonders dem hohen Clerus begegnen mögen, sie sogleich auch das alte, schon unzähligemal in Prosa und in Versen abgeleierte Lied von Anmaßungen der Geistlichkeit, ihrem Stolz, Herrschsucht ꝛc. auf das neue wieder abgurgeln. Daran muß man sich nun einmal gewöhnen; kann man ja doch sogar an das unaufhörliche Geklepper einer Mühle sich endlich so vollkommen gewöhnen, daß man dasselbe gar nicht mehr hört, nicht im mindesten mehr dadurch gestört wird.

*) Der heilige Isidor war kein Gothe von Geburt, son-

9. An die Stelle des Verstorbenen ward jetzt, Sintila oder Chintila, wie er auf spanischen Münzen genennt wird, auf den Thron erhoben; jedoch nicht ohne bedeutenden Widerspruch von Seiten mehrerer Großen; und deren geheime Umtriebe und aufrührische Entwürfe fürchtend, berief Chintila schnell nach einander zwei Concilien nach Toledo. Auf denselben wurden nun alle, auf der unter Sisenand gehaltenen Kirchenversammlung, gegen Aufrührer genommenen Beschlüsse um vieles geschärft; auch für die Sicherheit der hinterlassenen Kinder eines Königes ward gesorgt, und endlich noch festgesetzt, daß die spanischen Könige nur aus alten, rein erhaltenen gothischen Geschlechtern sollten gewählt werden. Mit Genehmigung der Bischöfe wurden unter Chintila, durch ein königliches Edikt alle Juden aus Spanien verbannt. Zwei Jahre darauf (640) starb der König, hatte aber kurz vor seinem Tode noch die Zufriedenheit, daß auf sein Begehren

---

dern römischer Abkunft. Die vielen, auf uns gekommen Schriften dieses ausgezeichneten Bischofes beurkunden dessen seltene, alle damaligen wissenschaftlichen Zweige umfassende Erudition, seine genaue Bekanntschaft mit der lateinischen, griechischen und hebräischen Sprache, wie auch eine erstaunenswerthe Belesenheit in allen Schriften der Alten. Indessen, wie es sich auch von selbst versteht, darf man den literarischen Werth der isidorischen Schriften nicht aus dem gegenwärtigen wissenschaftlichen Standpunkt beurtheilen; man muß sich in jene Zeiten zu versetzen wissen, und man wird alsdann Manches wahrhaft zu bewundern Ursache haben, was vielleicht jetzt kaum unsere Aufmerksamkeit zu erregen mehr im Stande seyn würde. — Zu schicklicherer Zeit und an einem andern Ort wird von den Schriften des heiligen Isidors in der Folge noch umständlichere Rede werden.

sein Sohn Tulga ihm zum Nachfolger auf dem
Thron ernannt ward.

10. Tulga war noch sehr jung, als sein Vater starb, und dabei ein äußerst menschenfreundlicher
gütiger Herr. Aber nicht die sanfte, mahnende
Stimme der Gesetze, sondern blos Strenge und
eine starke Faust vermochten damals noch die frevelhafte Gewalt der stets unzufriedenen, stets unruhigen westgothischen Großen zu zügeln; ihr Uebermuth überstieg, unter Tulgas mildem Scepter, alle
Schranken; sie thaten was sie wollten, achteten
nicht mehr des königlichen Ansehens, und nur Gewalt galt jetzt überall für Recht. Chindaswinth,
obgleich dem Greisenalter schon sehr nahe, benutzte
die im ganzen Reiche herrschende Verwirrung zu
seinem Vortheile, machte sich einen starken Anhang,
überfiel den jungen Monarchen, nahm ihn gefangen,
ließ ihm den Kopf scheren und steckte ihn in ein
Mönchsgewand. Tulga hatte zwei Jahre und einige
Monate regiert, und an seine Stelle ward nun Chindaswinth zum König ausgerufen.

11. Daß Concilien-Beschlüsse und kirchliche
Censuren weder den Thron noch die Person eines
Königes sichern können, darüber hatte Chindaswinth jetzt selbst einen sprechenden Beweis geliefert.
Um also seinen Thron dauerhaft zu befestigen, und
die Ruhe in seinem Reiche zu erhalten, griff er nun
zu Maßregeln ganz anderer Art. Kirchenversammlungen rief er diesfalls nicht zusammen; verhängte
aber eine strenge Untersuchung gegen Alle, welche
an früheren Empörungen und Thronrevolutionen Antheil genommen hatten. Da Niemand besser, als
Chindaswinth selbst, die unruhigen Köpfe kennen
konnte; so wurden auf seinen Befehl von dem hohen

Adel zwei Hundert, von dem niedern fünf Hundert Personen eingezogen und hingerichtet. Noch größer war die Anzahl der Minderschuldigen; diese wurden auf Lebenszeit aus dem Reiche verbannt. Der Hingerichteten wie der Verbannten sämmtliche bewegliche und unbewegliche Güter wurden eingezogen, und diese sammt den Frauen und Töchtern der bestraften Verbrecher andern, durch Folgsamkeit und Treue gegen den König, ausgezeichneten gothischen Männern geschenkt. Viele, die im Bewußtseyn ihrer Schuld den Zorn des unerbittlichen Monarchen fürchteten, gingen nun in freiwillige Verbannung; größtentheils begaben sie sich entweder nach Frankreich, oder der afrikanischen Nordküste, sich einstweilen mit der Hoffnung tröstend, unter günstigern Zeitumständen die Rückkehr in ihr Vaterland und die Zurückgabe ihrer eingezogenen Güter mit den Waffen in der Hand zu erzwingen.

12. In dem Innern des Reiches waren nun überall Ruhe und Ordnung wieder hergestellt. Aber wegen der gefährlichen Entwürfe der vielen, nichts als Rache dürstenden Ausgewanderten in Frankreich und Afrika, war Chindaswinth doch nicht ohne große Besorgniß, besonders da sich selbst mehrere von der hohen Geistlichkeit darunter befanden, welche, weil sie der Kirche angehörten, der Arm der weltlichen Gesetzgebung nicht erreichen konnte. Um also das von ferne dem Reiche drohende Ungewitter abzuwenden, berief er in dem 4ten Jahre seiner Regierung das 7te toledanische Concilium zusammen. Hier ward nun gegen jeden Geistlichen, von welchem Range er auch seyn möchte, der im Auslande Verderbliches gegen sein Vaterland aussinnen würde, die Strafe der Entsetzung aller seiner geistlichen Würden ausgesprochen. Mit gleicher Strafe

ward auch der Geistliche bedrohet, welcher einem Andern zur Flucht, oder zur gewaltsamen Rückkehr in das Reich behülflich seyn würde. Alle, gegen ausgewanderte Laien, von Chindaswinth erlassenen peinlichen Gesetze, wurden auf diesem Concilium nun auch durch strenge und schwere Kirchenstrafen noch mehr geschärft; und unter Andern verordneten auch die versammelten Väter, daß jeder, welcher entweder in feindlicher Absicht sein Vaterland verlassen hätte, oder, um Verderbliches auszuführen, wieder dahin zurückgekehrt wäre, auf seine ganze Lebenszeit excommunicirt, von aller Gemeinschaft mit der Kirche ausgeschlossen seyn sollte; so daß ihm nur in dem letzten Moment seines hinscheidenden Lebens das Sacrament wieder dürfte gereicht werden. Am Ende ermahnte das Concilium nicht nur den König, über diesen Beschlüssen mit Strenge zu wachen, sondern es erließ auch an die benachbarten Monarchen, in deren Staaten sich Ausgewanderte aufhielten, ein Schreiben, in welchem sie dieselben ersuchten, den auf dem Concilium gegebenen Satzungen nicht entgegen zu handeln.

13. Durch dergleichen Maßregeln, und durch seine Strenge, die, wie der Leser gesehen, nicht immer von einer, jedoch vielleicht damals durchaus nothwendigen Grausamkeit frei war, verschaffte der König endlich dem Reiche wieder den so lange entbehrten innern Frieden. Im Anfange von Chindaswinths Regierung war Spaniens Loos nichts weniger als beneidenswerth gewesen; von einer Menge blutiger und grausamer Hinrichtungen hatte es Zeuge seyn müssen; zahlreiche Familien hatte es sehen müssen, hülflos den theuern Boden ihres Vaterlandes verlassen, um jenseits der Pyrenäen oder der Meerenge eine sichere Zufluchtsstätte zu suchen;

zudem hatten die vielen überall gährenden Gemüther der noch nicht sogleich an Unterwürfigkeit ge-
wöhnten Großen, seine Ruhe schon wieder auf das
neue bedroht; und endlich war es auch von
verheerenden Landplagen, nämlich von Hungersnoth,
Pest und noch andern ansteckenden Seuchen und
Krankheiten heimgesucht worden.   Aber alle diese
auf mancherlei Weise dem Reiche geschlagenen Wunden waren schon nach einigen Jahren durch Chindaswinths Weisheit und thätige Fürsorge vollkommen geheilet.   Keiner der Großen wagte es mehr,
auch nur das Mindeste gegen die Regierung zu unternehmen; und das Volk, welches jetzt keine Furcht
vor Unruhen und innern Kriegen mehr quälte, und
das nun jedes Jahr die Früchte seines Schweißes
friedlich sammeln und seines Wohlstandes in unge-
störter Ruhe sich erfreuen konnte, liebte den König
als seinen mächtigen Beschützer und Wohlthäter.
Auch Chindaswinths anfängliche Strenge verwandelte sich jetzt nach und nach in immer mehr zunehmende Milde; er liebte und schätzte Künste und
Wissenschaften, erzeigte den Gelehrten geziemende
Ehre, war vorzüglich ein Freund der Dichtkunst, zog
daher den gelehrten Eugenius an seinen Hof, ermunterte ihn in seinen poetischen Arbeiten, und erhob ihn endlich auf den Metropolitan-Stuhl von
Toledo *).

---

*) Als Probe des dichterischen Talentes dieses Eugenius,
gibt der Cardinal Baronius (ad ann. 649. §. 96.)
die schöne, von demselben auf die verstorbene Königin Riciberga verfertigte Grabschrift. Wenn wir uns
nicht irren, findet sich dieselbe auch in Herrn Aschbachs
Geschichte der Westgothen in einer Note. Das kleine
Gedicht ist zu lieblich, als daß wir es unsern Lesern
hier nicht mittheilen sollten.

14. Zugleich lebte Chindaswinth, wenigstens dem Aeußern nach, als ein wahrhaft frommer Fürst; von seinem Hofe waren Ausschweifungen und lärmende Gelage verbannt; in Erfüllung aller äußern Pflichten der Religion ging er seinen Unterthanen stets mit leuchtendem Beispiel voran; auch stiftete er mehrere Klöster, erbauete da, wo es nöthig war, neue Kirchen, beschenkte sie mit königlicher Freigebigkeit, und ließ allen Armen und Dürftigen in seinem Reiche die Wirkungen seiner christlichen Mildthätigkeit empfinden. Die Macht des hohen Clerus suchte er nicht zu erweitern, theils weil es keiner Erweiterung bedurfte, theils auch weil wirklich die Bischöfe sie weder suchten, noch wünschten; aber auf der andern Seite dachte er auch eben so wenig daran, den so wohlthätigen Einfluß der Geistlichkeit auf den Staat, dessen Verfassung, Verwaltung, so wie überhaupt auf die ganze Nation nur im mindesten zu beschränken; und so war der ganze hohe und niedere Clerus eben so sehr, wo nicht noch mehr, als das Volk, dem König mit Liebe und Treue ergeben.

15. Aber so sehr sich jetzt alle Stände der

Si dare pro morte et gemmas licuisset et aurum,
Nulla mihi poterant regum dissolvere vitam:
Sed quia sors eadem quassat mortalia cuncta,
Nec pretium redimit reges, nec fletus egentes;
Hinc ego te conjux, quia vincere fata nequivi,
Funere perfunctam sanctis commendo tuendam;
Ut cum flamma vorax veniet comburere terras,
Coetibus ipsorum merito sociata resurgas,
Et nunc cara mihi jam Riciverga valeto.
Quodque paro feretrum rex Reccesuinthus,
amate!

Nation des lange entbehrten Segens einer anhaltend dauernden Ruhe erfreueten; eben so ängstlich war nun auch alles besorgt, daß das, durch Chindaswinths Weisheit und Kraft so mühsam zu Stande gebrachte Werk, unter einem schwächern Nachfolger, bald wieder zerfallen, und dann Aufruhr und Anarchie auf das neue wieder das Reich zerreißen möchten. Vermehrt wurden diese nicht ungegründeten Besorgnisse durch des Königes hohes, die gewöhnlichen Greisenjahre schon übersteigendes Alter. Um neuen Zerrüttungen vorzubeugen, überreichte also Spaniens gesammte hohe Geistlichkeit, durch den heiligen Braulion, Bischof von Saragossa, dem König eine Denkschrift, in welcher sie ihn bat und ermahnte, daß er, da sein hohes Alter seinen Unterthanen keine große Hoffnung lasse, die Vortheile einer weisen Regierung noch lange zu genießen, jetzt noch während seines Lebens sich einen Nachfolger ernennen möchte. Im Namen seiner übrigen Mitbrüder im heiligen Amte erinnert hierauf der heilige Braulion den König, daß seine Wahl auf keinen Würdigern fallen könne, als auf seinen eigenen Sohn, Receswinth, dessen jugendliche Kraft, bei schon gereifter Erfahrung, im Stand sey, das Reich gegen äußere und innere Feinde zu schützen, und seinem ehrwürdigen Vater zu gestatten, die Jahre, welche die Vorsehung ihm noch schenken würde, in ungetrübter Ruhe zu genießen.

16. Nichts konnte dem königlichen Greis erwünschter seyn, als diese Auffoderung der Bischöfe. Receswinth hatte sich kurz vorher mit Riciberga, der Tochter eines der vornehmsten gothischen Großen vermählt, und das Ansehen dieses mächtigen Hauses unterstützte nun nicht wenig bei dem König

15 *

den Vorschlag der Bischöfe. Indessen wollte Chindaswinth doch auch noch die übrigen, an seinem Hofe versammelten Großen zu Rathe ziehen, und da von keiner Seite, weil alle längst schon den Verdiensten des Prinzen im Stillen huldigten, sich ein Widerspruch erhob; so ward Receswinth im Monate Jänner des Jahres 649 von seinem Vater zum Mitregenten und Thronfolger erklärt.

17. Ganz und ungetheilt überließ Chindaswinth nun das Regiment seinem Sohne, nahm gar keinen Antheil mehr an den Geschäften und, entschlossen, die paar Jahre, die ihm noch gegönnt seyn möchten, blos für die Ewigkeit zu leben, weihete er jetzt alle seine Tage ausschließlich frommen Bußübungen und Werken christlicher Barmherzigkeit.

18. Aber nicht im ganzen Reiche fand Receswinths Erhebung gleichen Beifall. Froja, ein gothischer Großer schwang die Fahne des Aufruhrs, stieg an der Spitze eines Heeres wilder Basken über die Pyrenäen herab, und drang, Alles verwüstend und verheerend, bis unter die Mauern von Sarragossa vor. Aber hier ereilte Receswinth das Heer der Aufrührer, griff es an, schlug es auf das Haupt, und jagte die Basken, die das Schwert des Siegers verschont hatte, wieder über die Pyrenäen zurück. Froja ward gefangen und starb schmählgen Todes.

19. Froja's und der Basken Aufstand war jetzt zwar glücklich gedämpft; aber unter der Asche glimmte demungeachtet noch in vielen Städten und Landschaften mehr als ein Funke neuer Empörung. Chindaswinth hatte im Anfange seiner Regierung, als nur die größte Strenge ihm Gehorsam und sei-

nem Reiche Ruhe verschaffen konnte, mehreren Städten und Provinzen ihre Privilegien g⬛⬛⬛men, Anderen wieder ihre Vorrechte geschmä⬛⬛⬛ und dabei manche drückenden, neuen Auflagen eingeführt. In allen diesen Städten und Landschaften kamen nun die Gemüther bei dem gegenwärtigen Regentenwechsel, durch den sie ihre verlornen Rechte wieder zu erhalten höfften, auf das neue in Gährung, und die mißvergnügten Großen konnten mit Zuversicht hoffen, dort überall Hülfe und Unterstützung zu finden. Seine offenen Feinde, nämlich Froja und dessen Verbündeten hatte Receswinth, wie wir gesehen, mit dem Schwerte besiegt; über seine geheimen Feinde wollte er nun durch Milde und zeitgemäße Nachgiebigkeit einen nicht minder glorreichen Sieg erringen. In einer, an die ganze Nation gerichteten Proclamation, ließ der König, für alle Unzufriedenen, welchen mittelbaren oder unmittelbaren Antheil sie auch an Frojas Empörung gehabt haben möchten, eine allgemeine Amnestie bekannt machen; zu gleicher Zeit versprach er dem Volke, die Auflagen zu vermindern, den Landschaften ihre Privilegien, den Städten ihre Rechte wieder zurück zu geben, und da diese königlichen Verheißungen unverzüglich in Erfüllung gingen, so kehrte überall vollkommene Ruhe wieder zurück, und während Receswinths drei und zwanzigjähriger Regierung ward dieselbe von jetzt an auch nicht einen Augenblick mehr gestört.

20. Von Receswinths Triumph über alle seine Feinde, hatte der alte König Chindaswinth noch die Freude gehabt, Zeuge zu seyn; denn er lebte, nachdem er seinem Sohne die Regierung übergeben hatte, noch drei Jahre, und starb als ein neunzigjähriger Greis erst in dem Jahre 652. In

Allem hatte er zehen Jahre und einige Monate geherrscht, ▓▓▓▓lich sieben Jahre allein, und dann
noch 3 J▓▓▓▓ wenigstens dem Namen nach, gemeinschaftlich mit seinem Sohne.

21. Nach seines Vaters Tode schrieb Receswinth sogleich ein National-Concilium, oder wenn
man lieber will, einen allgemeinen Reichstag nach
Toledo aus. Diese Versammlung war eine der
glänzendsten und, wegen der Wichtigkeit der darauf
gemachten Verordnungen, auch eine der merkwür-
digsten, welche Spaniens Kirchen- und Staats-Ge-
schichte kennt. Gegenwärtig auf derselben waren
zwei und sechzig Bischöfe, wovon zwei und fünfzig
in Person, und zehen durch ihre Abgeordneten, ferner sechzehn Palatine, nämlich sieben Herzoge und
neun Grafen, welche letzteren die ersten und höchsten
Palastbeamten waren *).

---

*) Der westgothische hohe Adel bestand aus Herzogen,
Grafen und Gardinge. Die Würden der Herzoge und Grafen wurden als Aemter betrachtet. Der
Herzog war über eine ganze Provinz gesetzt, und verband die oberste Gerichtsbarkeit mit der höchsten Mi-
litärgewalt, der Graf stand blos einer Stadt, oder
einem Bezirke vor, und war demnach dem Herzoge
untergeordnet; und die Gardinge waren reiche,
aus alten edeln Geschlechtern stammende Grundeigenthümer. Nach der Eintheilung des Reiches in sechs
Provinzen, war auch die Anzahl der im Amte stehenden Herzoge auf sechs festgesetzt; da aber jene, welche
die Verwaltung ihrer Provinz niedergelegt hatten,
dennoch fortfuhren, die Würde und den Titel eines
Herzoges beizubehalten; so gab es der Herzoge ungleich mehr, als sechs. Uebrigens waren bei den
Westgothen, nicht wie bei den Franken und Longobarden, das Amt und die Würde eines Herzogs erblich. Eigentlich gab es bei den Westgothen einen

22.   Vermöge früherer Concilien-Beschlüsse, mußte der König bei seiner Thronbesteigung einen Eid ablegen, alle Aufrührer mit dem Tode zu bestrafen, keinem Gnade zu ertheilen. Auch Receswinth hatte diesen Eid geschworen; aber nur zu sehr sträubte sich dagegen sein sanftes, menschenfreundliches Herz. Vor den versammelten Bischöfen und Großen seines Reiches, trat also jetzt der König auf, und überreichte ihnen eine Schrift, in welcher er die Versammlung ersuchte, ihn dieses, ihn so sehr drückenden Eides zu entbinden. Receswinths Begehren setzte anfänglich die Bischöfe in einige Verlegenheit; aber nach reifer Ueberlegung entsprachen sie endlich doch dem frommen Wunsche des guten Königes, indem sie erklärten: "jenen Eid hätten blos die völlig verwilderten, zügellosen, aufrührischen Zeiten nothwendig gemacht; und da jetzt diese traurige Periode vorüber, die Nation zur Ruhe,

---

doppelten Adel, nämlich einen Amts- und einen Geschlechts-Adel; zu dem erstern gehörten die Herzoge und Grafen, zu dem letztern die Gardinge; erhielt aber von den letztern einer das Amt und die Würde eines Herzoges oder Grafen, so setzte er zu dem Herzogs- oder Grafen-Titel, auch noch jenen eines Gardinge bei, um anzuzeigen, daß er mit dem Verdienst-Adel auch noch den Erb-Adel verbinde. Jene, welche die acht höchsten Hofämter bekleideten, führten ebenfalls den Grafen-Titel, und hatten vor den übrigen Grafen im Reiche den Vorrang; so auch der Graf, welcher in der königlichen Residenzstadt Toledo die höchste richterliche Gewalt ausübte; dieser war dem Herzoge der Provinz nicht unterworfen, ward den Palatinen gleich geachtet, und hatte demnach auch Zutritt zu den Concilien oder Reichstagen. — Was die acht obersten Hofämter betrifft; so sind deren Benennungen zum Theil auch heute zu Tage noch bei den europäischen Höfen im Gebrauche.

zum Gehorsam und zur Ordnung zurückgekehrt, und der sonst so üppig wuchernde Saame des Aufruhrs völlig erstickt wäre; so habe auch jener Eid seine verbindende Kraft verloren. "Gott, sezten die Bischöfe hinzu, sey Barmherzigkeit das gefälligste, wohl duftendste Opfer; und ein strenges, scharfes Gericht erwarte den, welcher nicht Barmherzigkeit übt"*). —

*) Herr Lembke macht bei dieser Gelegenheit, in einer Note, die Bemerkung, "daß die Gewandtheit, mit welcher die Bischöfe, um den Wunsch des Königes zu erfüllen, Gründe für die Nichtigkeit des Eides (richtiger dieses Eides) aufzustellen wußten, unsere Aufmerksamkeit verdiene." — Wir müssen darauf erwiedern, daß offenbar die Bischöfe hier weder Gewandtheit zeigten, noch auch derselben nöthig hatten; um die ihnen vorgelegte Aufgabe zu lösen, durften sie nur, wie auch wirklich geschah, in wahrhaft frommer Einfalt des Herzens, ganz nach und in dem Geiste jener heiligen Kirche sprechen, deren höhere Diener sie waren. Der Eid gehört nicht zum Guten, sondern zum Bösen, ist also ein Uebel, das jedoch die Kirche zuläßt, um noch größerm Uebel vorzubeugen. Wenn also der Eid an sich schon Gott nicht gefällig ist; so wird er Ihm im höchsten Grade mißfällig, wenn er unnöthiger Weise gebraucht, und dabei noch über dies das höhere Gesetz der Liebe, dieser Mittelpunkt der Religion Jesu verletzt wird. Dieser ganz einfachen, nicht zu bestreitenden Wahrheit gemäß, haben also die auf dem achten toledanischen Concilium versammelten Väter erklärt, daß die Kraft jenes, durch harte, imperiöse Zeitumstände herbeigeführten, aber jetzt durchaus nicht mehr nothwendigen, und sogar das göttliche Gebot christlicher Liebe und Barmherzigkeit gröblich verletzenden Eides nunmehr erloschen sey. — Um sich von der christlichen Weisheit dieses Ausspruches der Bischöfe vollkommen zu überzeugen, darf man ja nur, sey es auch noch so wenig, in jenem kleinen Buch, welches der, leider für die Weisen unserer Zeit, immer noch ziemlich große Hau-

Um jedoch den Geist der Empörung, der gewöhnlich nothgedrungene Selbsthülfe zum Vorwand nimmt, auf eine andere, mildere Art zu zügeln, ward jetzt Kraft eines königlichen Edicts festgesetzt, daß, wenn hinführo Landschaften, Städte, oder einzelne Großen Beschwerden gegen den König zu führen hätten, auf einem diesfalls zusammen berufenen Reichstage Schiedsrichter sollten gewählt werden, um den Grund oder Ungrund der Klagen zu untersuchen und darüber zu entscheiden. Ferner verordnete Receswinth, daß in Zukunft alle Güter eines Königes nach dessen Tod der Krone anheim fallen, und die Erben des Verstorbenen nur jene erhalten sollten, welche der Verstorbene vor seiner Thronbesteigung besessen hatte. Durch Nichts ward der Habsucht der Fürsten heilsamere Schranken gesetzt, als durch diese weise Verordnung, welche jetzt, als sie die Bestätigung der Versammlung erhalten hatte, von Receswinth zu einem Grundgesetze des Reichs erhoben ward. In Beziehung auf die künftigen Königswahlen, ward verordnet, daß der König stets an demselben Ort sollte gewählt werden, wo sein Vorgänger in der Regierung gestorben wäre. Da die zum Christenthum bekehrten Juden größtentheils fortfuhren, sowohl die mosaischen, als auch ihrer Rabinen abergläubischen Gebräuche in Geheim zu üben, und selbst den Namen des Gekreuzigten im

---

fen von Obscuranten das Evangelium nennt, und in welchem derselbe göttliche Weisheit, Wahrheit und Unfehlbarkeit zu finden glaubt, bewandert seyn; und wir zweifeln sehr, ob die gelehrtesten und zugleich frömmsten unserer gegenwärtigen Bischöfe, wenn man sie, um eine ähnliche Frage zu beantworten, jetzt versammelte, dieselbe wohl anders würden beantworten können, würden beantworten wollen.

Stillen zu lästern; so wurden nun gegen solche Scheinchristen schärfere, jedoch vorzüglich das Heil deren Kinder bezweckende Maßregeln von den versammelten Vätern beliebt. Endlich ward der König zum immerwährenden Beschützer des katholischen Glaubens erklärt, und ihm zur Pflicht gemacht, weder Ketzer noch Juden im Reiche zu dulden, auch das Volk nicht durch Ungerechtigkeit und Uebermaß der Abgaben zu drücken.

23. Drei und zwanzig Jahre genossen unter Receswinth die Gothen des Segens eines ununterbrochenen äußern und innern Friedens. Unstreitig war dieser Monarch, nach Recared I., der edelste, liebenswürdigste und uneigennützigste Fürst unter allen westgothischen Königen. Stets war sein Wille rein, stets lauter und edel sein Streben; und kein Opfer war ihm zu theuer, sobald es das Wohl seines Volkes galt. Aber leider ward sein menschenfreundliches, von Wohlwollen überfließendes Herz gleichsam zum Verräther an seinem Verstande; denn die Monarchie, welche sein Vater Chindaswinth größtentheils schon zu einem Erbreich gemacht hatte, erklärte Receswinth auf das neue wieder zu einem Wahlreich, und legte nun offenbar dadurch den Grund zu dem, bald nach seinem Tode erfolgten, völligen Untergange des westgothisch-spanischen Reiches.

24. Gleich allen wahrhaft großen, wenn auch nicht selbst gelehrten, doch für das Geistige und wahrhaft Schöne empfänglichen Fürsten, liebte und beförderte auch Receswinth Künste und Wissenschaften in seinem Reiche, legte herrliche Büchersammlungen an, erweiterte und bereicherte jene, welche er vorfand, verbesserte die Schulanstalten, ehrte,

belohnte und ermunterte gelehrte Männer, und über=
zeugt, daß Künste und Wissenschaften, diese holden
Gefährtinnen des geselligen Lebens, am meisten zur
Veredlung eines Volkes beitragen, suchte er auch
den Großen seines Hofes gleiche Liebe zu denselben
einzuflößen. Während in dem benachbarten Franken=
Reiche Alles noch in Rohheit und Wildheit versun=
ken war, und zerrüttende bürgerliche Kriege dort
jeden Fortschritt der Cultur hemmten; und selbst in
Italien die Mußen kaum noch unter den schützenden
Flügeln der römischen Kirche eine sichere Zufluchts=
stätte fanden, blüheten in Spanien jetzt überall
Wissenschaft und Kunst; und nicht blos unter den
Bischöfen, sondern selbst unter den Staats= und
Reichsbeamten zeichneten sich Schriftsteller aus, de=
ren hinterlassene Schriften ihnen selbst die Achtung
der spätesten Nachwelt erwarben. Das Studium
der Theologie in ihrem ganzen Umfange, hatte
zwar vor allen andern Wissenschaften den Vorrang;
aber demungeachtet ward doch auch in den übrigen
Zweigen des menschlichen Erkenntnisses, denen man
freilich noch Cassiodors sogenannten, sieben freie
Künste zum Grunde legte, ein Geist der Forschung
von jetzt an immer mehr und mehr rege: ein Um=
stand, der unsere tiefe Trauer über den nachherigen
Untergang dieses, in so schöner, viel versprechender
Blüthe stehenden Reiches nothwendig noch um vieles
vermehren muß *).

---

*) Das Studium, wie die Ausübung der Arzneikunde,
sollen jedoch die Westgothen nur den niedern Volksclas=
sen überlassen haben. Daß die Aerzte bei ihnen nicht
in sehr gutem Rufe standen, beweißt die Verordnung,
Kraft welcher kein Arzt einer Freigebornen anders, als
im Beiseyn zweier Zeugen, zur Ader lassen durfte.

25. Auch als Gesetzgeber ihrer Nation, verdienen Receswinth und dessen Vater Chindaswinth, eine vorzüglich ehrenvolle Erwähnung. Um beide Nationen völlig in einander zu verschmelzen, hatte zwar schon Recared I. das Verbot aufgehoben, welches den Heirathen zwischen Gothen und Römern entgegen stand. Wie es scheint, hatte dasselbe unter Recareds Nachfolgern wieder gesetzliche Kraft erhalten. Dieses, in den ersten Zeiten der Niederlassung der Gothen in Spanien, vielleicht nicht ganz unweise, aber in der Folge höchst unpolitische Gesetz ward nun von Receswinth auf immer aufgehoben, und so verschwand jetzt die letzte, Gothen und Römer von einander trennende Scheidewand; denn Chindaswinth hatte schon die Verschiedenheit des Rechtes nach Verschiedenheit der Abkunft der Personen aufgehoben, und den westgothischen, von ihm mit mehrern Gesetzen bereicherten und, durch Eintheilung in Abschnitte und Titel, zu einem Ganzen gestalteten Codex zu dem, im ganzen Reiche allein herrschenden Gesetzbuch erhoben. Diese Aufhebung der römischen Gesetze bestätigte Receswinth, verhängte dabei für jeden, der sich vor Gericht auf ein anderes, als das westgothische Gesetzbuch berufen würde, eine Geldstrafe von dreißig Pfund Goldes, und gestattete nicht einmal die Anwendung früher

---

Starb einem Arzte der Kranke, so durfte er für seine Bemühungen keinen Lohn fodern; zudem waren die Taxen äußerst gering. Für die Heilung einer Augenkrankheit z. B. wurden nicht mehr als 5 Soll bezahlt. Lauter Beweise großer Geringschätzung, und daß die Westgothen die Heilkunde nicht als eine Kunst, oder Wissenschaft, sondern blos als ein Gewerb betrachteten.

geltender Rechte auf Prozeffe, welche, noch schwebend, schon vor Erlassung dieser Verordnung begonnen hatten.

26. Unter Receswinth, dem Kirchenzucht und ein tadelloser Wandel der Geistlichkeit eben so sehr, als bürgerliche Ordnung und wohlgeordnete Rechtspflege am Herzen lagen, wurden drei National-Concilien gehalten, nämlich in den Jahren 653, 55 und 56. Provinzial-Concilien kamen alle zwei Jahre zusammen, oder sobald die besonderen Angelegenheiten einer Kirche es erforderten. — Gewonnene Schlachten und glücklich geführte Kriege verbreiten keinen blendenden Schimmer über die Regierung dieses Königes; und da überhaupt, wie Gibbon und Ancillon sagen, die Geschichte größtentheils nichts ist, als ein ununterbrochenes Register der Thorheiten, Laster und Gewaltthaten der Menschen, und ihres daraus entspringenden Elendes; so hat dieselbe auch wenig oder nichts von Receswinth zu erzählen; allenfalls bloß, daß er die Kirche schützte, den Glauben und die heilige Lehre rein bei der Nation erhielt, die Gesetze verbesserte, Gerechtigkeit übte, Frömmigkeit durch eigenes Beispiel beförderte, Künste und Wissenschaften liebte und ermunterte, Steuern und Abgaben beinahe unglaublicher Weise verminderte, alle Zweige ländlicher und städtischer Industrie dadurch ungemein belebte, und drei und zwanzig Jahre hindurch sein Volk glücklich und zufrieden machte. Das Ende seiner Tage trübten die, durch die nicht mehr ferne Aussicht auf einen erledigten Thron, unter den ehrgeizigen Großen erzeugten geheimen Umtriebe, Intriguen und Partheiungen, deren, für Spanien traurige Folgen, der weise König im Geiste voraus sah. Schon seit ein paar Jahren empfand Receswinth eine, ihm immer

fühlbarer werdende Abnahme der Kräfte; er verließ
daher die geräuschvolle Residenzstadt, und begab sich
nach dem, seiner gesunden Luft und höchst anmu-
thigen Lage wegen, bekannten Lustschloß Gerticos, nicht ferne von Valladolid, wo er jedoch bald
darauf, in dem Jahre 672 starb. Die Westgothen
verloren an ihm einen zärtlichen Vater, und die
Monarchen seine Zeitgenossen ein seltenes Muster
eines weisen, gerechten, und uneigennützigen Fürsten.

XVIII.

1. Zunehmende innere Zerrüttung
des westgothischen Reiches. Sobald die
zum feierlichen Leichenbegängniß in Gerticos anwesenden Bischöfe und Palatine gegen Receswinth
ihre letzte traurige Pflicht erfüllt hatten, traten sie
unverzüglich zusammen, um dem Verstorbenen einen, desselben würdigen Nachfolger zu wählen.
Aecht christliche Gesinnung von Seite der Bischöfe und warme Vaterlandsliebe von Seite
der Großen lenkten diesmal die Wahl, und so fiel
sie auf den ehrwürdigen Wamba, einen ergrauten
Krieger, stark an Geist und Charakter, reich an
Erfahrung, geschmückt mit seltener Tugend, und
entsprossen aus einem der edelsten und ältesten Geschlechter. Aber bescheiden trat der edle Wamba
zurück; für sein graues Haupt, sagte er, sey eine
Krone eine zu schwere Bürde; eine solche Last er-
fordere alle Kräfte des männlichen Alters; einen
Andern möchten sie also wählen, ihn nicht der, dem
Alter geziemenden Ruhe entreißen. Von allen Seiten drang man jetzt in den Gewählten mit Bitten,
die Wahl zu genehmigen, den vereinten Wünschen

der hier versammelten Großen sich zu fügen; aber alles Bitten war fruchtlos, und Wamba, den weder Ehrgeiz, noch Herrschsucht quälten, blieb unerschütterlich bei seinem, einmal erklärten Entschluß. Ein edler Gothe, ein wahrer Patriot, verlor endlich die Geduld, zog sein Schwert und rief ihm zu: „Wamba! nur zwischen dem Tode und dem Throne „bleibt dir jetzt die Wahl; das Wohl des Reiches „erfordert es, daß du ihn besteigest; willst du aber „deine Bequemlichkeit dem Glücke der Nation und „dem allgemeinen Besten vorziehen; dann bist du „ein Verräther an deinem Vaterlande und ich stoße „auf der Stelle dich nieder." ——

2. Mehr als des Gothen Drohung, wirkte dessen Erinnerung, daß nämlich, sobald Pflicht es gebeut, auch das schwerste Opfer dem Vaterland müsse gebracht werden. Wamba willigte also jetzt in seine Wahl, weigerte sich jedoch, den königlichen Titel anzunehmen, bevor auch die übrigen Wahlberechtigten in Toledo ihre Zustimmung gegeben hätten. Diese Bedingung ließen sich alle gefallen. Man eilte nach der Residenz zurück. Wamba's Wahl fand allgemeinen Beifall und der neue König ward, am neunzehnten Tag nach Receswinths Tode,. von dem Metropolitanbischof Quiritus zum König gesalbt*).

----

*) Das, fünfhundert Jahre nachher von König Alphons in seiner Chronik erzählte Geschichtchen von einer Biene, die, nachdem der Bischof dem König die Salbung ertheilt hatte, plötzlich von, oder gar aus dem gesalbten Haupt sich erhob, und dann hoch in den Lüften dem Blicke der erstaunten Zuschauer entschwand, und nun allgemein für eine, von oben gegebene Vorbedeutung der glücklichen und glorreichen

3. Graf Hilderich, Befehlshaber in Nismes und dem gothischen Gallien, hatte auf den erledigten Thron sich thörichte Hoffnungen gemacht; als er sich jetzt getäuscht sah, schwang er die Fahne des Aufruhrs, bewarb sich um die Hülfe der Franken, nahm einen Haufen kriegslustiger Basken in Sold*), ließ den frommen Bischof Aregis von Nismes, weil er an dem Aufruhr keinen Theil haben wollte, in Banden legen, und in gefänglicher Haft auf das fränkische Gebiet bringen; und zog hierauf an der Spitze bewaffneter Scharen in der ganzen Provinz umher, alle Gegenden verwüstend und verheerend, deren Bewohner Wamba für ihren König erkannten. Zu Gehülfen und Genossen seiner Treulosigkeit hatte Hilderich den Bischof Gumild von Magelona und einen gewissen Abt Ramir; den Letztern erhob er willkührlich und widerrechtlich auf den, durch die gefängliche Hinwegführung des Aregis, einstweilen erledigten bischöflichen Stuhl von Nismes.

―――――――――

Regierung Wambas gehalten ward, führen wir nur deßwegen an, weil man es auch bei Mariana und Ferreras findet; lassen es aber übrigens ganz auf seinem eigenen Werth beruhen; nur müssen wir bemerken, daß, wenn wirklich Etwas an der Sache wäre, auch die gleichzeitigen, oder bald darauf folgenden Geschichtschreiber, besonders die Lebensbeschreibungen spanischer Heiligen aus jener Periode, ganz gewiß davon einige Erwähnung würden gemacht haben.

*) Bei den Basken war der Krieg ein Erwerbszweig; sie dienten Jedem, der sie bezahlen konnte; daher fochten sie bald unter den Fahnen der Westgothen, bald unter jenen der Franken, der Aquitanier, oder jedem andern westgothischen oder fränkischen Großen, der kühn genug war, das Panier des Aufruhrs zu erheben, und durch Geschenke und die Hoffnung reicher Beute sie herbei zu locken.

4. Sobald Wamba von dieser Empörung Kunde erhielt, sandte er den Paulus, einen Mann griechischer Abkunft, mit dem Heere über die Pyrenäen, um den Aufruhr in seiner Geburt zu ersticken und die Aufrührer zu bestrafen. Paulus war des Königes bester Feldherr; aber mit vieler Kriegskunde verband er grenzenlosen Ehrgeiz und griechische Treulosigkeit. Als er sich jetzt an der Spitze eines zahlreichen Heeres sah, fing auch sogleich seine Treue an zu wanken und, von strafbaren Hoffnungen beseelt, glaubte er nun selbst die Hand nach der Krone ausstrecken zu dürfen. Ganz langsam zog er daher gegen die Pyrenäen, streuete überall den Saamen des Mißvergnügens gegen König Wamba aus, zog den Herzog Ranosind, Statthalter in der tarragonensischen Provinz*), und noch einen andern einflußreichen Staatsbeamten, Namens Hildigis in seinen verrätherischen Plan, erhielt von denselben bedeutende Verstärkung, die sie ihm selbst zuführten, ordnete, unter dem Vorwand leichterer Besiegung der Rebellen, neue Truppenaushebungen an, bemächtigte sich der Städte Barcellona, Gironna und aller übrigen festen Plätze von Tarragonien. Bis jetzt hatte Paulus stets blos als Feldherr Königs Wamba gehandelt. Aber nun, da er Herr der ganzen, ziemlich weitschichtigen tarragonensischen Provinz war, ging er eiligst über die Pyrenäen, und zog in angestrengten Märschen gegen Narbonne, der Hauptstadt und dem Sitze der Regierung des gothischen Galliens. Aregebald, Metropolitanbischof

---

*) Das heutige Catalonien, sammt dem größten Theil von Arragonien. Von dem Letztern gehörte jedoch der nordwestliche Theil damals noch zu den Wohnsitzen der Basken.

von Narbonne, die verrätherischen Pläne des treulosen Feldherrn ahnend, wollte Vertheidigungsan-
stalten treffen; aber Paulus kam ihm zuvor, über-
rumpelte Narbonne, und drang in die Stadt, bevor
der Metropolitan auch nur die Thore derselben hatte
können schließen lassen.

5. Herr von der festen und volkreichen Hauptstadt, glaubte Paulus nun die Maske abnehmen zu
können. In dem Lager vor Narbonne versammelte
er alle Officiere seines Heeres und die Vornehmsten
seiner Anhänger, machte zuerst dem Bischof Arge-
bald die bittersten Vorwürfe darüber, daß er ihm
die Thore der Stadt hätte schließen wollen, erklärte
hierauf Wamba's Wahl für ungültig, mithin denselben des Thrones verlustig und unfähig, ihn je
wieder zu besteigen. Er forderte hierauf die Versammlung auf, unverzüglich zur Wahl eines neuen
Königes zu schreiten. Sogleich trat Herzog Ranosind
hervor, und rief aus: „Kein anderer, als Paulus
soll unser König seyn.“ — Das Ansehen des Mannes, riß viele Andere zu gleicher Meinung hin; alle
Anwesenden, theils gewonnen, theils geschreckt, huldigten im Namen des gothischen Volkes dem neuen
König Flavius Paulus, und feierlich setzte dieser sich nun eine Krone auf das Haupt, die er in
Gironna gefunden, und welche einst König Recared I. einem Heiligen der Kirche dieser Stadt geschenkt hatte. Das ganze Land von dem Ebro bis
an die Rhone, gehorchten jetzt dem Paulus, als
seinem einstweiligen Beherrscher. Unverzüglich wurden nun Unterhandlungen mit den Basken und
Franken angeknüpft. Gegen eine Summe Geldes
machten die Erstern sich verbindlich, von ihren Gebirgen herabzusteigen, und die nächst gelegenen spanischen Provinzen feindlich zu überfallen. Die

Franken, die dem Scheine nach den Frieden mit dem westgothischen Hofe zu Toledo nicht offenbar brechen wollten, sandten nur ganz in Geheim einige Hülfsvölker, versprachen aber, diesen etwas später ein noch ungleich bedeutenderes Heer folgen zu lassen.

6. Als die Nachricht von dieser neuen Empörung bei König Wamba anlangte, stand derselbe mit einem Heere gerade an den Grenzen Cantabriens, um die widerspenstigen Gebirgsbewohner, die ihre Steuern zu zahlen sich weigerten, wieder zum Gehorsam zu zwingen. Wegen der jetzt zu ergreifenden Maßregeln ließ Wamba die vornehmsten Officiere seines Heeres in einen Kriegsrath zusammen treten. Die Mehrsten waren der Meinung, man müsse unverzüglich nach Toledo zurückkehren; durch neue Truppenaushebungen das Heer verstärken, und dann erst mit überlegenen Streitkräften auf die Empörer los gehen. Nur Wenige, aber unter diesen auch der König, hielten jede Zögerung für gefährlich; denn die Flammen des Aufruhrs, sagten sie, könnten sich indessen noch weiter verbreiten, die Aufrührer neue Kräfte sammeln, und endlich sogar durch fränkische Hülfsvölker sich nur noch furchtbarer machen. Die letztere Meinung behielt die Oberhand. Asturiens und Biscajas Angelegenheiten wurden schnell geordnet; und da der König voraussah, daß die, Jedem, der sie bezahlen konnte, stets zu Gebote stehenden Basken die Empörung des Paulus durch einen feindlichen Einfall unterstützen würden, so brach er nun schnell in ihr Land, unterwarf sich in sieben Tagen das kleine, aber unruhige Völkchen, zwang es, mit dem Kern seiner waffenfähigen Mannschaft das königliche Heer zu verstärken, und noch überdies einige seiner Häupter als Geißeln, für die Dauer seines friedlichen Be-

16*

tragens, dem Könige zu überliefern. Wamba, der jetzt nichts mehr in seinem Rücken zu befürchten hatte, marschirte nun mit seinem Heere über Cala- horra und Huesca nach Catalonien. Alle festen Plätze, obgleich von dem Afterkönig mit starker Be- satzung versehen, aber jetzt geschreckt durch des Kö- niges ganz unerwartete Erscheinung vor ihren Mauern, ergaben sich, und öffneten ihre Thore; so auch Vich, Barcellona und Gironna. Alles Land zwischen dem Ebro und den Pyrenäen erkannte nun wieder Wamba für seinen rechtmäßigen König. Nach einigen Tagen der Ruhe brach das Heer wie- der auf, und begann seinen Zug nach den Pyre- näen. In drei Divisionen von gleicher Stärke ge- theilt, überstieg es die furchtbare Gebirgskette; alle darin liegenden Burgen und festen Schlösser, na- mentlich das beinahe unbezwingbare Tulia Livia (heute zu Tage Puycerta), von dem Bischofe von Urgel, einem von Paulus eifrigsten Anhängern, hartnäckig vertheidigt, so wie auch die nicht minder jedem Angriff trotzende, zwischen zwei Felsen her- vorragende Gebirgsfeste Clausurä wurden erstürmt, in Letzterer zwei der Hauptaufrührer, nämlich der Herzog Ranosind und der Gardinge Hildigis gefan- gen und in Banden zu dem König gesandt.

7.   Jenseits der Pyrenäen, am Fuße dersel- ben stießen die drei Heerabtheilungen wieder zusam- men, und Wamba, nachdem er seinem Heere eine dreitägige Ruhe gegönnt hatte, richtete seinen Marsch gegen Narbonne. Auf die Nachricht, daß der Kö- nig heranrücke, entsank dem Paulus, der unlängst an Wamba, als derselbe noch im Lande der Bas- ken stand, einen stolzen und, bis zum Lächerlichen, schwülstigen Brief geschrieben hatte, völlig der Muth.

Statt, seiner eigenen Herausforderung gemäß *), seinem königlichen Gegner eine Schlacht zu liefern, wagte er nicht einmal Narbonne gegen denselben zu vertheidigen. Die Vertheidigung dieser ungemein festen Stadt ward also dem tapfern und entschlossenen Mittimer übertragen; der Afterkönig selbst floh nach Nismes.

8. Unter sehr gelinden, zum Theil selbst ehrenvollen Bedingungen ließ Wamba den Mittimer auffordern, die Stadt zu übergeben; aber dieser wollte von keiner Uebergabe hören. Um den Hafen der Stadt zu sperren, und diese auch von der Seeseite anzugreifen, hatte der König früher schon einen Theil seiner Truppen einschiffen lassen. Die Belagerung nahm also unverzüglich ihren Anfang. Jeden Tag ward gestürmt; aber stets schlugen die Belagerten die Stürmenden mit großer Tapferkeit zurück. Aufgeblasen über diesen glücklichen Erfolg, verhöhnte und schmähete die Besatzung von den Mauern herab die Gothen; dies brachte dieselben in Wuth; sie begehrten auf das neue zum Sturm geführt zu werden, und stürmten nun ununterbrochen fort, bis sie endlich über ganze Haufen von Leichen ihrer erschlagenen Kameraden die Stadt erstürmt hatten. Als Mittimer sah, daß Alles verloren sey, floh er in eine Kirche, und entschlossen, lieber mit den Waffen in der Hand zu sterben, als lebendig in Feindes Hände zu fallen, schlug er sich

---

*) In seinem, offenbar aus der Feder eines Verrückten geflossenen Briefe, hatte Paulus den Wamba herausgefordert, von den Gebirgen herabzusteigen, und den Streit um die Krone in offener Feldschlacht zu entscheiden.

gleich einem Wüthenden noch selbst an den Stufen
des Altars; aber trotz seiner Tapferkeit und unge=
wöhnlichen Stärke erreichte er dennoch nicht seinen
Zweck; mit einem großen und schweren Brett stieß
ihn ein Gothe zu Boden, worauf die Uebrigen über
ihn herfielen, ihn entwaffneten und vor den König
führten. Wamba ließ ihn mit noch einigen andern
Häuptern der Rebellen öffentlich geißeln, und dann
bis zur gerichtlichen Entscheidung des Schicksals
sämmtlicher Aufrührer in gefängliche Verwahrsam
bringen.

9. Nach der Eroberung von Narbonne, öff=
neten auch Bezieres und Agde ihre Thore; nur
Magelone, von einem der hartnäckigsten Rebel=
len, dem unevangelischen Bischofe Gumildus verthei=
diget, mußte belagert werden. Anfänglich leistete
er tapfern Widerstand; als er aber sah, daß die
königliche Flotte Miene machte, die Stadt auch von
der Seeseite einzuschließen, mithin ihm selbst alle
Möglichkeit zur Flucht völlig abzuschneiden; so floh
auch er nach Nismes, worauf die Besatzung sich an
den König ergab. Nur Nismes war jetzt noch zu
erobern, und die Empörung und der bürgerliche
Krieg hatten dann ein Ende. Aber hier in Nis=
mes hatte Paulus den Kern seiner Truppen versam=
melt, durch neue Bollwerke die Stadt noch mehr
befestiget, alle Vorrathshäuser und Magazine mit
Kriegs= und Mund=Vorrath gefüllt, und den Muth
der Soldaten wie der Einwohner, durch die gewisse
Versicherung eines, ihnen zu Hülfe herbei eilenden
Frankenheeres ungemein belebt.

10. Wamba theilte sein Heer in zwei Theile.
Dreißigtausend Mann, angeführt von vier Herzo=
gen, sollten Nismes belagern; und um die Belage=

rung gegen ein, möglicher Weise heranrückendes fränkisches Heer zu decken, bezog der König selbst mit den übrigen, sich noch über dreißigtausend Mann belaufenden Truppen, in der Entfernung von vier Meilen von der Stadt ein Lager. In der Hoffnung, die vier Herzoge zu schlagen, bevor sie noch von dem König könnten unterstützt werden, machte Paulus mit seinem ganzen Heere einen Ausfall. Eine mörderische Schlacht ward unter den Mauern von Nismes geliefert. Beide Heere fochten mit gleicher Tapferkeit, und der Sieg hatte sich noch für keine Parthei entschieden, als die Nacht die Kämpfenden trennte.

11. Um das Belagerungsheer zu verstärken, sandte Wamba demselben noch zehntausend Mann seiner besten Truppen unter der Anführung des tapfern Herzogs Wandimir. Ohne Erfolg hatten die Belagerer bisher schon einige Stürme gewagt; aber jetzt, nachdem diese bedeutende Verstärkung angekommen war, ward ein neuer und zwar allgemeiner Sturm versucht. Von allen Seiten griffen diesmal die Gothen an. Furcht vor Strafe und schmählichen Tode, steigerte die Tapferkeit der Rebellen bis zur Verzweifelung; und Wamba's Soldaten hatten sich das Wort gegeben, entweder der Aufrührer letzten Schlupfwinkel heute zu erobern, oder unter dessen Mauern zu fallen. Ueberall ward also mit der größten Hartnäckigkeit und Erbitterung gefochten. Aber die Belagerten, auf allen Punkten angegriffen, waren nicht zahlreich genug, um sich wechselseitig ablösen zu können, während die Schaaren ermüdeter Stürmer stets durch frische Schaaren wieder ersetzt wurden. Gegen Mittag fingen die Kräfte der Belagerten an zu sinken. Bald darauf gelang es den Gothen, zwei Thore der Stadt nie-

der zu brennen; wüthend drangen sie nun in die
Stadt, und ein schauerliches Blutbad begann in den
vorliegenden Straßen. Aber demungeachtet war die
Stadt doch noch nichts weniger als erobert. Wie
Verzweifelte, vertheidigten die Aufrührer Schritt vor
Schritt das Terrain; jede Wohnung ward für sie
ein Blockhaus, aus welchem sie einen Hagel von
Pfeilen und Wurfspießen auf die eindringenden
Feinde schleuderten. Viele Gothen, welche sich schon
zu weit in die Stadt gewagt hatten, wurden erschlagen, an allen Straßenecken, Ballisten und Katapulten aufgepflanzt, und mit dem Ueberrest seiner
Truppen, dem Kern des Heeres besetzte Paulus ein
altes, sehr geräumiges römisches Amphitheater, dessen wohl erhaltene Mauern ihm nun zum Bollwerk
dienten. Aber auch die Befehlshaber des königlichen
Heeres sahen sich jetzt gezwungen, ihren Leuten einige Ruhe zu gestatten; sie ließen also vom Sturme
ab, und besetzten einstweilen den kleinen, von ihnen
eroberten Theil der Stadt. Aber unter den Auf-
rührern selbst erhob sich jetzt blutiger Zwist. Gegenseitig beschuldigten sie sich einander des Verraths.
Von Vorwürfen und Schmähungen kam es bald
zu Thätlichkeiten, man griff zu den Waffen, und
Paulus, unvermögend, die schon durch den blutigen Kampf des Tages erhitzten und verwilderten
Gemüther zu besänftigen, mußte nun zusehen, wie
seine eigenen Leute sich schonungslos einander erwürgten. Die hereinbrechende Nacht machte endlich dem
innern Kampfe ein Ende, und stellte einigermaßen
die Ruhe wieder her; aber die Einwohner von
Nismes, die bisher mit den Soldaten gemeinschaftliche Sache gemacht hatten, nun aber auf das äußerste gegen sie erbittert waren, trennten sich von
denselben und beschlossen, ihre Stadt am folgenden
Morgen den Gothen zu übergeben.

12. Mit Zuversicht hatte Paulus bisher auf eine, sich in die Länge ziehende Belagerung, und ein, während derselben ihm zu Hülfe eilendes Frankenheer gerechnet. Aber jetzt entschwand ihm auch der letzte Strahl der Hoffnung; ohne mehr länger zu zögern, legte er also die, von ihm so unwürdig getragenen königlichen Insignien ab, und schickte mit anbrechendem Morgen den Argenbald, Metropolitan von Narbonne, den er nach Nismes geschleppt, und hier auch im Amphitheater bei sich hatte, an den König Wamba, um bei demselben für ihn und die Genossen seines Verbrechens Gnade zu erflehen. — Auf dem Wege nach Nismes begegnete Argenbald dem König, warf sich vor demselben nieder, und bat flehentlich um Gnade für die Rebellen. Wamba, der, weil wahrhaft frommen Herzens, seiner Siege wegen Gott allein die Ehre gab, hob den Bischof auf, redete freundliche Worte zu ihm, und versprach, mehr auf die Stimme der Barmherzigkeit, als jene der Gerechtigkeit zu hören, mithin auch des Lebens der Aufrührer zu schonen.

13. Ein Theil des königlichen Heeres war indessen in Nismes eingerückt, Ruhe und Ordnung waren, so viel wie möglich, wieder hergestellt, und Wamba hielt nun seinen siegreichen Einzug in die Stadt. Als er wieder in sein Lager vor den Thoren von Nismes zurückgekehrt war, befahl er den Paulus, sammt den übrigen Häuptern der Rebellion, sieben und zwanzig an der Zahl, vor ihn zu führen. Alle sieben und zwanzig, Paulus an ihrer Spitze, wurden nun, jeder zwischen den Pferden zweier Reiter, die ihn bei den Haaren gefaßt hielten, dem Heere zur Schau durch das ganze Lager geführt, und dann vor den König gebracht. Als Paulus vor Wamba erschien, warf er sich sogleich

demselben zu Füßen, flehete noch einmal um Gnade, und lösete sich den Gürtel, als ein Zeichen, daß er sich für unwürdig hielt, ferner noch Waffen zu tragen. Das blasse, vom Bewußtseyn schwerer Schuld und Todesfurcht entstellte Gesicht des Paulus rührte den König. "Obgleich" sprach jetzt der Monarch, "Ihr es nicht verdient, schenke ich Euch doch sämmtlich das Leben; aber von aller Strafe Euch frei zu sprechen, dies erlaubt mir nicht die Gerechtigkeit. Gehet also, und wartet, bis das Gericht Euch euer Urtheil sprechen wird." — Alle Franken, welche die Gothen in Nismes zu Gefangenen gemacht hatten, wurden von Wamba sehr gelind behandelt, und ohne Lösegeld wieder nach Hause gesandt. Auch die Geiseln, welche Paulus von mehrern Städten sich hatte geben lassen, erhielten ihre Freiheit, und kehrten nun froh wieder in ihre Heimath zurück. Der König gab hierauf Befehl, die Stadt zu säubern, die vielen Erschlagenen, die noch haufenweise in den Straßen lagen, zu begraben, und die, durch die Belagerung zerstörten Mauern und öffentlichen Gebäude wieder herzustellen, auch gab er den Kirchen alle, von Paulus ihnen geraubte Kostbarkeiten zurück.

14. Bevor der König nach Toledo zurückkehrte, ward öffentliches Gericht über die Aufrührer gehalten. Das ganze Heer, in Schlachtordnung gereihet, stand unter den Waffen. Mitten vor der Front, unter einem, von allen Seiten offenen Zelte, saß der König auf einem Thron, und um ihn her standen in weitem, dreifachen Kreise die hohen Beamten seines Hofes, die Herzoge und sämmtliche Feldobersten und Feldhauptleute. In Fesseln wurden Paulus und die übrigen sieben und zwanzig Rebellenhäupter vorgeführt. Nachdem man sie ihrer

Bande entlediget hatte, fielen sie auf die Knie, und legten mit lauter Stimme ein öffentliches Bekenntniß ab ihrer Verbrechen, ihres Meineides, ihrer Treulosigkeit und Undankbarkeit gegen Wamba, ihren rechtmäßigen König, Herrn und Wohlthäter. Als dieses, für die Schuldigen so tief erniedrigende Bekenntniß geendiget war, wurden die verschiedenen, jedem Aufrührer Todesstrafe und Güter-Confiscation zuerkennenden Beschlüsse der toledanischen Concilien vorgelesen, und hierauf sämmtlichen Verbrechern das Todesurtheil gesprochen. Aber Wamba, eingedenk seines Versprechens, milderte das Urtheil, und verwandelte die Todesstrafe in jene der Decalvation*), und lebenslänglicher Haft. — Kaum war dieser so nothwendige Akt strafender Gerechtigkeit vorüber, als König Wamba Kunde erhielt, ein fränkisches Heer sey in das gothische Gebiet eingefallen, und verheere mit Feuer und Schwert die Gegend von Beziers und der umliegenden Städte. Schnell rückte Wamba diesem neuen Feinde entgegen. Aber schon auf die erste Nachricht von der Annäherung des gothischen Heeres, zogen die Franken über Hals und Kopf sich wieder zurück, und das viele, schwere und reiche Gepäcke, welches sie zurück ließen, und das die Gothen nun erbeuteten, war ein vollkommener und unzweideutiger Beweis, nicht eines Rückzuges, sondern einer unordentlichen schmählichen Flucht.

15.   Mit seinem siegreichen Heere kehrte der

---

*) Die Strafe der Decalvation bestand darin, daß dem Verbrecher das Haupthaar sammt einem Theile der Kopfhaut abgezogen ward; Geißelung ging derselben gewöhnlich voran, auch haftete ewige Infamie auf derselben.

König nun nach Toledo zurück. Als er die Pyrenäen wieder hinter sich hatte, ertheilte er Allen, welche entlassen zu seyn wünschten, den Abschied, nachdem er vorher dem ganzen Heere für dessen, während des ganzen mühseligen und gefahrvollen Feldzuges bewiesene Tapferkeit und Treue gedankt hatte. Wamba's Einzug in seine Residenz glich einem wahren Triumph, denselben verherrlichen mußten Paulus und die übrigen, mit ihm gleiche Schuld des Aufruhrs tragenden Verbrecher. In Fesseln geschlagen, mit geschorenem Kopfe und ausgerauftem Bart, barfuß und, gleich den Sclaven, nur mit schlechten Fellen bedeckt, öffneten sie den Zug, und um den Paulus noch mehr dem Hohne des Volkes Preis zu geben, trug derselbe eine, aus schwarzem Leder verfertigte Krone auf dem Kopfe. An Mißhandlungen mancherlei Art von Seiten des Pöbels, fehlte es den Unglücklichen nicht, und nachdem sie auch diesen Kelch bitterer, obgleich wohl verdienter Schmach geleert hatten, wurden sie für die übrigen Tage ihres Lebens in die für sie bestimmten Gefängnisse gebracht*).

16. Wamba, der in dem Kriege gegen die Aufrührer sprechende Beweise seiner Tapferkeit und seines kriegerischen Talents abgelegt hatte, überließ sich nun, da Ruhe und Ordnung wieder hergestellt waren, gänzlich dem segenvollern Geschäft der Gesetzgebung und innern Verwaltung seines Reiches. Mehrere allgemeine Concilien, wurden unter seiner Regierung zu Toledo gehalten. Auf einem derselben kam,

---

*) Eilf Jahre nachher, unter Erwigs Regierung, erhielten sie dennoch wieder ihre Freiheit.

auf den Vorschlag des Königes, um den häufigen,
unter den Bischöfen über die Grenzen ihrer Gerichtsbarkeit sich erhebenden Streitigkeiten, ein Ende zu
machen, eine neue Eintheilung der bischöflichen Kirchsprengel zu Stande. Wie bisher, ward auch jetzt
wieder, die politische Eintheilung des Reiches die
Grundlage der neuen kirchlichen Territorial-Eintheil-
lung. Die sechs Provinzen des Reiches, blieben
demnach auch die sechs Metropolitan-Bisthümer der
spanischen Kirche, jedoch mit veränderten, zum Theil
engern, zum Theil erweiterten Grenzen. Diese sechs
Erzbisthümer waren: Toledo, Hispalis, (Sevilla), Merida, Braga, Tarragona und Narbonne. Toledo war der Sitz der Könige und Mittelpunkt der Regierung und des Reiches; der Erzbischof dieser Stadt erhielt daher auch nach und nach
einen höhern Rang, und ward endlich als Primas
des Reiches und der spanischen Gesammtkirche betrachtet; sein Kirchsprengel war demnach auch ungleich
weiter ausgedehnt, als jene der übrigen Metropoli-
tan-Bischöfe; derselbe begriff neunzehn Bisthümer;
Hispalis nur neun, Merida jedoch schon wieder dreizehn, Braga acht, Tarragona fünfzehn, und Narbonne wieder nur acht. Außer diesen hier angegebenen Bisthümern, gab es noch zwei Bisthümer,
nämlich Leon und Luco, welche unmittelbar waren,
und unter keines Metropolitan-Bischofes Jurisdiktion
standen. Das ganz katholische, westgothische Reich
zählte also, außer den erwähnten sechs Erzbischöfen,
noch vier und siebenzig, größtentheils durch Gelehrsamkeit, zum Theil auch durch Heiligkeit, aber
beinahe durchgängig durch Sittlichkeit des Wandels,
ausgezeichnete Bischöfe. — Daß diese neue Eintheilung, weil die Gerichtsbarkeit mehrerer Bischöfe dadurch geschmälert ward, große Unzufriedenheit unter
denselben erregt, und deren Haß dem König zugezo-

gen haben soll; davon wissen die ältesten spanischen Geschichtschreiber nichts; auch nicht Lucas Tudensis, der doch sehr umständlich die Namen aller bischöflichen Kirchen und deren Gebiet angiebt. Nur den Neuern, und dazu nicht spanischen Geschichtschreibern ist es höchst wahrscheinlich, daß dies Alles so geschehen sey. Indessen ist es jedoch sehr schwer einzusehen, woher sich diese Wahrscheinlichkeit ergebe; denn wenn das Gebiet des Einen durch diese neue Organisation geschmälert ward; so wurden ja eben dadurch, die Grenzen der Jurisdiktion des Andern dadurch erweitert; der Zufriedenen hätte es also, an und vor sich schon mehrere gegeben, als der Unzufriedenen. Für Aufrechthaltung der Kirchenzucht, waren die spanischen Bischöfe, wie die Beschlüsse des 11., unter Wamba's Regierung gehaltenen toledanischen Conciliums es beweisen, äußerst besorgt, aber dazu war eine bessere und zweckmäßigere Eintheilung der bischöflichen Kirchsprengel durchaus nothwendig, und so ist es uns wenigstens ungleich wahrscheinlicher, daß es die Bischöfe selbst waren, welche dem König, der sehr wohl die Initiative eines, obgleich an sich kirchlichen, jedoch das politische sehr nahe berührenden Gesetzentwurfs haben konnte, auf den Gedanken brachten, auf dem Concilium eine neue Eintheilung der Kirchsprengel in Vorschlag zu bringen.

17. Unstreitig war die kirchliche Verfassung in dem westgothischen Reiche ungleich besser geordnet, als in allen übrigen abendländischen Reichen. Die Geistlichkeit bildete den ersten Stand der Nation, und die Bischöfe gingen im Range den Palatinen, Herzogen und Grafen vor. Da nur bei der Geistlichkeit beinahe ausschließlich Gelehrsamkeit und geistige Bildung zu finden waren, so war nichts natürlicher,

als daß man ihr auch einen bedeutenden Antheil an
der Gesetzgebung, Verwaltung und den wichtigsten
Reichsgeschäften überließ. Ihr Einfluß war stets
wohlthätig und heilsam, beschränkte keineswegs die
königliche Gewalt, und war gleichsam nur eine vermittelnde und versöhnende Macht zwischen dem Throne
und der Nation. Um ihr Ansehen, besonders bei
einem, schon ungleich mehr civilisirten, für den Geist
der Religion und daher auch für alles Edlere mehr
empfänglichen Volke, stets ungekränkt zu erhalten,
war die Geistlichkeit gezwungen, auch allen Ständen der Nation, von dem König an bis auf die
untersten Volksklassen, mit leuchtendem Beispiel in
Sittenreinheit und Heiligkeit des Wandels voranzu-
gehen. Irrlehren fanden daher keinen Eingang in
die spanische Kirche; Spaltungen und ketzerisches Gezänk und Zungengefecht waren ihr völlig fremd, und
für die Erhaltung der wahren Lehre entbrannte das
Herz jedes Spaniers in heiligem Eifer. Da endlich auch der spanische Clerus schon damals im Besitze vieler Güter und großer Ländereien, mithin der
erste und reichste Grundeigenthümer des Königreiches
war, so mußte er, und wenn auch sein höherer
Beruf es ihm nicht schon zur Pflicht gemacht hätte,
doch blos seines eigenen Interesse wegen, mehr als
jeder andere Stand, für Aufrechthaltung der Gesetze,
für innere Ruhe und Ordnung, und immer wach-
senden Flor des Reiches besorgt seyn*). In den

---

*) Welchen Gebrauch die spanischen Kirchen von ihrem
Reichthum machten, erhellt aus den vielen Conclien-
Beschlüssen, denen zu Folge der Bischof nur den drit-
ten Theil der Einkünfte seiner Kirche zu seinem
Besten verwenden durfte. Die übrigen zwei Drittel
wurden theils für den Unterhalt der Geistlichen der
Kirche wie auch für die Reparatur der Gebäude,

Provinzen hatten daher auch die Bischöfe die Ober-
aufsicht über alle höheren und niederen Staatsbeamten.   Sie waren verbunden, ungerechte Richter oder
Verwalter an ihre Pflicht zu erinnern; und für ungerecht entschiedene Prozesse eine abermalige Revi-
sion derselben zu verordnen.

18.   Nirgends war die Kirchenzucht so strenge,
als in Spanien; und die Bewahrung reiner, tadelloser Sitten unter den Geistlichen war auf allen
Concilien stets einer der ersten Gegenstände der Aufmerksamkeit der versammelten Väter.   Die mindeste
Verirrung ward mit Absetzung bestraft, und diese
Strafe traf in dem Jahre 656 sogar einen Metropolitan-Bischof von Braga, Namens Potamius, der
gegen das Gelübde der Keuschheit gesündiget hatte*).
Kein Bischof durfte es wagen, die jedes Jahr festgesetzten Reisen und Visitationen seines Kirchspren-
gels zu unterlassen.   Eben so pünktlich ward auch
darüber gehalten; daß sich alle zwei Jahre die vorgeschriebenen Provinzial-Concilien versammelten, auf
welchen ebenfalls — was besonders bemerkt zu werden
verdient — nach beendigten rein-kirchlichen Angelegenheiten, auch zeitliche, das Gesammtwohl der Provinz betreffende Gegenstände in Berathung gezogen
wurden.   Auch in Ansehung der Kleidung der Geistlichen waren die Vorschriften in Spanien viel strenger, als in Frankreich und den andern Ländern.
Nicht die unbedeutendsten Kleinigkeiten, so bald sie
nur einen Schein von Luxus verriethen, wie z. B.
farbige, oder an den Enden mit einem gestickten gol-

---

theils zu andern frommen, zum Besten der Menschheit errichteten Unterrichts- und Wohlthätigkeits-An-
stalten verwendet.

*) Da wir hier, obgleich nur im Vorübergehen, des

denen Streife versehene Schnupftücher *), waren

Verbrechens dieses Bischofes erwähnten, so ist es billig, daß wir zu gleicher Zeit auch von dem, jedes christliche Gemüth erbauenden, und gewiß die Kirche nicht wenig erfreuenden Beispiel seiner Zerknirschung und aufrichtigen Buße hier ebenfalls einige Erwähnung machen. Kein Ankläger hatte sich gegen den Bischof erhoben; kein menschliches Auge war Zeuge des Verbrechens gewesen, das er, von böser Lust überrascht und übermannt, in einem unseligen, unbewachten Augenblicke menschlicher Schwachheit begangen hatte. Aber wie häufig und Gott wohlgefällig waren die Thränen, die er, als er aus seinem Taumel wieder erwacht war, nun Tage und Nächte hindurch vergoß! In dem Gefühle der tiefsten Reue, und seiner nunmehrigen Unwürdigkeit verschloß er sich aus eigenem Antriebe in eine Celle, und enthielt sich, unter vielem Fasten und ununterbrochenem Gebete, neun Monate des heiligen Opfers, so wie aller übrigen Verrichtungen seines bischöflichen Amtes. Aber damit noch nicht zufrieden, ward er jetzt selbst sein eigener Ankläger, und legte vor einem Concilium von Bischöfen ein öffentliches Bekenntniß seiner Verirrung und seines Falles ab. Die Bischöfe, gerührt von den heißen Thränen aufrichtiger Buße, glaubten, gegen ihren jetzt so zerknirschten, in allen seinen Gebeinen zermalmten Mitbruder mit einiger Schonung verfahren zu dürfen, stießen ihn daher nicht aus ihrer Mitte aus, legten ihm aber ewige Buße auf, untersagten ihm für sein ganzes Leben alle bischöfliche Verrichtungen, und gaben sein Bisthum einem Andern zur Verwaltung. Dieses strenge Urtheil des Conciliums über einen, zwar tief gefallenen, aber jetzt von dem Bewußtseyn seiner Schuld nicht minder tief gebeugten, vor Gott und seinen Mitbrüdern sich völlig vernichtenden und demüthigenden, von glühender Reue in seinem Innern zerrissenen, aber eben daher nun auch um so schöner und herrlicher sich wieder aufrichtenden Bischof, nannte man damals noch ein mildes Urtheil.

*) Orariis duobus, nec episcopo quidem licet, nec

selbst nicht einmal einem Bischofe bei sich zu führen
erlaubt; auch sdurften die Geistlichen in Spanien
nicht, wie jene in Frankreich, gleich den Laien nur halb
abgeschnittene Haare tragen, sondern mußten sich den
ganzen Kopf scheren, und auf dem Hinterhaupt gerade nur so viel Haar stehen lassen, daß man ihre
Tonsur oder geistliche Krone deutlich erkennen
konnte *).

19. Bei allen bischöflichen Kirchen waren
auch Seminarien errichtet, in welchen Jünglinge,
die einen Beruf zu dem geistlichen Stande in sich
fühlten, unter der unmittelbaren Leitung und Aufsicht der Bischöfe, in allen zu ihrer künftigen Bestimmung nothwendigen Sprachen, Wissenschaften
und Kenntnissen unterrichtet wurden, daher man
auch unter der damaligen spanischen Geistlichkeit, besonders unter dem hohen Clerus nicht Wenige fand,
welche außer ihrer Muttersprache, welche jedoch
selbst unter dem gemeinen Volke jetzt immer in größern Verfall gerieth, auch Lateinisch, Griechisch
und Hebräisch verstanden.

20. Auf die Bischofswahlen hatten die westgothischen Könige lange Zeit bei weitem nicht den

---

presbytero uti - - - - - Caveat igitur amodo Le-
vita gemino uti orario, sed uno tantum, et páro,
nec ullis coloribus aut auro ornato. (Conc. Toled.
4. can. 40.) — Orarium heißt eigentlich ein Mund-
oder auch Schweißtuch; um weitläufigen, und über-
flüssigen Erläuterungen auszuweichen, glaubten wir es
einstweilen mit Schnupftuch übersetzen zu dürfen.

*) Omnes Clerici, vel lectores, sicut Levitae et sa-
cerdotes detonso superius toto capite, inferius
solum circuli coronam relinquant. (Ib. c. 41.)

wegziehenden Einfluß, dessen sich damals die weltliche Macht in den übrigen europäischen Reichen schon angemaßt hatte. Der Bischof ward theils von dem Volke, theils von der Geistlichkeit der erledigten Kirche, theils auch und zwar vorzüglich von dem Metropoliten und den übrigen Bischöfen der Provinz gewählt, mußte aber, bevor er consecrirt werden durfte, die königliche Bestätigung erhalten haben. Später, nämlich unter den letztern westgothischen Königen, geschah es jedoch, daß der König zu allen erledigten Stühlen ernannte, dem Erzbischofe von Toledo aber, den man, obgleich er diesen Titel selbst nicht führte, doch schon allgemein als Primas des Reiches betrachtete, das Recht der Confirmation vorbehalten blieb. Unter der Strafe schwerer Kirchencensuren mußte der neue Bischof, nach erhaltener Consecration, sich binnen 3 Monaten dem Metropolitan-Bischofe seiner Provinz vorstellen, der ihm alsdann die weitern, zur künftigen Führung seines heiligen Amtes nöthigen Instructionen ertheilte. Einen Bischof abzusetzen stand nicht in der Gewalt der weltlichen Macht; dieses vermochte nur der Metropolit in einem Concilium sämmtlicher Bischöfe der Provinz; endlich waren auch die Geistlichen, von dem Erzbischofe bis zu dem Diacon, nicht nur, wie es sich von selbst versteht, von aller körperlichen Züchtigung, als Decalvation, Geißelung, Stockschlägen ꝛc., sondern selbst von der Todesstrafe befreiet. Suspendirung oder Entsetzung des heiligen Amtes, Ausstoßung aus dem Schooße der Kirche, zeitliche oder lebenslängliche Einsperrung, größtentheils in einem Kloster, zeitliche oder lebenslängliche Buße waren die Strafen, womit ihre Verbrechen oder Vergehungen belegt wurden.

21. Die Immunität der Kirche war ebenfalls in Spanien mehr gesichert und durch die Gesetze geschützt, als in allen andern abendländischen Reichen. Der Clerus hatte seinen besondern Gerichtsstand. Der Richter eines Geistlichen war der Bischof, von diesem konnte an den Metropoliten, und von dem Ausspruch des Metropoliten, nach der Beschaffenheit des Prozesses, entweder an den König, oder ein Concilium appellirt werden. Ein Bischof, der, in einen Rechtsstreit mit einem andern Geistlichen verwickelt, sich an die weltliche Behörde wendete, ward mit dem Bann belegt. Dem Metropolitan-Bischof allein gebührte die Entscheidung, von welcher jedoch, wie von dem Ausspruch eines ganzen Conciliums, Derjenige, welcher sich gekränkt gäubte, seinen Recurs nach Rom an den apostolischen Stuhl nehmen konnte*). Alles was die Im-

---

*) Einem merkwürdigen Beispiel einer solchen Appellation an den römischen Stuhl begegnen wir unter der Regierung Pabstes Gregorius des Großen. Januarius, Bischof von Malacca und noch ein Anderer, Namens Stephanus wurden von einem Concilium ihrer Würden entsetzt. Beide appellirten nach Rom. Gregor der Große sandte als seinen Legaten, den Johannes, einen Priester der römischen Kirche. Die Sache ward auf das neue, und zwar mit der größten Genauigkeit untersucht, das gefällte Urtheil ungerecht befunden, und den Bischöfen, welche es ausgesprochen, ewige Buße auferlegt. Januarius und Stephanus wurden in ihre vorigen Würden und Aemter eingesetzt, Derjenige, welcher sich als Bischof in die Kirche des Januarius hatte eindringen wollen, ward unfähig erklärt, je eine geistliche Würde bekleiden zu können. — Wenn aber Pabst Honorius I. den spanischen Bischöfen, wegen Lauigkeit in ihrem Kirchenregiment, Vorwürfe macht, und die Bischöfe sich dann zu vertheidigen suchen, und zu ihrer Rechtfertigung, und zum Beweiss ihres Eifers, ihm

den und deren bürgerliche Existenz in Spanien betraf, gehörte blos vor das Tribunal der Bischöfe;
aber Montesquieu hat sehr Unrecht, wenn er hierin
schon einen Keim des, nachher weit später, unter
Isabella von Castilien, eingeführten spanischen In-
quisitionsgerichts finden will. Bei dem unter den

---

die Verhandlungen mehrerer, von ihnen gehaltenen
Concilien nach Rom senden; so hat Herr Lembke Unrecht, wenn er dies als ein Beispiel anführen will, daß
die spanischen Bischöfe sich bisweilen den päbstlichen Decreten widersetzten. Es handelte sich hier im allgemeinen um Thatsachen, wegen welcher der Pabst noch
keine Untersuchung angeordnet hatte, und über die er
also, weil falsch berichtet, im Irrthum seyn konnte. Den
Pabst gehörig darüber aufzuklären, und auf diese
Weise sich zu rechtfertigen, war demnach den Bischöfen
sehr wohl erlaubt. Ungefähr ähnliche Bewandniß hat
es auch mit jener Meinungsverschiedenheit zwischen
Pabst Benedikt II und dem heiligen Julianus von Toledo. Hier war abermals weder von einem, von den
spanischen Bischöfen bestrittenen Lehrbegriff, noch von
einer bestimmten Disciplinar-Angelegenheit,
sondern blos von Ausdrücken die Rede. Der Pabst
wußte, daß Julianus und die übrigen Bischöfe mit der
römischen Kirche in vollkommener Gemeinschaft des
Glaubens wären; nur war er der Meinung, daß sie
hierzu nicht die richtigsten Ausdrücke gewählt hätten.
Diese Ausdrücke suchte nun Julianus in Uebereinstimmung mit den übrigen Bischöfen zu rechtfertigen, und
so ward die ganze Sache nichts, als ein kleiner lite-
rarischer Disput. Indessen muß man doch gestehen, daß die spanischen Bischöfe sich bei dieser Gelegenheit nicht ganz mit jener ehrfurchtsvollen Bescheidenheit
benommen haben, welche sie dem römischen Stuhle schuldig waren. Wer z. B. wird und kann, in Beziehung auf
den Pabst, von Seite der Bischöfe Ausdrücke billigen,
wie folgende: »scientnon non pudebit, quae sunt
vera defendere, ita forsitan quosdam pudebit
quae vera sunt ignorare.«

westgothischen Königen sich ununterbrochen gleichsam forterbenden Haß gegen die Juden, und den crassen, gar nicht zu vertilgenden Vorurtheilen der Gothen gegen diese unglückliche Nation, war die, den Bischöfen über die Juden zugestandene Gerichtsbarkeit eine wahre Wohlthat für dieselben, und eine Menge toledanischer und anderer Concilien-Decrete enthalten sprechende Beweise, daß es gerade die Bischöfe waren, welche die Juden gegen die Gewaltthätigkeiten liebloser Vorurtheile und leidenschaftlichen Hasses in Schutz nahmen. Freilich als nachher die zahlreichen jüdischen Scheinchristen sich mit den Arabern, nachdem diese Herren der ganzen afrikanischen Nordküste geworden waren, in gottlose und verrätherische Einverständnisse einließen, sie nach Spanien überzuschiffen ermunterten, ihren Beistand ihnen zusagten, und endlich das ganze schändliche Gewebe von Treulosigkeit und Verrätherei entdeckt ward, dann waren natürlicher Weise auch andere, um vieles härtere Maßregeln nothwendig, die jedoch offenbar nicht aus der Kirche hervorgingen, sondern blos der weltlichen Macht durch die imperiösen und höchst gefährlichen politischen Zeitumstände, gleichsam abgedrungen wurden; daher auch die, von dem König, dessen Palatinen und Großen, obgleich gemeinschaftlich mit den Bischöfen gemachten Verordnungen nicht so wohl als Conciliums- sondern blos als Reichstages-Beschlüsse zu betrachten sind. Uebrigens war es bei Allem dem noch ein Glück für die damaligen spanischen jüdischen Christen, daß die Ausführung aller gegen sie erlassenen Verordnungen ausschließlich den Bischöfen, und nicht den weltlichen Behörden übertragen war, indem die Letzteren sicher mit ungleich weniger Schonung, und nicht selten sogar mit offenbarer Ungerechtigkeit gegen

dieses, nach entdecktem Verrath, nur auch mehr ge-
haßte Volk verfahren seyn würden.

22. Daß die spanische Geistlichkeit vom Kriegsdienste, von Steuern, Abgaben, Frohnden und andern öffentlichen Diensten befreit war, dies hatte sie
auch mit der Geistlichkeit anderer Länder gemein;
jedoch mit dem Unterschied, daß die Kirche in Spanien nie und zu keiner Zeit jenen Erpressungen und
Räubereien der Großen und selbst der Könige ausgesetzt war, über welche z. B. die fränkische Kirche
so oft, und mit so vielem Rechte sich so bitter zu
beklagen hatte. Wie es scheint, trug doch in den
letztern Zeiten die spanische Geistlichkeit ebenfalls zu
den Staatslasten bei; wenigstens berechtiget uns zu
dieser Vermuthung eine Stelle in der Einleitung zu
den Decreten des 16. toledanischen Conciliums*),
da sich jedoch nirgends eine andere ähnliche Stelle
findet, welche auf Etwas dergleichen schließen läßt;
so wäre es auch möglich, daß, ganz ungewöhnlicher,
dringender Staatsbedürfnisse wegen, auch die Geistlichkeit auf eine gewisse bestimmte Zeit einen Bei-
trag bewilliget hätte.

23. Diese dem geistlichen Stande, zu seinem
heiligen Berufe so nothwendigen Freiheiten beschränkte
König Wamba zuerst durch eine, der sonst vielleicht
nicht mit Unrecht so sehr gepriesenen Weisheit und

*) In dieser Stelle heißt es: „Nam et hoc Honorifi-
„centia Vestra promulgare curabit, ut nemo
„Episcoporum, pro regiis inquisitioni-
„bus exhibendis parochialium ecclesiarum
„jura contingat.“—

Frömmigkeit dieses Königs wahrhaftig wenig Ehre bringende Verordnung: Wamba erließ nämlich ein Gesetz, kraft dessen, so bald ein innerer oder äußerer Feind die Ruhe oder Sicherheit des Reiches bedrohete, alle Geistlichen, vom Bischofe bis zum Diacon, auf den ersten Ruf des Herzoges, sich sogleich bewaffnet bei demselben einstellen mußten. Wer dieser Verordnung zuwider handle, sollte nachher angehalten werden, allen vom Feinde angerichteten Schaden zu ersetzen. Zu Folge diesem Gesetze, welches ein chistlicher Monarch offenbar nicht zu geben befugt war, mußten also jetzt Jene, welche berufen waren, blos unter der Kreuzfahne Jesu zu dienen, nun auch der Fahne des Heerbannes folgen; Nachfolger der Apostel, also Apostel selbst, sollten das Gewand des Friedens mit dem Kriegsrock vertauschen, und Hände, die nur rein und segnend sich gegen Himmel erheben durften, sollten nun zum Schwert greifen, und mit Blute sich beflecken. — — Es ist unbegreiflich, wie Wamba dieses Gesetz geben konnte, noch unbegreiflicher, daß die Bischöfe mit jenem Ernst, den ihr heiliger Beruf ihnen hier zur Pflicht machte, dem Monarchen nicht, wegen dieses der Heiligkeit des Priesterthums höhnenden Gesetzes die dringendsten Gegenvorstellungen machten; aber haben die Bischöfe sie wirklich dem König gemacht, und dieser und dessen Räthe sie nicht beachtet; so ist dies ein neuer Beweis, wie ungerecht der Vorwurf der Herrschsucht sey, den man der spanischen Geistlichkeit des 7ten Jahrhunderts so gerne macht; wie wenig sie die königliche Macht beschränkte, und wie tyrannisch und willkührlich diese noch über dieselbe bisweilen herrschte. Daß dieses Gesetz äußerst nachtheilig auf den sittlichen Zustand der Geistlichkeit wirken, und deren sichtbar zunehmenden Verfall zur Folge haben mußte, bedarf, wie uns deucht, keiner weitern Ausführung; es fühlt sich dies ja von selbst *).

24. Während die innere Verwaltung seines Reiches Wambas ganze Aufmerksamkeit in Anspruch zu nehmen schien, ward dieselbe, durch einen, den Gothen bisher nur dem Namen nach bekannten Feind, plötzlich auf einen ganz andern Gegenstand gerichtet. Die Araber hatten in Afrika sich unlängst der Stadt T a n g e r bemächtiget, und ein Versuch gegen die spanische Küste war die erste Folge dieser Eroberung. Wamba, bei Zeiten von den Bewegungen dieser neuen Feinde unterrichtet, zog seine Flotte zusammen, und ließ sie in der Meerenge kreuzen. Den Gothen, die längst schon mit Italien und Frankreichs südlichen Provinzen einen ziemlich lebhaften Seehandel trieben, sogar Schiffe nach Konstantinopel und der Levante schickten, fehlte es nicht an gewandten Matrosen und geübten Seeleuten; ihrer Superiorität zur See über die Sarazenen waren sie sich bewußt, und die ganze Flotte brannte vor Begierde, sich mit den Römern und Griechen bisher so furchtbaren Schülern Mohameds zu messen. Auf der Höhe von Algesiras kam es zu einem Seetreffen; die Araber wurden völlig geschlagen, verloren 272 theils größere, theils kleinere Schiffe, und sämmtliche darauf befindliche Mannschaft ging größtentheils zu Grunde. — Diese derbe Lection be-

---

*) Diese flüchtige Uebersicht des Zustandes der spanischen Kirche, und deren inneren und äußeren Verhältnisse hielten wir jetzt schon um so zweckmäßiger, als die Kirche unter den Westgothen in Spanien, wegen ihrer Theilnahme an den Reichsgeschäften, auch mehr, als die andern Kirchen des Abendlandes, in die politischen Ereignisse jener Zeit verflochten ist.

nahm den Arabern auf geraume Zeit die Lust, die
Meerenge auf das neue zu überschiffen.

25. Seine äußern und innern Feinde hatte
König Wamba besiegt; weder von jenen noch von
diesen hatte er mehr Etwas zu fürchten. Aber gerade jetzt, wo er sich vollkommen auf seinem Throne
befestiget glaubte, stand der Verräther ihm am nächsten zur Seite. Ardabast, von dem Kaiser aus
Konstantinopel verbannt, war unter Chindaswinth
nach Spanien gekommen. Der Fremdling war zwar
ein geborner Grieche, aber aus einer der ältesten
und edelsten westgothischen Familien entsprossen; denn
er war ein Nachkomme Athanagilds und Enkel des
heiligen Hermenegilds, Königs Recared I. ältesten
Bruders. An Chindaswinth's Hofe fand er also
die freundschaftlichste Aufnahme, stieg mit jedem Tage
höher in der Gunst des Königs, und erhielt endlich
eine nahe Anverwandte desselben zur Gemahlin. Ein
Sohn war die Frucht dieser Ehe; derselbe hieß Erwig, ward am Hofe Recesswinth's erzogen, von
Wamba mit Wohlthaten überhäuft, zur Würde eines
Palatins erhoben, vom König vor allen übrigen
Großen seines Hofes ausgezeichnet, und ihm endlich
selbst die Krone in nicht allzu entfernter Perspektive
gezeiget. Aber schwungsüchtige Entwürfe beschäftigten auch von jetzt an immer mehr und mehr die
Seele des beglückten Günstlings; seinem Ehrgeiz
lebte Wamba zu lange; zwar war der König dem
Greisenalter schon nahe, aber seine dauerhafte feste
Gesundheit schien ihm demungeachtet noch eine ziemlich lange Reihe von Jahren zu versprechen. Erwig
beschloß durch ein, zwar nicht tödtendes, aber völlig be-
täubendes Gift die Regierungsjahre seines Wohlthäters
zu verkürzen, und reichte ihm einen Trank, der ihm
aller Besinnung beraubte. Als der alte König nun in

völliger Betäubung, da lag, und beinahe kein Zeichen des Lebens von sich gab, wurden die anwesenden Bischöfe, und vor Allen der heilige Julianus, Erzbischof von Toledo, herbeigerufen. Man gab dem Sterbenden die letzte Oehlung, und da Niemand wußte, auf welche Weise der König in diesen traurigen Zustand war versetzt worden, daher auch, besonders weil derselbe schon in Jahren weit vorgerückt war, an dessen, vielleicht schon in wenigen Augenblicken erfolgenden Tod gar nicht mehr zweifelte, so schnitt man ihm, nach der damals allgemein herrschenden Sitte, die Haare ab, und legte ihm das Gewand eines Büßenden an. *) Ervig übernahm indessen die Leitung der laufenden und dringendsten Geschäfte am Hofe. Aber des Königs starke Natur widerstand der Kraft des Giftes, überwand endlich dessen Wirkung, und nach 24 oder

---

*) Der Gebrauch, daß ein Kranker, wenn dem Tode nahe, sich das Kopf scheeren, und ein Bußgewand anlegen ließ, war so allgemein, und in dem religiösen Sinne der Nation so tief gewurzelt, daß man endlich gar die Unterlassung desselben als den Beweis eines Mangels an Demuth und freudiger Ergebung in den Willen Gottes ansah; daher es auch geschah, daß, wenn ein Sterbender das Bewußtseyn verloren, mithin nicht mehr im Stande war, um das Bußkleid zu bitten, die Anverwandten desselben, oder jene, welche sein Sterbelager umgaben, es ihm selbst anlegten, in der Voraussetzung, daß er, wenn er sprechen könnte, auch darum bitten würde. Wem aber, selbst im Zustande völliger Betäubung, das Bußgewand einmal war angelegt worden, der mußte nach den Gesetzen der Kirche, wenn auch seine völlige Genesung erfolgte, dennoch sein ganzes übriges Leben in dem Zustande der Buße verharren, und war demnach unfähig gemacht, von jetzt an irgend ein zeitliches Amt, oder eine weltliche Würde zu bekleiden.

48 Stunden erwachte Wamba wieder aus seinem Todesschlummer. Als er jetzt erfuhr, wie nahe er dem Tod gewesen, und nun einsah, daß er durch den Verlust seines Haupthaares und die Anlegung eines Bußgewands unfähig gemacht worden wäre, demüthigte er sich unter der Hand der Vorsehung, ergab sich ohne zu murren in sein Schicksal, und nicht ahnend die Tücke teuflischer Bosheit, ermahnte er sogar sämmtliche Großen seines Hofes, den Erwig zu seinem Nachfolger zu wählen, ließ auch diesem eine von ihm unterzeichnete schriftliche Erklärung, die diesen Wunsch ausdrückte, unverzüglich zustellen; er selbst entsagte noch einmal der Krone, und begehrte in das, wahrscheinlich von ihm selbst gestiftete Kloster Pompliega gebracht) zu werden. Bald darauf ward Wamba wieder völlig gesund, ging in das so eben erwähnte Kloster, und lebte noch mehrere Jahre, ein Muster der Buße und ungeheuchelter Frömmigkeit.

26. Um den Wunsch des abtretenden Königs zu erfüllen, ward Erwig von den Palatinen am 16. Oktober des Jahres 680 gewählt, und fünf Tage nachher von dem Erzbischofe von Toledo, dem heiligen Julianus, zum König gesalbt *). Um seine

---

*) Herr Professor Aschbach sagt hier S. 204. »Unterdessen übernahm Erwig, wahrscheinlich im Einverständniß mit der Geistlichkeit, die ganze Leitung der Regierungsgeschäfte rc.« Es fragt sich nun: mit welcher Geistlichkeit? natürlich mit keiner andern, als den paar, zufällig gerade am Hofe anwesenden Bischöfen und vorzüglich mit dem heiligen Julianus, Erzbischof von Toledo. Aber nun scheint uns das obige wahrscheinlich im höchsten Grade überflüssig und gar nicht an seinem Ort; denn da, vermöge der westgothi-

Wahl auf einer Reichsversammlung bestätigen zu
lassen, berief Erwig drei Monate darauf das zwölfte
toledanische Concilium zusammen; er eilte jetzt um
so mehr damit, als Einige der Scharfsehendsten am
Hofe den geheimnißvollen Schleier, der Erwig's
Thronerlangung umgab, durchschaueten, und der
Verdacht eines, an Wamba begangenen Verraths
immer mehr auf dem neuen König zu lasten begann. Sechs und dreißig Bischöfe, fünf Aebte, . . .

. . . .

. . . . . schen Reichsverfassung, auch der Erzbischof von Toledo
im Namen der hohen Geistlichkeit an der, von den Palatinen vorgenommenen Wahl Antheil hatte; so folgt
ganz natürlich und einfach daraus, daß, nachdem er
derselben seine Zustimmung gegeben, er nun auch damit einverstanden seyn mußte, daß Erwig die Leitung der Reichsgeschäfte übernahm. Doch dies ist das
wenigste; die Hauptsache, worauf es hier ankommt,
ist die, daß sehr wohl manche Leser aus jenem wahrscheinlich noch ein anderes zweites wahrscheinlich herleiten könnten, nämlich daß dem Erzbischof auch
Erwig's Arglist und Giftmischerei bekannt gewesen wären. Höchst sonderbar wäre freilich eine solche Wahrscheinlichkeit gerade da, wo die völlige Unmöglichkeit gleichsam mit allen Sinnen belastet werden
kann. Die allgemein anerkannten höhern Tugenden
dieses gottesfürchtigen Erzbischofs, und der kleine
Umstand, daß die Kirche ihn nachher unter
die Heiligen versetzte, bürgen mehr, als irgend
ein anderes historisches Zeugniß, für dessen Unschuld. —
Zwar ward einst der Gerechte zu den Sündern
gezählt und hing, büßend für aller Menschen Sünden,
zwischen zwei Mördern am Kreuzbalken. Aber nie
wird Gott zugeben, daß die Kirche, bei welcher sein
Geist bis an das Ende der Tage weilt, so sehr in
Blindheit falle, daß sie einen Giftmischer oder
Mörder den auserlesenen Freunden Gottes zuzählen,
und ihn, dem andächtigen Volke zum Muster und
zur Verehrung, auf ihre Altäre erheben sollte.

funfzehn Großen des Reiches waren auf dem Concilium gegenwärtig. Der heilige Julianus führte den Vorsitz. Ervigs Wahl ward für gültig erklärt, und noch überdieß durch einen neuen Canon verordnet, daß derjenige, der einmal in den Stand der Büßenden wäre versetzt worden, sey es auch in seiner völligen Geistesabwesenheit desselben geschehen, dennoch darin verharren, mithin der fernern Bekleidung weltlicher Würden für immer unfähig seyn sollte. Daß dieser Canon gemacht ward, um Wamba alle Hoffnung zu benehmen, je wieder den Thron zu besteigen, ist offenbar. Aber die Bischöfe mußten nichts von Ervig's tückischer Arglist gegen seinen Wohlthäter, konnten auch nichts davon wissen. Dies Werk der Finsterniß war ja selbst dem in Toledo residirenden Erzbischof Julianus unbekannt — und daß es ihm unbekannt war, dies bestätiget und bekräftiget uns die allgemein anerkannte Heiligkeit dieses würdigen Oberhirten. — Der Canon war also nicht sowohl gegen Wamba, der ganz gewiß, wie es sein ganzer folgender Wandel beweist, gar nicht mehr aus seiner frommen Abgeschiedenheit würde haben hervortreten wollen, gerichtet, sondern nur deswegen von dem Concilium gegeben, um Wamba's und seiner Familie zahlreiche Anhänger abzuhalten, durch Aufruhr und Empörung das Reich auf das neue zu verwirren.

27. Hätte dem Ervig nicht ein Verbrechen den Weg zum Thron gebahnt, so wäre er desselben nicht unwürdig gewesen. Er herrschte mit vieler Klugheit, Gerechtigkeit und Milde. Dem Volke erließ er alle rückständige Abgaben, und auf einer Reichsversammlung gab er mit Zustimmung der Bischöfe und übrigen Großen eine Verordnung, kraft welcher die, gegen Staatsverbrecher bestehenden all-

zu strengen Gesetze gemildert, und allen jenen, welche, seit Cindeles Zeiten, wegen Aufruhr, oder verweigerter Heerbannfolge, für ehrlos erklärt, oder ihrer Güter waren beraubt worden, ihre sämmtlichen bürgerlichen Rechte so wie auch ihre, dem königlichen Fiscus heimgefallenen Güter wieder zurückgegeben wurden. Sogar Paulus und dessen Mitschuldigen erhielten bei dieser Gelegenheit ihre Freiheit. Aber trotz aller dieser versöhnenden Maßregeln ward dennoch die innere Ruhe im Reiche durch die Anhänger der Familie Wamba's einigemal gestört, jedoch durch Erwigs Klugheit bald wieder hergestellt. — Um den Frieden im Innern des Reiches zu befestigen und zugleich auch seine eigene Familie nach seinem Tode gegen alle Verfolgungen der Anhänger Wamba's zu schützen, fiel Erwig endlich auf den Gedanken, das Haupt der feindlichen Parthei, und durch dasselbe zugleich auch dessen ganzen Anhang theils durch Wohlthaten zu gewinnen, theils durch deren eigenes Interesse unauflöslich an seine Familie zu knüpfen. Der nächste Anverwandte des Wamba war dessen Neffe Egiza; diesen mußte natürlicher Weise Erwig als seinen ärgsten, erbittertsten Feind betrachten. Um ihn zu söhnen, entschloß er sich, ihm die Hand seiner Tochter Cixilona, und mit dieser auch zugleich die Aussicht auf den Thron als Mitgift zu geben. Dankbar nahm Egiza das unerwartete Anerbieten an; aber bevor die Vermählungs-Feierlichkeiten statt hatten, mußte Cixilona's künftiger Gemahl seinem Schwiegervater eidlich versprechen, dessen Familie nicht nur in dem Besitze aller ihrer Güter zu lassen, sondern sie überhaupt gegen jede andere Kränkung, und Verfolgung ihrer Feinde zu schützen. Bald darauf ward Erwig krank. Als er sich dem Tode nahe fühlte, ward sein Gewissen, dessen strafende Stimme ihn während seiner ganzen

Regierung beinahe ununterbrochen geängstigt hatte, nur noch dringender. Mit Uebergehung seiner eigenen Söhne trat er also mit Genehmigung der an seinem Hofe anwesenden Großen und Palatine, am 20. Nov. 687 Wamba's Neffen die Krone ab, nachdem dieser durch einen zweiten Eid ihm hatte versprechen müssen, stets mit Milde und Gerechtigkeit zu regieren. Erwig ließ sich hierauf in das Gewand eines Büßenden kleiden, und in ein, nicht sehr entferntes, ganz einsam gelegenes Kloster bringen, wo er wenige Tage darauf verschied. Ungefähr drei Monate nachher, starb in seinem Kloster zu Pompliega auch König Wamba, dessen Andenken, wie Alphons der Große in seiner Chronik sagt, allen Spaniern ewig heilig, ewig unvergeßlich seyn muß.

28. Gleich den vorigen Königen, berief auch Egiza schon im sechsten Monate nach seiner Thronbesteigung ein Concilium, oder einen Reichstag nach Toledo. Wie auf den frühern Reichsversammlungen, hatte hier wieder der heilige Julianus von Toledo den Vorsitz. Der König überreichte den Bischöfen eine Schrift, in welcher er sie aufforderte, sein Gewissen, durch Auflösung einiger ihn sehr ängstigenden Zweifel, wieder zu beruhigen. Vor seiner Thronbesteigung nämlich habe er seinem Vorgänger einen zweifachen Eid geschworen, wovon der Eine es ihm zur Pflicht mache, alle Angehörige Erwig's in dem Besitze ihrer Güter zu schützen, der Andere aber, gegen alle seine Unterthanen ohne Ausnahme, stets Recht und Gerechtigkeit zu handhaben. Da nun unter jenen, welche unter der vorigen Regierung durch Einziehung ihrer Güter bestraft worden, sich leicht auch Unschuldige finden, und deren ungerechter Weise confiscirten Güter Erwig's Angehö-

rigen geschenkt worden seyn könnten; so befände er sich jetzt in der peinlichsten Verlegenheit, indem er nicht wüßte, wie er in solchem Falle, seine, durch den zweifachen Eid übernommenen, nun aber offenbar sich widersprechenden Verpflichtungen mit einander vereinbaren sollte. — Unstreitig konnte König Egiza nicht leicht Etwas alberneres und abgeschmackteres vorbringen, als diese Zweifel, und wollen wir nicht annehmen — was auch, wie in der Folge es sich zeigen wird, gar nicht der Fall war — daß Egiza der beschränkteste Kopf und größte Einfaltspinsel in seinem ganzen Königreiche gewesen, so müssen wir glauben, daß die, sein Gewissen so sehr belastenden Zweifel blos in einer vorübergehenden Heuchelei ihren Grund hatten; wahrscheinlich bezweckte er damit, der ganzen Nation von der künftigen g e r e c h t e n, w e i s e n und daher b e g l ü c k e n d e n Regierung ihres neuen, so ungemein z a r t f ü h l e n d e n, gewissenhaften Königs recht große Begriffe beizubringen. — Die Bischöfe erklärten dem König, was ein Eid sey, daß dieser nie zu Uebertretung eines göttlichen Gebotes verpflichten könne, und entbanden also den scrupulösen Monarchen seines ersten Eides f ü r a l l e s o l c h e F ä l l e, wo derselbe ohnehin keine verbindende Kraft haben könnte, und es daher eigentlich auch gar keiner Lossprechung bedurfte.

29. Hätte Egiza sich wirklich an Erwigs Familie rächen wollen, so konnte er nun durch willkührliche Deutung der Erklärung der Bischöfe, dem in ihm erwachten Rachgefühl freien Lauf lassen. Aber von allem diesem geschah nichts, und es findet sich nirgends eine Spur, daß Egiza während seiner ganzen Regierung irgend ein Glied der Familie seines Vorgängers nur im mindesten gekränkt

hätte *). Ueberhaupt war Egiza ein sehr verständiger, und dabei im höchsten Grade edler Regent.
In Allem beobachtete er stets das rechte Ziel und
Maaß, und das Zeitgemäße war stets die Richtschnur seiner Verordnungen. Mit Einsicht steuerte
er daher eingerissenen Unordnungen, suchte den, durch
die bisher so häufigen, stets mit Erschütterungen
im Innern verbundenen und eine Menge, einander
feindlich sich gegenüber stehender Partheien erzeugenden Thronveränderungen, schwankend und unsicher
gewordenen Besitzstand auf das neue wieder zu befestigen, verminderte Steuern und Abgaben, setzte
durch weise Verordnungen dem zunehmenden Sitten-
verderbniß heilsame Schranken, half den, im Laufe
der bürgerlichen Unruhen verarmten Kirchen und
Klöstern durch seine Freigebigkeit wieder auf, zeichnete
durch strenge Sittlichkeit des Wandels vor allen Großen seines Reiches sich aus, und suchte, durch eigenes Beispiel ungeheuchelter Frömmigkeit, auch unter
seinem ganzen Volk einen ächt christlichen Sinn wieder zu wecken.

30. Aber während Egiza, durch seine väterliche Sorgfalt für das wahre Wohl der Nation, sich
täglich noch verdienter um dieselbe machte, brütete
im finstern der Geist der Empörung schon wieder
neue verderbliche, das Reich in Verwirrung stür-
zende Entwürfe. Spanien hatte vor ungefähr zwei
Jahren das Unglück gehabt, seinen durch Gelehrsamkeit und Tugend gleich ausgezeichneten, selbst im

---

*) Daß Egiza seine Gemahlin Cixilona, Erwigs Tochter
verstoßen haben soll, ist offenbar falsch, denn sieben
Jahre nachher wird ihrer, als Königin, und Egizas
Gemahlin, noch auf einem Concilium erwähnt.

Auslande und vorzüglich am römischen Hofe in hoher Achtung stehenden Bischof, den heiligen Julianus von Toledo zu verlieren. Auf den durch diesen Todesfall erledigten Stuhl war Sisebert erhoben worden, ein, zwar aus einem der ältesten und vornehmsten Geschlechter entsprossener, aber dem Geiste der Religion Jesu völlig entfremdeter, arglistiger, ränkesüchtiger, unruhiger Prälat. Durch Künste der Verstellung und geheuchelten Eifer für die Ehre Gottes und das Heil der Menschen, hatte der Schalk die höchste Würde in der Kirche und in dem Staate erhalten, und dieser glückliche Erfolg ermunterte ihn jetzt nur zu noch größerm und kühnerm Frevel. Um über die Krone nach Willkühr zu schalten und Einen aus seinem eigenen Hause auf den Thron zu erheben, stellte sich der unwürdige, pflichtvergessene Metropolit an die Spitze einiger unruhiger, unzufriedener Köpfe, verführte und gewann, weil durch seine Geburt mit dem vornehmsten gothischen Adel verwandt, noch mehrere andere Großen, und ging mit nichts wenigerem um, als den König, dessen Gemahlin, Kinder und sämmtliche Familie zu ermorden. Zum Glück ward das teuflische Komplott, bevor es reif war, entdeckt, und Sisebert unverzüglich verhaftet. Auf die erste Nachricht von der Verhaftung des Erzbischofes griffen die Verschwornen zu den Waffen, aber weder hinreichend vorbereitet, noch schon zahlreich genug, wurden sie mit leichter Mühe überwältiget; und Egiza, abermals Strenge mit Milde verbindend, strafte nur die Schuldigsten, die Häupter der Verschwörung, und begnadigte alle übrige, welche Sisebert's teuflische Arglist zur Theilnahme an dem Frevel verführt hatte. Um über den ruchlosen Bischof Sisebert Gericht zu halten, berief der König ein Concilium nach Toledo. Der Majestätsverbrecher ward von den versammelten Vätern

seiner Würde entsetzt; alle seine Güter wurden zum
Vortheil des königlichen Fiscus eingezogen; er selbst
ward aus dem Schooße der Kirche ausgestoßen und
auf ewig verbannt; erst in der Stunde des Todes
sollte er, wenn er wahre und tiefe Reue fühlen
würde, in die Gemeinschaft der Christen wieder auf=
genommen werden *).

---

*) Wenn nach einer langen Reihe weiser und erleuchteter
Bischöfe, gottesfürchtiger Aebte und frommer und ge=
lehrter Klostergeistlichen sich einmal ein Sisebert
findet, dann hat eine gewisse, und leider sehr zahl=
reiche Parthei gewonnenes Spiel. Der Eine schlechte,
obgleich die Kirche selbst ihn verdammt und aus ihrem
Schooße gestoßen hat, muß dennoch stets den ganzen,
gewiß ehrwürdigen geistlichen Stand repräsentiren,
und über diesem wird nun natürlicher Weise ebenfalls
der Stab gebrochen. Wie es scheint, ist es für die
Herren ein Axioma geworden, daß die katholische Geist=
lichkeit, überall und zu allen Zeiten stolz, habsüchtig,
herrschsüchtig 2c., bei allem ihrem Streben stets blos ihr
eigenes, zeitliches Interesse bezwecke. An diese, ihre
schönen Prämissen knüpfen sie nun eine Menge Schlüsse,
einer immer schmähliger als der andere für unsere
Geistlichkeit. Beruft man sich dagegen auf geschicht=
liche Thatsachen; dann sind sie bald fertig, denn da
unsere, weil über den Erdkreis verbreitete, Kirche
viele tausend höhere und niedere Geistlichen zählt, sich
aber in einer solchen, so ungemein großen Anzahl,
stets und zu allen Zeiten einige Siseberte finden
werden — (hatte er sich ja schon unter den 12 Apo=
steln gefunden) so rufen nun tausend, wie aus einer
Kehle, Sisebert, Sisebert! da es aber dennoch
eigentlich und der Wahrheit nach nicht viele Sieberte
giebts so gefällt es den Herren, versteht sich, völlig
nach Willkühr, auch ganz Andere in Sieberte zu
verwandeln, und schreien dann z. B. nun auch bis
zum Betäuben: Hildebrand, Hildebrand!
Ein vernünftiges Wort noch weiter zu sprechen, wird
jetzt völlig unmöglich, die historischen Beweise haben

31. Kaum war diese Verschwörung entdeckt und bestraft, als eine neue, noch ungleich teuflischere und verderblichere Verschwörung gleichsam die ganze Strenge einer mächtigen und starken Regierung herausforderte. — Die Juden, gedrückt durch die frühern, gegen sie erlassenen Gesetze, und zum Christenthum angelockt durch Belohnungen, Erhebung in den Adelstand, Befreiung von Zöllen und andern Abgaben, waren größtentheils Christen geworden; aber leider nur dem Scheine nach, und daher in Geheim nur noch desto erbittertere und gefährlichere Feinde der Christenheit. Indessen waren doch viele derselben, welche auch nicht dem Scheine nach zu dem Christenthum sich hatten bekehren wollen, nach Afrika geflohen, und die Araber, welche nun Herren der ganzen nördlichen Küste dieses Welttheils geworden waren, ließen den Juden, gegen Erlegung des gewöhnlichen Kopfgeldes, nicht nur ungestörte Ausübung ihrer Religion, sondern auch völlige Freiheit des Handels, sammt mehrern andern bürgerlichen Rechten und Vortheilen. Als die Juden in Spanien dies erfuhren, beneideten sie das glückliche Loos ihrer Glaubensgenossen jenseits der Meerenge, und seufzeten nur um so mehr jetzt nach dem Augenblicke, wo auch sie das, ihnen immer drückender werdende Joch zerbrechen, und den Gekreuzigten, den sie bisher mit den Lippen anbeten mußten, wieder laut und öffentlich würden lästern dürfen. Nichts war ihnen also erwünschter, und nach nichts sehnten

---

ja nun die Herren in Fülle, die allgemeine Meinung aller Gelehrten hat darüber entschieden, was bedarf es fernern Zeugnisses, crucifige, crucifige! — Aber zum Glück spricht nicht so der Mund der ewigen Wahrheit; dieser sagt: Qui vos spernit, spernit me et Patrem meum, qui me misit!

sie sich mehr, als nach Mohamedanischer Herrschaft auch in Spanien. Mittels ihrer Glaubensbrüder in Afrika knüpften sie demnach geheime Unterhandlungen mit den Sarazenen an, ermunterten sie nach Spanien überzuschiffen, gaben ihnen von der Stärke oder Schwäche der Städte und von dem innern, durch Partheiungen zerrissenen Zustande des Reiches alle mögliche Kunde, erboten sich überall ihre Führer zu seyn, und endlich sogar durch eine Bewegung im Innern ihre Landung zu unterstützen. Die Araber nahmen die Einladung an, und rüsteten mit der größten Thätigkeit in ihren Häfen eine Flotte aus. Aber auch diese Verschwörung, obgleich in das tiefste Geheimniß gehüllt, und mit der größten Vorsicht geleitet, entging dennoch nicht der Wachsamkeit des Königs; noch bei Zeiten erhielt Egiza Nachricht davon, und berief sogleich eine Reichsversammlung (17. Toled. Conc.) nach Toledo. Der Erhaltung des Reiches mußte jetzt jede andere Rücksicht weichen, und gegen das verblendete, und in seiner Verblendung verstockte Judenvolk zeigten nun die versammelten Bischöfe eine Strenge, welche nur durch die, dem ganzen Reiche drohenden Gefahren gerechtfertiget werden kann. In der Ueberzeugung, daß Spaniens Heil nur in der gänzlichen Ausrottung des Judenthums zu finden sey, verordneten die versammelten Väter, daß alle Güter der Juden eingezogen, sie selbst aber in Sclavenstand gesetzt, und nach der Bestimmung des Königs unter die Christen vertheilt werden sollten. Es ward ferner verordnet, die Kinder vom siebenten Jahre an von ihren jüdischen Aeltern zu trennen, und zu ihrer Erziehung christlichen, notorisch rechtschaffenen Familien zu übergeben; und damit schon mit der nächst aufblühenden Generation jede Spure des Judenthums von dem spanischen Boden vertilgt wäre, sollten von nun an alle Juden

Töchter mit christlichen Jünglingen, und also jüdische Jünglinge mit christlichen Mädchen verheirathet werden. — Das, seiner völligen Reise sich schon nahende Werk der Finsterniß war also jetzt wieder zerstört, und die aus den afrikanischen Häfen ausgelaufene Sarazenen-Flotte ward von seiner der Gothen, unter der Anführung des tapfern Theudemirs, abermal völlig geschlagen und zerstreut.

32. Durch die Weisheit und Energie seiner Regierung, durch Privat- und Regenten-Tugenden hatte Egiza, während einer bald zehnjährigen Herrschaft, sich die Liebe und Verehrung aller Stände des Reiches, aller Klassen der Nation erworben, und sein königliches Ansehen war nun so vollkommen befestiget, daß er mit nicht mehr zu bezweifelndem Erfolge sich mit dem Gedanken beschäftigen konnte, seinem Sohne Wittiza die westgothische Krone zu hinterlassen. Mit Genehmigung seiner Großen ernannte er also seinen Sohn zuerst zum Statthalter, oder vielmehr Vicekönig von Gallicien, dem alten Sueven-Reich, und wieß ihm die Stadt Tuy zu seiner einstweiligen Residenz an. Dies war jedoch nur ein Schritt näher zum Ziel, und schon im Anfange des darauf folgenden Jahres erklärte Egiza, und gewissermaßen so ziemlich eigenmächtig, seinen Sohn Wittiza zum Mitregenten über die gesammte westgothische Monarchie; und eine um diese Zeit in Narbonne geschlagene Münze beweißt, daß der Sohn auch über das gothische Gallien gemeinschaftlich geherrscht habe *). Wittiza begab sich jedoch nicht

---

*) Eine vollständigere Beschreibung dieser Münze und deren Umschrift, findet sich in Herrn Professor Aschbach Geschichte der Westgothen. S. 303.

nach Toledo, sondern blieb, so lange sein Vater
lebte, auch als Mitregent in seiner bisherigen Residenz zu Tuy in Gallicien.

33. Drei Jahre genoß Egiza nun die Fülle
der schönsten Vaterfreuden; denn eben so lange sah
er noch seinen, von der Natur mit den edelsten Anlagen ausgerüsteten Sohn auf dem Throne an seiner
Seite. Nach dreizehnjähriger Regierung starb endlich der glückliche Vater im Anfange des achten Jahrhunderts (701.) zu Toledo, und zwar mit dem,
einem weisen und tugendhaften Regenten so über-
schwänglich lohnenden Bewußtseyn, seinem Sohne
ein, in seinem Innern völlig beruhigtes, von den,
schon zweien Welttheilen so furchtbaren Sarazenen
gefürchtetes, und in jeder Hinsicht blühendes und
glückliches Reich zu hinterlassen.

XIX.

1. Untergang des westgothischen Rei-
ches. Bei dem völligen Mangel gleichzeitiger, zusammenhängender Nachrichten, und den vielen, gar
nicht zu vereinbaren Widersprüchen zwischen den
Erzählungen der frühern und jenen der spätern Geschichtschreiber, ist es sehr schwer, ja wohl unmöglich, eine durchaus wahrhafte Geschichte der Regierung der beiden letzten westgothischen Könige
Wittiza und Roderich zu geben, oder ein, der
Wahrheit vollkommen treues Bild dieser beiden Fürsten zu entwerfen. Zwei Chroniker, welche König
Wittiza am nächsten stehen*), geben demselben das

_____
*) Nämlich Isidorus Pacensis, (Isidore von Badajoz)

herrlichste Zeugniß; nur Gerechtigkeit, Weisheit und Milde, sagen sie, umgaben seinen Thron, und die allgemeine Liebe der Nation, von einem Ende Spaniens bis zum andern, war die Stütze desselben *). Andere, und zwar spätere Geschichtschreiber sagen gerade das Gegentheil. Ihnen zufolge, war Wittiza eines der größten Ungeheuer, die je noch einen Thron entehrten; ein Ungeheuer, das nicht nur sich selbst den schändlichsten Lüsten ergab, sondern auch Andern noch zwei Laster gebot, alles moralische Gefühl bei der Nation zu ertödten suchte, die Kirchenzucht auflöste, die Kirche zerrüttete, ein Schisma herbeiführen wollte, und die gesammte Geistlichkeit, den hohen wie den niedern Clerus, in einen bodenlosen Abgrund von Lastern und Zügellosigkeit zu stürzen sich bestrebte; kurz, sie stellen von diesem König ein Zerrbild auf, dessen Bestandtheile, wenn sie auch wirklich — was hier jedoch schwerlich der Fall seyn möchte — aus der Natur genommen wären, doch nirgends so zusammenhängend und von allem Guten so isolirt sich vorfinden; so daß die, in Wittiza's Gemälde sichtbar vorsätzliche Anhäufung der dunkelsten und schwarzesten Farben, eben

---

welcher ungefähr schon 50 Jahre nachher schrieb, und der Fortsetzer der Chronik des Joannes Biclariensis, die mit dem Jahre 721 sich endiget.

*) Unter mehrern andern preiswürdigen, gleich den Anfang seiner Regierung verherrlichenden Regentenhandlungen, warf Wittiza auch alle Bürgschaften und Verschreibungen, welche sein Vater sich sowohl von mehrern Großen, als auch ganzen Städten und Gegenden, um sich ihrer Treue zu versichern, hatte geben lassen, in öffentlicher Versammlung in das Feuer, und entließ auf diese Weise Jene, welche sie ausgestellt hatten, aller darin eingegangenen, größtentheils sehr lästigen Verbindlichkeiten.

deswegen schon demselben allen geschichtlichen Glau
ben entzieht *). — Wieder andere und noch spätere
Geschichtschreiber suchen diese einander so sehr widersprechenden Erzählungen mit einander zu vereinigen **); aber auf eine Weise, die von ihrem historischen Scharfsinn uns gerade nicht sehr große Begriffe beibringt. Mit leichtem Fuß schwingen sie
sich über die ungeheure Kluft, die jene, sich gegenseitig aufhebenden Berichte von einander trennt, und
erzählen uns dann, Wittiza sey in den ersten Jahren seiner Regierung das Muster eines trefflichen
Regenten gewesen, habe sich aber auf einmal geändert, und in einen der verabscheuungswürdigsten
Wütheriche sich verwandelt. Was aber diese gänzliche Umwandlung in Wittiza herbeiführte; welche
äußere Umstände und Ereignisse dem Gange seines
Lebens eine andere Richtung und Bestimmung gaben, ihn der Stütze, welche die Religion ihm lieh,
beraubten, und so nach und nach immer tiefer in

---

*) Der erste von den, wenigstens zu uns gelangten, Wit-
tiza's Andenken schmähenden Geschichtschreibern, ist ein
ausländischer Mönch, der ungefähr hundert Jahre nach
dem Tode dieses Königs lebte. Derselbe weis jedoch
noch nicht sehr viel Nachtheiliges von ihm zu erzählen,
und sagt blos, Wittiza sey den Weibern ergeben gewesen, und habe dadurch Geistlichen und Weltlichen das
Beispiel eines ausgelassenen und ausschweifenden Lebens
gegeben. (Chron. Moissineense). An Schmähungen
schon bedeutend ergiebiger ist eine spanische Chronik aus
dem 9. Jahrhundert; und um vieles noch reichhaltiger
als diese, jene des Lucas Tudensis aus dem 13. Jahrhundert.

**) Der Bischof Roderich von Toledo, (Rodericus Simo-
nis) der ebenfalls in der ersten Hälfte des dreizehnten
Jahrhunderts blühete. Seine Chronik, die von den
ältesten Zeiten anfängt, endet mit dem Jahre 1248.

ten Abgrund hineinführten: von allem diesem, was
doch den Geschichtforscher, dem in der Geschichte
der Mensch das Wichtigste ist, vorzüglich interes-
siren müßte; sagen sie kein Wort. Nur wiederholt
werden jetzt alle, diesem Könige zu Last gelegten
Greuelthaten, gewöhnlich noch einige neuen hinzuge-
fügt, und die ganze Masse der, über das Andenken
dieses Fürsten, gehäuften Schmach wird noch um
einige Zentner vermehrt. In einem Labyrinth, dessen Dunkel nur ein höchst schwacher Strahl des
Lichts erleuchtet, öffnet sich der Phantasie des Geschichtschreibers ein weites Feld der Vermuthung;
aber willkührliche Annahmen, wie scharfsinnig sie
auch seyn mögen, können da, wo die Geschichte
schweigt, und auch nicht ein einziges Denkmal spricht,
zwar eine müßige Neugierde befriedigen, keineswe-
ges aber unsere historischen Kenntnisse wirklich be-
reichern. Indessen müssen wir gestehen, daß, wenn
nicht eine wahrhafte Geschichte, eben weil sie wahr
ist, nur gar zu oft die breite Bahn der Wahrscheinlichkeit verließ, des Herrn Professors Aschbachs Erklärung, jedoch nach Abzug dessen, was der geist-
volle Herr Verfasser aus seiner eigenen Individualität in die Geschichte hinüber trägt, uns noch am
meisten genügen würde. Dieser Erklärung also, in
so weit sie mit unserer Ueberzeugung und unsern
Grundsätzen übereinstimmt, in ihren Hauptmo-
menten folgend, möchte Wittiza's Regierungsgeschichte, wenigstens im Umrisse, ungefähr nachste-
hende seyn.

2. Als Wittiza nach seines Vaters Tod die
ungetheilte Herrschaft über das gothische Reich übernahm, regierte er in den ersten Jahren mit Gerechtigkeit, großer Mäßigung und einer, über alle Clas-

fen des Volkes sich erstreckenden Milde. Das Wohl der Nation lag ihm wahrhaft am Herzen, und die Liebe, die er ihr, durch Nachlassung der Rückstände, Linderung der Abgaben und mehrere andere Gnadenakte erwies, ward ihm von derselben mit gleicher Liebe erwiedert. Dieser glückliche Erfolg spornte nur noch mehr seine Thätigkeit. Allen Gebrechen des Staates — und welcher Staat ist davon völlig frei — glaubte er nun nicht frühe genug entgegen kommen zu müssen. Natürlicher Weise konnte Spaniens, in dessen Verfassung liegendes Grundübel, das die Monarchie zu einem Wahlreich machte, seiner Einsicht nicht entgehen. Dieses große, wie alle übrigen kleinern Uebel wollte also Wittiza jetzt in ihren Wurzeln ausrotten. Aber statt so große und tief eingreifende Umänderungen und Verbesserungen in der Verfassung, Gesetzgebung, Verwaltung ꝛc. mit der größten, hier durchaus erforderlichen Behutsamkeit vorzubereiten, statt den, wahrscheinlich sehr häufigen Bemühungen, die Ausführung seiner Plane zu hintertreiben, die nöthige Geduld und den Ernst der Besonnenheit, und den vielen, sich anhäufenden Hindernissen eine unerschütterliche Ausdauer entgegen zu setzen, kurz, statt der Zeit, diesem reichen Säemann so manches Guten und Gedeihenden, auch Etwas zu überlassen, nahm Wittiza nur zu raschen, und gewaltsamen Einschreitungen seine Zuflucht, ließ, weil in dem Wahne eines vorwurfsfreien Bewußtseyns, weder durch Hindernisse, noch die Folgen seiner Unbesonnenheit sich schrecken; ward auf diese Weise nach und nach ein eigenwilliger, eigensinniger Reformator, und handelte nun auch ganz in dem Geiste und mit der gewöhnlichen Hitze und dem ungestümen Eifer aller Reformatoren jedes Zeitalters. Eine nothwendige Folge einer solchen Regierung war große Unzufriedenheit zuerst unter den Großen; diese erzeugte bald innere Unruhen und aufrührerische Bewegungen, die zwar stets schnell unterdrückt, aber auch von dem, dadurch noch mehr gereizten König immer härter und strenger bestraft wurden. Verschiedene von den Großen verloren durch Blendung das Gesicht, andere wurden hingerichtet, und noch mehrere verbannt und ihrer Güter beraubt. Bitter klagten jetzt diese, und deren zahlreiche Familien, Freunde und Anhänger über Wittiza, bezeichneten ihn als einen herzlosen, ungerechten und grausamen Tyrannen und, zu ohnmächtig, in einer förmlichen Empörung ihre Rache zu befriedigen, nahmen sie zu den gräßlichsten Verläumdungen ihre Zuflucht. Jede Schwachheit des Königs ward jetzt zu einem Laster gesteigert, jede Verirrung zu einem Verbrechen gestempelt, und er selbst noch einer Menge erdichteter, seinem Herzen vielleicht völlig fremder Gräuelthaten beschuldiget. Wie gewöhnlich, fanden diese Lästerungen, weil öfters wiederholt, nun bald, zuerst bei der Leichtgläubigkeit, dann auch anderer Orten, und endlich überall und allgemeinen Glauben; und so sah nun schon ein großer Theil der Nation, besonders des hohen Adels, in Wittiza das gehässige Bild eines vollendeten, fluchwürdigen Tyrannen.

3. Aber in keinem Reiche lagen die Grenzen der geistlichen und weltlichen Macht so nahe beisammen, und flossen so unmerksam in einander, als in Spanien. Diese zart und schwach gezogene Scheidlinie ward von Wittiza's ungestümem Reformationsgeist nun ebenfalls, und nur gar zu bald überschritten; nicht blos den Staat, sondern auch die Kirche und die Geistlichkeit wollte er reformiren. Natürlich geschah jetzt was nothwendig geschehen mußte. Mit Nachdruck und würdevollem Ernste

widersetzten sich die Bischöfe und die gesammte Geistlichkeit den unerlaubten Neuerungen des reforma-
tionssüchtigen Königes.   Aber Wittiza war kein
schwacher, vor jedem Hindernisse sogleich zurückbe-
bender Fürst.   Je kräftiger der Widerstand der Bischöfe war, desto höher stiegen seine Kühnheit und
sein Trotz, das angefangene Werk zu vollenden, und
durch den Zweck, der noch immer in einem reinen
Lichte ihm erschien, sich über die Mittel täuschend,
erlaubte er sich auch jedes, selbst das schlechteste, so
bald es nur zu seinem Ziele ihn führen konnte, und
ward auf dieser falschen, so äußerst gefährlichen
Bahn nun auch bald von seinem ungestümen, nicht
mehr von Klugheit und Gerechtigkeit geleiteten Eifer immer weiter fort und endlich über alle Schranken hinweggerissen, zuerst zu mancherlei Verirrungen
und Mißgriffen, und von diesen endlich zu wirklichen Verbrechen und offenbarem Frevel.   Um die
Kirche in Spanien sich völlig unterwürfig zu machen, suchte er sie zu isoliren, jeden höhern Stützpunkt ihr zu entziehen.   Er erschwerte daher, und
verbot zuletzt alle Gemeinschaft mit dem römischen
Stuhl; und die mahnende Stimme des Oberhaupts
der Christenheit nicht mehr hörend, stand er im
Begriffe, ein förmliches Schisma, eine wahrhaft ke-
tzerische Spaltung der spanischen Kirche von der römischen in seinem Reiche herbeizuführen. Den Sin-
deredus, Erzbischof von Toledo, vertrieb er von
seinem Sitze, und machte seinen Bruder Oppas,
durch dessen Einfluß er die übrige Geistlichkeit ganz
nach seinem Willen zu lenken hoffte, obgleich derselbe schon das Bisthum von Sevilla hatte, gegen
alle Canons der Kirche auch zum Bischof von Toledo und Primas des Reiches; raubte hierauf der
Geistlichkeit einen Theil ihrer Güter, belohnte und
beschenkte damit seine Anhänger, und erhob auf die

erledigten bischöflichen Stühle, wie auch zu andern geistlichen Würden nur solche Menschen, bei denen er eine zuvorkommende Bereitwilligkeit zu allen seinen Absichten zu finden glaubte. Um die Geistlichkeit noch mehr zu verbürgern, und mit ihren Neigungen desto fester an zeitliches und irdisches Interesse zu fesseln, wollte er die Ehe unter dem hohen wie niedern Clerus einführen, ermunterte Bischöfe und Priester, sich zu verheirathen, duldete und erlaubte sogar den Concubinat, und sahe es sehr gerne, und freuete sich darüber, wenn Geistliche, weil sie in der Achtung des Volkes dadurch tief herabsinken mußten, sich einem zügellosen Leben, und sogar Ausschweifungen überließen, welche selbst die Stirne des leichtsinnigsten Weltlings mit Schamröthe überziehen würden; und so ward Wittiza, dem die Natur weder Geist, noch ein edles Herz versagt hatte, blos durch den, allen Reformatoren eigenen Absolutismus und Despotismus, nach und nach ein wahrer, göttliche wie menschliche Gesetze mit Füßen tretender Tyrann, ein Feind Gottes und der Kirche, deren wohlthätigen Einfluß auf die Sittlichkeit und das Heil der Völker er von Grund aus zu zerstören suchte.

4. Aber bei aller der Hartnäckigkeit, mit welcher Wittiza die gehäuften, seinem illusorischen Reformationswerke sich entgegen setzenden Hindernisse bekämpfte, wachte er dennoch stets mit unermüdeter Thätigkeit über der Sicherheit seines Reiches, und die nämliche Kraft, die er jedesmal in der schnellen Unterdrückung aller Unruhen im Innern bisher bewiesen hatte, entfaltete er nun auch gegen Spaniens äußere Feinde. Die Sarazenen, wahrscheinlich unterrichtet von der, unter den Großen und selbst einem Theile des Volks herrschenden Gährung,

bedroheten abermals die spanische Küste; sie hatten
in ihren Häfen eine neue Flotte ausgerüstet, und
um auszulaufen harrte diese nur eines günstigen
Windes. Aber auch Wittiza hatte eine stets segel-
fertige Flotte in Bereitschaft; die vorzüglichsten Lan-
dungspunkte waren mit Wachtthürmen besetzt, und
die, den Seeprovinzen vorgesetzten Herzoge hatten
von dem König den Befehl, auf das erste Signal,
mit der ganzen waffenfähigen Mannschaft ihrer Bezirke, den bedroheten Punkten entgegen zu eilen.
Sobald also Wittiza von den feindlichen Bewegungen der Sarazenen Nachricht erhielt, zog auch er
seine Flotte zusammen, übergab den Oberbefehl wieder dem tapfern Theudemir, und dieser schlug nun
zum Drittenmale in einer offenen Seeschlacht die
Flotte der Barbaren mit großem Verlust in die
Flucht, verfolgte sie eine Strecke auf dem Meere,
und bohrte alle Schiffe, die ihm noch in die Hände
fielen, in Grund; nur wenige derselben erreichten
wieder die afrikanische Küste. (709).

5. Dieser glänzende Sieg mußte nothwendig
Wittiza's Macht und Ansehen noch mehr befestigen,
aber auch in dem nämlichen Verhältniß die Furcht
vor seinem, wahrscheinlich jetzt noch schrankenloser
wüthenden Despotismus vermehren. Alle Gemüther, unter den Großen, wie unter dem Volke waren zur Empörung geneigt; jedes fühlte die Nothwendigkeit, der gesetz- und schonungslosen Willkühr
des Tyrannen eine Schranke zu setzen. Roderich,
Receswinths Enkel und Sohn des Theodefreds,
welchen Wittiza hatte blenden lassen, schwang zuerst
die Fahne des Aufruhrs; aber kaum war diese aufgepflanzt, als auch aus allen Gegenden Spaniens
zahllose Mißvergnügte herbeieilten. Wittiza unter-
lag, und Roderich ward von seinem zahlreichen An-

hang und einem großen Theil der Nation zum König ausgerufen. Aber so dunkel und verwirrt ist
die spanische Geschichte dieser Zeit, daß wir weder
über das Detail dieser, mit Erfolg gekrönten Verschwörung, noch über Wittiza's Schicksal sichere,
sondern blos höchst unzuverlässige, weil einander widersprechende Nachrichten haben. Einigen Geschichtschreibern zufolge, ward Wittiza in dem Treffen gegen Roderich erschlagen, nach Andern, in seinem eigenen Palaste meuchlerisch ermordet. Wieder Andere erzählen, Wittiza sey in die Hände Roderichs
gefallen, und dieser, um die seinem Vater angethane Unbild zu rächen, habe ihn ebenfalls, durch
Blendung des Gesichts berauben lassen. Endlich
wird auch noch behauptet, ein Vergleich wäre zwischen Roderich und Wittiza zu Stande gekommen;
Letzterer habe mit Ersterm den Thron getheilt, und
noch einige Monate gemeinschaftlich mit demselben
geherrscht. — Unstreitig unter den verschiedenen, sich
widersprechenden Angaben die unwahrscheinlichste, und
die daher am wenigsten Glauben verdient.

6. Noch nie befand sich das westgothische
Reich in Spanien in einem so verwirrten, von
mächtigen Partheien in seinem Innern so sehr zerrissenen Zustande, als jetzt. Höchst wahrscheinlich
hatte auf dem achtzehnten toledanischen Concilium, oder Reichstage, dessen Verhandlungen aber
nicht auf uns gekommen sind, Wittiza die Erblich-
keit der Thronfolge in seinem Hause, durch sein
überwiegendes Ansehen durchgesetzt. Diesem neuen
fundamentalen Reichsgesetze zufolge, forderten also
jetzt Wittiza's Söhne, Eba und Sisebut die
spanische Krone für sich; aber Roderich, von der
Geistlichkeit und dem größten Theil der Nation
unterstützt, behielt die Oberhand, vermochte je-

19

doch nicht die mächtige, ihm drohend und feindlich
gegenüber stehende Parthei zu unterdrücken, und
diese lauerte nun im Stillen auf den Augenblick,
unter günstigern Umständen ihre Ansprüche auf das
neue wieder mit den Waffen in der Hand geltend
zu machen. Indessen war Roderich im wirklichen
Besitze des Thrones und der ganzen königlichen
Macht. Eine viel grössere Masse von Streitkräften
stand ihm also zu Gebote, und da alle Gewalt in
seinen Händen lag; so konnte er mit ungleich grö-
sserer Einheit, Energie und Schnelligkeit handeln,
als seine, von einander getrennten, im Verborgenen
lauernden und durch die Umstände zu der grössten
Behutsamkeit gezwungenen Feinde. Wittiza's gestürzte Parthei, an deren Spitze, außer Eba und
Sisebut, nun auch der nichtsnutzige, durchaus ver-
dorbene Erzbischof Oppas stand, sah dies wohl
ein, und da natürlicher Weise Roderich mit jedem
Tage sich noch mehr auf seinem Throne befestigen
mußte; so fühlten auch mit jedem Tage jene Partheihäupter immer dringender das Bedürfniß eines
kräftigen, fremden Schutzes. Aber keine Macht
stand Spanien näher, konnte mithin diesen Beistand
schneller und kräftiger leisten, als gerade die Sarazenen in Afrika, und auf diese unselige, trostlose
Küste waren daher auch jetzt die Blicke aller schwungsüchtigen und unruhigen, oder doch mit dem gegenwärtigen Zustand unzufriedenen Grossen, so wie überhaupt eines jeden, blos auf die Zerrüttung und das
Unglück seines Vaterlandes speculirenden Verräthers
geheftet.

7. Mit Ausnahme eines kleinen, den Spaniern gehörenden Theils von Mauritanien mit der
Feste Ceuta, war die ganze Nordküste von Afrika
den Arabern unterworfen, und als Statthalter des

Kaliphen Walid herrschte jetzt dort, wie der Leser sich aus dem vorigen Bande erinnern wird, des tapfern Hassan Nachfolger, der unerschrockene, in allen seinen Unternehmungen bisher glückliche Musa. Für einen Mann wie dieser, dessen Eroberungslust selbst eine bezwungene halbe Welt kaum würde haben befriedigen können, mußte das so nahe gegenüber liegende Spanien eine unwiderstehliche Lockung seyn. Schon hatte er einige Versuche gemacht; jedoch mit schlechtem Erfolge. Die Landungen der Araber in Spanien wurden zurückgeschlagen, und ihre Flotten, wie wir erzählt haben, von den, ihnen auf dem Meere weit überlegenen Gothen zerstört. Eben so fruchtlos waren Musa's Bemühungen, sich der Feste Ceuta zu bemächtigen. Die Stadt ward von dem tapfern Grafen Julian, der auch Statthalter in den, an der Meerenge liegenden Bezirken war, auf das hartnäckigste vertheidiget; und Musa, nachdem mehrere Tausende seiner Leute unter Ceuta's Mauern ihr Grab gefunden, sah sich gezwungen, die Belagerung in eine Blokade zu verwandeln. Durch Hunger wollte er jetzt die Stadt zur Uebergabe zwingen; aber Wittiza's Flotte, deren Flaggen überall siegreich in diesen Gewässern weheten, vertrieb die Schiffe der Sarazenen, welche von der Seeseite die Stadt einschlossen, versah dieselbe mit Lebensmitteln im Ueberfluß, und nöthigte den Musa, unverrichteter Dinge, und ziemlich schmachvoll vor Ceuta wieder abzuziehen*).

*) Auch bei der Geschichte der Eroberung Spaniens durch die Sarazenen, ist die Klage über Mangel an vollkommen befriedigenden historischen Quellen nicht ungegründet. Die spanischen Geschichtschreiber, die natürlicher Weise wenig Lust und Liebe haben konnten,

19 *

8. Aber der Tapferkeit und Kriegskunde Julians entsprachen nicht dessen Treue und Vaterlandsliebe. Als ein naher Anverwandter Wittiza's, erkannte er, wenigstens in seinem Herzen, nicht Roderich für seinen rechtmäßigen König, handelte demnach im Einverständniß mit Wittiza's Bruder und Söhnen, und sann nun auf Mittel, mit Hülfe der Sarazenen den Roderich zu stürzen, und Eba und Sisebut wieder den Thron ihres Vaters zu verschaffen. Julian wandte sich also an den Statthalter von Afrika, und zwischen Beiden begann jetzt ein ziemlich lebhafter Briefwechsel. Der Graf machte Musa den Antrag eines ewigen Bündnisses zwischen den Westgothen und Arabern, forderte von ihm ein Hülfscorps, um den Usurpator, wie er Roderich nannte, zu entthronen,

---

über eine Periode voll Unglück und Nationalschmach sehr umständlich sich zu verbreiten, gehen ganz flüchtig und so schnell als möglich darüber hinweg; ihre Berichte sind daher kurz, abgebrochen, lückenhaft, wenig befriedigend. Ungleich zuverlässigere Quellen möchten dem Scheine nach wohl die arabischen Geschichtschreiber seyn; denn jede Nation wünscht, ihre glücklichen Erfolge und glänzenden Triumphe, mit allen, sie begleitenden Nebenumständen, durch die Geschichte zu verewigen; aber bei der Araber bekanntem, oft ausschweifendem Hange zur Uebertreibung, bei ihrem sichtbaren Anstrengen, von ihrer eigenen Nation alles, was ihr zum Vorwurfe gereichen könnte, zu entfernen und zu verschweigen, sie im Gegentheil stets in das vortheilhafteste, glänzendste Licht zu setzen, und daher ihre Erzählungen immer bis in das wunderbare und romanhafte auszumalen und auszuschmücken, darf man wahrhaftig ihren Berichten nicht allzu sehr trauen, sie nur mit der größten Vorsicht und Behutsamkeit benutzen; zudem müssen ohnehin schon die, ihren Erzählungen eingewebten, offenbaren Fabeln und Mährchen auch nothwendig gegen das Uebrige gerechte Zweifel erregen.

stellte ihm das Unternehmen als sehr leicht und gefahrlos vor, und versprach ihm Geschenke und ungeheure Beute, Spaniens Reichthümer zum Lohn der zu leistenden Hülfe *).

---

*) Des überall und weit und breit erzählten Mährchens von Grafen Julians Tochter, der **Cava** oder **Florinda** — denn nicht einmal über dem Namen ward man einig — wollten wir hier nur in der Kürze erwähnen. Folgendes ist ungefähr das Wesentlichste dieser Fabel. Die Kinder der Großen wurden bei den Westgothen in Spanien am Hofe erzogen; die Söhne dienten als Edelknaben dem König, die Töchter als Hoffräuleins der Königin. Cava, Julians Tochter, ein Mädchen von ausnehmender Schönheit, befand sich nun ebenfalls an Roderichs Hofe. Eines Tages, als sämmtliche Fräuleins in dem Schloßhofe spielten, stand König Roderich gerade auf dem Balkon seines Palastes, und da er für den Augenblick nichts Besseres zu thun wußte, so musterte er einstweilen die unter seinen Augen herumhüpfenden weiblichen Schönheiten; aber am längsten heftete die schöne Cava die Blicke des Königes auf sich; über ihr vergaß Roderich alle Uebrige, konnte sich gar nicht satt sehen, und entbrannte endlich in leidenschaftlicher Liebe gegen das reizende Mädchen. Um Cava zu verführen, versuchte der König alle mögliche Mittel; zu Liebkosungen, Geschenken und den glänzendsten Versprechungen nahm er seine Zuflucht; aber Cava war tugendhaft und alle Bemühungen Roderichs blieben fruchtlos. Dieser Widerstand entflammte nur noch mehr die Leidenschaft des Königes, und von ihr endlich übermannt, schritt er zur Gewalt. Trostlos war die schöne, aber leider jetzt entehrte Cava, und in dem Uebermaß ihres Schmerzens schrieb sie unverzüglich einen ungemein rührenden Brief an ihren Vater, in welchem sie ihn mit ihrem Unglück und ihrer Schmach bekannt machte. Julian, der seine Tochter zärtlich liebte, schwur nun dem gekrönten schändlichen Räuber ihrer Unschuld unversöhnliche Rache. Ohne zu zögern reiste der Graf sogleich nach Toledo, nahm seine Tochter, unter dem Vorwande, daß seine

9. Der treulose Sarazene, zur Eroberung Spaniens von seinem Kaliphen schon ermächtiget, und in seinem Entschluß noch mehr befestiget durch die glänzende Beschreibung einer Menge spanischer Flüchtlinge und Verräther von der Schönheit des Landes, der Fruchtbarkeit seines Bodens und dem Reichthume seiner vielen, großen und prachtvollen Städte, nahm Julians Antrag mit Freude an, versprach weder selbst das Islam in Spanien zu predigen, noch es predigen zu lassen; forderte aber von dem Grafen eine doppelte

---

sehr gefährlich kranke Gemahlin, Cavas Mutter, dieselbe bei sich zu haben wünschte, vom Hofe, und kehrte mit ihr schleunigst nach Afrika zurück. Aber nun, da er seine Tochter in Sicherheit wußte, eilte Julian auch zur Ausführung des von ihm entworfenen Planes seiner Rache, schrieb auf der Stelle an Musa, den arabischen Statthalter in Tanger, ermunterte denselben, unter Zusicherung seines Beistandes, zur Eroberung Spaniens, und ward auf diese Weise, blos um an König Roderich sich zu rächen, die Ursache des Unterganges und der Zerstörung des westgothisch-spanischen Reiches. — Angesehene spanische Geschicht- und Alterthumforscher haben längst schon die ganze Erzählung für eine Fabel erklärt; und man muß sich wundern, wie es möglich war, daß Geschichtschreiber, wie Ferreras und Mariana, welcher Letztere sogar noch Cavas elegisch-klagenden, herzbrechenden Brief an ihren Vater uns mittheilt, das Geschichtchen, das offenbar blos eine arabisch-spanische Romanze ist, als ein wirkliches historisches Ereigniß in ihren Büchern haben aufnehmen können. Die ältesten Chronicken, nämlich die von Isidor, König Alphens und Albayda wissen kein Wort davon; der erste spanische Geschichtschreiber, der davon spricht, ist der Monachus Silensis, jedoch wahrscheinlich blos wie von einer Volkssage; daher er auch derselben nur in wenigen Worten erwähnt.

Bürgschaft seiner Aufrichtigkeit gegen die Moslemen. Die Festung Ceuta sollte er ihm nämlich übergeben, und dann durch einen feindlichen Einfall in Spanien sich zuerst selbst als einen Feind des gothischen Königes erweisen. Julian that Beides, übergab die Stadt Ceuta, bemannte mit eigenen Leuten zwei Schiffe, segelte nach der spanischen Küste, verheerte eine Strecke derselben, und kam nach einigen Tagen mit Gefangenen und ziemlich reicher Beute wieder nach Afrika zurück.

10. Durch diese Expedition hatte zwar Julian Musa's und der Saracenen Zutrauen gewonnen; denn sie zweifelten nun keinen Augenblick mehr daran, daß er wirklich ein a u f r i c h t i g e r V e r r ä t h e r seines Vaterlandes sey; aber demungeachtet wollte des Kaliphen Stellvertreter doch vorher durch seine eigenen Leute noch nähere Kundschaft von dem Lande einziehen. Auf seinen Befehl schiffte sich also T a r i f *), ein Berber und Musa's Freigelassener, mit einigen hundert Pferden ein. Fußvolk wollte er keines mitnehmen, um, weil es doch blos auf einen Streifzug abgesehen war, bei annähernder Gefahr sich desto schneller wieder auf seine Schiffe zurückziehen zu können. Der Ort, wo die Araber landeten, ward nach dem Namen des Anführers T a r i f a genannt, und

---

*) Dieser T a r i f darf mit dem, jetzt ebenfalls bald erscheinenden T a r i k nicht verwechselt werden Einige behaupteten zwar, Tarif und Tarik bezeichneten eine und dieselbe Person, und Tarif wäre nur der falsch geschriebene Name des Tarik; aber dies ist offenbar unrichtig, denn der einer kleinen spanischen Halbinsel gegebene Name T a r i f a beweißt eben so gut die Existenz des Erstern, als der, dem Felsen Calpe gegebene Name G e b e l = A l = T a r i k die Existenz des Letztern erweißt.

wegen des auffallenden Contrastes, den das im schönsten Schmuck der Natur prangende Land mit Afrikas oft weiten und öden Sandwüsten bildete, nannten sie dasselbe Algezirat al Ghadra, das heißt, die grünende Insel. Andalusiens *) ganzes Küstenland ward jetzt durchstreift; nirgends fanden die Araber Widerstand; ungestört konnten sie rauben und plündern, trieben zahlreiche Heerden mit sich fort, verbrannten einige Kirchen, machten die unglücklichen Einwohner, die durch schnelle Flucht sich nicht gerettet hatten, zu Gefangenen, und kehrten endlich, ganz bezaubert von dem schönen Lande und mit reicher Beute beladen, ohne einen Mann verloren zu haben, wieder nach Tanger zurück.

11. Dieser glückliche Erfolg gab endlich Musas bisher immer noch wankenden Entschluß eine feste Bestimmung, und unter dem kriegserfahrnen Tarik mußte jetzt ein, größtentheils aus Berbern bestehendes Heer von zwölftausend Mann sich unverzüglich nach Spanien einschiffen. Um den Muth seiner Krieger noch mehr zu entflammen, ließ Tarik, als die Schiffe schon auf dem Meere wogten, dem ganzen Heere verkünden, daß in der verflossenen Nacht Mohamed, von den vier Ersten seiner Nachfolger begleitet, ihm in einem Traumgesicht erschie-

---

*) Von dem arabischen Wort Andalos, welches Abend heißt. Die gewöhnliche Ableitung von den Vandalen, daß nämlich das Land zuerst Wandalusien geheißen hätte, ist deßwegen völlig ungegründet, weil das Wort Andalusien vor dem Einfall der Sarazenen ganz unbekannt war. Unter der Benennung Andalusien begriffen die arabischen Geschichtschreiber anfänglich ganz Spanien, als ein, ihnen gegen Abend oder Westen gelegenes Land.

nen, und die Zusicherung gegeben hätte, daß ihr gegenwärtiges Unternehmen von dem glücklichsten Erfolge würde gekrönt werden. Niemand zweifelte an der himmlischen Erscheinung; und des ganzen Heeres nun gewisse Zuversicht eines unfehlbaren Sieges war für Tarik eben so viel, als eine Verstärkung von sechstausend Mann. — Mit der Flotte der Sarazenen vereint, segelte Graf Julian mit 4 Schiffen, mit seinen eigenen Leuten bemannt, nach Spaniens Küste.

12. An der einen Säule des Herkules, auf Europas südlicher Spitze landete Tarik sein Heer. Zwar widersetzten sich der Landung siebenzehn hundert Mann Gothen unter der Anführung des tapfern Theudemir, des ehemaligen Ueberwinders der Sarazenen; da aber die ausgeschifften feindlichen Schaaren immer zahlreicher wurden, mußte Theudemir sich endlich zurückziehen, und Tarik schlug auf dem Berge Calpe sein Lager auf. — Um das Andenken an diese Landung zu verewigen, nannten die Araber diesen Berg Gebel-al-Tarik, d. i. Berg des Tarik, woraus nachher Gibr-al-tar ward.

13. Gleich jenem spätern, verzweifelten Eroberer von Mexico, verbrannte auch Tarik seine Schiffe: „Nur zwischen Sieg oder Tod," sagte er zu seinem Heer, „bleibt uns jetzt die Wahl; das Meer im Rücken macht Flucht oder Rückzug gleich verderblich." *)

---

*) Daß Tarik seine Schiffe verbrennt habe, wird von arabischen Geschichtschreibern erzählt, die aber, wie wir wissen, ihren Berichten stets Etwas romanhaftes beimischen

14. Nur fechtend zog der wackere Theudemir sich zurück; aber an König Roderich sandte er einen Eilboten mit folgendem laconischen Schreiben. „Ein zahlreiches feindliches Heer steht auf Spaniens Boden; ob es aus der Erde hervorgegangen, oder vom Himmel herabgestiegen ist, weiß ich dir nicht zu melden. Indessen sende schleunige Hülfe; oder noch

---

müssen. Ohne Zweifel war jedoch Tarik ein zu erfahrner Feldherr, als daß er die absolute Nothwendigkeit einer Verbindung mit Afrika zur See nicht hätte einsehen sollen. Zudem schickte Musa, wie wir sogleich sehen werden, sehr bald darauf dem Tarik eine bedeutende Verstärkung an Mannschaft; aber ohne Schiffe wäre dieß nicht möglich gewesen, und wahrhaftig, Tarik würde dem Statthalter in Afrika einen ungemein schlechten Dienst erzeigt haben, wenn er der, ohnehin nicht sehr ansehnlichen Marine der Araber in Afrika, durch Verbrennung seiner Schiffe, — und dieser werden zu einem Transport von 12000 Mann, größtentheils Reiterei, gewiß nicht wenige erfordert — eine so tiefe, und dabei lange schmerzende Wunde, und zwar auf so ganz närrische Weise geschlagen hätte. — Mit dem kühnen Eroberer einer halben Welt, mit Cortes, der ungefähr 900 Jahre nachher die eine Hemisphäre in Erstaunen setzte, während er die andere zerstörte, hatte es ein ganz anderes Bewandniß; der Weg über das atlantische Meer ist nicht zu vergleichen mit dem Wege über eine Meerenge, die man beinahe mit freiem Auge überblicken kann; die ungeheure Linie über den atlantischen Ocean ist demnach keine militärische Operationslinie. Zudem hatte Cortes von dem europäischen Continent nichts mehr zu erwarten; und so hatte das Verbrennen seiner Schiffe einen vernünftigen Zweck, denn er wollte, wie das verzweifelte Unternehmen es auch erforderte, seinen Gefährten, Waghälsen gleich ihm, keinen andern Gedanken lassen, als den des Sieges oder eines gewissen Todes.

besser, eile selbst mit der ganzen Macht der Gothen herbei." —

15. Als Roderich Theudemirs Bericht erhielt, war er gerade mit Bezwingung des eben so wilden und unruhigen, als kriegerischen Gebirgsvolkes der Basken beschäftiget. Sogleich sandte er den E d e k o, einen seiner Vertrauten, mit einem Theil der Reiterei dem Theudemir einstweilen zu Hülfe; da aber die drohende Gefahr groß war, mithin auch größere Anstrengungen und Zurüstungen erforderte, so betrieb er diese nun auch selbst mit aller nur möglichen Thätigkeit. In der Ueberzeugung, daß bei der, der ganzen Nation drohenden gemeinschaftlichen Gefahr, Leidenschaften und persönliches Interesse verstummen, und alle Gothen zur gemeinschaftlichen Vertheidigung und Rettung des Vaterlandes sich verbinden würden, ließ Roderich ein allgemeines Aufgebot ergehen; jeder Waffenfähige sollte sich an den Zug seines Herzoges anschließen, und die Gegend von Cordova des gesammten Heeres gemeinschaftlicher Versammlungsplatz seyn. Auf den Ruf des Königes griff Alles zu den Waffen, und in kurzer Zeit hatte Roderich hundert tausend Mann unter seinen Fahnen *). Auch der Bischof Oppas und Wittizas beide Söhne Eba und Sisebut waren mit zahlreichen Schaaren dem königs

---

*) Die Stärke von Roderichs Heere, wird verschieden angegeben; Einige setzen es nur auf 75000 Mann, und ein arabischer Geschichtschreiber sagt sogar, daß man in dem gothischen Heere nur 40,000 Mann wirklicher Streiter gezählt habe; in diesem letztern Falle, welcher auch für uns eine größere Wahrscheinlichkeit hat, müßte auch des Königs Aufgebot nur an die, der Gefahr am nächsten liegenden Provinzen ergangen seyn.

schen Heerbanne gefolgt. Wie es scheint, oder viel mehr wie es sich aus dem Folgenden ergibt, waren weder Eba und Sisebut noch Oppas von Julians Bündniß mit Musa, und dem, zwischen beiden geschlossenen Vertrag genau unterrichtet, und hielten daher jetzt die Sarazenen, besonders nach deren frühern, gegen Spanien schon gemachten feindlichen Versuchen, für das, was sie wirklich waren, für die ärgsten und furchtbarsten Feinde des gothischen Reiches. Roderich nahm daher keinen Anstand, Wittizas Söhnen die Führung der beiden Flügel des Heeres zu übertragen; gab ihnen aber eine sehr ernste Ermahnung, sich ja jeder Verbindung mit dem treulosen, nichts als Spaniens Eroberung und den völligen Untergang des gothischen Reiches beabsichtenden Feinde zu enthalten.

16. Aber auch Tariks Heer war indessen bedeutend verstärkt worden; denn kaum hatte Julian den spanischen Boden wieder betreten, als er an alle Freunde und Anhänger des Wittiza'schen Hauses Sendschreiben erließ, in welchen er sie aufforderte, sich mit ihm und seinen Alliirten zu vereinigen; seine und seiner Bundesgenossen Absicht sey blos dem Hause Wittiza wieder die Krone zu verschaffen, die Roderich, nur von seinem Anhange und nicht von der Nation gewählt, demselben geraubt hätte. Diesem verrätherischen Rufe folgte eine Menge Mißvergnügter. Ein nicht unbeträchtliches Corps Christen stand nun bald in den Reihen der Sarazenen, und in den Feldern von Andalusien wehete nun, unter Julians Oberbefehl, das Panier der Christen zugleich mit Mohameds grüner und schwarzer Fahne. Ueberdieß waren zahlreiche Schaaren heimlicher Juden, die längst schon eines solchen Augenblicks mit Sehnsucht harrten, ebenfalls zu Tarik übergegangen, und end-

lich hatte diesem auch Musa noch eine Verstärkung
von 7000 Mann, ächter Araber, aus Afrika gesandt. Das Sarazenen-Heer belief sich demnach auf
27000 bis 30,000 Mann. Ungeachtet der unter
Edeko von Roderich erhaltenen Verstärkung vermochte
also der tapfere Theudemir nicht, das Vordringen
der Feinde zu hemmen; täglich hatten kleine Gefechte statt; in einem derselben ward Edeko erschlagen,
und arabische Streifpartheien schwärmten auf ihren
flüchtigen Rossen schon an den Ufern des Qua-
dalquivir.

17. Bei Xeres de la Frontera unweit
von Cadix, stießen Roderichs und Tariks Heere auf
einander; der Fluß Guadalade trennte beide feindliche Lager. An Muth und persönlicher Tapferkeit
waren die Gothen den Arabern wenigstens gleich *).

---

*) Es ist unbegreiflich, wie beinahe alle neuern Geschicht-
schreiber die Gothen unter Roderich als ein verweichlichtes,
der Waffen und des Krieges völlig entwöhntes, muthlo-
ses Volk schildern können. Zu diesem absprechenden Urtheile bietet die Geschichte auch nicht die mindesten Belege.
War allenfalls der Gothen kriegerischer Geist während
einer vorhergegangenen, langen, den Krieger entner-
venden Friedensperiode entflohen? wäre dies der Fall
gewesen; so hätte es unter Receswinths drei und zwanzigjähriger, friedlichen Regierung geschehen seyn müssen. Kein König, weder vor noch nach Receswinth hat
je so lange geherrscht. Aber gleich unter Wamba, Receswinths Nachfolger, brach jener blutige, innere Krieg
aus, in welchem das Heer des Königes, und zum Theil
selbst jenes der Rebellen Alles leistete, was nur immer
von tapfern, kriegerischen, unter den größten Mühseligkeiten ausharrenden Truppen gefordert werden kann.
Feste, auf steilen Felsen erbaute und tapfer vertheidigte Burgen und Schlösser wurden erstiegen, große,

an Rüstung, zweckmäßiger Verbindung der verschie=

---

ganze Heere als Besatzung in sich schließende Städte erstürmt, die beschwerlichsten, angestrengtesten Märsche über Gebirge, wie die Pyrenäen, mit ausdauerndem Muth in beinahe unglaublich kurzer Zeit zurückgelegt, und zwei fränkische Herzoge, die ihre Heere vereint hatten, bloß durch den Schrecken, der den Gothen voranging, in die Flucht gejagt. Die wilden und kriegerischen Basken wurden unter Wamba mehr, als noch je vorher geschehen war, gedemüthiget; und unter dem nämlichen König ward endlich auch eine der zahl= reichsten Flotten, welche die Sarazenen bisher noch ausgerüstet hatten, und die aus 270 Schiffen bestand, nicht nur geschlagen, sondern völlig zerstört. Unter Wamba's Nachfolgern war Spanien in seinem In= nern nie völlig ruhig; bei jedem Thronwechsel mehr= ten sich die Partheien, und jede derselben stützte sich bloß auf ihr Schwert und die Stärke ihres Arms; und als in der Periode der stärksten Gährung, unter Wittiza, die Sarazenen mit ihrer Flotte an der spa= nischen Küste erschienen, wurden sie abermals von Theudemir völlig geschlagen; und endlich war es eben= falls dieser tapfere Gothe, der mit einer Handvoll Soldaten sich nicht bloß der Landung eines Heeres von zwölftausend Mann widersetzte, sondern auch in mehrere Gefechte sich mit ihm einließ, dessen Vordringen erschwerte und nur fechtend sich zurückzog. Wahrhaf= tig, so erscheint in der Geschichte kein Volk, dessen kriegerischer Geist im Schooße der Ueppigkeit und am Busen der Wollust gänzlich erstorben ist. Um der Sarazenen schnelle Eroberung Spaniens zu erklären, bedarf es nicht der Hypothese einer völligen Ent= artung und Erschlaffung der gothischen Nation. Die Erklärungsgründe des plötzlichen Zusammenstürzens des westgothischen Reiches sind ganz anderswo, und zwar eben so leicht zu suchen, als auch zu finden; sie erge= ben sich zum Theil schon aus dem, was bisher da= von gesagt worden, und werden in der Folge der Ge= schichte dieses Eroberungskrieges sich noch anschaulicher darstellen.

denen Waffengattungen, taktischer Gewandtheit und
militärischer Intelligenz ihnen weit überlegen, und
der Gothen ungleich grössere Masse von Streitkräften mußte ihnen einen Sieg verbürgen, den nur drei-
facher schändlicher Verrath ihnen entreissen konnte.
Am 19. Julius 711 an einem Sonntag begann die
Schlacht und wüthete ununterbrochen bis zum folgenden Sonntag fort. Nur die Nacht trennte jedesmal die kämpfenden Heere; aber keines verließ das
Schlachtfeld, und mit grauendem Morgen begann
jedesmal auf das neue wieder die schreckliche Blut-
arbeit. Nach viertägiger Schlacht war der Wahl-
platz mit Leichen bedeckt. Tarik hatte schon gegen
16000 Mann verloren. Bei der Schwäche seines
Heeres war ihm dieser Verlust äußerst schmerzhaft.
Auch bei den Sarazenen selbst fing der Muth an
zu sinken. In der Schlacht am 5ten Tag war daher ihr Angriff, wie ihr Widerstand ungleich weniger kräftig, und schon schien der Sieg sich auf die
Seite der Gothen zu neigen, als Tarik vor die Fronte
seiner Leute sprengte, und ihnen zurief: »Moslemen, Sieger und Eroberer von ganz Afrika! wohin wollt ihr fliehen; hinter Euch ist das Meer,
vor Euch der Feind; folget euerm Anführer, der
entschlossen ist, entweder hier zu sterben, oder den
erschlagenen Gothenkönig mit den Füßen zu zertreten.« — Diese kurze Rede belebte auf das neue den
Muth der Araber; die Schlachtordnung ward zwar
wieder hergestellt, aber demungeachtet der Sieg auch
heute noch nicht entschieden. Indessen war der Untergang des schon so sehr zusammengeschmolzenen
Sarazenen-Heeres auf den folgenden Tag beinahe
mit Bestimmtheit vorauszusehen. In dieser gefahrvollen Lage griff der mit Schuld und Schande bedeckte Julian zu dem letzten Mittel, welches Verzweiflung dem Verräther darbot. Er selbst, oder seine

Emissaire gingen bei nächtlicher Weile zum Oppas und zu Wittizas Söhnen, stellten ihnen vor, daß sie gegen sich selbst, gegen ihr eigenes Interesse kämpften; nur durch seine Bemühungen hätten die Sarazenen, als seine und des Hauses Wittiza Bundesgenossen, die Meerenge durchschifft; ihre Absicht sey blos, den Thronräuber zu stürzen, und Eba und Sisibut auf den, ihnen mit Recht gebührenden Thron ihres Vaters zu erheben; wäre dieser glorreiche Zweck erreicht; dann würden die tapfern Fremdlinge, zufrieden mit Geschenken und reicher Beute, friedlich über die Meerenge nach Afrika wieder zurückkehren. Auch Tarik ließ den beiden Prinzen dieselbe verführerische Zusage machen. Diesen trügerischen Lockungen vermochten Eba und Sisebut nicht zu widerstehen, und geblendet von dem Glanz des ihnen angebotenen Thrones, gingen sie in der Nacht mit allen ihren Schaaren zu den Sarazenen über. Als Roderich mit anbrechendem Morgen seine Schlachtreihen durchritt, und den Abfall der Krieger unter Eba und Sisebut bemerkte, entbrannte er in Zorn; aber dennoch an gewissem Siege nicht zweifelnd, und in der Hoffnung, die Verräther mitten in den feindlichen Reihen zu vernichten, ließ er sogleich zum Angriff blasen; aber nun ging auch Oppas mit dem zahlreichen, ihm untergeordneten Haufen zu den Sarazenen über; und da der ganze Handel verabredet war, benutzten die Feinde den entscheidenden Augenblick, und stürmten mit erhöhetem Muth wüthend auf die Christen los. Die Gothen, bestürzt über Oppas verrätherischen Abfall, und befürchtend, daß neuer Verrath noch im Hinterhalt laure, empfingen den Feind nicht mit ihrer gewöhnlichen Tapferkeit; ihre Linien wurden auf mehrern Punkten durchbrochen. Aber obgleich getrennt und umringt, setzten sie doch den Kampf noch fort. Leider verließ jetzt den König

Roderich selbst die Gegenwart des Geistes. Alles hielt er für verloren, wandte sein Pferd und floh davon. Als die Gothen ihren König nicht mehr sahen, entsank ihnen vollends der Muth; durch Roderichs Beispiel glaubte nun Jeder sich berechtigt, blos für seine eigene Sicherheit zu sorgen; an vereinten Widerstand war nicht mehr zu denken; in allgemeiner, verwirrter Flucht löste sich das Heer der Gothen auf, und vollständig und für ganz Spanien entscheidend war nun Tariks in der Geschichte so merkwürdige Sieg bei Xeres de la Frontera. — Was aus König Roderich geworden, läßt sich nicht mit Gewißheit angeben; denn widersprechend sind hierüber die Berichte der spanischen und arabischen Geschichtschreiber. Wahrscheinlich ertrank er in den Wellen des Guadalquivir; wenigstens fand man an dem Ufer dieses Flusses Roderichs Pferd und das königliche Diadem. Um nach hergebrachtem Brauch dem Stolz der Kaliphen zu genügen, sandte ihm Tarik den, einem in der Schlacht gebliebenen Gothen abgeschlagenen Kopf; und dieser prangte hierauf als Roderichs königlicher Kopf 24 oder zweimal 24 Stunden vor dem großen Thor des Pallastes zu Damascus *).

---

*) Ein noch dichteres Dunkel, als selbst Wittizas Geschichte, umhüllt König Roderichs Charakter und Regierung. Da er gleich in der ersten Schlacht gegen die Sarazenen fiel, seine zahlreichen Feinde wenigstens dem Anscheine nach über ihn triumphirten, und ihres scheinbaren Thriumphes sich länger als ein Jahr zu erfreuen hatten; so fehlte es ihnen nicht an Zeit, das Andenken dieses unglücklichen Fürsten, ohne daß sich auf irgend einer Seite ein Widerspruch erheben konnte, mit aller nur möglichen Schmach zu bedecken. Kein Laster war zu erdenken, das nicht Roderichs

Herz befleckte; kein Verbrechen ward je begangen, das
nicht auch er beging, keine Thorheit je ersonnen, welcher der sorglos schwelgende Monarch sich nicht überließ. Die zahllosen scandalösen Anecdoten, die seine
Feinde von ihm erzählten, erhielten sich nun zum
Theil in Volkssagen und mündlichen Ueberlieferungen,
boten nachher den spanischen Romanzen- und Roma-
nenschreibern reichhaltigen Stoff dar, und wurden
endlich auch von unkundigen spanischen Geschichtschreibern, wovon z. B. Roderich von Toledo und Lucas
von Tuy selbst sagen, daß sie die Sache nicht
recht wissen, sogar in ihren Geschichtbüchern aufgenommen. Indessen sind es Roderichs Feinde selbst,
die ihn rechtfertigen; denn ihre Verläumdungen sind
so übertrieben, oft mit einander sogar im Widerspruch
und zum Theil auch so albern und lächerlich, daß sie
sich selbst schon allen Glauben benehmen. Der Verbrechen, Greulthaten und Thorheiten, die man ihm
zum Vorwurfe macht, sind es so viele, daß Roderich, der kein volles Jahr regierte, um sie zu begehen, wenigstens drei bis vier Jahre hätte herrschen
müssen. Als Roderich zur Regierung gelangte, war
Spanien in seinem Innern heftig erschüttert, von den
Sarazenen, die schon in Wittizas letztem Regierungsjahre eine Flotte nach der spanischen Küste gesandt
hatten, in der Nähe bedrohet, und von den räuberischen Basken feindlich überfallen. Der Geschäfte hatte
der neue König so viele und so dringende, daß es ihm
wahrhaftig an Muße gebrechen mußte, z. B. von seinem Balken aus den Spielen der Hoffräuleins seiner Gemahlin lange zuzusehen. Die Zeiten waren
so stürmisch, der drohenden Gefahren so mancherlei,
daß Roderich, was doch jeder seiner Vorfahren gleich
nach seinem Regierungsantritt that und thun mußte,
nicht einmal eine Reichsversammlung nach Toledo berufen konnte. Gleich in den ersten Paar Monaten
seiner Regierung hatte der König vollauf zu thun,
um die, mit jeder gewaltsamen Thronrevolution gewöhnlich verbundenen innern Unruhen zu dämpfen,
seine Feinde theils durch Gewalt, theils durch zeitge-

mäße Nachgiebigkeit zu entwaffnen, die Partheien
scharf zu beobachten und ihrem Erkühnen Schranken
zu setzen. Bald darauf finden wir ihn in den Gebirgen von Biscaya und Navarra mit Bezwingung
und Züchtigung der wilden Basken beschäftiget, und
bevor noch diese Angelegenheit ganz beendigt war,
kam ihm schon der Krieg mit den Sarazenen auf
den Hals. Jetzt hatte Roderich gewiß keine Zeit, sich
ausschweifenden Vergnügungen zu überlassen. Mit
der größten Thätigkeit und Anstrengung sammelte er
in wenigen Wochen ein zahlreiches Heer unter seinen
Fahnen, setzte sich an die Spitze desselben, eilte dem
furchtbaren Feinde entgegen, und erfüllte in der blutigen, siebentägigen Schlacht alle Pflichten eines kriegskundigen, unerschrockenen und tapfern Monarchen.
Es ist unbegreiflich, wie Gibbon und noch neuere Geschichtschreiber die in alten spanischen Romanen, denen
auch der Bischof von Toledo und jener von Tuy nach-
schrieben, enthaltene, höchst alberne Beschreibung von
König Roderichs Aufzuge in der Schlacht bei Xeres, als
eine Wahrheit aufnehmen konnten. Ihnen zu Folge
saß König Roderich bei der Schlacht auf einem, von
zwei weissen Maulthieren gezogenen, helfenbeinenen
Wagen unter einem Thronhimmel, war in ein mit
Seide und Gold gesticktes Gewand gehüllt, hatte
auf dem Haupt eine kostbare Perlenkrone und in der
Hand den goldenen Scepter als Zeichen seiner Herrscherwürde rc. rc. Sollte man nicht glauben, es sey
hier von einem der alten, in Krieg ziehenden Könige
von Juda und Israel die Rede, die freilich, weil in
den ältesten Zeiten alle asiatische Heere eine Menge
Streitwagen in ihre Schlachtreihen stellten, ebenfalls
auf einem solchen Wagen stritten; aber gewiß nicht
ein mit Perlen gesticktes Diadem um die Stirne,
wohl aber einen, das Haupt schützenden, festen Helm
trugen, auch nicht einen Scepter, sondern ein, ihren
Körper deckendes Schild, und die, zum Angriff wie
zur Vertheidigung gleich brauchbare Lanze in der
Hand hatten. — Der einzige Vorwurf, den man
König Roderich machen könnte, ist, daß er, von einem falschverstandenen kriegerischen Ehrgefühl hinge-
rissen, sich zu rasch in eine entscheidende Hauptschlacht

20*

18. Der Sieg der Sarazenen bei Xeres war nicht blos ein Sieg über Roderich und dessen Heer, sondern über die ganze westgothische Nation, die jetzt, durch innere Partheien gespalten, ohne König, ohne Anführer, ohne Heer, völlig betäubt, nirgends mehr eines vereinten, kräftigen Widerstandes fähig war. Unter den Mauern von Eziga vereinigten sich zwar einige Trümmer des geschlagenen Heeres, und verstärkt durch die Besatzung der Stadt, wagten sie den Sarazenen eine zweite Schlacht zu liefern. Tarik verlor eine Menge seiner Leute, blieb aber am Ende dennoch Sieger, worauf sich Eziga mit Capitulation ergab, welche aber, wie alle übrige Capitulationen, die Mohamedaner nachher nur in so weit, als es ihnen beliebte, zu beobachten für gut

---

mit dem Feinde einließ. Hätte er, bei seiner unverhältnißmäßigen Ueberlegenheit an numerischer Stärke, den Krieg in die Länge gezogen, sich anfänglich blos auf der Defensive gehalten, auch die entferntern spanischen Provinzen unter die Waffen gerufen, die vielen festen Städte und Schlösser mit starken Besatzungen und hinreichendem Mundvorrath versehen, und dann in der Führung eines solchen Krieges, bei der genauen Bekanntschaft seiner Truppen mit allen Localitäten des Landes, die Talente auch nur eines mittelmäßigen Feldherrn entwickelt; so würde ganz gewiß noch vor Ende des Jahres 711 Tarik schon wieder nach Afrika zurückgekehrt seyn; und eben so gewiß hätte alsdann auch Musa, besonders bei den strengen, von dem Kaliphen erhaltenen Befehlen, in welchen ihm die größte Vorsicht zur Pflicht gemacht ward, es ebenfalls nicht mehr gewagt, den spanischen Boden feindlich zu betreten. König Roderich größtes Unglück war, daß er gerade den Thron bestieg, als beinahe schon die Stunde geschlagen hatte, in welcher, nach Gottes unerforschlichen Rathschlüssen, Spanien eine Zeitlang die Beute der arabischen Räuber werden sollte.

fanden. Vielleicht schmeichelte sich jetzt gar Julian, dessen Täuschung der schlaue Tarik noch immer sehr sorgfältig zu unterhalten wußte, mit der Hoffnung, sehr leicht selbst die gothische Krone, als eine Beute seines Verrathes zu ●haschen. Dem Sarazenen-Feldherrn gab er also ●en Rath, sich der Städte in Bática, um einigermaßen im Rücken gedeckt zu seyn, blos durch starke Cavallerieversendungen zu versichern, selbst aber in Eilmärschen gegen Toledo vorzurücken; sich dieses Königssitzes zu bemächtigen, und die zerstreuten Gothen zu verhindern, jetzt schon sogleich wieder zu einer neuen Königswahl zu schreiten.

19. Noch ungleich unmittelbarer, als selbst die unglückliche Schlacht bei Xeres, hatte dieser, an sich kluge, aber teuflische Rath Julians den Sturz des gothischen Reiches zur Folge. Von Musa, dessen Eifersucht Tariks Siege erregt hatten, und der nicht ohne Grund befürchtete, daß seiner eigenen Eroberungssucht nichts mehr zu erobern möchte übrig gelassen werden, war so eben ein Eilbote bei Tarik mit dem Befehle angekommen, nicht weiter vorzurücken, sich blos in dem schon occupirten Lande zu behaupten, und allda zu warten, bis er selbst mit einem neuen Heere in Spanien angekommen seyn würde. Wäre jetzt Musas Befehl befolgt, mithin den Gothen Zeit gelassen worden, sich von ihrer Betäubung wieder zu erholen, und neue Streitkräfte zu sammeln, so würde unstreitig die nunmehr nicht mehr getheilte und gerade durch ihr Unglück zu dem Bewußtseyn ihrer Kraft wieder geweckte, starke und zahlreiche Nation der Gothen die Barbaren bald wieder über die Meerenge zurückgeworfen haben; und daß dieses geschehen seyn würde, dafür bürgt uns, wie wir in der Folge hören werden, jener glückliche Erfolg, mit welchem eine Handvoll tapferer Gothen in

den Gebirgen Asturiens nicht nur dem Andrang der ganzen Macht der Sarazenen widerstand, sondern bald darauf auch zahlreiche Heere derselben in die Flucht schlug. — Als Tarik Musas Befehl vernommen hatte, hielt er, in der Verlegenheit, was jetzt zu thun sey, mit allen höhern Officieren seines Heeres einen Kriegsrath, und hier war es, wo Julian jenen verrätherischen Rath ertheilte, dem alle Anwesenden sogleich beifielen, und den der kriegerische und thätige Tarik nun auch mit reissender Schnelligkeit und dem glänzendsten Erfolge ausführte. — Sein Heer theilte Tarik in vier Abtheilungen; die eine sandte er unter einem christlichen Renegaten nach Corduba, die andere nach Malacca, die dritte nach Elvira, und mit der vierten und stärksten Abtheilung brach er selbst unverzüglich nach Toledo auf.

20. Daß die ganze Nation nichts weniger, als völlig entmuthiget war, bewiesen Cordubas nur aus 400 Mann bestehende Besatzung und deren Anführer. Die Stadt hatte eine sehr starke und hohe Mauer, aber diese unglücklicher Weise eine äußerst schwache Stelle, die, jedem Feinde zugänglich, sehr leicht konnte erstiegen werden. Diese Stelle verrieth dem Feinde ein Schäfer, der dem Mogaith — so hieß der christliche Renegat, der die gegen Corduba gesandte Reiterschaar von 800 Pferden befehligte — zufälliger Weise begegnete. Von einer sehr dunkeln Nacht begünstiget, drang der Feind an der bezeichneten Stelle in die Stadt, sah sich jedoch bald in seiner Erwartung getäuscht, denn der gothische Commandant zog sich mit der Besatzung in eine, mit einem tiefen Wassergraben umgebene Kirche zurück, die er nach und nach, so gut er vermochte, befestigte, und in der er sich drei Monate lang gegen einen, weit überlegenen Feind mit verzweifel-

ter Tapferkeit vertheidigte. Schon hatten viele Sarazenen vor dieser, in eine kleine Feste verwandelten
Kirche den Tod gefunden, als es ihnen endlich gelang, das Wasser abzuleiten. Die Besatzung, glaubten sie, werde nun capituliren; irrten sich jedoch
abermal, denn das brave gothische Häuflein wollte
durchaus von keiner Uebergabe etwas hören; noch
mehrere Stürme der Sarazenen wurden glücklich
zurückgeschlagen; endlich warfen sie Feuer in die
Kirche und steckten dieselbe in Brand; aber jetzt zog
die kleine christliche Heldenschaar den Tod in den
Flammen einer schmählichen Unterwerfung vor. Alle
kamen um; nur der Commandant suchte zu entrinnen, ward aber von den flüchtigen Rossen der Araber bald eingeholt und von ihnen zum Gefangenen
gemacht.

21. Malacca und Elvira wurden mit Sturm
erobert, einige andere Oerter von Grund aus zerstört; überall floß Blut; eine Menge Einwohner
ward erschlagen, und in einem Frauenkloster wurden sämmtliche, zarte, wehrlose Nonnen von den
Barbaren erbarmungslos ermordet*). Unter Ta-

---

*) Es wird erzählt, daß auf die erste, sichere Nachricht
von der Annäherung des Feindes, die Nonnen dieses
Klosters, in welchem sich viele noch in erster Jugend
schöne blühende Jungfrauen befanden, mehr für die Erhaltung ihrer unbefleckten Reinheit, als für ihr Leben
besorgt, um sich gegen die Brutalität der wilden Sieger zu schützen, ihre Gesichter mit tiefen Messerschnit-
ten so zerfetzt und entstellt hätten, daß von ihrem An-
blicke, nunmehr gräßlich und wahrhaft scheuslich, sich
jedes Auge mit Ekel und Widerwillen hinwegwenden
mußte. Aber die Sarazenen, anfänglich ganz erstaunt
über die vielen schrecklichen, larvenartigen Gestalten,
hätten bald die wahre Ursache davon errathen, und hier-

riks Heer, das er selbst anführte, herrschte etwas
mehr Kriegszucht; aber bei den detaschirten Corps
überließen in ihrem wilden Siegesrausch sich die Sarazenen allen Ausschweifungen roher, mordlustiger
Barbaren.

22. Tarik hatte indessen mit seinem Heere die
Gebirge der Sierra Morena überstiegen, und stand
jetzt vor den Thoren von Toledo. Zwar war schon
auf das bloße Gerücht von der Annäherung der Sarazenen, der größte Theil der Einwohner mit seinen Schätzen, den heiligen Reliquien und den kostbarsten Kirchengefäßen aus der Stadt nach den nördlichen Gegenden Spaniens entflohen; aber bemungeachtet konnte die, mit einer ziemlich starken Besatzung versehene Burg mit ihren hohen und festen
Thürmen, und auf einem steilen Felsen erbauet,
dessen Fuß der Tagus bespülte, noch lange Widerstand leisten, auf geraume Zeit noch das weitere
Vordringen der Feinde hemmen. Aber Verrätherei
mit der Feigheit im Bunde öffnete schon am zweiten Tage Toledos Thore, die man auch wahrscheinlich nur deswegen geschlossen hatte, um von Tarik
eine desto vortheilhaftere Capitulation zu erhalten.
Ganz besonders zeichnete auch hier sich wieder der
Bischof Oppas aus; seine ganze Beredsamkeit hatte
er aufgeboten, um den Befehlshaber der Burg zur
Uebergabe zu bewegen, und als Stadt und Schloß
sich ergeben hatten, und er erfuhr, daß kurz vor
der Ankunft der Sarazenen eine große Anzahl gothischer Großen und Edeln Toledo verlassen hätten,

auf in ihrer Wuth die ganze Klostergemeinde, von der
Oberin an bis auf die letzte Laienschwester erwürget.
(Ferreras. B. 2. K. 4.)

ließ er sie durch die flüchtigsten arabischen Reiter verfolgen. Die Unglücklichen wurden demnach bald eingeholet, gefangen zurückgebracht, und da sie größtentheils König Roderich angehangen hatten, auf Befehl des von Gott völlig verlassenen Bischofes sämmtlich ermordet. Vermöge der Capitulation ward den Einwohnern Toledos Sicherheit der Person und des Eigenthums zugesagt. Wer auswandern wollte, konnte, obgleich mit Zurücklassung seiner ganzen Habe, ungehindert abziehen. Auch ungestörte Religionsübung ward den Christen zugestanden, und sieben Kirchen wurden ihnen dazu angewiesen; jedoch mit dem Verbote, neue zu erbauen, öffentliche, feierliche Umgänge zu halten, und irgend jemand zu verhindern, sich zu dem Islam zu bekennen. Endlich ward auch den Christen gestattet, in allen bürgerlichen oder peinlichen Fällen von ihren eigenen Richtern, nach den bisher unter ihnen herrschenden Gesetzen, gerichtet zu werden.

23. Tarik hielt sich nicht lange in Toledo auf; zwar bewunderte er der alten Königsstadt prachtvolle Gebäude, auch staunte er nicht wenig über die dort gefundene unermeßliche Beute; aber eine lange Ruhe durfte er weder sich noch seinem Heere gestatten; denn Spanien war bei weitem noch nicht erobert. Die verschiedenen von ihm versendeten Corps waren wieder zu ihm zugestoßen, und die mehrsten Städte, die einer Besatzung bedurften, hatte er größtentheils mit Juden, deren Treue er sich versichert glaubte, besetzt. Mit dem ganzen, nunmehr wieder vereinten Heere brach also jetzt Tarik auf, und zog über die nachherigen Königreiche Castilien und Leon nach Norden. Nicht sehr ferne von Toledo in der Nähe der Stadt Gualaxara fiel ihm des gothischen Schatzes kostbarstes Kleinod, näm-

lich des Aëtius Geschenk an König Thorismund in die Hände. Tariks Marsch glich eher einer Reise, als einem Heereszug. Alle Städte wetteiferten in der Bereitwilligkeit, sich dem neuen Joch zu unterwerfen; überall öffneten sich die Thore von selbst, und ward auch hie und da noch ein Befehlshaber schwankend zwischen Ehre und Schande gefunden, so wußte des Verräthers Oppas *) verführerische Rede ihn bald mit der letztern vertraut zu machen, und so stand Tarik nicht eher still, als bis der Ocean und Musa's Ankunft in Spanien dem Laufe seiner Siege eine Grenze setzten.

24. Mit seinen 3 Söhnen, denn dem ältesten Sohne Abdallah hatte er die Statthalterschaft von Afrika übergeben, war endlich Musa selbst im Anfange Aprils des Jahres 712 mit zehntausend Reitern und achttausend Mann Fußvolkes bei Algesiras in Spanien gelandet. Das Heer bestand aus lauter arabischen Kerntruppen; Viele aus Arabiens ältesten und edelsten Geschlechtern dienten in demselben; und Männer, welche mit Ali bei Cufa gefochten hatten, und selbst ein Gefährte des großen Propheten befanden sich in dem Gefolge des, nichts als Krieg und Eroberung athmenden, vier und siebenzigjährigen Greises. Als Musa mit seinen Gefährten an das Land trat, ward er von Julian ehr-

---

*) Das gewöhnliche Thema, worüber dieser nichtsnutzige Bischof sprach, wenn er den Befehlshaber einer Festung seiner Pflicht untreu machen wollte, war, daß es eine unverzeihliche Thorheit und selbst ein frevelhaftes Unternehmen wäre, wenn eine einzelne Stadt einem Feinde widerstehen wollte, dem Spaniens vereinte Macht auf den Feldern von Xeres nicht hätte widerstehen können.

furchtsvoll begrüßt. Der Graf, obgleich schon ziemlich enttäuscht, und die Treulosigkeit seiner mohamedanischen Bundesgenossen ahndend, bot dennoch auf das neue wieder seine Dienste an, die natürlicher Weise auch der schlaue Sarazene nicht verschmähete.

25. Nach einer andern Richtung, längst der westlichen Küste zog Musa gegen jene Städte, welche Tarik in seinem Siegesflug nicht berührt hatte. Indessen hatten die Gothen sich von ihrer ersten Bestürzung etwas erholt, und des Kaliphen Statthalter fand weit kräftigern Widerstand, als dessen Unterfeldherr gefunden hatte. Aber Julian war Musa's Führer, und ward für ihn nun durchaus dasselbe, was Bischof Oppas dem Tarik gewesen war. Die tapfere Besatzung der wohl befestigten Stadt Carmona war entschlossen, die Festung bis auf den letzten Mann zu vertheidigen. Julian schickte einige seiner Leute dahin; da sie Gothen waren, und vorgaben, dem Feinde entflohen zu seyn, nahm der Befehlshaber von Carmona sie auf. In der Nacht öffneten die Verräther die Thore, und die Sarazenen drangen in die Stadt. Sevilla, die ehemalige Residenz der gothischen Könige, bis diese ihren Sitz nach Toledo verlegten, leistete ebenfalls einige Zeit tapfern Widerstand; aber wie es scheint, hatte auch hier schändlicher Verrath wieder die Hand im Spiel; denn die vornehmsten Befehlshaber von Sevilla verließen heimlich ihren Posten, und entflohen aus der Stadt, worauf Musa als Sieger einzog. Die Reihe kam jetzt an die große und volkreiche Stadt Merida. Als Musa gegen dieselbe heranrückte, bewunderte er schon von Ferne die vielen, stolz hervorragenden Denkmäler ehemaliger römischer Größe, die prächtigen Paläste, vielen Kirchen, Wasserbau

tungen, Obelisken ꝛc., aber ungleich theurer, als
bisher von den übrigen Städten, mußte er den Besitz von Merida erkaufen. Die Besatzung wagte
sogar einen Ausfall, und lieferte unter den Mauern
ihrer Stadt den Sarazenen ein Treffen. Diese hatten schon viele ihrer Leute verloren, als ein, hinter
einem Steinbruch und alten Ruinen als Hinterhalt
liegender, zahlreicher Haufe Araber plötzlich hervor-
brach. Die Gothen, von der Stadt jetzt abgeschnitten, und von der Fronte und im Rücken angegriffen, wurden theils erschlagen, theils von den Sarazenen zu Gefangenen gemacht. Dieser Unfall verminderte zwar um vieles die Streitkräfte von Merida, aber dennoch entsank den braven Einwohnern
nicht der Muth. Trotz den hölzernen Thürmen der
Belagerer wurden dennoch alle ihre Stürme zurückgeschlagen. Die Belagerung war hartnäckig und
zog sich in die Länge. Nach großem Verlust an
Leuten verwandelte Musa die Belagerung in eine
Blokade, und nun ward Merida, ohne Hoffnung
eines Entsatzes, endlich durch Hunger zur Uebergabe
gezwungen. Die Einwohner schickten Abgeordnete
in das Lager der Sarazenen. Musa nahm sie ungemein freundlich und herablassend auf, zeigte nichts
von dem gewöhnlichen Stolz siegreicher, und durch
ihre Siege übermüthig gewordener Barbaren, und
das ehrwürdige und zugleich kriegerische Ausehen
des Greises machte einen solchen Eindruck auf die
Abgeordneten, daß sie in vollem Vertrauen auf die
Worte eines solchen Feldherrn, die Uebergabs-Bedin-
gungen, so wie er sie entworfen hatte, unverzüglich
unterzeichneten. Dieselben waren ungefähr die nämlichen,
wie jene bei der Uebergabe von Toledo. Als Musa
in die Stadt zog, sagte er, ganz bezaubert über die
Prachtwerke, denen jetzt überall sein staunender Blick
begegnete: man möchte glauben, daß das gesammte

Menschengeschlecht alle seine Kräfte vereint, und seine ganze Kunst erschöpft habe, um eine solche Stadt zu erbauen.

26.   Nach der Einnahme von Merida zog Musa gegen Toledo. Auf die erste Nachricht von der Annäherung seines Oberfeldherrn, ging Tarik demselben bis Talavera entgegen. Als er den Oberfeldherrn zu Gesicht bekam, stieg er, um ihn mit Ehrfurcht zu empfangen, sogleich vom Pferde; aber Musa fuhr hart ihn an, rief ihm zürnend zu, warum er gegen die, von ihm erhaltenen Befehle, sich erkühnt habe, mit unzureichender Macht, so tief in Spanien einzudringen, und bei so gewagtem Spiel das Leben vieler Rechtgläubigen dem Zufalle preis zu geben. Tarik gab ihm zur Antwort, daß blos das Interesse seines Herrn, des Kaliphen, die Richtschnur seiner Handlungen gewesen sey; auf diesen berufe er sich, und der werde von aller Schuld ihn freisprechen. Musa schien besänftiget, empfing von Tarik den, ihm gebührenden Antheil an der Beute, und kehrte mit ihm nach Toledo zurück! Aber allda kaum angekommen, drängte der in der Brust des ehrsüchtigen Greises gegen Tarik tief gewurzelte Neid sich endlich zum Ausbruch. Musa forderte strenge Rechenschaft von Tarik über die ungeheure, von ihm gemachte Beute, beschuldigte ihn, vieles davon verschleudert, unnöthiger Weise vergeudet zu haben; auch daß er durch Mißhandlung der Christen der Moslemen Namen verhaßt gemacht habe, ließ ihn dann in das Gefängniß werfen, und vergaß sich endlich so weit, den Ueberwinder der Gothen sogar thätlich zu mißhandeln.

27.   Aber Tarik hatte viele Freunde bei dem Heere, hatte derselben auch an dem Hofe von Da-

mascus; durch sie ward der Kaliph Walid von
Musa's hartem und ungerechtem Verfahren gegen
Tarik unterrichtet; und es dauerte nun nicht lange;
so erhielt Erster ein Schreiben des Kaliphen, in
welchem ihm geboten ward, den tapfern Feldherrn
Tarik alsogleich in Freiheit zu setzen, und demselben
das von ihm so glorreich geführte Schwert des Islams
wieder zu übergeben. Musa mußte gehorchen; öffentlich versöhnte er sich mit seinem bisher von ihm unterdrückten Gegner. Laut jubelte das Heer, das
Zeuge dieser Versöhnung war. Tarik stand dem
Musa zur Seite, und beide Feldherren theilten sich
nun in die Eroberung der noch übrigen spanischen
Provinzen. Tarik zog nach Norden, Musa gegen
Westen. Ersterer eroberte Arragonien und Leon, der
Andere alles Land diesseits und jenseits des Ebro bis
an die Pyrenäen. Aber furchtbar und verheerend
war der Zug beider Heere; Städte wurden in Schutthaufen verwandelt, viele Kirchen entweihet, andere
zerstört, ohne Ausnahme überall die Glocken zertrümmert, Menschen ermordet, die segenreichsten Gegenden in Einöden verwandelt, und schauderhaft ist
das Bild, das selbst arabische Geschichtschreiber von
Musa's Verheerungen entwerfen. Aber Saragossas
Einwohner behaupteten ihren ehemaligen kriegerischen
Ruhm; Tarik vermochte nicht die Stadt zu nehmen,
und erst als Musa sich wieder mit ihm vereint hatte,
erlag Saragossa nach vielem Blutvergießen dem vereinten Angriffe beider Heere.

28. Während Musa im Westen und Norden
beschäftiget war, hatten die Einwohner von Sevilla
sich empört, die feindliche Besatzung aus der Stadt
getrieben und achtzig Mann davon, größtentheils Araber, erschlagen. Sevillas Beispiel folgten bald noch
einige andere Städte, und ein furchtbares Ungewit-

ter zog bröhend sich im Rücken der Sarazenen zusammen. Diesen Aufstand zu dämpfen, die Empörer zu züchtigen, und den Süden durch völlige Unterwerfung und Entwaffnung der Einwohner zu beruhigen, gab Musa seinem Sohne Abdalaziz den Auftrag. Musas Söhnen gebrach es weder an Geist noch Kraft, ihren Vater in seinen kühnsten Unternehmungen zu unterstützen. Vollkommen entsprach daher auch Abdalaziz Musas Erwartungen. Der Aufruhr ward gedämpft, Sevilla wieder erobert und die ganze südliche Küste, von Malacca bis nach Balencia unterjocht. Auf seinem Zuge nach Balencia stieß Abdalaziz nun auch auf den tapfern Theudemir. Dieser hatte, nach der unglücklichen Schlacht bei Xeres, mit einigen schwachen Trümmern des geschlagenen Heeres sich nach dem östlichen Theile Spaniens, wo er sehr ansehnliche Herrschaften besaß, zurückgezogen. Da sowohl Tarik wie Musa, auf ihrem Marsch nach den nördlichen Provinzen, nur so viele Besatzungen zurückließen, als durchaus nothwendig war, um sich auf ihren Hauptoperationslinien den Rücken zu decken; so war es dem tapfern und unternehmenden Theudemir gelungen, diese ganze Zeit über seine Unabhängigkeit gegen die in Andalusien zurückgebliebenen Sarazenen zu behaupten. Aber nun kam Abdalaziz mit bedeutender Heeresmacht gegen ihn angezogen. Um jede Schlacht mit dem weit überlegenen Feinde zu vermeiden, blieb jetzt Theudemir stets auf den Höhen, fiel jedoch bei sich darbietender günstiger Gelegenheit auf einzele Truppenabtheilungen des Abdalaziz herab, tödtete demselben viele Leute, zog sich dann zu rechter Zeit wieder auf die Anhöhen zurück, besetzte und vertheidigte alle Gebirgsschluchten und Gebirgspässe, und verzögerte und erschwerte auf diese Weise, so viel er vermochte, das Vordringen des Feindes. Als aber endlich dennoch

Abdalaziz die Gebirgskette überstiegen hatte, und man in die weite Ebene von Lorça kam, warf Theudemir, um von der zahlreichen Reiterei nicht umringt zu werden, sich in die feste Stadt Auriola (jetzt Orihuela). Leider waren Theudemirs Streitkräfte viel zu schwach, um die Stadt gegen einen, ihm so unverhältnißmäßig überlegenen Feind lange zu vertheidigen. Er sann also auf Mittel, einen, so viel als möglich, vortheilhaften Vertrag mit den Sarazenen zu schließen, und um diesen zu erhalten, bediente er sich folgender Kriegslist. Alle Einwohner ließ er bewaffnen; selbst die Frauen und Jungfrauen mußten den Kriegsrock anlegen, ihr lockigtes Haar unter einem Helm verbergen, Schild und Lanze ergreifen, und in langen und dichten Reihen sich auf den Mauern von Auriola aufstellen. Staunend und nicht wenig betroffen sah jetzt Abdalaziz von Ferne die zahlreiche Besatzung, von deren Kühnheit und Tapferkeit er während seines Marsches über die Gebirge schon so manche blutige Beweise erhalten hatte. Aber noch höher stieg sein, und zwar freudiges Erstaunen, als man ihm bald darauf meldete, ein von Theudemir bevollmächtigter Abgeordneter sey aus der Stadt im Lager angekommen, um mit den Sarazenen wegen eines Friedensvertrages zu unterhandeln. Abdalaziz, der mit Mißmuth schon einer sehr hartnäckigen, mithin blutigen und langewährenden Belagerung entgegen gesehen hatte, gab sogleich Befehl, den Abgeordneten zu ihm zu führen. Da man von beiden Seiten den Handel beendiget wünschte; so zogen sich die Unterhandlungen auch nicht in die Länge, und der Vertrag war schon nach einer Stunde geschlossen. Theudemir ward von den Sarazenen als ein gothischer Fürst anerkannt und in seinem Fürstenthume bestätiget, allen Christen Sicherheit der Person und des Eigenthums zugesagt, und in dem gan-

zen Fürstenthum ihnen vollkommen freie Religionsübung mit Beibehaltung aller ihrer Kirchen zugestanden. Dafür ward aber Theudemir, als einem, in
einem gewissen Abhängigkeitsverhältniß zu den Sarazenen, stehenden Fürsten die Verbindlichkeit auferlegt, Nichts gegen das Interesse der Kaliphen und
dessen Stellvertreter zu unternehmen, die Thore der
7 Städte seines Fürstenthums den Sarazenen zu öffnen, mit deren Feinden sich in keine Verbindung
einzulassen, sie im Gegentheil von Allem, was sich
auf sie beziehen könnte, sobald er selbst Kunde davon
erhalten hätte, bei Zeiten zu unterrichten und vor
Schaden zu warnen. Endlich ward noch festgesetzt,
daß Theudemir und jeder Adeliche in seinem Fürstenthum jährlich ein Goldstück, vier Maß Weitzen,
eben so viele Gerste, und eine gewisse, damit in
Verhältniß stehende Quantität Honig, Oel und
Weinessig an den Kaliphen bezahlen sollten; die Vasallen, das heißt, nicht Leibeigenen, sondern freien
Männer in dem Fürstenthum wurden auf die Hälfte
dieser Abgabe angeschlagen. Als der Vertrag geschlossen und von beiden Seiten unterzeichnet war,
entdeckte dem Abdalaziz der Abgeordnete, wer er sey.
Es war Theudemir selbst. Abdalaziz war überrascht,
freuete sich aber, den gothischen Helden vor sich zu
sehen. Am folgenden Morgen hielt der Sarazen
seinen Einzug; aber nun war die zahlreiche Besatzung
verschwunden, und als Abdalaziz seine Verwunderung
darüber äußerte, gestand ihm Theudemir ganz unumwunden seine, gegen ihn mit so gutem Erfolge
gebrauchte Kriegslist. Er hatte nichts dabei zu fürchten; denn Musa's eben so edler als tapferer Sohn
kannte die Heiligkeit der Verträge und zog nach drei-
tägigem Aufenthalt aus Auriola und dem ganzen
Fürstenthum friedlich ab. Aber Theudemir war klü-
ger als Graf Julian; um sehen mit den Saraze-

nen abgeschlossenen, und von Abbalaziz und 4 Moslemen, als Zeugen beschwornen Vertrag auch für
die Zukunft gegen jede treulose Deutung eigenmäch-
tiger Statthalter zu schützen, reisete er selbst nach
Damaskus, fand allda freundliche Aufnahme, bat
um Ratificirung des Vertrages, den er dem Al-
Walid überreichte, und erhielt denselben nun auch
selbst von dem Kaliphen bestätiget und unterzeichnet
zurück. Theudemir und Graf Pelagius (Pelajo),
von welchem in der Folge noch umständlichere Rede
seyn wird, waren also jetzt die einzigen Großen, die
troß des über ihrem Vaterlande hereingebrochenen
Unglücks und dessen völliger Unterjochung, dennoch
nicht ihren edeln Nacken unter das neue Sarazenen-
Joch beugten, und auf dem weiten, mit den traurigen Trümmern des zerstörten westgothischen Reiches
bedeckten spanischen Boden ganz allein noch als ein,
durch sich selbst erhaltenes, selbstständiges und gedie-
genes Ganzes hervorragten. Was vermag nicht ein
wahrhaft großer Geist, wenn er in dem Plane der
Vorsehung und als ein Werkzeug derselben handelt.
Wahre Regentenweisheit ist demnach: die Wege des
Herrn zu erforschen, sie zu erkennen, und auf denselben zu wandeln. — Leider war Fürst Theudemir
kinderlos; der Vertrag war also blos für ihn, und
nicht auch für seine rechtmäßigen Erben und Nachfolger abgeschlossen. Als er starb, hörte daher das
bis dahin bestandene, glückliche Verhältniß dieser kleinen Landschaft wieder auf.

29.   Spanien, zu dessen Unterwerfung einst
die Alles zermalmende, Welt-beherrschende Roma
beinahe zweihundert Jahre bedurfte, hätten nun vierzig bis fünfzig tausend arabische und afrikanische Be-
duinen in zwei, und zwar nicht einmal ganz vollen
Jahren erobert. Aber nicht auf immer — so lag

es in den, hier wie an so vielen andern Stellen
der Weltgeschichte unerforschbaren göttlichen Raths
schlüssen — sollte die gothische Nation aus der Reihe
der Völker vertilgt seyn, nicht auf immer die
Hesperische Halbinsel die Beute des Welt= und Völ=
kerverheerenden Islam bleiben. Wie der Phönix
aus seiner Asche, sollte auch Spanien aus einigen
schwachen, bei dem allgemeinen Schiffbruch erhalte=
nen, und nach den Küsten Asturiens verschlagenen
Trümmern, über welchen aber der Allmacht Arm
sichtbar=schützend waltete, bald wieder und zwar noch
herrlicher und in noch reinern Formen wieder her=
vorgehen. Höhere Gotteskraft begleitete, schirmte
und hütete also von jetzt an den tapfern Pelajo und
jene 1000 gothische Ritter, die mit ihm in dem
Asturischen Gebirge Aufena, in einer großen, von
der Natur zu einer unbezwingbaren Feste gestalteten
Grotte sich gelagert hatten, Alle fest entschlossen, hier
auf dem, ihnen noch gelassenen, kaum handbreiten,
aber geheiligten Boden ihres Vaterlandes, für die
Ehre des Gekreuzigten und ihre Freiheit zu sterben.
Die engen Grenzen der asturischen Gebirge umfaß=
ten jetzt das ganze christliche Spanien; aber zu dem
natürlichen Heldensinn jener tausend edeln Gothen
kam nun noch die höhere Weihe der Religion, und
so begannen Pelajo und seine Ritter jetzt schon, und
zwar sogleich mit dem glücklichsten Erfolge, jenen
merkwürdigen achthundertjährigen Religions= und
Freiheitskampf, während welchem, wie wir in dem
fernern Laufe der spanischen Geschichte sehen werden,
bei einer ungewöhnlichen Fülle großer Charactere und
wahrhaft christlicher Heldenseelen, die Grenzen des
christlichen Spaniens sich unaufhörlich erweiterten,
jene des Sarazenen=Reiches sich immer verengten,
und der endlich, nach der Eroberung und Zerstörung
Granadas, mit der völligen Vertreibung der Mauren

21 *

und des Islams aus Spanien, am Schluß des fünfzehnten Jahrhunderts so glorreich sich endigte.

30. Die weitern Fäden der Lebensgeschichte Musa's, Tariks und Abdallazizes sind zwar nicht mehr mit der spanischen Geschichte verwebt, gehören also auch nicht in das Gebiet derselben. Indessen wird es doch gewiß nur Wenige unter unsern Lesern geben, die nicht wünschen sollten, auch mit den fernern Schicksalen jener Männer, die bisher ihre Aufmerksamkeit so gewaltig gefesselt, jetzt schon gleich bei dem Schlusse des großen historischen Dramas, in welchem sie die Hauptrollen spielten, näher bekannt und vertraut zu werden. Aus diesem Grunde glauben wir nun ebenfalls eine Ausnahme machen, und jenem, eben so natürlichen als gerechten Wunsche unverzüglich befriedigend entgegen kommen zu müssen.

31. Ungeachtet der, im Angesichte des Heeres, auf das Gebot des Kaliphen, zu Stande gekommenen Versöhnung zwischen Musa und Tarik, betrachteten beide Feldherren doch gegenseitig sich immer noch als gefährliche Nebenbuhler. Nicht selten gelangten daher jetzt Klagen bald von Tarik gegen Musa, bald von diesem gegen Tarik, zu dem Thron des Kaliphen in Damascus. Ersterer klagte über Musa's Härte und Willkühr, Musa über Tariks wenige Folgsamkeit und Verschleuderung der Beute. Da dergleichen Beschwerden sich öfters wiederholten, befürchtete endlich Al-Walid mit Recht, daß die Uneinigkeit seiner Feldherren seinem und seines Reiches Interesse in Afrika und Spanien nachtheilig werden könnte, und sandte daher einen seiner Hofbeamten nach Spanien mit dem Befehle an Musa und Ta-

rif, schleunigst mit einander vor ihm in Damascus zu erscheinen.   Tarik folgte auf der Stelle dem Ruf seines Gebieters, ging nach Afrika, und von da über Aegypten und Palästina nach Syrien.   Diese bereitwillige Folgsamkeit gewann ihm die Gunst des Kaliphen; Walid erlaubte ihm, seine glorreiche Thaten in Andalos (im Lande gegen Abend) vor ihm und seinen versammelten Großen zu erzählen, überhäufte ihn hierauf mit Lobsprüchen und gab ihm eine, seiner Würde und seinen Verdiensten angemessene Stellung an seinem Hofe.

32.   Aber anders als Tarik dachte und handelte Musa.   Obgleich dem Ziele seiner irdischen Laufbahn schon nahe, glühete doch in seinen Adern noch jugendliches Feuer; tief schmerzte es ihn, sich jetzt plötzlich in dem Laufe seiner Siege gehemmt zu sehen.   Dem Boten von Damascus sagte er, daß sein Eifer in dem Dienste seines Herrn, des Beherrschers der Gläubigen, so wie auch für die weitere Verbreitung des Islams in dem Abendlande, ihm jetzt noch nicht erlaube, Spanien zu verlassen, machte ihm aber auch zugleich das Anerbieten der Hälfte aller künftigen Beute, wogegen derselbe versprach, die Sache auf sich zu nehmen und den Kaliphen zu besänftigen.

33.   Spaniens Eroberung betrachtete Musa blos als den ersten Schritt zur Unterjochung des ganzen Abendlandes und diese wieder als das sicherste Mittel, den Thron von Constantinopel zu stürzen, und dann alle Kirchen und Tempel zu zerstören, in welchen den Völkern nicht das Islam geprediget würde.   Schon vor einiger Zeit hatte er daher Befehl gegeben zu ganz ungewöhnlichen Rüstungen zur

See wie zu Lande, und in den Häfen Afrika's wie
des südlichen Spaniens war jetzt alles in größter
Bewegung.   Musa's Plan war, mit furchtbarer
Heeresmacht über die Pyrenäen zu gehen, Gallien
zu erobern, hierauf das Reich der Longobarden in
Italien zu stürzen, und in Rom den Mittelpunkt der
Christenheit zu zerstören; aus Italien wollte er dann
über die Alpen in Deutschland einbrechen, den Barbaren Germaniens den Koran predigen, dem Laufe
der Donau, von ihren Quellen bis an das schwarze
Meer folgen, Constantinopel erobern, dem byzantinischen Reiche ein Ende machen, und so aus Afrika
über Europa zurückkehrend, das unterjochte Abend-
land, durch Thracien, mit dem ungeheueren Sara-
zenen-Reich in dem Morgenlande verbinden.   Dem
von Ehrgeiz und Eroberungssucht verblendeten Musa
schien nichts ausführbarer,   als diese ungeheure
Unternehmung, die,   wenn sie hätte gelingen können,   die ganze bekannte Welt in einen schrecklichen Schutthaufen übereinander geworfener Trümmer zahlloser zerstörter Völker und Reiche verwandelt haben würde.   Ohne Genehmigung des Kaliphen durfte indessen Musa es nicht wagen, zur Ausführung seiner weitaussehenden Plane zu schreiten.
Aber Al-Walid und dessen nüchterne Räthe betrachteten diese Eroberungsplane mit ganz andern und
zwar gesündern Augen, sie hielten den ganzen Ent-
wurf für eben so unausführbar als ausschweifend,
und den Musa selbst für einen ehrgeizigen, durch
seine früheren Siege berauschten, gefährlichen Schwär-
mer.   Tarik's Freunde suchten jetzt den Musa noch
mehr zu verläumden, dessen ganzes Betragen dem
Kaliphen zu verdächtigen; und dieser, dem Musa
ohnehin schon abhold wegen dessen Zögerung, auf
den ersten Ruf in Damascus zu erscheinen, schickte
nun einen zweiten Boten nach Spanien, mit einem

ungleich schärfern und in rauhern Ausdrücken abge-
faßten Befehl an Musa, die Statthalterschaft in
Spanien seinem Sohne Abdalaziz zu übertragen,
und dann ungesäumt dem Boten nach Damascus
zu folgen.

34. Musa war indessen nach Gallien aufge-
brochen. Der tapfere Pelajo hatte so eben einen,
wenigstens aus zehntausend Mann bestehenden sara-
zenischen Heerhaufen bei Covadonga völlig geschlagen, eine Menge Feinde sammt deren Anführer
getödtet, die Besatzung von Gijon zusammenge-
hauen, und sich dieser wichtigen, jenseits der asturischen Gebirge an der See gelegenen Stadt bemächtiget. Um diese, von Musa noch nie erlebte Schmach
zu tilgen, stand derselbe jetzt im Begriffe, mit seinem ganzen Heere nach Asturien zu ziehen. Aber
bei der Stadt Lugo in Gallien erreichte ihn der
Bote des Kaliphen, fiel seinem Pferde im Angesicht
des ganzen Heeres in die Zügel, machte ihm öffentlich den Inhalt seines Auftrags bekannt, und gebot, im Namen des Beherrschers der Gläubigen,
ihm schleunigen Gehorsam. Der Moslemen damals
noch fanatische Verehrung ihres Kaliphen, des Stell-
vertreters des großen Propheten, erlaubte dem Musa
nicht, auch diesem zweiten Befehle nicht zu gehorchen. Seinem Sohne Abdalaziz übergab er also die
Statthalterschaft von Spanien, bestimmte Sevilla,
weil nicht ferne von dem Meere, zum Sitz der Regierung, und suchte aus der vorhandenen Beute für
den Kaliphen die prachtvollsten Stücke aus; Aëtius
Geschenk an Thorismund, die Kronen aller gothischen Könige, eine ungeheure Masse gemünzten und
ungemünzten Goldes und Silbers und endlich noch
eine Menge der kostbarsten und edelsten Steine.
Achtzehn, andere sagen, dreißigtausend männliche und

weibliche Gefangene, (Erstere auserwählt nach dem Adel ihrer Geburt, die Andern nach den Reißen körperlicher Wohlgestalt, sollten seinen Triumphzug nach Syrien verherrlichen und, wenn er vor dem Kaliphen auftreten würde, den Glanz seiner Erobe- rungen erhöhen. Auf seiner Rückreise durch Spa- nien erpreßte er von den Städten und Provinzen noch unermeßliche Summen, schiffte sich endlich nach Afrika ein, ernannte allda einen seiner Söhne zum Statthalter von Ceuta und der umliegenden Ge- gend, ging hierauf nach Kairoan, und trat von da, über Aegypten und Palästina, seinen Zug nach Sy- rien an. Als er in Tiberias ankam, lag der Ka- liph Al-Walid, dem Tode nahe, in Damascus ge- fährlich krank. Walids Bruder und Nachfolger Soleiman gab dem Musa davon Nachricht und zugleich den Befehl, seine Reise zu verzögern, um durch seinen siegprangenden Einzug Soleimans Re- gierungsantritt zu verherrlichen. Aber Musa, stolz darauf, die Herrschaft der Araber selbst bis über einen Theil des Abendlandes verbreitet zu haben, glaubte sich mehr, als ein anderer, erlauben zu dür- fen. Er setzte also seine Reise fort; aber bevor er noch Damascus erreicht hatte, war schon der Ka- liph Al-Walid gestorben, und auf dem Thron fand Musa nun einen ungnädigen, ihm zürnenden Ge- bieter. Sein Empfang war demnach äußerst kalt und demüthigend für seinen Stolz; denn die Schätze, die er zu den Füßen des Kaliphen legte, wurden nicht als die Früchte seiner, sondern der Siege des Tariks betrachtet. Aber noch viel schmerzhafter ließ schon am andern Tage Soleiman die Folgen seiner Ungnade dem Musa fühlen. Des Neides, der Ungerechtigkeit und Gewaltthätigkeit gegen Tarik ward derselbe vor dem Thron des Kaliphen angeklagt, von dem ihm übelwollenden Soleiman sogleich aller dieser Ver-

brechen schuldig befunden, demnach zu einer Geldbuße von zweimalhunderttausend Goldstücken verurtheilt, hierauf öffentlich gegeißelt, einen ganzen
Tag vor dem großen Thor des Palastes dem Volke
zur Schau ausgestellt, und dann in eine, noch so
ziemlich anständige Verbannung nach Arabien gesandt. — Einen solchen Lohn seiner Thaten hatte
freilich der Eroberer Afrika's, und des großen Landes gegen Abend, von dem Stellvertreter seines
Propheten nicht erwartet. Aber auch jetzt hatte der
unglückliche Greis den Kelch bitterer Leiden noch
lange nicht völlig geleert. Des Hofes von Damascus furchtsame und daher blutige Politik erheischte
auch den Untergang der ganzen Familie des so
schrecklich mißhandelten, und beleidigten Musa. Abdalaziz hatte sich mit Egilona, König Roderichs
hinterlassenen Wittwe vermählt, und gegen des Islams Gesetz und der Moslemen Gebrauch, denen
zufolge die Gattin eines Gläubigen auch dessen Religion annehmen mußte, war Egilona auch nach ihrer Vermählung eine Christin geblieben. Zu einer
andern Zeit und unter andern Umständen würde
dies kaum die Aufmerksamkeit des Kaliphen erregt
haben; denn Soleiman wie dessen Bruder und
Vorfahrer Walid hatten ihre eigene Vernunftre-
ligion, bekümmerten sich wenig um das Islam,
hielten den Koran für ein schönes Gedicht, und genossen in schwelgender Ruhe die Früchte von Mohameds Betrug und dessen erster Nachfolger Einfalt
und Schwärmerei. Aber jetzt war Abdalazizes Vermählung mit einer Christin in Soleimans Augen
ein, des Todes würdiges Verbrechen. Man kannte
zu Damascus Abdalazizes Neider und geheime
Feinde in dem Heere in Spanien. An diese erging
also ein geheimer Mordbefehl, und Musa's edler,
tapferer und dabei menschenfreundlicher Sohn ward

nun in einer Moschee, zu Korbova, als er sein
Morgengebet verrichtete, von einer zahlreichen Schaar
Verschwornen überfallen, und trotz der tapfern Ge-
genwehr seiner Begleiter ermordet. Dem Getödteten ward der Kopf abgeschlagen, dieser dem Kaliphen nach Damascus, und von da mit einem Uebermaß rafinirter teuflischer Grausamkeit nach Arabien gesandt, und dem unglücklichen alten Vater
mit den Worten gezeiget: „Kennst du das Gesicht
„dieses Rebellen?“ — „Ja ich kenne es,“ rief Musa
aus, „aber ich kenne und betheure auch die Unschuld
„des Gemordeten, und werde zu Allah flehen, daß
„den Mördern gleiches aber gerechteres Schicksal zu
„Theil werde.“ — Der Gram über den grausamen
Tod seines Sohnes senkte den achtzigjährigen Greis
in die Grube; er starb auf einer Pilgerreise nach
Mecca. Auf verschiedene Weise kamen bald darauf
auch Musa's übrige Söhne um.

35. Auch die gothischen Verräther hatten früher schon denselben, obschon ungleich gerechteren Lohn
erhalten. Graf Julian und Wittiza's beide Söhne,
Sisebut und Eba wurden, nach Pelajos Sieg bei
Covadonga, von den Sarazenen verhaftet; der über
den Verlust der Schlacht äußerst ergrimmte Musa
beschuldigte sie eines geheimen Einverständnisses mit
den Christen in Asturien, erklärte demnach den mit
ihnen geschlossenen Vertrag für aufgehoben, und
ließ allen Dreien die Köpfe abschlagen. Julians Gemahlin ward gesteiniget; und seine Söhne wurden
von einem Thurm in Ceuta herabgestürzt. Was
den ruchlosen Oppas betrifft, so hatte dieser vor
der Schlacht bei Covadonga den Pelajo ebenfalls
überreden wollen, sich den Sarazenen zu unterwerfen. Unverrichteter Dinge kehrte er in das feindliche Lager zurück, ward aber in der darauf erfolg-

ten Schlacht gefangen, und alsogleich auf Pelajus
Befehl enthauptet.

XX.

1. Von dem christlichen Standpunkte historischer Weltanschauung ausgehend, haben wir bisher
unsere Leser mit dem bürgerlichen und sittlichen Zustande der Völker in dieser Periode, mit deren wech-
selseitigen Verhältnissen, Ereignissen und Schicksalen
bekannt zu machen gesucht; und wir wünschen, daß
es uns gelungen seyn möchte, jeden Leser in den Stand
gesetzt zu haben, über das Göttliche oder das diesem
Entgegenstrebende in diesem Zeitabschnitte, mithin auch über den, nicht auf Schein und äußerer
Form, sondern auf der Wahrheit innerer Gesinnung
beruhenden Werth oder Unwerth dieser Völker, nach
einer klaren, nicht durch täuschende Wortformeln
getrübten, wahrhaft christlichen Lebensansicht zu entscheiden. Hierüber übrigens so ziemlich beruhiget,
wenden wir uns nun wieder zu der speciellern Geschichte unserer heiligen Religion und der, nicht nur
von Gott selbst gegründeten, sondern durch göttliche
Weisheit auch in ihren äußern Verhältnissen geord-
neten, nicht minder heiligen Kirche. Zwar ist das,
was wir zu erzählen haben, nicht sehr erfreulich.
Abermals wieder viel Streit, ketzerisches Geschrei
und Gezänk; dabei wie gewöhnlich unberufenes Ein-
mischen der weltlichen Macht; mithin gegen die
Kirche Gewaltthätigkeiten jeder Art, Druck und
Verfolgung und mitunter Grausamkeiten, welche an
der Kirche frühere Kämpfe unter den heidnischen
Cäsaren erinnern, durch die aber auch jetzt, wie

ehemals, die in der Kirche liegende, sich selbst bewahrende und erhaltende Gotteskraft sich auf das
neue wieder beurkundet. Ueberhaupt ist größtentheils diesen ganzen Zeitraum hindurch, beinahe in
allen Ländern der Zustand der Kirchen, in ihren äußern wie innern Beziehungen, mehr betrübend und
niederbeugend als freudig und erhebend. In Italien,
selbst nahe an der Quelle göttlicher Wahrheit und
heiliger Ueberlieferung, steht der Kirche des Sohnes
Gottes noch der, eben diesen Sohn lästernde arianische Wahn, bisweilen sogar trotzend gegen über,
und noch lange schleicht an allen bischöflichen Sitzen an der Seite des rechtgläubigen Oberhirten ein
arianischer Afterbischof im Finstern, um den guten
Saamen, den jener säet, durch sein ausgestreutes
Unkraut wieder zu ersticken. Rom selbst, obgleich jetzt
noch nicht, wie einige Decennien später, von den
Longobarden hart gedrängt, gedrückt und verfolgt,
jedoch schon täglich von Ferne bedrohet, ruhet blos,
weil auf einem Felsen erbauet, auf dem eigenen,
aber unerschütterlichen Grunde seiner innern Wahrheit; aber von Außen ist es ohne allen Schutz und
Schirm; und jene, welche es schützen sollten, die
griechischen Exarchen, legten nur gar zu oft selbst an
das Eigenthum des Herrn und dessen ersten Diener
bald räuberische, bald mörderische Hände.

2. Auch in dem fränkischen Reiche war der
Zustand der Kirchen nichts weniger als sehr erfreulich. Die, durch anhaltende Anarchie und beinahe
ununterbrochene, bürgerliche Kriege, herbeigeführte
Gesetz- und Sittenlosigkeit riß nach und nach auch
bei der Geistlichkeit ein. Bischöfliche Sitze wurden
die Beute ehrgeiziger Großen, einigemal sogar frecher Räuber und Mörder. Concilien wurden nur
selten und endlich gar nicht mehr gehalten; immer

fühlbarer ward der Verfall der Kirchenzucht; und die Geistlichkeit, besonders der niedere Clerus, ganz in Rohheit und Unwissenheit versunken, theilte mit der völlig verwilderten Nation alle unter denselben herrschenden Laster und Ausschweifungen *). In den

---

*) Als Belege hierzu dienen die Beschlüsse der nachher, unter dem großen Heristaller, zur Wiederherstellung der verfallenen Kirchenzucht, gehaltenen Concilien. Ein vollgültiges, obgleich betrübendes Zeugniß darüber findet sich auch in dem Briefe des heiligen Pabstes Martinus an den heiligen Amandus, Bischof von Mastrich, in welchem der heilige Vater den gottseligen Bischof über die Ruchlosigkeit der Geistlichen seiner Kirche tröstet, deren zügelloses Leben auch vorzüglich den heiligen Amandus bewog, von dem römischen Stuhle sich die Erlaubniß zu erbitten, sein bischöfliches Amt niederzulegen, und von dem, durch fremde Laster besudelten Schauplatz seiner bisherigen Thätigkeit sich in eine völlige Abgeschiedenheit von der Welt und den Menschen zurückzuziehen. Uebrigens versteht es sich von selbst, daß es demungeachtet doch auch sehr ehrenvolle Ausnahmen, wie z. B. der heilige Amandus selbst, damals noch gab. Zu keiner Zeit und in keinem Lande hat und wird Gott je seine Kirche so verlassen, daß Er, wie groß auch der Verfall, der Unglaube, Neuerungssucht und Gottlosigkeit seyn mögen, nicht in seiner Barmherzigkeit für eine kleine Anzahl treuer Hirten sorgen sollte. Welches beseligende Gefühl anbetenden Dankes gegen Gott ergreift nicht das Herz, wenn man die freudige Erfahrung macht, daß gerade in Ländern, wo Jene, welche auf Moises und der zwölf Aeltesten in Israel Stühlen sitzen, aus Trägheit oder Feigheit, welche dann gewöhnlich unter der Larve der Demuth erscheinen, ihre Heerden jedem Winde, nur nicht jenem, welcher aus einer höhern Himmels-Region her wehet, sorgenlos überlassen, daß, sagen wir, gerade in solchen Gegenden beinahe in jedem Städtchen oder Flecken ein, der Welt unbekannter, nur von dem

austrasischen Ländern, selbst in Gallien, wie z. B. in der Provinz Novempopulania gab es noch eine Menge Heiden und Götzendiener. Fromme Missionäre, besonders jene, welche einem höhern Impuls folgend, aus Irland herüber gekommen waren, hatten schon in frühern Zeiten, mit größerm oder minderm Erfolge auch zu diesen Völkern die Lehre des Heils gebracht. Dieses, Gott so wohlgefällige Werk gerieth nun ebenfalls in völliges Stocken, und sogar ganze Völkerschaften, welchen das Licht des Evangeliums schon geleuchtet hatte, sanken jetzt, aus

---

Auge des Ewigen gesehener und gesegneter frommer Priester im Verborgenen lebt, und dann gerne den Kleinen wie den Großen, sobald sie nur wollen, jenes Himmelsbrod bricht, welches Andere ihnen verkürzen möchten, und leider nur gar zu oft schon wirklich verkürzet haben. — In den außer-europäischen Missionen gibt es große Länderstrecken, auf welchen die christlichen Gemeinden in einem ganzen Jahre kaum ein einzigesmal das Glück haben, einen Priester zu sehen. Aber welche Fülle der Gnaden wandelt alsdann nicht in dem Gefolge eines solchen Priesters; welche überschwänglichen Früchte erzeugt dann nicht jedes Wort, das aus dem Munde des geweihten, mit höherer Kraft angethanen Dieners des Evangeliums hervorgeht; welche Freude und welcher Friede in den Gemeinden; wo aber Gerechtigkeit, Friede und Freude herrschen, da ist der heilige Geist, und mit Ihm höhere Kräfte zur Heiligung der Gemüther auf ein ganzes Jahr. — In Ansehung des obigen, nicht sehr anziehenden Gemäldes der damaligen gallischen und fränkischen Geistlichkeit, müssen wir die schon einigemal gemachte Bemerkung wiederholen, daß, so wie die heiligen Schriften oft von den Bösen sprechen, als wenn es keine Guten, und von diesen, als wenn es keine Bösen unter ihnen gäbe, eben so auch bisweilen die Geschichte in den nämlichen Ausdrücken und unter der nämlichen Bedeutung davon spricht.

Mangel an tauglichen Arbeitern in diesen neu ange-
legten Weinbergen des Herrn, in die vorige Finsterniß abgöttischen Wahnes zurück.

3. Noch betrübiger ist das Loos, das die Kirchen in Afrika erwartet; denn bevor noch die erste
Hälfte der gegenwärtigen Zeitepoche sich schließet,
sind schon alle afrikanischen Kirchen, mit Ausnahme
jener von Carthago, theils verwaiset, theils völlig
zerstört; und auf der ganzen, weit hingedehnten
afrikanischen Nordküste ist, am Ende dieses Zeit-
raumes, das bis jetzt überall triumphirende Zeichen
des Kreuzes von Mohameds und dessen Islams
blutiger Fahne verdrängt.

4. Wenden wir endlich unsere Blicke nach der
Christenheit in dem Morgenlande; so begegnen wir
auch hier beinahe überall nichts, als schauerlichen
Spuren der Zerstörung; und nur über einander ge-
worfene Trümmer sind noch die stummen und
trauernden Zeugen jener auf immer dahin geschwun-
denen Herrlichkeit so vieler Kirchen, auf deren Al-
tären noch vor kurzem das Licht der göttlichen Lehre
mit eben so erhellenden als belebenden Strahlen
flammte, und die jetzt, theils völlig zertreten, theils
unter dem unerträglichen Druck von Mohameds
neuer, den Geist und alles Göttliche in demselben
tödtenden, wie jeden höhern Aufschwung der Seele
hemmenden und lähmenden Religion schmachten und
seufzen. Aber als wenn es damit des Gräuels der
Verwüstung noch nicht genug wäre; so erhebt nun
auch der nie ruhende, sich selbst und alles Leben
verzehrende Geist der Häresie auf das neue wieder
sein Schlangenhaupt *), und durchzieht, gehoben und

---

*) Das passendste, am richtigsten gewählte Bild der Irr-

gestützt von einer verblendeten weltlichen Macht, verwüstend und verheerend alle noch übrigen Kirchen des Orients. Sogar die abendländischen Kirchen sucht derselbe unselige Geist des Zwiespaltes und der Verneinung, gleich den orientalischen, zu trüben und zu verwirren; aber gegen sein tödtendes Gift schützen erleuchtete Päbste, stark in der Kraft des heiligen Geistes, die abendländische Christenheit; und als ein halb wahnsinniger Despot zu den Blitzen seiner Allmacht greift, erringt ein heiliges Oberhaupt der Kirche, durch sein standhaftes Bekenntniß in Banden und Kerker, und unter schmach- und qualvollem Tode, die herrliche Palme der Bekenner, und bald darauf die noch glorreichere Krone der Märtyrer.

5. Aber welches Haus Gott selbst gebaut hat, das reißen Menschenhände nicht nieder; und jede vorübergehende Erniedrigung seiner Kirche ist, war und wird für dieselbe stets nur eine neue Stufe zu noch größerer Erhöhung seyn. Was in dem Laufe von beinahe sieben Jahrhunderten schon so oft geschehen, wird also auch jetzt wieder eintreten. Kraftlos und schäumend brechen sich abermals wieder die wilden Wogen an dem, von Gott selbst eingesenkten Fels, und der nächtliche, dichte und schwüle Nebel, welcher unsere heilige Kirche den größten Theil dieses Zeitraums hindurch umgibt, weicht schon am Ende desselben einer schönern, freundlichern Morgen-

---

lehrer und ketzerischer Sekten ist unstreitig jenes der Heuschrecken, unter welchem bekanntlich auch die Offenbarung des heiligen Johannes dieselben bezeichnet.

röthe. Die verirrten morgenländischen Schaafe hören wieder die Stimme ihres römischen Oberhirten.
Die Bekehrung aller angelsächsischen Reiche wird
vollendet, und ganz England huldiget dem Gekreuzigten. Auch die fränkischen Kirchen erheben sich
wieder zu ihrer frühern Lauterkeit und Heiligkeit;
des Heidenthums Ueberreste verschwinden in ganz
Gallien und dem Lande der Basken. Von Antwerpen bis längs der Nordseeküste hinauf, stürzen unter dem großen Heristaller die Götzentempel zusammen, und auf ihren Ruinen erheben sich dem wahren, dreieinigen Gott christliche Altäre; und wenn
die Grenzen des Reiches Gottes auf Erden, gegen
Osten und Süden, vor Mohameds neuem Götzen-
thum sich zurückzogen, so werden dieselben nun
bald gegen Westen und Norden, durch die Bekehrung
so vieler Völker zum Christenthum, noch ungleich
mehr erweitert; und endlich sind auch die Tage nicht
mehr ferne, an welchen, unter des großen Carls
und seiner Nachfolger Regierung, die, nun ebenfalls
in dem Zeitlichen mehr gefestete Kirche des Sohnes
Gottes auch der ihr gebührende äußere Glanz irdi-
scher Glorie und Herrlichkeit umstrahlen wird.

XXI.

1. Fortsetzung der Geschichte der Häresie der Monotheliten. Hätte Constantin, Heraklius Sohn, länger gelebt; so würde wahrscheinlich mit des Sergius, Cyrus und Kaisers Heraklius
Tod auch die Geschichte des monothelitischen Wahns
sich ebenfalls jetzt schließen. Zum Unglück starb, wie
wir wissen, Constantin, welcher der neuen Lehre von
ganzem Herzen abhold war, schon im vierten Mo-

nate seiner Regierung, und da sein Sohn Constans, welcher nach Martinas und Herakleonas kurzem Zwischenregiment den Thron bestieg, noch ein zwölfjähriger unverständiger Knabe war; so behielt die, leider ziemlich zahlreiche Parthei der Monotheliten am Hofe die Oberhand. Der Patriarch Pyrrhus, nach Sergius Tod das Haupt der neuen Sekte, hatte zwar Constantinopel verlassen, und sich nach Afrika eingeschifft; aber damit war nichts gewonnen, denn Paulus, Priester und Oeconom der großen Kirche in Constantinopel, ein nicht minder verknöcherter Monothelit, ward auf den Patriarchen-Stuhl erhoben. Schon diese Erhebung des Paulus war eine große Unregelmäßigkeit; denn als nach jenem, in der Sophienkirche gegen Martina und ihren Sohn, ausgebrochenem Aufruhr, die Furcht, von dem tobenden Volke zerrissen zu werden, auch den Pyrrhus zwang, Constantinopel zu verlassen, begab er sich vorher des Nachts, von einigen seiner Geistlichen begleitet, in die Kirche, und legte auf den Altar seine Stohle mit den Worten nieder: „Ich entsage nicht „meiner Kirche, lege auch jetzt nicht freiwillig mein „Amt und meine Würde nieder, sondern weiche nur „auf einige Zeit der Wuth eines völlig entzügelten, „rebellischen Volkes" — Pyrrhus, dem natürlicher Weise weder der Zorn noch der Haß des Volkes die bischöfliche Würde rauben, oder seines Amtes ihn entsetzen konnten, war demnach immer noch als Patriarch von Constantinopel zu betrachten. Indessen ist es leicht zu begreifen, daß man in jenen Tagen des Aufruhrs und frevelhafter Gewalt sich auch über die Satzungen der Kirche hinwegsetzte.

2. Paulus eilte nicht sehr, seine Erhebung dem römischen Stuhle bekannt zu machen. Erst ein Jahr nachher, als Johannes IV. schon gestorben

mar, schickte Paulus dem Pabste Theodor, Nachfolger des Verstorbenen, die gewöhnlichen Synodalschreiben. Das darin enthaltene ·Glaubensbekennt-
niß des Paulus stimmte vollkommen mit jenem der
römischen Kirche überein; daher auch der Pabst demselben in seinem Antwortschreiben das gebührende Lob
ertheilt, jedoch zugleich auch sein Erstaunen darüber
äußert, daß, ganz im Widerspruch mit dem ihm gesandten Glaubensbekenntniß, die Ekthesis des Heraklius noch an den Kirchenthüren in Constantinopel
angeschlagen sey; wahrscheinlich werde er den Inhalt
dieser Schrift nicht billigen, denn sonst würde er es
ja in seinem Synodalschreiben unumwunden erklärt
haben. Der heilige Vater macht endlich auch den
Paulus noch auf die Unregelmäßigkeit seiner Erhebung aufmerksam. So lange, sagt Theodor, Pyrrhus lebt, und man ihn nicht auf canonischem Wege
verurtheilt und seines bischöflichen Amtes entsetzt hat,
ist ein Schisma zu befürchten; daher Wir auch anfänglich einigen Anstand nahmen, ob Wir euer Synodalschreiben annehmen sollten. Der Pabst ermahnt
hierauf den Paulus, daß er, um das Mangelhafte
bei seiner Wahl und Consecration zu ergänzen, unverzüglich ein Concilium von den benachbarten Bischöfen zusammenberufen möchte, um gegen den Pyrrhus den Canons gemäß zu verfahren. Die Gegenwart desselben sey hiezu nicht nöthig, da man ja
seine Schriften habe, auch dessen ganzes Betragen
jedermann bekannt und gleichsam weltkundig sey.
Uebrigens habe er dem Martinus, Diacon und Apocrysiarius der römischen Kirche in Constantinopel den
Auftrag gegeben, als päbstlicher Legat dem Concilium beizuwohnen und die Sache des Pyrrhus zu
untersuchen. Auch den Bischöfen, welche den Paulus consecrirt und ebenfalls dem Pabste geschrieben
hatten, antwortete derselbe ungefähr in dem nämli-

22

chen Sinne; wobei er jedoch, obgleich in sehr gemä-
ßigten Ausdrücken, ihr äußerst inconsequentes Verfahren nicht unberührt ließ, daß sie nämlich in ihrem Synodalschreiben dem Pyrrhus den gewöhnlichen Bischofstitel und zwar mit dem Zusatz gegeben,
daß er blos aus Furcht vor dem aufrührerischen
Volk Constantinopel verlassen habe, und hierauf demungeachtet, bei mithin noch nicht erledigtem Stuhle,
dennoch schon einen Andern zum Bischof und Patriarchen geweihet hätten. — Dieses päbstliche Schreiben ward, wie es von dem Afterpatriarchen, der
den römischen Hof blos hatte täuschen wollen, zu
erwarten war, gar nicht beachtet, und nichts geschah von Allem dem, was der Pabst darin verordnet hatte.

3.   Pyrrhus war indessen in Africa angekommen, und suchte nun auch in den afrikanischen Kirchen seine monothelitische Irrlehre zu verbreiten. Aber
zum Glück begegnete er hier dem, mit hohen Gei-
stesgaben ausgerüsteten heiligen Maximus. Derselbe
war aus einem der ältesten und edelsten Geschlechter
entsprossen, ward schon als Kind getauft, erhielt
von frommen Eltern eine fromme Erziehung, und
von ausgezeichneten Lehrern eine eben so gründliche
als vielseitige wissenschaftliche Bildung. Seine Lieb-
lingsstudien waren jene der Philosophie und Theologie. Es dauerte nicht lange, so war Maximus
schon als einer der gelehrtesten Männer seiner Zeit
bekannt. Der Ruf seiner Gelehrsamkeit, verbunden
mit dem Glanze seiner Geburt, machte endlich auch
den Kaiser auf ihn aufmerksam. Heraklius nöthigte
ihn, in Staatsdienste zu treten, und übertrug ihm
bald darauf das so ungemein wichtige Amt eines
Kanzlers. Obgleich nun im Besitze der Gunst seines Monarchen, an dem Hofe in hohen Ehren, und

mit einem ungewöhnlichen Reichthum von Kenntnissen und Wissenschaften geschmückt, war sein ganzes Aeußere doch ein Bild der Bescheidenheit und
Demuth. Nur selten vermochte das Gewühl der
Geschäfte oder das Geräusch des Hoflebens die innere Stille seiner Seele zu unterbrechen; und an
Allem, was die Leichtfertigkeit der Höfe Anstößiges
hat, unberührt vorübergehend, daher in ächt christlicher Gesinnung und Gesittung dem ganzen Hofe
mit leuchtendem Beispiel voranschreitend, erbauete sein
stets tadelloser Wandel selbst die leichtsinnigsten Weltleute. Indessen hatte Maximus, blos um dem Kaiser zu gefallen, die ihm ertheilte Würde übernommen. Längst war es schon sein sehnlichster Wunsch
gewesen, die Welt gänzlich zu verlassen, und nur
in den Armen der Religion, weil da allein wahre
Ruhe zu finden, auch diese zu suchen. Noch lebhafter erwachte wieder dieser Wunsch in ihm, als er
sah und schweigend sehen mußte, wie das Gift der
monothelitischen Ketzerei, von dem Kaiser geschützt
und geheget, seine Verwüstungen mit jedem Tag
weiter verbreitete. Unabänderlich war jetzt sein
Entschluß; auf sein wiederholtes Ansuchen gab endlich auch der Kaiser, obgleich ungerne, seine Einwilligung; und nun eilte der bisherige Kanzler des römischen Reiches, sein Amt niederzulegen, allen zeitlichen Ehren und Würden auf immer zu entsagen,
und die Schimmerscenen des kaiserlichen Pallastes in
Constantinopel mit einer einsamen Mönchszelle im
Kloster zu Chrysopolis, nahe bei Chalcedon zu vertauschen. Hier lernte er den Pyrrhus kennen, und
als diesen Heraklius bald nachher auf den Patriarchenstuhl von Constantinopel erhob, so ward an dessen Stelle der heilige Maximus zum Abt des Klosters
erwählt. Indessen war der Aufenthalt des Heiligen
in diesem Kloster nicht von langer Dauer. Die mu-

merwährenden Unruhen und Besorgnisse, in welche
der Krieg mit den Arabern, besonders bei deren reiſ-
senden Fortschritten, den ganzen Orient stürzte, bewogen auch den Maximus, das Morgenland zu verlassen; sein Plan war, sich zu dem heiligen Vater
nach Rom zu begeben; da er jedoch vorher noch die
Kirchen von Afrika besuchen wollte, um die dortigen
Bischöfe von der Natur und wahren Beschaffenheit
der neuen monothelitischen Irrlehre in die nöthige,
vollständige Kenntniß zu setzen, sie mit den Kunst-
griffen und verfänglichen Sophismen der Neuerer
bekannt zu machen, und vor deren Fallstricken sie zu
warnen; so traf es sich jetzt, daß Maximus gerade
noch in Carthago war, als auch der aus Constantinopel entflohene Patriarch Pyrrhus allda anlangte.

3. Das Zusammentreffen zweier so berühmten
Gegner erregte großes Aufsehen in Carthago. Um
jeder Spaltung in den afrikanischen Kirchen zuvorzukommen, und den bisherigen Frieden ferner darin
zu erhalten, schlug Gregorius, Statthalter von Afrika,
in Uebereinstimmung mit den übrigen Bischöfen, zwischen beiden großen Männern eine öffentliche Unterredung vor, die Pyrrhus sogleich annahm, und natürlicher Weise auch der heilige Maximus nicht von
sich ablehnte. Gegenwärtig bei dem Colloquium waren der Statthalter, sämmtliche in Carthago anwesende afrikanische Bischöfe und eine ungemein zahlreiche Menge der vornehmsten und angesehensten Männer aus der Stadt und der ganzen umliegenden Gegend. Pyrrhus war ein, in allen Subtilitäten der
Dialektik und Metaphysik äußerst gewandter Gegner.
Aber auch dem heiligen Maximus war der Gebrauch
dialektischer und metaphysischer Waffen nicht unbekannt; und da er nun von jedem Worte stets erst
den wahren Begriff feststellte, zugleich den eigentli-

chen Fragepunkt, mit vorsichtiger Aushebung aller
zur Beleuchtung desselben dienlichen, und eben so
scharfer Sonderung aller äußern, unwesentlichen Umstände, nie aus dem Auge verlor, auch die schärfste
Präcision des Ausdruckes ihm zu Gebote stand; so
gelang es endlich seiner siegenden Logik, deren Stärke
er durch seine sichere, imponirende Haltung noch mehr
zu erhöhen wußte, seinen Gegner völlig verstummen
zu machen, und ihm ein öffentliches Bekenntniß der
Unhaltbarkeit der monothelischen Lehre zu entlocken *).
Daß dabei auf Seite des Pyrrhus keine Verstellung
mit unterlief, er vielmehr sich vollkommen überzeugt
fühlte, der Besiegte mithin blos der Wahrheit un-
widerstehlichen Kraft seine Waffen willig hingab;
daran ist nicht zu zweifeln; Pyrrhus hatte nichts zu
befürchten, und es ist nicht der mindeste Grund ge-
denkbar, der ihn hätte bewegen können, gegen seine
Ueberzeugung zu sprechen **).

---

*) Alles, was Pyrrhus und Maximus bei diesem Collo-
quium redeten, ward von öffentlichen Notarien aufgezeichnet. Ein handschriftliches Exemplar dieser merkwürdigen Unterredung soll in der vaticanischen Bibliothek vorhanden, und von einem gelehrten Jesui-
ten, Namens Turino in das Lateinische übersetzt
worden seyn. Diese Uebersetzung sammt des griechischen Original-Textes findet man bei Baronius,
am Ende des achten Bandes seiner Annalen.

**) Wir müssen um so mehr auf diesen Umstand hier auf-
merksam machen, da nachher die Monotheliten frech
behaupteten und überall verbreiteten, des Pyrrhus Bekenntniß wäre erzwungen, mit Gewalt ihm abgedrungen worden. Eine Behauptung, die auch nicht den
mindesten Grad von Wahrscheinlichkeit für sich hat;
indem Pyrrhus gar nichts zu befürchten haben konnte,
ja sogar, weil von der Kirche noch nicht verdammt
und für einen Irrlehrer erklärt, mit dem heiligen

4. Die afrikanischen Bischöfe, oder vielmehr

Maximus in freundschaftlichem Verhältniß und trau-
lichem Briefwechsel stand, was auch nachher die Neider des heiligen Maximus demselben, obgleich mit
Unrecht zu großem Vorwurfe machen wollten. Mit
einem verirrten, durch eigene oder Anderer falsche
Grundsätze verführten, jedoch für Belehrung noch
empfänglichen Menschen kann man nicht sanft, nicht
mild, nicht schonend genug verfahren; nur bei einem,
in dem Irrthum verstockten, mit unheilbarem Dünkel
geschlagenen, von der Wahrheit sich vorsätzlich hinweg-
wendenden, und jede Belehrung stolz von sich zurückstoßenden Ungläubigen oder Ketzer, muß man dem
Beispiele des heiligen Johannes folgen, der, als er
im Begriffe stand, in das Bad zu gehen, aber in
denselben Augenblick erfuhr, daß Cerinthus darin
wäre, sogleich mit den Worten zurücksprang: »Laßt
uns fliehen, daß nicht über uns einstürze das Bad,
in welchem Cerinthus, der Feind der Wahrheit
ist.« — Der himmelvolle, weil liebevolle, und daher
einst an dem Busen Jesu ruhende, große Apostel
wollte uns damit die Lehre geben, daß wir mit Denen, welche vorsätzlich von der Wahrheit sich abge-
wendet, Jesum Christum nicht erkennen, ihn schmä-
hen, und solche schauerliche Irrthümer sogar noch zu
verbreiten suchen, allen und selbst den entferntesten
Umgang fliehen müßten. — Religion ist das Band,
das die Erde an den Himmel, den Menschen an Gott
knüpft; aber dieses Band ist Liebe zu Gott in Jesu
Christo, Der uns von Gott zur Weisheit und Gerechtigkeit gemacht worden, durch Den wir allein
Gott gefallen können, und Der uns den heiligen
Geist gesandt hat, durch Welchen die Liebe zu Gott
in unsere Herzen gegossen wird *). Wenn nun die-

---

*) Worin jene Liebe zu Jesu und durch Ihn und in
Ihm zu Gott besteht, dieß hat Christus uns deutlich gesagt: "Wer mich liebt, der hält meine
Gebote," das heißt, er glaubt an Mich, glaubt
meine, entweder unmittelbar von Mir, oder durch

die ganze, bei der Unterredung anwesende zahlreiche Versammlung ersuchte nun den Pyrrhus, durch Bekanntmachung seines, nunmehr mit der Lehre der Kirche übereinstimmenden Glaubensbekenntnisses, seine frühern Irrthümer zu widerrufen. Pyrrhus versprach es, begehrte aber, daß man ihm vorher noch gestatten möchte, nach Rom zu reisen, die Gräber der beiden heiligen Apostel zu besuchen, sich dann dem heiligen Vater zu Füßen zu werfen, und ihm in Gegenwart der römischen Geistlichkeit sein Glaubensbekenntniß und die Abschwörung der monothelitischen Irrlehre zu überreichen. Gerne und freudig gaben die Bischöfe und der Statthalter ihre Einwilligung, und in Begleitung des heiligen Maximus

---

sen so ist; so möchte schwer zu erklären seyn, wie es Menschen geben könne, die sich Christen nennen, eines religiösen Sinnes und Gefühles sich rühmen, auch Religion noch unter ihre geistigen Güter rechnen, und dennoch offenbaren, notorisch bekannten Feinden und Herabwürdigern Jesu öffentlich huldigen, ja sogar, ihnen Tempel errichten, oder, wenn sie das nicht vermögen, doch ein solches Unternehmen, ein wahres Anomalon des menschlichen Geistes und Herzens, in rednerischem und dichterischem Schwunge — (wobei es freilich dem christlichen Denker ganz kalt über die Haut läuft) — der Welt als etwas Großes und Erhabenes anpreisen können! Wir berühren hier nur die ganz unbegreifliche Inconsequenz in einem solchen Verfahren. Was das Uebrige betrifft; so steht es ja jetzt jedem, ohne dabei Etwas für seine zeitlichen Vortheile befürchten zu müssen, völlig frei, zu wählen zwischen Christus und — Belial.

---

den Mund meiner Apostel, ihm gegebenen Lehren und geoffenbarten Wahrheiten, und hält dann Alles, was ich ihm geboten habe.

machte sich nun Pyrrhus nach der Hauptstadt der Christenheit unverzüglich auf den Weg.

5. In Gegenwart der gesammten zahlreichen römischen Geistlichkeit und einer großen Menge Volkes überreichte Pyrrhus öffentlich in der Kirche zu Rom dem Pabste ein, von ihm unterzeichnetes Glaubensbekenntniß, worin er Alles, was er und seine Vorfahren in Beziehung auf den Monothelismus geschrieben, gelehrt und verordnet hätten, widerrief und als Irrlehre verdammte. (645.) Theodor, im höchsten Grade erfreut über die aufrichtige und reumüthige Rückkehr des Verirrten, nahm ihn nun mit der größten Feierlichkeit wieder in die Gemeinschaft der römischen Kirche auf, überhäufte ihn mit Beweisen der Liebe und Freundschaft, erkannte ihn als rechtmäßigen Patriarchen von Constantinopel, ließ ihm daher alle seiner Würde gebührenden Ehrenbezeugungen erweisen, einen besondern Sitz in der Kirche für ihn neben dem Altar errichten, ihm Geld reichen, um solches unter das Volk auszutheilen, und ihn, während der ganzen Zeit seines Aufenthaltes in Rom, auf Kosten der römischen Kirche, mit allem Nothwendigen in Ueberfluß versehen.

6. Der Rücktritt des Pyrrhus zu der wahren Lehre der Kirche war ein wahrer Triumph für die afrikanischen Bischöfe, für die Monotheliten aber ein ganz unerwarteter, gleichsam aus unumwölktem Himmel hervorgebrochener Donnerschlag. In der besten Absicht sandten die Erstern durch einige Abgeordneten eine Abschrift des von Pyrrhus dem Pabste überreichten Glaubensbekenntnisses nach Constantinopel; sie versprachen sich davon große Wirkung. Aber der Empfang der Abgeordneten von Seite des Patriarchen war sehr kalt; jene sahen bald ein, daß sie hier

nichts ausrichten würden, kehrten daher unverzüglich
wieder zurück, und brachten den Bischöfen die traurige Nachricht, daß in Constantinopel monothelitische Irrthümer, die man als wahre Glaubenslehren
den Rechtgläubigen zur Annahme empfehle, an dem
bischöflichen Palaste, wie an allen Kirchenthüren angeschlagen wären.   Diese Nachricht entflammte nur
noch mehr den Eifer der Afrikaner.   Die Primaten
von Byzacene, Mauritanien, Numidien und Afrika
Proconsularis versammelten ihre Bischöfe, verdammten in mehrern Concilien die Irrlehre der Monotheliten, und entwarfen ein gemeinschaftliches Sendschreiben an den Pabst, in welchem sie ihm Bericht
erstatteten über das, was während der Anwesenheit
des Pyrrhus bei ihnen vorgefallen, über die Maßregeln, die sie diesfalls ergriffen, über ihre Sendung
an den Patriarchen Paulus, über deren schlechten
Erfolg, und den gegenwärtigen Zustand der Kirche
von Constantinopel.   Höchst merkwürdig ist in dem
Briefe der afrikanischen Bischöfe an den Pabst folgende Stelle: "Niemand wird es wagen, zu läug-
"nen", sagen die Bischöfe, "daß der w a h r e, un-
"g e t r ü b t e und über die g a n z e K i r c h e sich er-
"g i e ß e n d e Glaubensquell in R o m gefun-
"d e n werde. Satzungen aus dem grauesten Alter-
"thum setzen es fest, daß alle, selbst in den entfern-
"testen Provinzen (in Angelegenheiten des Glaubens
"und der allgemeinen, allen Kirchen zum Grunde
"liegenden Disciplin) genommenen Beschlüsse ihre
"gesetzliche Kraft erst durch die päbstliche Bestä-
"tigung und die Autorität des römischen
"Stuhles erhalten." — Das Schreiben an den
Pabst ist von 68 Bischöfen unterzeichnet; aber unter den Unterschriften vermißt man jene des Fortunius, Metropolitanbischofes von Carthago.   Derselbe hatte frühzeitig sich schon zu dem Monothelis-

muß hingeneigt, vor ein Paar Jahren seinen bischöflichen Sitz verlassen, und war in Constantinopel mit
Paulus in Kirchengemeinschaft getreten. An die
Stelle des Fortunius, sey es, daß er entweder jetzt
in einem Concilium von den Bischöfen entsetzt wurde,
oder diese sichere Kunde von seinem Tode erhalten
hatten, ward nun Victor auf den Stuhl von Carthago erhoben. Er sandte dem Pabste sogleich sein
Synodalschreiben, that ihm darin seine Erhebung
kund, verdammte die monothelitische Lehre, und bat
ihn, zwei seinem Schreiben beigelegte Briefe der
afrikanischen Bischöfe, wovon einer an den Patriarchen Paulus, der andere an den Kaiser Constans
gerichtet war, sicher nach Constantinopel gelangen zu
lassen *).

7. Durch die aus Afrika erhaltenen Berichte
veranlaßt, sandte Theodor jetzt einige Legaten mit
den Briefen der afrikanischen Bischöfe nach Constantinopel. Er selbst schrieb ebenfalls, obwohl in ungleich schärfern Ausdrücken, als das erstemal, an
Paulus, gab auch seinen Legaten und dem in Constantinopel befindlichen Apocrysiarius seiner Kirche den
Auftrag, an den Patriarchen die ernste Foderung zu

---

*) Gregor hatte sich nämlich gerade um diese Zeit em-
pört, und dem Kaiser Constans förmlich den Gehorsam aufgekündiget. Die unmittelbare Verbindung
zwischen Carthago und Constantinopel ward dadurch
unterbrochen, daher die Bischöfe ihre nach Constantinopel gerichteten Briefe über Rom durch den Pabst
dahin senden mußten. — Ueber diesen Gregor und
dessen fernere merkwürdige Schicksale kann der Leser,
wenn er sich der Sache nicht mehr erinnern sollte, im
12ten Abschnitte des 8ten Bandes unserer Fortsetzung,
§. §. 21 und 22. befriedigende Auskunft finden.

stellen, ungesäumt seine Erklärung über den Willen und die Wirkungsweise Jesu Christi nach Rom zu schicken.

8. Paulus, obgleich ein verstockter Monothelit, und durch seinen Glauben schon von der römischen Kirche getrennt, wünschte dennoch nichts sehnlicher, als auch in dem Abendlande, und besonders in Rom in dem Rufe eines rechtgläubigen Bischofes zu stehen; aus diesem Grunde hatte er bisher einer bestimmten Erklärung über seine Lehre an den Pabst, so viel er nur immer konnte, auszuweichen gesucht. Aber nun von allen Seiten gedrängt, von den päbstlichen Legaten, dem Sericus und Martinus und endlich auch noch von sämmtlichen afrikanischen Bischöfen, entschloß er sich endlich, an den Pabst zu schreiben. Seinem Briefe schickte er eine lange Einleitung voran, voll süßer Worte und Phrasen über seine Liebe zum Frieden, seine Demuth, seine Geduld, mit der er bisher so viele böse Nachreden und Vorwürfe ertragen; beklagt sich hierauf über die Legaten des Pabstes, die an ihn die Foderung gestellt hätten, sich über den Willen und Wirkungsweise Jesu Christi zu erklären; sagt hierauf, daß er jedoch, um dieser Foderung Genüge zu leisten, nunmehr dem Pabste sein, und aller, von dem Stuhle in Constantinopel abhängenden Kirchen Glaubensbekenntniß vorlegen wolle. Vollkommen rechtgläubig erklärt sich nun Paulus über die heilige Dreifaltigkeit; auch über die Vereinigung zweier Naturen in der Person Jesu; leitet aber nun, nach einer, nur ihm und den Monotheliten eigenen Logik, folgenden Schluß daraus her: „Laßt uns also nur Einen Willen in J. C. „anerkennen, damit wir nicht verschiedene, oder widersprechende Willensäußerungen anzunehmen „genöthiget werden. Nicht, als wollten wir dadurch die beiden Naturen mit einander vermengen,

„oder die eine ganz auslöschen, um gleichsam auf
„ihre Kosten die andere um so mehr hervorzuheben —
(non enim ad conglomerationem omnino aut
confusionem duarum naturarum, quae in eo-
dem videntur unius voluntatis, hanc producen-
tes vocem, aut ad interemtionem alterius tantum aliam esse praedicantes; . . . .) „sondern
„wir behaupten nur, daß seine menschliche Natur
„(caro) von einer vernünftigen Seele belebt, aber
„wegen ihrer innigen Vereinigung mit dem Wort
„(welches Gott ist) auch mit allen göttlichen Gaben
„bereichert, nur einen göttlichen, von jenem des Wor-
„tes durchaus nicht verschiedenen Willen hatte, wel-
„cher sie in allen ihren Handlungen leitete und be-
„wegte." Zum Beweise dieser Lehre führt nun Paulus einige Texte aus der heiligen Schrift an, und
beruft sich endlich auch noch auf die Aussprüche ver-
schiedener heiligen Kirchenväter, des h. Gregors von
Nazianz, des h. Athanasius, des h. Cyrillus 2c. 2c. *).

_____

*) Wir sehen hier wieder die nämlichen Fechterstreiche,
welche auch Paulus Vorfahrer, Sergius, Cyrus, Pyrrhus geführt. Mit dem Begriffe eines doppelten Willens in Christo verbindet er den Begriff eines nothwendigen Widerspruches zwischen diesen beiden
Willen, der jedoch, weil blos eine Folge des Sün-
denfalles, nur in dem gefallenen Menschen, nicht aber
in dem zweiten, von Oben gekommenen Adam, in dem
nicht gefallenen, von keiner Versuchung überwundenen
Menschen Jesu eintreten kann; und da ferner in dem
Menschen Jesu, dessen menschlicher Wille sich stets dem
Willen der, mit seiner geheiligten Menschheit innigst
vereinten Gottheit unterordnete, mit demselben auf
das vollkommenste sich vereinigte, und daher heilige
Kirchenväter diese vollkommene Einmüthigkeit und
Gleichförmigkeit des Willens Einheit des Willens nennen — so wie dieses auch von andern, in Allem vollkommen miteinander übereinstimmenden Din-

9. Paul konnte leicht voraussehen, daß sein Glaubensbekenntniß weder den Pabst, noch die afrikanischen Bischöfe befriedigen würde. Da jedoch in Ansehung der Letztern es jetzt, wegen der Empörung des Statthalters in Afrika, in dem persönlichen Interesse des Kaisers lag, sie für sich zu gewinnen; Jenen aber gerade die an dem Narder der Kirchen angeschlagene Ekthesis ein ganz besonderer Gegenstand der Aergerniß war, sie auch in ihrem letzten Schreiben an den Kaiser sich sehr deutlich darüber ausgesprochen hatten; so gab der arglistige Patriarch jetzt den Rath, ein anderes kaiserliches Edikt anschlagen zu lassen, welches unter dem Schein großer Unbefangenheit befahl, daß die Ekthesis von allen Kirchen sollte abgenommen werden; übrigens aber, in Bezug auf die vorliegende Streitfrage, durchaus, nur in andern Ausdrücken, desselben Inhalts, wie

---

gen noch jetzt in jeder Sprache der Brauch ist — so beruft sich nun Paulus auf diese Kirchenväter, deren Ausdrücken stillschweigend einen monothelitischen Sinn unterschiebend, als Bürgen und Gewährsmänner seiner Irrlehre. Indessen war es bei Paulus, so wenig wie bei Sergius und den andern Häuptern der Sekte wirklicher Mangel an gesunder Logik; nur dann, wann sie an Andere schrieben, und diese täuschen wollten, verwirrten sie Sprache und Begriffe, wurden dunkel und hüllten sich in doppelsinnige Worte ein; in ihrem eigenen Briefwechsel aber drückten sie sich klar und bestimmt aus, und fehlten wenigstens nicht gegen die logische Form. So z. B. sagt der monothelitische Bischof Pharus ganz deutlich: "In Christo ist nur "Ein Wille, nämlich der göttliche. In der "Menschwerdung Jesu darf nur Eine Wirkungsweise "anerkannt werden. Die Gottheit ist es allein, die da "wirket, und die Menschheit, bloß dessen Werkzeug. "Alles, was göttlich oder menschlich gewirkt worden, das ist das Handeln oder Wirken des Wortes "Gottes."

auch die Ekthesis, war. Dieses Edikt, welches der Patriarch Paulus selbst verfaßt hatte, ward der Typus (Formular) genannt. Der Kaiser stellt darin zuerst die Frage fest, worüber jetzt gestritten ward, führt dann die Gründe an, worauf die Meinungen der beiden Partheien beruhen, und gebietet hierauf, über die Frage von Einem oder Zwei Willen in Zukunft völlig zu schweigen. "Wir verbieten," sagt der Kaiser, "allen unsern katholischen Unterthanen, über die Frage von Einem oder Zwei Willen, von Einer oder Zwei Wirkungsweisen in Zukunft zu streiten, oder das Geringste davon zu erwähnen, ohne jedoch dadurch dem zu nahe zu treten, was von den heiligen Vätern von der Menschwerdung des Wortes gelehrt worden. Unser Wille ist, daß man sich an die heilige Schrift, an die fünf allgemeinen Concilien und die Aussprüche der Väter halte, deren Lehren der Kirche zur Richtschnur dienen. Man soll Alles so lassen, wie es war, bevor die Streitigkeiten begannen, und diese betrachten, als wenn sie nie vorgefallen wären. Aus diesem Grunde haben wir auch befohlen, daß die, an der großen Kirche angeschlagene Schrift (Ekthesis) abgenommen werde. Diejenigen, welche diesen Geboten nicht Folge leisten, sollen dem furchtbaren Gerichte Gottes anheimfallen; aber auch hier schon unsere Ungnade und unsern Zorn empfinden. Bischöfe und Geistliche sollen abgesetzt, Mönche in den Bann gethan und des Landes verwiesen, öffentliche Beamten ihrer Aemter entsetzt, und die Andern entweder mit Einziehung ihres ganzen Vermögens, oder wenn es Leute von niederm Stande sind, körperlich bestraft und hierauf ebenfalls des Landes verwiesen werden." —

10. Auch abgesehen davon, daß der Kaiser hier

über Etwas gebot, worüber er gar nichts zu gebieten hatte, indem in Sachen des Glaubens und der heiligen Lehre blos die, von Jesu gegründete, und von dem heiligen Geiste bis an das Ende der Tage unterrichtete und geleitete Kirche ganz allein eine feste und untrügliche Autorität bildet, mithin auch ganz allein zu entscheiden, und wenn sie entschieden, Stillschweigen zu gebieten hat; so ist dieses, über den Verstand des Menschen, wie über dessen äußere Verhältnisse, Rechte und Gerechtsamen verfügende Edict, nebst seiner Albernheit, auch noch, und zwar in dem wahren Sinne des Wortes, gottlos, indem es Stillschweigen gebeut über eine Frage, die, nach der Wendung, welche jetzt der Streit genommen, wenn sie unvollständig beantwortet blieb, nothwendig zu einem höchst verderblichen, von der Kirche schon öfters verdammten Irrthum führen mußte *). Da übrigens Kaiser Constans und sein

---

*) Als der Pabst Honorius ebenfalls Stillschweigen gebot, war die Lage der Sache ganz anders. Durch des Sergius gekünstelte, geschraubte und dem äußeren Schein nach ganz katholische Briefe getäuscht und irregeführt, konnte und mußte Honorius glauben, daß von einem blosen grammatikalischen Wortstreite die Rede wäre, welcher, wenn er noch länger fortgesetzt würde, endlich doch den Frieden in der Kirche stören könnte, und dem er also, durch sein, Stillschweigen auferlegendes, Gebot ein Ende zu machen, für das Zweckmäßigste und Vernünftigste hielt. Solche Fälle können noch immer in der Kirche eintreten; denn bis auf den heutigen Tag sind sie noch manche Fragen unerörtert gelassen, deren Erörterung aber auch zu unserm Heil durchaus nicht nothwendig ist, und wo man also der Ermahnung des großen Apostels folgen muß: Non plus sapere, quam oportet sapere, sed sapere ad sobrietatem. Bei solchen Fragen verbietet die Kirche nur feindseliges, die Liebe wie

Patriarch sich schon laut und offen für die Parthei der Monotheliten erklärt hatten; so ergab es sich von selbst, welche verdeckte Absicht dem Edicte zum Grunde lag, und welche verderbliche Zwecke man dadurch zu erreichen hoffte.

11. Pabst Theodor, an den indessen theils von den cyprischen Bischöfen, theils auch von andern, wie z. B. von dem Bischofe Stephanus von Dora, welcher als Bevollmächtigte der Geistlichkeit von Palästina sich in Rom aufhielt, mehrere schwere Klagen gegen den Patriarchen von Constantinopel gelangt waren, und der jetzt wohl einsah, daß alle fernere Bitten und Ermahnungen bei Paulus verloren seyn würden, zögerte nun nicht länger mehr, gegen diesen Feind der Wahrheit sich der von Christus ihm verliehenen Waffen zu bedienen. Auf sein Geheiß trat ein Concilium italienischer Bischöfe in der St. Peterskirche zusammen. Hier ward der Typus des Kaisers genau geprüft, einstimmig verworfen, und hierauf der Patriarch von Constantinopel, der nicht nur den Typus verfaßt, sondern auch in seinem Briefe an den Pabst sich offen zu dem monothelitischen Wahne bekannt, und allen Rechtgläubigen schon mehrere Jahre lang durch sein Betragen das größte Aergerniß gegeben hatte, verdammt, mit dem Banne belegt und seines bischöflichen Amtes entsetzt. (649.)

---

den Frieden verletzendes Gezänke; läßt aber übrigens jedem völlige Freiheit der Meinung; nur darf diese nicht einem, von der Kirche schon festgesetzten Dogma widersprechen, oder gar, wie die monothelitische Irrlehre, es völlig stürzen.

12. Wahrscheinlich war es die nämliche Synode, auf welcher der Pabst auch dem unseligen Pyrrhus das Urtheil der Verdammung sprach. Nachdem derselbe sich einige Zeit in Rom aufgehalten, war er nach Ravenna gegangen. Hier ward er von dem Exarchen Plato auf das freundschaftlichste empfangen. Dieser war erst vor zwei Jahren von dem Kaiser an die Stelle des verstorbenen Isacius zum Exarchen ernannt worden. Da die Bekehrung des Pyrrhus überall großes Aufsehen erregt, und auf die Gemüther einen tiefen, der monothelitischen Parthei nicht wenig gefährlichen Eindruck gemacht hatte, so schrieb der Kaiser dem Exarchen, und gab ihm den Auftrag, alles anzuwenden, den Pyrrhus auf das neue wieder für die Parthei zu gewinnen. Um dem Kaiser zu gefallen, und einen Unglücklichen zu verführen, ließ also der Exarch nichts unversucht; er erwies dem Pyrrhus die größten Ehrenbezeugungen, schmeichelte auf alle Weise dessen Stolz und Eitelkeit, häufte Versprechungen auf Versprechungen und gab ihm im Namen des Kaisers sogar die Versicherung seiner unmittelbaren Wiederherstellung auf dem Patriarchenstuhl von Constantinopel. Der eitle, wetterwendische, von jedem Winde zeitlicher Vortheile hin und her getriebene Pyrrhus gerieth in die Schlinge des Verführers, widerrief sein, dem Pabste überreichtes Glaubensbekenntniß, als eine mit Gewalt ihm abgedrungene Urkunde, beschuldigte den heiligen Maximus und die afrikanischen Bischöfe der Hinterlist und des Betruges, und schickte eine neue, von ihm unterzeichnete, mit den Lehren des Sergius und Paulus übereinstimmende Glaubenserklärung nach Constantinopel. Tief schmerzte den heiligen Vater dieser neue, jeder Hoffnung zur Wiederkehr nur wenig oder gar keinen Raum mehr gestattende Abfall

23 *

des Pyrrhus; und in dem höchsten Grade entrüstet über einen so unerhörten Verrath, über eine so schändliche Mischung von Heuchelei, Meineid, Feigheit und Treulosigkeit, ließ Pabst Theodor, in Gegenwart der im Concilium versammelten Väter, sich den gesegneten Kelch des Herrn bringen, nahm einige Tropfen von dem heiligen Blut, und unterzeichnete damit das Verdammungsurtheil des Verräthers*). Er ward seiner geistlichen Würden entsetzt und das Anathema ward über ihm ausgesprochen. Pyrrhus verließ hierauf Ravenna und eilte nach Constantinopel zurück.

13.   Sehr gnädig empfieng der Kaiser den tief Gefallenen, an dessen schmähliger Verurtheilung und Entsetzung jedoch Paulus nur schwachen, äußerst kalten Antheil zu nehmen schien. Als aber bald darauf dem Patriarchen selbst sein Verdammungsurtheil angekündiget ward, war er seiner nicht mehr mächtig, gebährdete sich gleich einem Rasenden, lief in das, für den Pabst zu Constantinopel in dem Pallaste Placidia erbaute Oratorium, stürzte

*) Eine furchtbare, gewiß bei allen Anwesenden einen heiligen Schauer erregende Ceremonie. Daß sehr viel Bedenkliches darin liege, wird und kann Niemand entgehen. Aber sicher würde der gottesfürchtige, seinem hohen Berufe stets treue, und von heiligem Eifer für die Ehre Gottes erglühte Pabst sich eine solche schauerliche Handlung nicht erlaubt haben, hätte er nicht wahrscheinlich eine dieselbe billigende Stimme in seinem Innern vernommen. Nur ein einzigesmal ward nachher noch das Nämliche wiederholt, nämlich auf der achten in Constantinopel gehaltenen allgemeinen Kirchenversammlung, als dem Photius, der in das Patriarchat sich eingedrungen hatte, das Verdammungsurtheil gesprochen ward.

altva den Altar, schloß die Kapelle, und verbot den päbstlichen Legaten, hier ferner die heiligen Geheimnisse zu feiern. Da dieses aber nur eine schwache Rache war, welche der Ohnmächtige an dem geheiligten Oberhaupt der Christenheit nehmen konnte; so wüthete er jetzt desto schonungsloser gegen alle Rechtgläubigen, gegen Bischöfe, wie gegen andere Geistlichen, und gegen diese, wie gegen Laien. Bischöfe wurden von ihren Sitzen vertrieben, andere, da sie die Verwüstung, welche Wölfe in Schaafspelzen in ihren Kirchen anrichteten, nicht länger anschauen konnten, verließen sie freiwillig, und flohen nach Rom. Viele Geistliche wurden in Gefängnisse geworfen, gegeißelt, oder mit Stockschlägen schrecklich mißhandelt; auch viele Laien aus allen Ständen eingekerkert, Einige ihres Vermögens beraubt, Andere mit Ruthen gestäupt und des Landes verwiesen; und eine grausame, bald selbst bis nach Italien sich erstreckende Verfolgung der wahren, allein seligmachenden Kirche Jesu nahm jetzt ihren Anfang.

14. Theodor starb noch in dem nämlichen Jahre (649), nachdem er mit erleuchteter Weisheit sechs Jahre und sechs Monate der Kirche des Sohnes Gottes vorgestanden hatte. Vorzüglich gerühmt werden dieses gottseligen Pabstes ganz ungemeine Sanftmuth, Güte und über Armen sich erstreckende Mildthätigkeit. Die ganz zerfallene oder zerstörte Kirche zum heiligen Valentin ließ er wieder aufbauen und prächtig ausschmücken; auch noch zwei oder drei Oratorien wurden auf seine Kosten erbauet und mit reichen Gaben von ihm beschenkt. Nur eine einzige Ordination nahm er vor, in welcher er 21 Priester, 4 Diakone, überhaupt aber 46 Bischöfe weihete.

15. Während des Kirchenregiments des frommen Pabstes Theodor ward die Ruhe der Stadt Rom, durch den Aufruhr des Chartularius Mauritius auf kurze Zeit gestört. Dieser Mauritius, der nämliche, welcher in der Zwischenzeit, von dem Tode des Pabstes Honorius bis zur Erhebung des Severinus, den Palast und die Kirche des Laterans mit so vielem Anstande rein ausgeraubt und ausgeplündert hatte*), war auf den unglücklichen Gedanken gerathen, dem Exarchen Isacius den Gehorsam aufzukündigen. Er brachte einige Truppen zusammen, und ließ sich von diesen und den übrigen, in und außer Rom liegenden Soldaten, nachdem er viel Geld unter sie ausgetheilt hatte, einen Eid schwören, daß sie nicht mehr den Isacius, sondern ihn als Exarchen erkennen wollten. Auf die erste Nachricht von diesem Aufruhr, schickte der Exarch unverzüglich ein sehr bedeutendes Truppencorps von Ravenna nach Rom; und kaum war dieses angekommen, als sogleich auch alle Soldaten des Mauritius zu demselben übergingen. Der Aufrührer, von jedermann verlassen, floh in eine der Mutter Gottes geweihten Kirche. Aber derjenige, der vor einigen Jahren selbst, gleich einem Räuber, in das Heiligthum eingebrochen war, und sacrilegische Hände an Kirchengut gelegt hatte, sollte nun ebenfalls nicht des Schutzes der Kirche genießen; und so ließ es Gott geschehen, daß die Soldaten des Isacius, des kirchlichen Asyls nicht achtend, den Mauritius von dem Altar rissen, und mit Gewalt aus der Kirche hinwegschleppten. In Banden und mit einem Halseisen ward er nach Ravenna dem Exarchen gesandt;

---

*) Man sehe der Fortsetzung B. 7, Abschn. 23. §. 2. 3. und 4.

aber auf dessen Befehl schon zu Phicocle, (jetzt Cervia) zwölf römische Meilen von Ravenna enthauptet. Aber auch Isacius hatte sich seines Sieges nicht lange zu erfreuen; denn er starb einige Tage darauf plötzlichen und unvorgesehenen Todes. In Gemeinschaft mit Mauritius hatte auch Isacius Laterans Kirche und Palast geplündert, und wahrscheinlich sollte er nun auch gemeinschaftlich mit demselben, vor dem Richterstuhle des Ewigen, des mit einander begangenen sacrilegischen Frevels wegen, Rechenschaft ablegen. Auf den Isacius folgte Plato in dem Exarchat, blieb jedoch nur kurze Zeit auf diesem hohen Posten, und ward durch Olympius, von dem bald umständlichere Rede seyn wird, in der Würde eines Exarchen ersetzt.

XXII.

1. Nur sechs Wochen blieb nach Theodors Tod die Kirche ohne Oberhaupt, und Martin I., ein geborner Toscaner und ehemaliger päbstlicher Legat in Constantinopel, ward schon im Julius des Jahres 649 auf den römischen Stuhl erhoben. Der Kaiser hatte sehr geeilet, die Pabstwahl zu bestätigen; er hoffte, durch diese Willfährigkeit den neuen Pabst zu gewinnen, der jetzt auch, theils in mehrern Briefen des Kaisers, theils auch mündlich von den kaiserlichen Beamten in Rom, auf das dringendste angesonnen ward, den Typus anzuerkennen, und das, gegen denselben von seinem Vorfahrer ausgesprochene Verdammungsurtheil wieder zurückzunehmen.

2. Die Schalkheit des Paulus und seiner

Gehülfen, deren verderbliche Lehre, und geheimen
gefährlichen Absichten zu durchschauen, hatte niemand bessere Gelegenheit gehabt, als der Pabst
während seines Aufenthaltes in Constantinopel. Um
also dem Kaiser auf einmal alle Hoffnung zu benehmen, in dem gegenwärtigen Oberhaupt der
Kirche je eine feige, desselben unwürdige Nachgiebigkeit zu finden, begann er, von dem Flammeneifer des heiligen Maximus noch mehr dazu ermuntert, sein Pontificat alsogleich mit der Zusammenberufung eines, mehr als gewöhnlich, zahlreichen
Conciliums. Ohne die Aebte, Priester und Diacone zu zählen, fanden sich mit Einschluß des Pabstes, hundert und fünf Bischöfe darauf ein;
und da diese, mit Ausnahme der Bischöfe aus den
Herzogthümern Benevent, Spoleto und Toscana,
welche den Longobarden unterworfen waren, größtentheils ihre bischöflichen Sitze in Ländern hatten,
welche dem Kaiser gehorchten; so macht die Uner-
schrockenheit, mit welcher sie, trotz ihrer Abhängigkeit von diesem Monarchen, dennoch, und ohne
dessen Zorn zu fürchten, die Sache der Wahrheit
und der Kirche vertheidigten, dem persönlichen Charakter, wie dem Andenken dieser abendländischen Bischöfe nicht wenig Ehre. Das Concilium dauerte
einen ganzen Monat; gehalten ward es in der, von
Constantin dem Großen erbauten St. Johannis-
Kirche im Lateran, und zwar in der sehr geräumigen Sakristei, daher auch die fünf Sitzungen desselben, Secretaria genannt werden *).

---

*) Die Sacristei nannte man damals Secretarium.
Macri in seinem Hierolexicon sagt: Secretarium
apud ecclesiasticos scriptores pro ambabus Sa-
cristiis accipitur, in quarum una sacrae vestes
et in altera codices asservabantur.

3. Die erste Sitzung am 3. Oktober eröffnete Theophylakt, erster Notar der römischen Kirche,
indem er sich an den Pabst wandte, und ihn bat,
den jetzt hier versammelten Vätern die Ursache und
den Zweck ihrer Zusammenberufung zu eröffnen.
Der Pabst nahm hierauf das Wort und hielt an
das Concilium eine Anrede, in welcher er zu verstehen gab, daß er entschlossen sey, zum Zeugniß
der Wahrheit in Kerker, Marter und Tod zu gehen. In einer gedrängten geschichtlichen Darstellung
erinnert zuerst der Pabst die Bischöfe an Alles, was
seit achtzehn Jahren von Cyrus, Sergius, Pyrrhus, und Paulus geschehen, um die monothelitische
Ketzerei in die Kirchen einzuführen; er spricht hierauf von den letztern Gewaltthätigkeiten des Paulus,
daß er den pädstlichen Altar in dem Palaste Placidia gestürzt, die Legaten verfolgt, und schonungslos
gegen Rechtgläubige gewüthet habe. „Jedermann
weiß,“ fährt nun der heilige Vater fort, „daß un-
„sere Vorfahren in dem apostolischen Amte, gedrun-
„gen durch die Vorstellungen und Bitten der Recht-
„gläubigen, zu keiner Zeit unterlassen haben, durch
„gründlich belehrende Schriften, durch Ermahnun-
„gen und Verweise, theils in Briefen theils durch
„Abgeordnete, jene Bischöfe aufzufordern, daß sie,
„eigener neuen und unhaltbaren Lehre entsagend,
„wieder zum wahren Glauben der katholischen Kirche
„zurückkehren möchten; aber ihr Herz war verhär-
„tet, und obgleich sie Ohren hatten, hörten sie den-
„noch nicht. Aber jetzt fühlte auch ich mich bewo-
„gen, sowohl durch die Verkehrtheit jener Bischöfe,
„als auch durch die Gefahr, welcher sie das Heil
„der, von ihnen verführten Seelen aussetzen, so
„wie durch die vielfältigen, auch an unsern aposto-
„lischen Stuhl gelangten Bitten und Klagen, Euch
„hier vor mir zu versammeln, um gemeinschaftlich

„unter den Augen Gottes, der uns sieht und uns
„richtet, zu untersuchen, und uns zu berathen, was
„in Ansehung jener untreuen Bischöfe und ihrer
„falschen Lehre, uns zu thun und zu verfügen
„geziemt. So lasset uns denn vereiniget in dem
„Herrn, und unter seinen Augen uns prüfen als
„solche, denen der Apostel die Weisung gegeben, zu
„achten auf uns selbst, so wie auf die, uns anvertraute
„Heerde, und auf unserer Hut zu seyn gegen Wölfe
„und Verräther. Furchtlos und ohne Scheu sage
„demnach unter dem Beistand Gottes ein jeder von
„Euch seine Meinung, so wie der heilige Geist
„dieselbe ihm eingeben wird.“ — Von jenen Bischöfen, welche nicht zu dem Concilium gekommen waren, wurden nun dem Pabste deren Briefe überreicht, in welchen sie die Gründe ihrer Nichterschei-
nung angaben, und zugleich den monothelitischen
Irrthum mit der beigefügten Erklärung verdammten, daß sie in ihrem Glauben vollkommen mit der
römischen Kirche, dieser Grundsäule der Wahrheit,
vereint wären. Nachdem diese Briefe von einem
der Notarien der Kirche öffentlich waren abgelesen
worden, befahl der Pabst, sie zu den Akten zu legen, worauf die Sitzung geschlossen ward.

4. In der zweiten Sitzung, welche 3 Tage
nachher gehalten ward, las Stephan, Bischof von
Dora, als päbstlicher Delegat in Palästina, dem
Concilium einen sehr umständlichen Bericht vor über
Alles, was in Beziehung auf den Monothelismus
in Palästina, seit dem Tode des heiligen Sophronius vorgefallen war. Als Stephan geendiget
hatte, wurden mehrere Klagschriften von orientalischen Mönchen und Ordensäbten, wovon Viele theils
nach Rom, theils nach Afrika geflohen waren, ferner die Relationen der cyprischen und afrikanischen

Bischöfe an den verstorbenen Pabst Theodor, und endlich auch der letztern Bischöfe Schreiben an Kaiser Constans vorgelesen.

5. Die dritte Sitzung, welche 9 Tage nach der zweiten gehalten ward, dauerte sehr lange, denn alle Schriften der Monotheliten, von dem arabischen Bischof Theodor von Pharus an, welchen man als den ersten Urheber und Stifter des Monothelismus betrachten kann, bis auf jene des Patriarchen Paulus, wurden in derselben abgelesen.

6. In der vierten, zwei Tage darauf gehaltenen Sitzung, legt der Pabst den versammelten Bischöfen die häufigen Widersprüche der Monotheliten vor, und zeigt, daß sie in den Schriften, welche sie einander zusenden, eine ganz andere, ihre Irrlehre ganz klar und deutlich aussprechende Sprache führen, als in jenen, welche sie an solche, wie z. B. an Pabst Honorius schreiben, welche sie zu täuschen und zu betrügen suchen. — Nun ward auch der Typus des Kaisers vorgelesen, und über denselben von den versammelten Vätern einstimmig erklärt, daß zwar des Typus angegebene Absicht zu loben sey, dieser aber der Wirkung desselben nicht entspreche; zudem sey er gegen die Regel der Kirche, die zwar über Irrthümer, (oder noch nicht erörterte Fragen) nicht aber über längst schon festgestellte, wahre Glaubenslehren Stillschweigen auferlege. Zu gleicher Zeit verbieten, die Wahrheit zu bekennen und den Irrthum zu verwerfen, sey unkatholisch und verwerflich. — Auf Befehl des Pabstes wurden hierauf die Glaubensbekenntnisse von Nicäa und Constantinopel vorgelesen, ferner von dem Concilium von Ephesus die zwölf Anathematismen des heiligen Cyril

lus; die Glaubenserklärung der Kirchenversammlung von Chalcedon, so wie auch jene des fünften, in Constantinopel unter Kaiser Justinian I. gehaltenen, öcumenischen Conciliums. Nun war noch übrig, auch die (auf die vorliegende Frage sich beziehenden) Schriften heiliger Kirchenväter vorzulesen; aber da es schon sehr spät war, so ward diese Lectüre auf die folgende Sitzung vertagt und die gegenwärtige geschlossen.

7. In der fünften und letzten, am 31. October gehaltenen Sitzung befahl der Pabst, Auszüge aus den Schriften mehrerer heiligen Väter als Beweise vorzulesen gegen die Behauptung der Monotheliten, daß den Vorzüglicheren unter den heiligen Vätern die Lehre von zwei Willen unbekannt gewesen sey. Bevor jedoch dieses geschah, begehrte Leontius von Neapel, daß man aus den Acten des 5ten öcumenischen Conciliums jene Stelle vorlesen möchte, durch welche die Autorität der heiligen Väter in der Kirche auf das neue wieder festgesetzt ward; dieselbe lautet also: „außer den Beschlüssen der vier öcumenischen Concilien, bekennen wir uns ebenfalls zu „Allem, was heilige Väter und Kirchenlehrer gelehrt haben, Athanasius, Hilarius, Basilius, Gregor der Theolog, Gregor von Nissa, Ambrosius, „Augustinus, Theophilus, Johannes von Constantinopel, Cyrillus, Leo und Proclus. Auch nehmen „wir die Schriften aller übrigen Väter an, die, „ohne zu straucheln, bis an ihr Ende die wahre „Lehre in der Kirche vorgetragen haben.“ — Unter den heiligen Vätern, aus deren Schriften jetzt Auszüge vorgelesen wurden, befanden sich sogar mehrere, wie z. B. Athanasius, Severianus, Augustinus xc., welche sich deutlich sogar des Ausdruckes

zweier Willen bedienten*), während aus den Aussprüchen der Uebrigen die nämliche Lehre nicht minder klar und gleichsam von selbst hervorgeht; denn wenn der heilige Basilius sagt: „Quorum una operatio, una est essentia„ so lehrt er ja offenbar zwei Willen; denn sonst müßte in Christo auch nur Eine Natur seyn. — Als man mit dem Lesen aller, auf die vorliegende Frage sich beziehenden Stellen aus den Kirchenvätern, welches eine geraume Zeit erforderte, endlich fertig war, wurden auch auf Geheiß des Pabstes die Worte, Ausdrücke und Wendungen der gegenwärtigen Neuerer mit jenen der frühern, längst schon von der Kirche verdammten und von ihr getrennten Irrlehrer verglichen, und da sich nun hier eine ganz auffallende Gleichförmigkeit und Uebereinstimmung ergab; so machte der Pabst die sehr richtige Bemerkung, daß die monothelitischen Irrlehrer noch ungleich größere Schälke wären, als die frühern Ketzer, indem diese es doch aufrichtig gestanden, daß sie die Lehren der heiligen Väter bekämpften; jene aber, um die Schwachen desto leichter zu verführen, eine vollkommene Gleichförmigkeit mit den vorzüglichern Kirchenlehrern lügenhaft behaupteten.

8.   Hierauf erfolgte endlich der Spruch.   In zwanzig Anathematismen verdammt das Concilium den Monothelismus, dessen Lehrer, Verbreiter und Anhänger; so wie auch Alle, welche den, von der

---

*) Der heilige Athanasius in seiner Schrift gegen den Apollinaris sagt: Quando Christus ait: Pater, si fieri potest etc. Veruntamen non sicut ego volo etc. duas voluntates ostendit, tam humanam, quod est carnis, quam divinam, quod est deitatis.

Kirche verdammten Irrlehrern nicht ebenfalls das
Anathema sprechen, besonders jenen, welche die
Lehre der Kirche von der heiligen Dreieinigkeit, und
dem Geheimniß der Menschwerdung Jesu zu trüben
und zu entstellen sich erfrecht haben. In einer langen Reihe werden diese nun alle namentlich aufge-
führt, von Sabellius und Arius an bis auf den
Didymus und Evagrius, welchen alsdann auch die
Urheber und Häupter der monothelitischen Ketzerei,
als Theodor von Pharan, Sergius, Cyrus, Pyrrhus und Paulus beigefügt werden.

9. Begleitet von einem, im Namen des Pabstes und sämmtlicher, im Concilium vereinigten Bischöfe verfaßten Schreiben, ward dieser Spruch nun
an alle Kirchen der Christenheit gesandt. „Wir thun
Euch kund,“ sagt darin der Pabst, „daß zu einer
„Zeit, da der Friede in allen Kirchen herrschte,
„Menschen, gleich reißenden Thieren in dieselbe ein-
„gedrungen, und die Heilsanstalt unsers Herrn und
„Erlösers verkehrend, Den, der uns erlöst hat,
„verleugnen; indem sie behaupten, daß Christus, nach-
„dem er Knechtsgestalt angenommen, und Mensch
„für uns geworden, weder menschlichen Willen,
„noch menschliches Wirken gehabt habe“ *). — Der

---

*) »Itaque notum facimus vobis, dilectissimi fra-
»tres, — — — catholica Dei et apostolica eccle-
»sia in quiete et pace consistente, veluti leo-
»nes rugientes et quaerentes quem devorarent,
»subintroierunt quidam homines, hoc est Theo-
»doras, Cyrus etc. Magni Dei et salvatoris
»nostri dispensationem in haereticam
»novitatem retorquentes, et Eum, qui
»redemit eos, Christum dominum denegantes, ex
»hoc quod in scripto asserant minime Eum ha-
»bere secundum formam servi, vel secundum

Pabst und die Bischöfe erklären in diesem Schrei=
ben den Typus für eine gottlose Verordnung, die
jedoch nicht so wohl dem Kaiser, als den boshaften
Eingebungen der ihn umgebenden monothelitischen
Bischöfe müsse zugeschrieben werden. Als Verwer=
fungsgrund des Typus wird angegeben, weil der=
selbe gebiete, weder von Einem, noch zwei Willen
zu lehren, wodurch sowohl der göttliche, wie mensch=
liche Wille in Christus verläugnet wird.

10. Außer dieser Encyclica erließ der Pabst
noch viele andere Schreiben, theils an abendländi=
sche, theils an morgenländische Kirchen, und da er
den Zorn des Kaisers voraussah, so ermahnte er
die orientalischen Bischöfe und Geistlichkeit, fest in
dem Glauben der allgemeinen Kirche zu beharren
und diejenigen nicht zu fürchten, welche vergänglich
und gleich wären dem Grase auf dem Felde, das
heute grüne, und morgen schon dahin welke, und
von welchen keiner für uns gestorben ist. — Gegen
Paulus, Patriarchen von Thessalonich, schleuderte
Pabst Martin jetzt ebenfalls den Bannstrahl. Die=
ser erst unlängst gewählte Bischof hatte an den Pabst
in seinem Synodalschreiben ein halb monothelitisches
Glaubensbekenntniß gesandt, hierauf den, von dem
heiligen Vater ihm diesfalls ertheilten Belehrungen
und Ermahnungen sich nicht gefügt, und sogar durch
Täuschung der päbstlichen Legaten den Pabst selbst zu
hintergehen gesucht. Martin belegte ihn jetzt mit der
Excommunication, und schrieb an die Geistlichkeit
von Thessalonich, sie ermahnend, mit dem Patriar=
chen alle kirchliche Gemeinschaft aufzuheben, bis der=

_____

»quod propter nos factus est homo, volunta=
»tem aut operationem naturalem etc.»

selbe entweder zum schuldigen Gehorsam gegen die
Kirche zurückgekehrt, oder, wenn er in seiner Verkehrtheit beharrte, seines bischöflichen Amtes völlig
entsetzt und ein Anderer an seiner Stelle gewählt seyn
würde.   Aus verschiedenen, bei dieser Gelegenheit
von dem Pabste nach dem Morgenlande geschriebenen
Briefen erhellt auch der schon damals so traurige und
verlassene Zustand der Christenheit in den von den
Sarazenen eroberten Ländern.   Die mehrsten bischöflichen Kirchen standen verlassen und verwaißt; überall
gebrach es an Dienern des Altars, die das Wort
Gottes verkündeten, die Sacramente spendeten, und
dem rechtgläubigen Volk das Brod brachen; aber
desto frecher erhoben dafür überall alte, wie neue ke-
tzerische Sekten ihr Haupt: Nestorianer, Jakobiten,
Eutychianer, Severianer rc. bemächtigten sich der katholischen Kirchen, führten überall das große Wort,
und verdrängten um so leichter die Rechtgläubigen, da
diesen die Sarazenen, in der ihnen beigebrachten Meinung, daß die mit den Kirchen in Rom und Constantinopel in Gemeinschaft stehenden Christen, weil dem
Kaiser   innigst ergeben, stets der Sarazenen geheime und unversöhnliche Feinde bleiben würden, ganz
abhold waren, daher auch auf deren Unkosten alle alten und neuen Sekten, wo sie nur konnten, zu begünstigen suchten.

11.   Der Pabst schrieb bei dieser Gelegenheit
auch an verschiedene abendländische Bischöfe, unter
andern, an Amandus von Mastrich. Dieser heilige
Bischof, dem die Gottlosigkeit der Geistlichkeit seiner
Kirche sein Oberhirtenamt ungemein erschwerte, hatte
im vorigen Jahre sich an den Pabst mit der Bitte ge-
wendet, ihm zu erlauben, sein bischöfliches Amt niederzulegen, und die Leuchte des Evangeliums zu einigen der noch im Heidenthum versunkenen Völker in

Austrasien zu tragen.   Martin beantwortete jetzt dieses Schreiben, gewährte dem heiligen Amandus zwar nicht seine Bitte, lobte aber dessen Eifer, tröstete ihn über die Beschwernisse, welche die Verkehrtheit seiner Geistlichkeit ihm mache, und schickte ihm die, gegen den Monothelismus und dessen Anhänger gefaßten Beschlüsse des Conciliums. Aber der heilige Amand kam bald darauf (650) selbst nach Rom, und da er nun in einer langen Unterredung dem Pabste alle Bewegungsgründe, warum er seine Kirche verlassen zu dürfen wünsche, näher und umständlicher entwickeln konnte, so erhielt er auch von dem heiligen Vater die Bewilligung seines Gesuches.   Amand ging hierauf in die Provinz Novempopulania, und predigte den dort wohnenden heidnischen Basken das Evangelium, aber beinahe ohne allen Erfolg, obgleich einigemal offenbare Wunder die Wahrheit seiner Lehre bekräftigten.   Eines Tages ward er mitten unter der Predigt von einem der Anwesenden mit einer äußerst albernen, aber witzig seyn sollenden Frage unterbrochen; dieselbe hatte offenbar blos zum Zweck, die Zuhörer recht zum Lachen zu reizen. Trauernd erhob der Heilige seinen Blick gegen Himmel, und in dem nämlichen Augenblick verlor der Frevler den Verstand, ward von einem bösen Geist besessen, fing an zu rasen, und starb nach wenigen Stunden in der Raserei.   Aber selbst dieses eben so sichtbare, als furchtbare Gericht Gottes machte keinen Eindruck auf die verhärteten Herzen. Amand verließ also die Provinz und die heidnischen Gascogner, ging wieder nach Flandern, und zog sich in das, von ihm gegründete Kloster von Elnon zurück, wo er bald wieder strenge Zucht und heiligen Wandel unter der ganzen Klostergemeinde einführte, ein sehr hohes Alter erreichte und erst in dem Jahre 679 als ein Greis von 90 Jahren starb.

12. Um dieselbe Zeit fühlte auch noch ein anderer gallischer Bischof, der heilige Emmeran nämlich *), in sich den Beruf, ein Apostel der Heiden zu werden, seine Kirche demnach zu verlassen, und den heidnischen Avaren das Wort vom Kreuze zu predigen. Auf seinem Wege nach Pannonien durchzog er Deutschland und kam nach Regensburg, wo der, von dem fränkischen Könige Sigebert III. über Baiern gesetzte Herzog Theodo residirte. Dieser Herr stellte dem frommen Bischofe die Unmöglichkeit vor, seine Reise weiter fortzusetzen. Gegen die Avaren, sagte er ihm, wäre er schon seit ein paar Jahren gezwungen, ununterbrochen Krieg zu führen, und noch unlängst hätten diese wilden Völker die ganze Gegend an der Ens furchtbar verheert; zu seiner Bedeckung würde er ihm ein ganzes Heer mitgeben müssen, jede andere Begleitung viel zu schwach und unzureichend seyn. Der Herzog bat hierauf den heiligen Emmeran, lieber bei ihm in Baiern zu bleiben, wo er nicht minder für seinen apostolischen Eifer Arbeit in Fülle finden würde. Wirklich gab es auch noch eine Menge Götzendiener in dem Lande, und die erst vor kurzem zum Christenthum bekehrten Einwohner waren noch äußerst schwach in ihrem Glauben, hatten auch sehr viele, dem Heidenthum anklebende, abergläubische Gebräuche beibehalten. Der heilige Emmeran willigte ein, blieb in Regensburg, und übernahm, auf Bitten des Herzogs, als Abt die Leitung der

---

*) Des heiligen Emmerans bischöfliche Kirche ist nicht bekannt. Einige sagen, er sey Bischof in Poitiers gewesen, Andere machen ihn zu einem Bischofe in Bretagne.

wenigen, damals noch in Baiern vorhandenen Klöster *).

13. Unter augenscheinlichem Segen von Oben arbeitete Emmeran drei Jahre mit dem rastlosen Eifer eines heiligen, von Gott gesandten Apostels. Nie hielt er sich sehr lange in Regensburg auf. Er durchzog das ganze Land, ging in alle Städte, Burgen, Flecken und Dörfer, begnügte sich nicht blos, in den Kirchen von der Kanzel zu predigen und das Volk zu lehren, sondern ging auch zu den Leuten in die Häuser, gab hier Jedem noch einen besondern, seinen Fähigkeiten und Verhältnissen angemessenen umständlichern Unterricht, und zwar nicht blos in den Lehren des Glaubens, sondern auch in allen Pflichten des Christenthums; ertheilte überall Rath, Trost und Belehrung, weckte hier die Trägheit der Lauen, entflammte dort noch mehr den Eifer der Frommen, kurz, er lehrte, ermahnte, bat, lobte und strafte, je nachdem das Heil eines Jeden es erforderte; dabei führte er, unter harten Abtödtungen, ein äußerst strenges Leben; wenn er einen ganzen Tag rastlos sich abgemühet hatte, unsterbliche Seelen seinem Gott zu gewinnen, so durchwachte er noch die darauf folgende Nacht im Gebet, welches

---

*) Der Herzog wollte, daß Emmeran der Christen in Baiern Bischof seyn sollte; aber seine Demuth gestattete ihm nicht, in Baiern dieses hohe Amt, worin der Pabst ihn gerne bestätiget haben würde, anzunehmen. Demungeachtet wird er von Einigen den Bischöfen von Regensburg zugezählt. Daß ein so erleuchteter Heiliger, wie Emmeran, an der Verwaltung der kirchlichen Angelegenheiten in Baiern großen Antheil wird genommen haben, daran ist freilich nicht wohl zu zweifeln.

er oft mit strengem Fasten verband.· Alles, was
der Herzog ihm gab, theilte er unter den Armen
aus, und das Beispiel der Heiligkeit seines Wan=
dels machte eben so tiefen Eindruck auf die Herzen,
als die Salbung seiner Predigten, und wo er hin=
kam, war eine gänzliche Umwandlung der Gemü=
ther stets die sichtbare Folge seiner Gegenwart Her=
zog Theodo erkannte Emmerans große Verdienste,
liebte und ehrte ihn, und bei dem ganzen Hofe
desselben stand er in dem Ansehen eines Heiligen.

14. Nach drei Jahren unermüdeter, aber auch
ungemein segenvoller Arbeit beschloß Emmeran, nach
Rom zu reisen, die Gräber der beiden heiligen Apo=
stel zu besuchen, sich dann dem Pabste zu Füßen
zu werfen, und über verschiedene, ihm indessen vor=
gekommene Fälle, sich Rath und Belehrung von
demselben zu erbitten. Obgleich ungern, gab den=
noch Herzog Theodo seine Einwilligung dazu, und
in Begleitung seines treuen Vitals, eines Prie=
sters, den er aus Gallien mit nach Deutschland ge=
bracht, und der ihm, weil der Sprache des Landes
unkundig, anfänglich zum Dollmetscher gedient hatte,
machte sich nun Emmeran auf den Weg nach Rom.
Auch einige Geistliche aus Regensburg, namentlich
ein gewisser Wolfleck, wurden ebenfalls seine Beglei=
ter auf dieser Reise.

15. Aber kaum hatte der Heilige die Stadt
verlassen, als ihm der ewige Feind Gottes und der
Menschen am Hofe des Herzogs ein schreckbares
Loos bereitete. Uta, des Herzogs Tochter, stand
gerade jetzt in der ersten und schönsten Blüthenzeit
ihres Lebens. Mit seltener Schönheit und unnach=
ahmlicher Grazie geschmückt, schien die junge Für=
stin geschaffen, einst einen der ersten abendländischen

Throne zu zieren. Aber vor geraumer Zeit schon hatte Theodos schöne Tochter gegen einen jungen baierischen Edelmann eine heftige Leidenschaft gefaßt, und der leichtsinnige Jüngling, der Siegbald hieß, war in gleich heftige Liebe gegen die Prinzessin entbrannt. Lange mußten die beiden Liebenden ihren Umgang den Augen des Herzoges und dessen ganzen Hofes zu entziehen. Aber leider begannen endlich die Spuren ihrer Unbesonnenheit an Ulta immer sichtbarer zu werden, und nun war der Augenblick gekommen, wo es ihr durchaus unmöglich ward, ihre Schmach, wie ihr Unglück länger mehr zu verbergen. Landbert, Theodos ältester Sohn, ein feuriger und ungestümer Jüngling drang heftig in seine Schwester, ihm ihren Verführer zu nennen. Ulta zitterte für das Leben ihres Geliebten; und in der Angst ihrer Seele nannte sie Emmeran, in der Hoffnung, daß er schon jenseits der baierischen Grenze seyn würde, als Vater des Kindes, das sie unter ihrem Herzen trug. Wüthend und fest entschlossen, in dem Blute des Verführers die Schmach seines Hauses abzuwaschen, jagte nun Landbert mit einer Rotte wilder Kriegsknechte dem Bischofe nach. Drei Tagreisen von Regensburg in der Gegend von Helfendorf, in dem Bisthum Freisingen, ereilte er den Heiligen. Gleich einem Rasenden fiel er ihn an, machte ihm die bittersten Vorwürfe, nannte ihn einen Heuchler und Verführer, und überhäufte ihn mit den niedrigsten Schmähungen. Umsonst betheuerte Emmeran seine Unschuld, umsonst beschwor er den Wüthenden, daß, wenn er seinen Worten und Betheuerungen keinen Glauben beimessen wolle, er ihn in Rom, wohin er jetzt gehe, vor dem heiligen Vater möchte anklagen lassen; dort werde er noch klarer, noch überzeugender, als hier, seine Unschuld erweisen können.

Aber Feuer der Hölle glühete in dem Busen Land-
berts, und der Zorn, dieser schreckliche, den ganzen
innern und äußern Menschen zerrüttende Affekt, ließ
dem Rasenden keinen Raum mehr zur Besinnung;
Er befahl, den Heiligen sogleich zu greifen, an einen Baum zu binden, und unter allen nur erdenk-
baren Martern den grausamsten Tod ihn sterben zu
lassen. Zwei der Kriegsknechte, als sie hinzutraten,
um die Befehle ihres Herrn zu befolgen, wurden
bei dem Anblick des Heiligen zurückgeschreckt; sie
schlugen auf ihre Brust, und riefen aus: "Herr
Jesu lasse nicht zu, daß unsere Hände sich mit dem
Blute deines Dieners beflecken." Aber die Andern
aus der Rotte spotteten ihrer, ergriffen den Mann
Gottes, banden ihn an eine Waldleiter, schnitten
ihm zuerst die Finger ab, nachdem sie vorher alle
Gelenke eines jeden Fingers durchschnitten hatten,
rissen ihm dann die Augen aus dem Kopfe, schnitten ihm Nase und Ohren ab, hieben ihm hierauf,
zuerst beide Arme, und dann auch beide Füße ab;
und als unter allen diesen Qualen dennoch stets das
Lob Gottes auf den Lippen des heiligen Märtyrers
schwebte, er oft laut betete, und sogar einen Psalmen sang, ergrimmten auch darüber die Kannibalen,
und schnitten ihm zuletzt noch die Zunge aus dem
Halse; ohne ihn seiner Bande zu entledigen, ließen
sie ihn so schreckbar verstümmelt liegen und eilten
davon. Indessen kamen die, den heiligen Emmeran begleitenden Geistlichen, welche die Furcht vor
den Kriegsknechten anfänglich zerstreut hatte, wieder
zurück, fanden den Diener Gottes in seinem Blute
schwimmend, und riefen die in der Gegend herum-
wohnenden Landleute zu Hülfe. Sogleich kamen
diese in Menge herbeigelaufen, banden den Sterbenden los, und legten ihn auf einen Wagen, um ihn
nach Aschheim an der Isar, nicht ferne von Mün-

chen zu bringen.   Der heilige Emmeran starb jedoch schon unterweges, und ward nun zu Aschheim
in der, dem heiligen Apostel Petrus geweihten Kirche
begraben. (652)   Das Gerücht von der grauenvollen
Ermordung Emmerans setzte ganz Regensburg in
Schrecken und Trauer.   Aber Gott verherrlichte seinen treuen Diener durch viele, an dessen Grabe in
Aschheim gewirkte Wunder.   Herzog Theodo, der
von Emmerans Tugenden und Heiligkeit ohnehin
schon einen sehr hohen Begriff hatte, entdeckte nun
bald sowohl den Mörder desselben, als auch die Ursache, die dieser Gräuelthat zum Grunde lag.   Auf
seinen Befehl ward Emmerans Leichnam, als eine
heilige Reliquie, mit der größten Feierlichkeit, in der
Kirche von Aschheim wieder erhoben, nach Böhring
an der Isar geführt, von da auf einem Floß die
Donau abwärts nach Regensburg gebracht, und in
der nach dem heiligen Georg genannten Kirche beigesetzt.   Durch vielfache wunderbare Krafterweisun-
gen, gefiel es auch hier dem Allmächtigen, seinem
Diener vor den Menschen Zeugniß zu geben.   Lande-
bert, des Rechtes der Erstgeburt und mithin auch
der Nachfolge in dem Herzogthum verlustig erklärt,
floh nach Ungarn.   Uta ward von ihrem Vater
von dem Hofe verbannt, ging nach Italien, und
nahm in einem der dortigen Klöster den Schleier.
Um die Missethaten seiner Kinder zu sühnen, erbauete Theodo gegen das Ende seines Lebens bei
dem Grabe des Heiligen ein Kloster, das viele
Jahrhunderte hindurch blühete, sich endlich zu einer
unmittelbaren Reichsabtei erhob, und erst nach Auflösung der ehemaligen deutschen Reichsverfassung,
und als auch in Baiern das Regiment der Vandalen begann, aufgehoben und zerstört ward *).

---

*) Aribo mit dem Beinamen Cirinus, Bischof von Frei-
   singen, welcher hundert Jahre nachher blühete, war

der Lebensbeschreiber des heiligen Emmeran. In die Erzählung dieses Bischofes von dem Märtyrertode des Heiligen sind verschiedene, nicht ganz unmerkwürdige Umstände verwebt, die wir jedoch, weil von vielen sehr heftig bestritten, weder in unsere Erzählung verflechten, noch auch unsern Lesern gänzlich vorenthalten wollten. Wir glauben daher, in gegenwärtiger Note, das Wesentlichste davon nachholen zu müssen. Dem Bischof Aribo zufolge war die Prinzessin Uta, als sie die Ueberzeugung hatte, daß sie bald Mutter werden würde, in den tiefsten Kummer versenkt; mehr als für ihr eigenes Leben zitterte sie für jenes ihres Geliebten, dessen Tod unvermeidlich war, sobald das Verbrechen, das er, überwältigt von leidenschaftlicher Liebe, begangen hatte, ihrem Vater oder Bruder kund werden würde. Von Allen verlassen, sah sie niemand um sich her, bei dem sie Rath oder Trost suchen durfte. Nur in dem heiligen Emmeran glaubte sie den Mann zu erblicken, auf dessen Theilnahme, zarte Schonung und Verschwiegenheit sie mit Zuversicht rechnen konnte. In der, sie unaufhörlich folternden Angst ihrer Seele wandte sie sich also an den heiligen Mann, entdeckte ihm ihr Geheimniß, und flehete zu ihm um Rath und Beistand. Emmeran ward tief gerührt, und blos den Eingebungen seines liebevollen Herzens folgend, gab er der unglücklichen jungen Fürstin den Rath, wenn sie ihren Zustand nicht länger würde verheimlichen können, ihn als den Thäter anzugeben. Was Emmeran durch diesen Rath bezweckte, war: erstens augenblickliche, grausame Strafe von den Schuldigen abzuwenden; zweitens ihnen Zeit zu gewinnen; und drittens, von Rom aus ihnen sichere Verzeihung und Aussöhnung zu erwirken. Da Emmeran gerade im Begriffe stand, nach Rom zu gehen, so lag es offenbar in seinem Plane, dem Pabste das Geheimniß zu entdecken, und ihn zu bitten, die schöne Rolle des Vermittlers zu übernehmen; und was würde, besonders in den damaligen Zeiten, die vermittelnde, ermahnende und bittende Stimme des geheiligten Oberhaupts der ganzen Christenheit über das Gemüth eines christlichen und christlich gesinnten Fürsten nicht vermocht haben! an dem Erfolg war gar nicht zu zweifeln; kurz, war

Emmeran einmal in Rom; so waren auch Uta und Siegisbald gerettet, und Friede und Freude kehrten wieder in zwei blutig gepreßte, zerschlagene Herzen zurück. Unglücklicher Weise ward Uta früher, als man glauben konnte, zum Geständniß ihrer Verirrung gebracht; Emmeran war noch nicht jenseits der baierischen Grenze; und so erfolgte nun die dem Leser schon bekannte, das Leben des Heiligen so grausam endigende, schauervolle Catastrophe. — — Gegen diese Erzählung wird von hauptsächlich eingewendet, daß es unbegreiflich sey, wie ein Heiliger sich eine so grobe und zugleich alberne (!) Lüge habe erlauben, auf sein heiliges Amt die größte Schande wälzen, und selbst dem Christenthum ein Brandmal habe aufdrücken können. — Darauf kann man aber in Kürze ungefähr folgendes erwiedern. Erstens, darf man das Leben und Handeln der Heiligen nicht immer mit dem Maßstab gewöhnlicher Menschen abmessen. Gott ist wunderbar in seinen Heiligen, und wunderbar ist Alles in ihnen. Ein sehr weiser, chinesischer Kaiser pflegte zu sagen: „Die Sünde meines Volkes ist meine Sünde" — und ein anderes nicht minder weises, chinesisches Sprichwort sagt: „wenn dein Nachbar sündiget, so sündigest auch Du" — der in beiden Sprüchen liegende, selbst dem Christenthum Ehre machende Sinn bedarf keiner Erklärung; gewiß wird er jedem unserer Leser sich von selbst aufschließen; und sehr wohl könnte gerade in diesem Sinne der Heilige die Prinzessin ermächtiget haben, zu sagen, daß er der Sünder sey. Die Theologie eines von Liebe glühenden Herzens mag wohl zu Zeiten eine andere seyn, als die Büchertheologie des kalten Verstandes; und irret sich dann auch jene, so ist doch ihr Irrthum keine Ketzerei, und der unschuldige Irrthum vielleicht bisweilen Gott selbst noch wohlgefälliger, als eine Wahrheit, errungen vom Kopf auf Unkosten des Herzens und der Liebe. Wegen der Schmach, die auf sein heiliges Amt zurückfallen, so wie auch des verderblichen Eindruckes wegen, den es auf eine noch junge Christenheit machen konnte, war Emmeran ganz unbesorgt, er überließ dies alles, wie er auch der Prinzessin sagte, der Vorsehung, in deren Hände er den, von seiner Nächstenliebe entworfenen Plan zutrauungsvoll niederlegte, wohl wissend, daß der Herr, dem Liebe und Barmherzigkeit die wohlgefälligsten Opfer sind, gewiß nicht, eben dieser Opfer wegen, sein eigenes Werk — denn alles, was Menschen Gutes thun, kann ja doch blos Gott zugeschrieben werden — so plötzlich und zürnend wieder zerstören werde. Uebrigens konnte die, für die Religion und Emmerans heiliges Amt schmähliche Illusion des Herzoges und seines Hofes — denn daß noch außerhalb diesem ziemlich engen Kreise, ein so verständiger und edler Fürst, wie Theodo, die Schmach seiner eigenen Tochter nicht sogleich weltkundig würde gemacht haben, war mit aller Bestimmtheit vorauszusehen — nur von äußerst kurzer Dauer seyn. Schon nach wenigen Wochen wäre das Dunkel, das über dem Geheimniß lag, von einem heiligen Pabst selbst zerstreuet, und dann die, alles mit Liebe deckende, vermittelnde, ausgleichende und aussöhnende Macht der Kirche nur noch freudiger und dankbarer anerkannt worden. Wir müssen gestehen, daß wir hier weder Lüge, noch Albernheit, noch Schande finden; im Gegentheil erscheint uns der Heilige nur noch bewunderungswürdiger, und der Triumph der, keine Gefahr scheuenden, alles überwindenden, ächtchristlichen Nächstenliebe nur noch herrlicher und schöner. Zwar ließ Gott es geschehen, daß ein höllischer Geist Emmerans menschenfreundlichen Plan zerrüttete; aber wer vermag, Gottes unerforschliche Rathschlüsse zu ergründen? Gott ließ es zu, weil er seinem treuen Knechte die schönste aller Märtyrerkronen bestimmte; denn Emmeran starb als Märtyrer seiner, an der Liebe Gottes entzündeten und erglühten, und daher über die ganze Schöpfung, über alle lebende, empfindende und vorzüglich leidende Wesen sich ergießenden, sich hingebenden, selbst aufopfernden Liebe. — Tiefe Blicke in das innere Leben der Heiligen zu werfen, ist sehr schwer; möchte aber dennoch durchaus nothwendig seyn, um das Leben eines Heiligen auch heilig zu beschreiben. — Uebrigens sind wir weit entfernt, uns hierüber in einen gelehrten, oder gar theologischen Streit einlassen zu

16. Da es in dem Jahre 652 der 22. September war, an welchem der heilige Emmeran den Tod eines heiligen Märtyrers starb; so feiert auch jetzt noch an diesem Tage die Kirche das Andenken des Heiligen.

17. In demselben Jahre wurden auch Benedicts und dessen Schwester Scholastica heilige Gebeine aus Italien nach Frankreich gebracht. Mumolus, Abt von Fleury, las eines Tages sehr aufmerksam die Dialogen Gregors des Großen. Plötzlich erwachte in ihm der Gedanke, wie wenig es sich zieme, daß die Reliquie eines vor Gott so großen Heiligen, vergessen von der Welt und unter dem Schutt seines zerstörten Klosters vergraben, nicht in irgend einer Kirche der Verehrung der Gläubigen ausgesetzt sey. Dieser Gedanke wollte gleichsam gar nicht mehr von ihm weichen, ward im Gegentheil in ihm immer noch lebendiger und dringender; so daß er endlich dem Aigulf, einem frommen und daher furchtlosen Mönch, den Auftrag gab, nach Italien zu reisen, sich in die Gegend von Monte Casino zu begeben, dort nach dem Grabe des Heiligen zu forschen, und wo möglich dessen Gebeine zu erheben, und nach Frankreich zu bringen.

18. Nicht ohne besondere Fügung von Oben geschah es, daß unmittelbar zu der nämlichen Zeit

wollen; dafür sey der liebe Gott. Wir glaubten nur obige Betrachtung uns deswegen hier erlauben zu dürfen, weil wir auch unserer Seits es jedem unserer Leser anheimstellen, ganz nach seiner eigenen Individualität, sich auch seinen eigenen Reflexionen darüber zu überlassen.

auch der heilige Berar, Bischof von Mans, gerade mit dem Bau eines Nonnenklosters beschäftiget, auf denselben Gedanken, jedoch nur in Beziehung auf die Reliquie der heiligen Scholastika, Schwester des heiligen Benedicts, verfiel und, wie Mumolus dem Aigulf, nun gleichen Auftrag einigen Mönchen aus der Stadt Mans ertheilte. Unterweges begegneten sich Aigulf und die Mönche aus Mans, theilten sich gegenseitig die von ihren Obern erhaltenen Aufträge einander mit, und gingen nun gemeinschaftlich das fromme Werk zu vollenden. Aber schwer war es, als sie auf Monte Casino angekommen waren, das Grab des Heiligen zu entdecken. Lange wandelten sie forschend über den Schutthaufen und unter den Ruinen des zerstörten Klosters umher. Endlich zeigte ein, am Fuße des Berges wohnender alter Landmann den Ort, wo der Sage nach der heilige Erbauer des nun in Trümmern liegenden Klosters begraben seyn sollte. Freilich konnte jene Sage ihnen noch keine völlige Gewißheit geben; aber ihre vollkommene Beglaubigung erhielt dieselbe jetzt bald durch die fernere Erzählung des Bauers. "Seit einiger Zeit," sagte er, "bemerkt man jede Nacht über jenem Ort eine Feuersäule, welche die ganze Gegend erhellt, und einen himmlischen Glanz über dieselbe verbreitet: Alle, die hier herum wohnen, haben es schon oft gesehen, und wenn Ihr wollt, könnt Ihr die nächste Nacht selbst Zeuge davon seyn." — Natürlicher Weise folgten Aigulf und die andern Mönche aus Mans der Einladung des Bauers, durchwachten einen Theil der Nacht im Gebete, sahen, wie plötzlich eine feurige Säule sich vom Himmel auf jenen Ort herab senkte, und erkannten nun freudig hierin die, ihnen erbarmungsvoll zu Hülfe eilende Hand der Vorsehung. Gleich am folgenden Tage fingen sie an, an der bezeichneten Stelle zu graben. Einige Landleute, die sie gedungen, halfei ihnen bei der Arbeit; schwer und mühsam ging diese im Anfang von statten; aber bald wurden ihre Anstrengungen überschwänklich belohnt; sie fanden zwei Särge, die sie an deren äußern Zeichen und Merkmalen, in Verbindung mit der wunderbaren Beleuchtung dieser Stätte, sogleich für die des heiligen Benedicts und dessen Schwester Scholastica erkannten. Mit frohem, und gegen Gott dankbarem Herzen, erhoben sie nun die heiligen Reliquien, traten unverzüglich ihre Rückreise an, und kamen, ohne daß ihnen der mindeste Zufall unter Weges zugestoßen wäre, wohlbehalten wieder nach Frankreich zurück.

19. Den Zurückkommenden ging der heilige Abt Mumolus an der Spitze seiner ganzen, zahlreichen Klostergemeinde in feierlichem Zuge entgegen, und unter dem Jubel des weit her strömenden Volkes wurden die aus Italien mitgebrachten Schätze der Abtei von Fleury gebracht. Des heiligen Benedicts geheiligte Gebeine blieben daselbst; und bald schien es, als wenn mit diesen kostbaren Reliquien auch der Geist des großen Patriarchen aller abendländischen Orden nach Frankreich gekommen wäre, denn zu einer Zeit, besonders unter des Majordomus Ebroins Herrschaft, als die Ausgelassenheit der Weltleute auch die Geistlichkeit angesteckt hatte, waren die, durch Einfalt des Herzens wie der Sitten sich auszeichnenden Mönche in Frankreich wahre Muster frommer, der Welt entfremdeter, nur mit überirdischen Dingen beschäftigter, heiliger Anachoreten. — Die Reliquie der heiligen Scholastika ward nach Mans, in die Kirche des, von dem heiligen Berar, Bischof von Mäns, außerhalb der Stadt erbauten Nonnenklosters gebracht, von dem gottesfürchtigen Bischofe und dessen gesammter Geistlichkeit mit der größten Feierlichkeit empfangen, und mehrere Tage nacheinander der Verehrung der Gläu-

ligen öffentlich ausgestellt.   Zu Ehren dieser Heiligen
ward die Klosterkirche nun die Kirche zur heiligen
Scholastica genannt; und die, lange Zeit an den
Gräbern beider Heiligen, von Gott gewirkten Wunder waren sprechende Beweise, daß die nach Fleury
und Mans gebrachten Schätze wirklich die ächten Reliquien des heiligen Benedicts und dessen Schwester,
der heiligen Scholastika waren *).

XXIII.

1.   Was der Pabst vorausgesehen und in mehrern seiner Briefe deutlich zu verstehen gegeben, ging
nun bald in Erfüllung.   Bevor noch die Beschlüsse
des im Lateran gehaltenen Conciliums in Constantinopel bekannt waren, schickte schon der Kaiser einen
seiner Kämmerlinge, den Olympius als Exarchen nach
Italien.   Diesem gab er den Befehl, nicht nur die
italienischen Bischöfe, sondern auch alle große Grundeigenthümer auf alle Weise zu bearbeiten, den Typus

---

*) Das nachher wieder aufgebaute Kloster von Monte
Casino machte der Abtei von Fleury den Besitz der
wahren Reliquien des heiligen Benedicts streitig. Da
aber der Diakon Paul Warnfried, welcher selbst
Mönch von Casino war, und unter der Regierung
Carls des Großen lebte, ausdrücklich sagt, daß man
Gebeine des heiligen Benedicts nach Frankreich gebracht habe; so ist die Aechtheit der in Fleury auf-
bewahrten Reliquien außer allem Zweifel gesetzt; obgleich es mehr als wahrscheinlich ist, daß nicht alle
Gebeine Benedicts nach Frankreich gebracht worden,
sondern auch auf Monte-Casino noch einige seiner
Reliquien geblieben sind.

anzunehmen, und diese Annahme durch ihre Unter-
schrift zu bekräftigen. Was den Pabst betrifft, sagte
der Kaiser; so wird dieser durchaus nicht dazu zu bewegen seyn. Ihr müßt also, wenn Ihr sehet, daß
Ihr Euch auf das Heer in Italien verlassen könnt,
Euch der Person des Pabstes bemächtigen, und ihn
gefangen hierher nach Constantinopel senden. Solltet
Ihr jedoch befürchten müssen, daß dadurch ein Aufruhr in dem Heere entstehen könnte; so haltet Euch
ruhig, bis Ihr die Truppen in Rom und Ravenna
gewonnen habt, und der Unterwürfigkeit der Provinzen versichert seyd.

2. Als Olympius in Ravenna ankam, war
das Concilium in Rom noch versammelt. Durch allerlei Intriguen suchte anfänglich der Exarch, ein
Schisma unter den Bischöfen zu veranlassen und als
dieses nicht gelang, dachte er ernstlich daran, sich der
Person des Pabstes zu bemächtigen. Aber die allgemeine Liebe des Volkes bewachte den heiligen Vater.
Alle Eingänge seines Palastes waren Tag und Nacht
besetzt, und erschien er im Oeffentlichen; so umgab
ihn jederzeit eine ungemein zahlreiche Begleitung, stets
bereit, jeder frevelhaften Gewalt mit Nachdruck zu
begegnen.

3. Da der Exarch sah, daß er auf geradem
Wege nicht zu seinem Ziele gelangen konnte, nahm
er zu einem, in den Annalen der Verruchtheit wahrhaft unerhörten, Bubenstück seine Zuflucht. Unter
dem Scheine der Andacht begab er sich nach Rom,
um an einem großen Feste die heilige Communion
aus den Händen des Pabstes zu empfangen; gab
aber seinem, ihm stets zur Seite stehenden Waffenträger den Befehl, den Pabst während der heiligen
Handlung zu ermorden, welches um so leichter ge-

schehen konnte, da nach damaliger Kirchensitte die Communicanten nicht hervortraten, sondern der Pabst jedem derselben an dessen Platz die heilige Eucharistie reichte. Aber auch diese Gräuelthat unterblieb, und der Waffenträger sagte nachher eidlich aus, daß er, obgleich aufmerksam auf den, ihm bezeichneten Augenblick, dennoch wie mit einer Art Blindheit geschlagen, von der ganzen heiligen Handlung, die wirklich vorging, nicht das Mindeste gesehen hätte. In dieser wunderbaren Verblendung seines Waffenträgers erkannte Olympius die, den Pabst schützende Hand der Vorsehung, ward heftig in seinem Innern erschüttert, ging zu dem heiligen Vater, warf sich ihm zu Füßen, bekannte seine Schuld, söhnte sich mit ihm aus, und entdeckte ihm des Kaisers gefährliche Anschläge gegen ihn. Kurze Zeit darauf erhielt Olympius Befehl, mit Truppen nach Sicilien zu schiffen, und die Sarazenen wieder aus dieser Insel zu vertreiben. Olympius schiffte sich ein, und landete glücklich in Sicilien. Aber der Feind war an Zahl ihm weit überlegen; gleich in dem ersten Treffen ward er geschlagen, und starb wenige Tage darauf an einer in der Schlacht erhaltenen Wunde.

4. Martin I. war ein Pabst von hervorleuchtender Heiligkeit; unerschütterlich in der Vertheidigung des wahren Glaubens, war er fest entschlossen, lieber den grausamsten Verfolgungen entgegen zu gehen, als an dem, von Gott ihm anvertrauten heiligen Pfand zum Verräther zu werden. Für die ganze Christenheit, und besonders für die Römer, welche täglich Zeugen seiner Tugenden waren, war er ein Gegenstand der höchsten Verehrung. Einfältig in seinen Sitten, weil einfältigen Herzens, verschmähete Martin aller äußern Pracht, war aber desto verschwenderischer

gegen Arme und Nothleidende. Große Summen schickte er nach Sicilien, nach Afrika und selbst nach dem fernen Orient, um Christen aus der Sclaverei der Sarazenen zu befreien, oder wenigstens deren hartes Schicksal zu erleichtern. Ganz Italien segnete ihn als einen Engel des Friedens, verehrte ihn als einen treuen Nachfolger des Apostels, auf dessen Stuhl Jesus Christus ihn erhoben hatte. Nur an dem Hofe von Constantinopel, seit dem des Kaisers Zorn gegen den Pabst bekannt war, erhob sich die Stimme der Verleumdung. Martins Aussöhnung mit dem Olympius war jetzt nichts, als ein geheimes, zwischen Beiden, gegen das Interesse des Kaisers und des Reiches geschlossenes Complott; ihr nachheriges gegenseitiges Wohlwollen blos ein gemeinschaftliches Streben, den Sarazenen Italien in die Hände zu spielen; des Pabstes reiches, zur Befreiung der Christensclaven nach Afrika geschicktes Almosen nichts als Subsidiengelder, den Sarazenen in Geheim bezahlt, um sie zu ermuntern, desto eher nach Italien zu schiffen. Es versteht sich von selbst, daß weder der Kaiser, noch der Hof diese boshaften Anklagen glaubten, sondern sie blos ersonnen waren, um unter gerichtlichen Formen gegen den Pabst, als einen Staatsverbrecher desto grausamer zu verfahren.

5. An die Stelle des Olympius ward nun Theodorus Calliopas als Exarch nach Ravenna gesandt. Diesem gab der Kaiser den Befehl, den Pabst ohne weiters in Rom verhaften, und durch den Theodor Pellurus, einen kaiserlichen Kämmerling, der jetzt mit ihm nach Italien gesandt ward, nach Constantinopel transportiren zu lassen. Des Kaisers Befehle zu vollstrecken, führte Calliopas, sobald er in Ravenna angekommen war, alle darin

liegenden Truppen nach Rom, und hielt am 15. Juni, an einem Samstage seinen Einzug in die Stadt. Den Exarchen zu bewillkommnen, hatte der Pabst einige der Vornehmsten seiner Geistlichkeit ihm entgegen gesandt. Calliopas empfieng sie mit vielem Anstand, äußerte auch gleichfalls großes Verlangen, dem Pabste seine Ehrerbietung zu bezeigen, entschuldigte sich aber, daß er, weil jetzt noch von der Reise zu ermüdet, erst morgen dem Pabst in dem lateranischen Palast seinen Besuch abstatten werde. Des Exarchen Absicht war, sich schon am Sonntag der Person des Pabstes zu versichern: da er aber hörte, daß eine zahllose Menge Volkes sich versammelt habe, um der Messe des heiligen Vaters beizuwohnen, stand er von seinem Vorhaben ab, ging daher auch nicht nach dem Lateran, sandte aber am Montag Abgeordnete an den Pabst, und ließ ihm sagen, er habe zu seinem größten Erstaunen erfahren, daß der päbstliche Palast in einen Waffenplatz verwandelt sey; eine ungeheure Menge Wurfsteine und Waffen jeder Gattung fände sich allda aufgehäuft, und er müsse diese sonderbaren Vorbereitungen als offenbare Vorboten einer förmlichen Rebellion gegen den Kaiser betrachten. Statt aller Antwort, ersuchte der Pabst die Abgeordneten, den Palast selbst zu durchsuchen, durch eigenen Augenschein sich vom Gegentheil zu überzeugen, gab auch sogleich Befehl, sie überall herumzuführen, auch nicht einen Winkel in dem ganzen großen Gebäude undurchsucht zu lassen. Von Seiten des Exarchen war dies nur eine List; er suchte nämlich dadurch blos zu erforschen, ob, wenn er allenfalls mit Gewalt in die päbstliche Wohnung eindringen wollte, er auch Widerstand, und zwar kräftigen Widerstand finden würde.

6. Des Exarchen verräthcrische Absichten lagen nun offen am Tage, und der Pabst, weit entfernt, Gewalt mit Gewalt vertreiben zu wollen, nahm blos zu dem, von der Ehrfurcht gebotenen, und durch bestehende Staatsgesetze gesicherten Kirchenasyl seine Zuflucht. In der Kirche zum heiligen Johannes im Lateran, neben dem Altar, ließ der schon seit 8 Monaten kranke, an heftigen Schmerzen der Fußgicht schwer leidende Pabst sein Lager aufschlagen. Aber kaum hatte er in der folgenden Nacht, von seiner gesammten Geistlichkeit umgeben, hier einige Augenblicke geruhet, als Calliopas, der vor allem, nur nicht vor einem sacrilegischen Frevel zurückschreckte, mit einer zahlreichen Schaar Gewaffneter ankam. In einem Augenblicke waren alle Thüren der Kirche gesprengt. Mit gezückten Schwertern und gespannten Bogen drangen die Soldaten herein, und unter dem Geklirr der Waffen und der umgestürzten Leuchter und Lampen, rückten sie nun gegen einen kranken, wehrlosen, heiligen Pabst und dessen ehrwürdige, nicht minder wehrlose Geistlichkeit, wie gegen einen, in seinem Lager verschanzten Feind heran. Durch das wilde Waffengetöse der Soldaten hatte Calliopas blos die, den Pabst umgebenden Geistlichen zu schrecken gesucht, und nun ließ er ihnen sogleich einen Befehl des Kaisers vorlesen, in welchem ihnen geboten ward, unverzüglich zu einer neuen Pabstwahl zu schreiten, indem Martins Wahl ungültig, er selbst ein Eingedrungener sey. Einstimmig protestirten sämmtliche anwesende Geistlichen gegen diese Gewaltthat, und alle zeigten sich bereit, mit ihren eigenen Leibern dem Pabst eine Brustwehr zu bilden. Aber Martin, der bisher mit ruhigem Auge den, um ihn her getriebenen Frevel betrachtet hatte, erhob sich jetzt von seinem schmerzhaften Lager, erklärte,

25 *

daß er nie zugeben werde, daß wegen seiner auch
nur ein Tropfen Blutes vergossen würde, verbot
daher seinen Geistlichen, auch nur den mindesten
Widerstand zu leisten, und übergab sich freiwillig
den Händen des Exarchen. „Anathema!“ rief jetzt
die gesammte Geistlichkeit wie aus einem Munde,
„Anathema den Verfolgern des heiligen Vaters;
„Anathema den Feinden des wahren Glaubens!“ —
„Nicht von dem Glauben“ erwiederte Calliopas,
„ist jetzt die Rede; ich selbst habe keinen andern
Glauben, als jenen der Römer.“ — Der Pabst ersuchte den Exarchen, zu erlauben, daß er einige von
seinen Geistlichen mit sich nehmen dürfte. Als Calliopas erklärte, es stünde jedem frei, dem Pabste
zu folgen, riefen sogleich mehrere Bischöfe, daß sie
entschlossen wären, jedes Schicksal mit ihrem heiligen Oberhaupte zu theilen, mit ihm zu leben und
auch zu sterben. — Martin ward jetzt nach dem
Palaste des Exarchen gebracht. Am andern Morgen erhielt er eine Menge Besuche, sowohl von
Geistlichen als auch vielen vornehmen Laien aus der
Stadt; die mehrsten hatten die fromme Absicht, dem
Pabste, wohin man ihn auch bringen möchte, zu
folgen, daher zum Theil auch schon das, zur Reise
nöthige Gepäcke zu Schiff bringen lassen. Aber in
der folgenden Nacht ward Martin dem Theodor
Pellurus übergeben; alle seine Freunde und Begleiter wurden von ihm entfernt, nur einige seiner
Diener ihm gelassen, und mit diesen er selbst auf
ein, in der Tyber segelfertig liegendes Schiff, wie
in ein Gefängniß gebracht. Nichts durfte der Pabst
mitnehmen, als die Kleidung, die er auf dem Leibe
trug, und ein irdenes Geschirr zum Trinken; zu
gleicher Zeit wurden alle Thore Roms geschlossen.—
Pellurus führte den Pabst zuerst nach Porto, und
von da nach Messina, wo das Schiff, das ihn nach

Constantinopel bringen sollte, schon in dem Hafen
vor Anker lag.

7. Noch immer schmeichelte man sich in Constantinopel mit der Hoffnung, durch gehäufte Mißhandlungen und Drangsale jeder Art, den Pabst zu
einer feigen, seines hohen Berufes unwürdigen Nachgiebigkeit zu bewegen. Pellurus erhielt daher von
seinem Hofe den Befehl, die Reise recht in die
Länge zu ziehen, dabei einen Versuch zu machen, durch die härteste Behandlung und die größten Entbehrungen, des Pabstes Geduld, wie physischen Kräfte zu erschöpfen, und so, wo möglich,
dessen Standhaftigkeit endlich zu erschüttern.

8. Ueber drei Monate kreuzte also das Schiff,
das den erlauchten und heiligen Gefangenen führte,
längs der Küste von Calabrien, lief bald in diesen,
bald in jenen Hafen ein, legte bald bei dieser, bald
bei jener Insel an. Der Pabst durfte jedoch nie
an das Land treten, das enge Gemach auf dem
Schiff war diese ganze Zeit über sein Kerker. Indessen liefen überall, wo das Schiff anlangte, die
Rechtgläubigen, Priester wie Laien, oft selbst aus
weiter Ferne herbei, um die Leiden des heiligen
Vaters zu lindern und alle nur mögliche Erfrischun-
gen ihm zu bringen. Aber die rohen Soldaten stießen zürnend sie zurück, nahmen ihnen zwar das
Mitgebrachte ab, behielten es aber für sich, höhn-
ten hierauf noch die frommen Geber, und sagten
zu ihnen, wie einst die Juden zu Pilatus: „wenn
Ihr diesem Menschen hold seyd, so seyd Ihr keine
Freunde des Kaisers.“ — Dem Pabst, der schon
seit einem Jahre krank war, und zu dessen heftigen
Schmerzen, die er an den Füßen litt, nun auch noch
eine anhaltende Dissentrie kam, welche eine gänzliche

Entkräftung, einen völligen Nachlaß der Natur zur Folge hatte, ward die ganze Zeit über nichts gereicht, als die tägliche grobe Nahrung eines Matrosen. Nach dreimonatlichem Herumkreuzen in dem mittelländischen Meere, lief im Anfang des 4ten Monates das Schiff in dem Hafen von Naxos ein, und blieb nun ein ganzes Jahr allda vor Anker. Der Pabst durfte es jetzt verlassen, ward aber in der Stadt, in einem Hause eingesperrt, und um ihn jeder Linderung und jedes Trostes zu berauben, auch keinem Menschen, ihn zu besuchen, gestattet.

9. Am 17. September des Jahres 654 lief das Schiff endlich in dem Hafen von Constantinopel ein. Pellurus und seines Gleichen suchten ein Verdienst darin, die Leiden des Pabstes bei jeder Gelegenheit noch zu vermehren; einen ganzen Tag ließ man ihn an dem Ufer des Meeres auf einer schlechten Decke liegen, ausgesetzt dem Gespötte und den Beleidigungen eines rohen Pöbels, der ihn nicht kannte, und dem man gesagt hatte, es sey ein ganz gemeiner, schon zum Tode verurtheilter Landesverräther. Gegen Abend ward er in einen dunkeln und kalten Kerker geworfen, in welchem er, ohne die mindeste Erleichterung oder Erfrischung in seiner Krankheit, drei und neunzig Tage schmachten mußte. Am 19. Dezember ward der Pabst in den Palast des Sacellarius, (Schatzmeister) eines durchaus verdorbenen, den Launen seines Despoten unbedingt fröhnenden Höflings, zum öffentlichen Verhör gebracht. Der ganze Senat war allda versammelt. Durch seine ausgestandenen Leiden und lange Krankheit ganz entkräftet, mußte der Pabst auf einer Bahre dahin getragen werden; aber mit der, jedem Despotenknecht eigenen Insolenz befahl ihm der Sacellarius, sich stehend zu verantworten. Die Träger bezeugten,

daß der Gefangene sich nicht auf den Füßen erhalten könnte; aber diese Entschuldigung ward von dem Unmenschen, der bei diesem Gerichte den Vorsitz führte, trotzig verworfen; und auf die Schultern zweier, ihn bewachenden Soldaten gestützt, stand nun der Gerechte vor dem ungerechten Richter.

10. Da man sich den Schein zu geben suchte, nicht in Angelegenheiten des Glaubens und der Religion, sondern blos wegen Staatsverbrechen gegen den Pabst gerichtlich zu verfahren; so enthielt auch der Anklageakt nicht das Mindeste, was auf den Monothelismus, oder die Verdammung der monothelitischen Bischöfe, oder auch auf das von dem Pabste über den Typus gefällte Urtheil sich bezog; und als Martin, der natürlicher Weise die wahre Ursache seiner Einkerkerung und Verfolgung wohl kannte, in seinen Antworten etwas auf den Typus und Monothelismus sich Beziehendes wollte einfließen lassen, ward ihm sogleich, und zwar mit vieler Rohheit Stillschweigen geboten, mit dem Bedeuten, daß er jetzt nicht über Glaubenslehren, sondern über Staatsverbrechen vernommen würde.

11. Der Anklageakt umfaßte zwei Hauptpunkte; der erste betraf des Pabstes Theilnahme an der Verschwörung des Olympius*); der zweite

---

*) Diese, blos auf einer teuflischen Fiktion beruhende Verschwörung war keine andere, als die nämliche, von der wir so eben, etwas weiter oben, schon Erwähnung machten; nämlich des Pabstes vertrauter Umgang mit Olympius, nachdem dieser die Schändlichkeit, oder vielmehr Gottlosigkeit der, vom Kaiser erhaltenen Aufträge eingesehen, und sie dem Pabst ent-

sein geheimes Einverständniß mit den Sarazenen. Des Pabstes Vertheidigung war klar und einfach; denn die Wahrheit bedarf nicht der Künste einer falschen Rhetorik. Aber der Sacellarius, dessen Beisitzer, wie der ganze Senat, blos die Büttel eines ungerechten Despoten, waren jetzt nicht hier, um zu untersuchen, zu prüfen, und nach Recht und Gerechtigkeit zu sprechen, sondern blos um zu verdammen*). Als das Verhör mit dem

---

deckt hatte; daher auch, während seines kurzen Aufenthaltes, als Exarch, in Italien, keinen Versuch mehr machte, Bischöfe und Laien, durch List oder Gewalt, zur Annahme des elenden Machwerks, Typus genannt, zu verführen.

*) Die ihm vorgelegten Fragen beantwortete der Pabst lateinisch; da aber die wenigsten von den anwesenden Richtern und Senatoren diese Sprache verstanden; so mußte ein gewisser Innocenz, der bei dem Gericht die Stelle eines Dollmetschers versah, die Antworten des Pabstes sogleich in das Griechische übertragen. Innocenz gab sich alle Mühe, die Worte des Pabstes stets mit der größten Treue wieder zu geben; da aber das Wahre und Treffende, das darin lag, die feilen und feigen Richter eben so sehr beschämte, als verwirrte; so verlor der Sacellarius endlich die Geduld, fuhr den Innocenz hart an, und machte ihm Vorwürfe darüber, daß er in seiner Uebersetzung viel zu umständlich sey, und dadurch nur den Geschäftsgang unnöthiger Weise lähme und hinhalte. — Der Sacellarius wollte dadurch dem Innocenz einen Wink geben, daß er sich weit größeres Verdienst erwerben würde, wenn er die Reden des Pabstes verstümmele, sie durch seine Uebersetzung entkräfte, und das Sachgemäßeste und Treffendste davon gänzlich hinweg ließ. — Welch ein sauberes Gericht, und dazu noch niedergesetzt über das Oberhaupt der gesammten Christenheit, den sichtbaren Stellvertreter Jesu Christi auf Erden. O, des Gräuels menschlicher Verworfenheit! Auch wir haben in einem

Pabste beendiget war, begann jenes der Zeugen; es waren ihrer vier und zwanzig, welche gegen den Pabst auftraten; sämmtlich gehörten sie einem Stande an, der troz aller ihm eigenen Wildheit und Verkehrtheit, und mancher ihm anklebenden, höchst verwerflichen Ausschweifungen, doch vielleicht niemals noch positive Ehrlosigkeit sich zu Schulden kommen ließ. Alle 24 falsche Zeugen waren nämlich Officiere aus dem Heere. Sie erboten sich, ihr Zeugniß eidlich zu bekräftigen. Als man ihnen wirklich den Eid auftrug, und sie sich auch schon völlig bereit zeigten, denselben zu schwören, wandte der Pabst sich an die Richter, und sagte ihnen lächelnd: „Sind „dies wohl Zeugen, wie die Geseze sie fodern? „Aber warum wollt Ihr zugeben, daß diese Leute „schwören und ihre Seelen verderben? Lasset sie „doch ohne Schwur aussagen, was sie mögen, und „dann fällt ebenfalls ein Urtheil, welches Euch nur „immer beliebt.“ — Zornig riefen jezt die beschämten Richter: „Wir sind Christen und Rechtgläubige“! *). Ruhig erwiederte der Pabst: „O! möchtet Ihr es doch seyn; und könnte ich einst an jenem Tage des furchtbaren Gerichts Euch wahrhaftes Zeugniß darüber geben.“ Indessen wurden doch nicht alle Zeugen vernommen; man begnügte sich mit den Aussagen von drei oder vier Zeugen,

benachbarten Lande ähnliche Richter und Gerichte erlebt, und werden wahrscheinlich, so Gott will, sie bald noch ferner erleben.

*) Gerade so — macht hier der gelehrte und verehrungswürdige Herr Domkapitular Katerkamp die Bemerkung — riefen auch ehemals die Juden und Pharisäer: „Wir sind Abrahams Söhne und Mosis Schüler!“

worauf das Verhör geschlossen ward, und der Sacellarius den Saal verließ, um dem Kaiser Bericht zu erstatten.

12. Auf Befehl des Despoten ward der Pabst jetzt in einen der Vorhöfe des Palastes, wo die kaiserlichen Stallungen waren, gebracht. Eine ungeheure Menge Volkes war versammelt; auch der Senat begab sich dahin, und um jetzt ebenfalls das Vergnügen eines, eines Tyrannen würdigen Schauspiels zu genießen, legte Constans sich an das Fenster; damit er aber das schuldlose Opfer seiner Grausamkeit recht nach Herzenslust betrachten könnte, ward der Pabst auf eine, in der Mitte des Hofes sich erhebende Terrasse getragen; und gestützt auf die Schultern zweier Henkersknechte, stand das geheiligte Oberhaupt der gesammten Christenheit nun hier, dem Volke zur Schau, der monothelitischen Sekte zum Triumphe, und dem feigsten aller Tyrannen zur Augenweide. Endlich erschien wieder der Sacellarius; „siehst Du,“ schrie der höfische Heuchler dem Pabst entgegen, „wie dich Gott in unsere „Hände gegeben hat. Du hast Gott verlassen, daher er Dich ebenfalls verließ.“ — Auf einen Wink des Sacellarius, traten Henkersknechte herbei, nahmen dem Pabste Mantel und Stohle, zogen ihm seine Kleider aus, und ließen ihm blos noch die Tunik, da sie aber auf diese boshafter Weise auf zwei Seiten aufgerissen hatten; so stand der Pabst jetzt halb entblößt, und sein völlig abgezehrter, einem Skelette ähnlicher Körper ward an mehreren Orten sichtbar. Der Sacellarius übergab ihn nun dem Stadtpräfekten, mit den Worten: „Lasset ihn nur gleich in Stücken hauen,“ und hierauf sich an das Volk wendend, forderte er dieses ebenfalls auf, das Anathema diesem Gottlosen hier zu

sprechen, diesem Feinde des Kaisers und
des Staates. Aber aus der zahllosen Menge
erhoben nur ungefähr zwanzig erkaufte Sclavenseelen
ihre Stimme und sprachen das Anathema nach. Alles Volk hatte den Blick gegen die Erde gesenkt,
in manchem Auge glänzte sogar eine Thräne.

13. Mit einem Eisen um den Hals, mit
schweren Ketten beladen, und von Schergen umgeben, auf die er sich stützen mußte, ward jetzt
der Pabst, auf einem langen Umwege, durch alle
Straßen von Constantinopel nach dem Gefängniß
der Präfektur geschleppt. Vor ihm her ging der
Henker mit entblößtem Schwert, um anzuzeigen,
daß der mit Ketten Beladene ein, zum Tode verurtheilter Verbrecher sey. Diese beispiellos unwürdige,
unmenschliche Behandlung des ersten und obersten
Bischofes der Christenheit rührte selbst die rohesten
Menschen aus den niedrigsten Classen; sogar Heiden und Ketzer fühlten sich zu dem leidenden Heiligen hingezogen. Trauer und warme Theilnahme
an dem unverdienten Schicksal des Gott ergebenen
Kreuzträgers waren daher auf allen Gesichtern zu
lesen; nur über des Pabstes Angesicht waren Ruhe
und himmlische Heiterkeit verbreitet, und es war
offenbar blos der Herz erhebende Gedanke: gewürdiget zu werden, des Namens Jesu wegen Schmach,
Bande und Verfolgung zu leiden, welcher dem, schon
seit länger als einem Jahre kranken, von den heftigsten Gichtschmerzen gefolterten, durch die härtesten
Entbehrungen völlig entkräfteten, und in allen seinen Gliedern und Gebeinen wahrhaft zermalmten und
zerschlagenen Pabste noch die nöthige physische
Kraft ertheilte, um in diesem völlig erschöpften Zustande, und nach Allem, was er heute schon gelitten

hatte, noch einen so mühsamen, mehrere Stunden erfodernden Weg zu machen.

14. Als man mit ihm endlich bei dem Prätorium angelangt war, rissen und schleppten Schergen und Henkersknechte ihn die hohe und rauhe, steinerne Treppen so ungestüm und schonunglos hinauf, daß er einigemal niedersank, Knie und Schienbeine stark verwundete, und die Treppen an mehrern Orten mit seinem Blute färbte. Mit Ketten beladen, halb nakt, von Kälte erstarrt, und kaum mehr athmend, ward er auf eine harte Bank geworfen, welche in diesem Kerker ihm zum Lager dienen sollte. Die Mutter und Tochter des Aufsehers über die Gefängnisse, zwei fromme Frauen, gerührt von den Leiden des erhabenen Dulders, wünschten demselben einige Erleichterung zu verschaffen, wagten es jedoch nicht aus Furcht vor dem Kerkerknecht, an welchen der Pabst noch angeschlossen war. Aber in dem Busen des Präfekts schlug noch ein menschliches Herz; er bemerkte den schönen Zug des Mitleides in den beiden Frauen, ließ also den Pabst von dem Knecht losschließen, und diesen unter einem Vorwand abrufen. Die beiden Frauen brachten nun in den Kerker des Pabstes ein Bette, legten ihn darein, breiteten warme Decken darüber und suchten, so gut sie konnten, ihn zu erwärmen. Aber der Pabst war so völlig entkräftet, daß er die Sprache verloren hatte, und diese erst gegen Abend wieder erhielt. Jetzt schickte auch der Präfekt seinen Hausmeister mit einigen Lebensmitteln an den Pabst, ließ ihn trösten, und ihm sagen, er möchte doch ja nicht unter seinem Kummer erliegen; man hoffe zu Gott, daß sein Schicksal sich bald ändern werde. Der Pabst ließ dem Präfekten für seine Theilnahme und milde Gaben danken, ihn aber auch zugleich

verschern, daß er nichts sehnlicher wünsche, als bald des Märtyrers Todes gewürdiget zu werden.

15. Am folgenden Tage machte der Kaiser dem Patriarchen Paulus einen Besuch. Schon seit einigen Wochen lag derselbe krank; sein Uebel, allen Künsten der Aerzte trotzend, hatte sich indessen zusehends vermehrt, und Paulus, ohne Hoffnung der Wiedergenesung, befand sich jetzt auf jener furchtbaren Scheidelinie, wo hinter ihm die Zeit sich schließt, und vor ihm die Pforten der Ewigkeit sich öffnen; wo alle Täuschung verschwindet, wo mithin der Mensch, nicht mehr von Leidenschaft verblendet, in dem klaren und reinen Spiegel der Wahrheit sein ganzes, zurückgelegtes Leben überschaut, und das lange unterdrückte und betäubte Gewissen nun wieder sein unerbittliches Richteramt übernimmt. In diesem Zustande befand sich Paulus, als der Kaiser bei ihm eintrat; um ihn zu trösten, erzählte ihm nun Constans recht umständlich des Pabstes ganze Leidensgeschichte des gestrigen Tages, alle Erniedrigungen, die er erlitten, alle Schmach, die man ihm angethan, und alle die grausamen Mißhandlungen, die er einen ganzen Tag über, vom Morgen bis zum Abend, hatte erdulden müssen. Aber mit einem Blicke des Entsetzens wandte sich Paulus von dem Kaiser gegen die Wand. „Ach!“ schrie er im Tone der Verzweiflung, „dieß wird jetzt meine Verdammniß „noch vermehren!“ Als der Kaiser hierüber Erklärung foderte, sagte der Patriarch, „Wie! ist dies „die Art, wie man den ersten Bischof der Christen„heit behandeln darf?“ Er bat nun den Kaiser, daß, wenn ihm sein eigenes, und seines Patriarchen Seelenheil am Herzen lägen, er mit der, an dem Pabst genommenen Rache sich begnügen, und den Leiden desselben unverzüglich ein Ende machen möchte; von

ben, ihm fälschlich angeschuldigten Verbrechen habe
derselbe ohnehin, wie er es ja selbst wisse, keines
begangen. Auf des Kaisers verhärtetes Herz machte
diese Ermahnung keinen Eindruck; er hielt sie für
die Wirkung einer, durch Fieberhitze zerrütteten
Phantasie, stand auf, und nahm ganz kalt von
dem Sterbenden Abschied.

16. Acht Tage darauf starb der Patriarch
Paulus, und Pyrrhus schickte sich nun an, seinen
ehemaligen Patriarchenstuhl wieder zu besteigen.
Aber die zahlreiche monothelitische Parthei wollte
dies nicht zugeben. Des Pyrrhus, dem Pabste
Theodor in Rom überreichter schriftlicher Widerruf,
sagte sie, mache ihn jetzt des Episcopats unfähig.
Kaiser Constans begünstigte jedoch den Pyrrhus,
und in der Hoffnung, vielleicht irgend einen, einer
für den Pyrrhus günstigen Deutung fähigen Umstand von dem Pabste zu erfahren, gab er Befehl,
denselben noch einmal auch über diesen Punkt zu
vernehmen. Ein Commis des Sacellarius, ein gewisser Demostenes nebst einem Schreiber wurden
also zu Martin in das Gefängniß gesandt. Bei
seinem Eintritt äußerte Demostenes gegen den Pabst
sein Erstaunen, wie es möglich sey, daß er, nachdem er auf die höchste Ehrenstufe erhoben worden,
sich durch seine eigene Schuld in einen solchen Abgrund
des Elendes habe stürzen können. Statt aller Antwort,
bemerkte blos der Pabst, daß er für Alles, was
geschehen, Gott von ganzem Herzen danke. Natürlicher Weise ließ Demostenes, dem nur leere Worte zu
Gebot standen, es dabei bewenden, ging ohne weiters zu
dem Zwecke seiner Sendung über, und so begann nun
folgendes Verhör. Frage: der Kaiser will wissen,
was in Rom vorgefallen, als der ehemalige Patriarch
Pyrrhus sich allda befand; kam derselbe auf fremden

Befehl, oder aus eigenem Antriebe dahin? — An t = wort: Keines Menschen Befehl oder Ansehen, sondern blos sein eigener, freier Wille führte ihn nach Rom. F r a g e: Wodurch ward Pyrrhus veranlaßt, einen schriftlichen Widerruf zu verfassen, und solchen dem Pabste zu überreichen; ward er allenfalls von ir = gend jemand dazu gezwungen? Antwort: Nein, er verfertigte und übergab seine Widerrufungsschrift aus eigener, innern Ueberzeugung.   F r a g e: Als Pyrrhus nach Rom kam, ward er als Bischof von Eurem Vorfahrer, dem Pabste Theodor empfan = gen? Antwort: Bevor noch Pyrrhus nach Rom reißte, hatte der Pabst schon an Paulus und die Bischöfe, die ihn in Constantinopel gewählt hatten, geschrieben, und ihnen sein Erstaunen zu erkennen gegeben, daß sie jetzt schon zu einer neuen Wahl ge = schritten, da Pyrrhus doch noch am Leben, und nicht auf canonischem Wege seiner bischöflichen Würde ent = setzt worden sey. Da derselbe aber nun gar de = müthig zu den Füßen des heiligen Petrus zurückkehrte, und seine Irrlehre widerrief: welchen Grund hätte da der Pabst haben können, ihn nicht als einen recht = mäßigen Bischof zu empfangen, und als solchen auch zu ehren? F r a g e: Von Wem erhielt Pyrrhus in Rom seinen nöthigen Unterhalt? Antwort: Von der römischen Kirche.   F r a g e: Welche Gattung von Brod ward ihm gegeben? Antwort: Wie, kennt Ihr so wenig die Liebe der römischen Kirche? jeder Fremdling, sey er auch von dem niedrigsten Stande, der nach Rom kommt, und um gastfreundliche Auf = nahme bittet, erhält Alles, was er bedarf. Man gibt ihm schönes, weißes Brod, und verschiedene Sorten von Wein, und zwar nicht nur ihm selbst, sondern auch den Seinigen, die er mitbringt. Der hei = lige Petrus weißt Niemand zurück. Lernet daraus, wie man einen Bischof behandeln muß. F r a g e:

Aber man hat uns berichtet, Pyrrhus sey in Banden nach Rom gebracht, und allda in das Zeughaus eingesperrt worden, wo man ihn so großes Ungemach habe dulden lassen, daß das äußerste Elend ihn endlich gezwungen, jenes Glaubensbekenntniß schriftlich und mündlich abzulegen, welches er nachher, sobald er sich nur frei fühlte, überall verläugnete, und öffentlich widerrief. Antwort: Von allem diesem ist nichts geschehen. Uebrigens habt Ihr ja hier viele Personen, welche damals in Rom waren, unter andern auch den Patricier Plato, welcher zu jener Zeit Exarch von Ravenna war, und öfters von seinen Leuten einige an Pyrrhus sandte. Plato also, wie alle Uebrigen müssen sehr wohl wissen, was sich in Rom zur Zeit des Pyrrhus zugetragen hat; wenn sie sich nicht scheuen, die Wahrheit zu sagen, so könnt Ihr Alles am besten von ihnen erfunden. Doch wozu alle diese Reden? Ich bin in eurer Gewalt; machet mit mir, was euch beliebt; aber wenn man mich auch in Stücken zerhauen sollte, wie man ohnehin schon dem Präfekt, als ich ihm überliefert ward, den Befehl ertheilt hat, werde ich doch nie mit der Kirche in Constantinopel in Gemeinschaft treten. Wie ist es möglich, daß jetzt noch von Pyrrhus die Rede sey, der schon so oft seiner Würde und seines Amtes entsetzt worden, und dem mehrere Concilien einstimmig das Anathema gesprochen haben. — Demostenes und seine Leute staunten über die Standhaftigkeit des Pabstes, schrieben auch diese letzten Worte desselben nieder, verließen hierauf das Gefängniß, und erstatteten dem Sacellarius ihren Bericht.

17. Welcher Künste, Lügen und Ausflüchte sich Pyrrhus bedient haben mag, um seine Gegner zu Stillschweigen zu bringen, ist unbekannt. Genug er besaß die Gunst des Kaisers, und bestieg

nun zum zweitenmale den Patriarchenstuhl von Constantinopel, genoß aber nicht lange die Früchte seines doppelten Verraths; denn schon im fünften Monate seines zweiten Pontificats rief der Tod ihn ab, um dem ewigen, allwissenden Richter über ein, blos der Welt und ihrer Eitelkeit gelebtes, durch Abfall, Meineid, Lügen und Treulosigkeit vielfach besudeltes Leben, Rede und Antwort zu geben.

18. Kaiser Constans wagte es nicht, den Pabst zum Tode zu verurtheilen. Nachdem man ihn also beinahe 3 Monate (80 Tage) in dem Gefängniß der Präfektur gehalten hatte, ward endlich das Exil über ihn verfügt und Martin nach dem taurischen Chersoneß verbannt. Seinen Freunden in Constantinopel und denen, die mit ihm gleichgesinnt waren, ward jetzt gestattet, ihn noch einmal zu besuchen. Alle trauerten und weinten; nur der Pabst verlor seine gewöhnliche Heiterkeit nicht, tröstete und stärkte alle, die bei ihm waren, nahm freundlichen Abschied von jedem; und als dennoch Einer in seinen Klagen fortfuhr, sagte ihm der Pabst: „Mein Bruder! Alles was geschieht, ge„schieht zu unserm Besten; denn es geschieht ja „nicht ohne Zulassung Gottes. Du solltest eher „über meine Lage dich erfreuen, als darüber kla„gen.“ — „Ja wohl, treuer Diener Jesu Christi,“ erwiederte nun jener, „freue ich mich über die Herr„lichkeit, die der Herr Dir bereitet, aber ich be„jammere auch den Untergang so vieler, die Dich „verfolgen, und ihre Seele verderben.“ — Heitern Sinnes verließ der Pabst sein Gefängniß, ward an dem grünen Donnerstag, welcher in dem Jahre 655 auf den 26. März fiel, ganz heimlich und der Stadt unbewußt auf ein Schiff gebracht und langte

am 15. Mai an dem Orte seiner Verbannung, näm=
lich in Cherson an.

19. Die Stadt Cherson, welche ehemals He=
raclea hieß, war ein Hafen des taurischen Cherso=
nesus, eines im höchsten Grade unfreundlichen, öden
und unfruchtbaren Landes, das weder Getreide, noch
Oel, noch Wein erzeugte, und dessen Einwohner —
wie der Pabst in einem seiner Briefe selbst be=
merkt — größtentheils noch Götzendiener von ei=
ner solchen wilden Gemüthsart waren, daß ihnen
selbst das natürliche Menschengefühl, welches man
doch bei allen barbarischen Völkern findet, gänzlich
zu fehlen schien. Der taurische Chersoneß war da=
her auch das Land, wohin man damals die größ=
ten und gefährlichsten Verbrecher zu ver=
weisen pflegte. Natürlicher Weise war nun auch
an einem solchen Ort der Verbannung die Lage des
heiligen Vaters um nichts gebessert; auch hier drück=
ten ihn Mangel und Noth, auch hier mußte er auf
das neue wieder den größten und härtesten Entbeh=
rungen sich unterwerfen. Aber in einem Schreiben
an einen seiner vertrautesten Freunde in Constanti=
nopel klagte er schmerzhaft über die Gefühllosigkeit
der Rechtgläubigen in Rom, besonders der römi=
schen Geistlichkeit, die in seinem traurigen, völlig
verlassenen Zustande ihm nicht die mindeste Unter=
stützung sende, sich wenig darum bekümmere, ob er
noch athme, oder schon todt sey. "Ich hatte ge=
hofft," sagt er in einem andern Schreiben, "daß
"meine Freunde in Rom mir einige Lebensmittel in
"ein Land schicken würden, wo man ohne fremde
"Hülfe nicht leben kann, und wo jetzt eine solche
"Hungersnoth herrscht, daß man gar kein Brod
"sieht, höchstens blos davon sprechen hört. Aber
"leider habe ich nicht die mindeste Linderung erhal=

"ten. Hat die Kirche in Rom auch kein Gold und
"Silber, so hat sie doch Korn, Wein und Oel,
"und ich glaube, mich um ihre Söhne wenigstens
"doch so verdient gemacht zu haben, daß sie mich
"in meinem gegenwärtigen Elende nicht ganz ohne
"alle Hülfe hätten lassen sollen. Aber bei allem
"dem lobe und preise ich Gott, der unsere Leiden
"uns nach seiner erbarmenden Weisheit zumißt. In-
"dessen muß ich erstaunen über die Unempfindlichkeit
"des römischen Clerus, der aus eitler Menschen-
"furcht, und um die Ungnade des Kaisers sich nicht
"zuzuziehen, sogar das Gebot des Herrn, das Ge-
"bot der Liebe vergißt. Demungeachtet ringe ich
"Tag und Nacht für die Römer in Gebete, daß
"Gott, durch die Fürbitte seines heiligen Apostels,
"sie in den wahren Glauben erhalte und stärke, be-
"sonders den Hirten, (Pabst Eugenius) der jetzt
"ihr Vorstand ist. Doch was ängstige ich mich we-
"gen meines elenden Körpers, Gott wird für ihn
"sorgen, und in seiner Barmherzigkeit nicht länger
"mehr zögern, mich zu sich zu rufen."

20. Gott erhörte das vertrauungsvolle Gebet
seines treuen Dieners; denn er starb noch in demselben Monate, nämlich am 16. September des
Jahres 655. Begraben ward er in einer, eine
halbe Stunde von der Stadt Cherson gelegenen,
der jungfräulichen Mutter des Erlösers geweihten
Kirche; und viele Wunder geschahen an feinem
Grabe. Nachher ward sein Leichnam zuerst nach
Constantinopel und von da nach Rom gebracht,
und in der, dem heiligen Silvester, wie auch dem
heiligen Martin von Tours geweiheten Kirche beigesetzt. Von dem Tage seiner Consecration bis zu
jenem seines Todes, saß der heilige Pabst Martin I.
sechs Jahre, vier Monate und neunzehn Tage auf

26 *

dem Stuhl des heiligen Petrus. Die lateinische,
wie die griechische Kirche zählen ihn den Heiligen
bei; die Letztere setzt ihn in die Reihe heiliger Bekenner, die Erstere unter die Zahl heiliger Märtyrer; und wahrhaftig, kein Märtyrer hat vielleicht
je so gelitten, ist Jahre lang eines so qual- und
martervollen Todes gestorben, wie dieser heilige
Pabst. Um seinem treuen Knechte einst eine noch
größere Glorie, noch höhere Wonne zu bereiten, gestattete Gott dem Satan, der durch die Irrlehre
des Monothelismus eine seiner verderblichsten Ten-
denzen zu verwirklichen, die ersten Grundfesten unsers Glaubens zu stürzen suchte, dessen Plan aber
durch diesen Pabst zerstört wurden, nun auch gegen
denselben ungleich heftiger, als gegen irgend einen
andern Heiligen, der bis jetzt seinem Reiche gefährlich geworden, wenigstens eine Zeit lang zu wü-
then. — In seiner Lebensbeschreibung des heiligen
Eligius erzählt der heilige Audoënus, Bischof
von Rouen, ein strenger Freund der Wahrheit und
Zeitgenosse Pabst Martins des Ersten, daß derselbe
während der kurzen Zeit seiner Verbannung einem
Blinden, durch ein offenbares Wunder das Gesicht
wieder gegeben; und der heilige Pabst Gregor II.
sagt in einem Schreiben an den Kaiser Leo den
Isaurier, beruft sich auch darauf, als eine, allen
gegen Mitternacht wohnenden Völkern bekannte
Sache, daß zahllose Preßhafte, an dem Grabe des
heiligen Pabstes Martins I. bei Cherson, theils Gesundheit, theils den Gebrauch ihrer Glieder wieder
gefunden haben*). Die römische Kirche feiert das

*) At beatum Martinum esse et sanctum, testatur
   Civitas Chersonensis, et Bosphori, in quam re-

Andenken dieses großen Heiligen jedes Jahr am 12. November; die griechische Kirche aber am 14. April.

XXIV.

1. Nach dem Tode des Pyrrhus ward ein gewisser Petrus, ebenfalls ein Monothelit, auf den Stuhl von Constantinopel erhoben. Aber des Erstern feierliche Abschwörung seines Irrthums in Rom hatte der Sache der Monotheliten eine tödtliche Wunde geschlagen. Daß Alles, was Pyrrhus in Rom gethan, nicht die Wirkung eines fremden Zwanges, sondern blos seiner innern Ueberzeugung gewesen, dieß lag klar am Tag. Es war offenbar eine Folge seiner, in Carthago erfolgten Bekehrung durch den heiligen Maximus; auf diesen fiel also auch jetzt die ganze Schwere der Ungnade des Kaisers, und der, an seinem Hofe in allen kirchlichen Angelegenheiten unumschränkt herrschenden, monothelitischen Parthei. In dem nämlichen Jahre, in welchem der heilige Pabst Martin in Cherson starb, wurden nun auch der heilige Maximus und dessen treuer Schüler Anastasius, den er schon 37 Jahre an seiner Seite hatte, nebst noch einem andern Anastasius, welcher ehemals päbstlicher Apocrysiarius in Constantinopel gewesen war, auf kaiserlichen Be-

---

legatas est, et totus Septentrio atque incolae Septentrionis, qui ad sepulchrum ejus confluunt, et morborum curationes experiuntur. Atque utinam faxit Deus, ut nos Martini viam iugrediamur, eandemque sortem subeamus.

fehl plötzlich in Rom aufgehoben, auf ein Schiff gebracht, und nach Constantinopel transportirt.

2.   Schwerlich hat vielleicht jemals noch eine Sekte sich so große Mühe gegeben, so viele, theils alberne, theils schlaue Versuche gemacht, so viele und mancherlei Künste angewandt, und mit so vieler Hartnäckigkeit darauf hingearbeitet, einen Rechtgläubigen für ihren Irrthum zu gewinnen, als jetzt die Monotheliten es sich angelegen seyn ließen, den heiligen Maximus zu ihrer Parthei und in ihre Kirchengemeinschaft zu ziehen.   Der Grund davon war leicht zu errathen.   In der Person des Pyrrhus war der Monothelismus besiegt und überwunden worden;   diese Schmach sollte jetzt der Uebertritt des heiligen Maximus zu der monothelitischen Parthei wieder tilgen, und diese nun auch ihrer Seits, durch ihren Triumph über den heiligen Maximus, zugleich über Rom und den Katholicismus triumphiren.

3.   Sobald das Schiff, welches die drei neuen Glaubensmärtyrer führte, in dem Hafen von Constantinopel eingelaufen war, erschien sogleich ein Trupp Soldaten von der kaiserlichen Leibwache, bemächtigte sich der Gefangenen, führte sie, ohne Rücksicht auf das ehrwürdige Alter des heiligen Maximus, eines Greises von 75 Jahren, ohne Schuhe und halb nackt durch die Straßen der Stadt, trennte sie dann von einander, und warf jeden in einen besondern Kerker.

4.   Das grausame Experimentiren der Monotheliten mit dem heiligen Maximus, nahm nun seinen Anfang, und mit diesem zugleich auch die Leidensgeschichte desselben.   Als einen Staatsverbrecher

stellte man ihn zuerst vor den Richterstuhl des Sacellarius, und auch des Senats. Von den Anklagen, die man gegen ihn erhob, übertraf immer eine
die andere an Dummheit, Bosheit und Albernheit *). Während der Verhöre über die ihm angeschuldigten Staatsverbrechen ward er jedoch auch öfters über seinen Glauben befragt. Man sagte ihm,
daß, wenn er mit der Kirche in Constantinopel in
Gemeinschaft treten würde, der Kaiser ihn begnadi-
gen, und die, wegen seiner gegen den Staat begangenen Verbrechen, auf welchen, nach den Gesetzen, die Todesstrafe stünde, über ihn verhängte Untersuchung niederschlagen wollte. In seinem Gefängnisse wurden daher zwischen ihm und den Bischöfen,
mehrere Colloquien gehalten; auch Patricier und Senatoren kamen zu ihm, disputirten sich mit ihm herum,
und gingen dann, bisweilen völlig beschämt, bisweilen
auch wüthend vor Zorn wieder fort. Auch in der Art,
wie man ihn behandelte, wurden allerlei Versuche gemacht, jetzt gab man ihm Geld, Lebensmittel und
Kleidungsstücke, gleich darauf nahm man ihm wieder
Alles ab, und ließ ihn beinahe erfrieren und Hun-
gers sterben. Die Verfügung des Exils über ihn
sollte eine neue Probe seyn. Maximus ward also
sammt den beiden Anastasius nach Thracien verbannt,
jedem aber ein anderer Ort der Verbannung angewie-

---

*) So z. B. ward er angeklagt, vor 16 Jahren Aegypten
an die Sarazenen verrathen, bald darauf den Statthalter von Afrika zur Empörung ermuntert, und darin
bestärkt, und endlich, durch Erzählung eines
Traumes, den Pabst Theodor abgehalten zu haben,
an Gregorius zu schreiben, und ihn zu ermahnen, von
seiner Empörung gegen den Kaiser abzustehen; und
noch mehr anderes ähnliches abgeschmacktes dummes
Zeug.

sen, und der heilige Maximus auf das feste Schloß Bizya gebracht.   Aber auch hieher folgte ihm beinahe auf
dem Fuße der monothelitische Bischof Theodosius von
Bithinien; gleich darauf kam auch noch ein anderer
Theodosius an, und mit diesem ein gewisser Paulus.
Beide waren kaiserliche Hofbeamten und, wie es sich
von selbst versteht, in der Theologie stark bewandert.
Das Disputiren ging also auch jetzt in Bizya auf das
neue wieder an.   Aber der Bischof von Bithinien,
wie auch Paul und der andere Theodosius waren, wie
es scheint, ziemlich vernünftige Männer; sie schüttel-
ten öfters die Köpfe, sagten, die Sache sey sehr verwickelt; wußten dem heiligen Maximus nichts zu antworten, und kehrten, eben so klug als sie gekommen
waren, wieder nach Constantinopel zurück.   Eine
Folge ihrer Sendung war, daß man den heiligen Maximus aus Bizya wieder nach Constantinopel, zwar
nicht in die Stadt, aber in das nahe dabei gelegene
Kloster Rege brachte.   Der Kaiser hatte Anfangs befohlen, dem Maximus auf eine, seinem ehrwürdigen
Alter, seinem anerkannten hohen Rufe, und seiner am
kaiserlichen Hofe ehemals begleiteten Würde, angemessene Weise zu begegnen.   Leider hatte diese scho-
nende Behandlung bald ein Ende.   Selbst die aller-
nothwendigsten Bedürfnisse wurden ihm nicht gereicht.
Zum Glücke, daß er an strenges Fasten gewöhnt war,
und sein von Alter, Hunger, Blöse, Kälte, und der
nun schon so lange anhaltenden Quälerei völlig abgezehrter Körper nur äußerst wenige Nahrung mehr bedurfte.   Mehrere Conferenzen und Colloquien folgten
nun schnell auf einander; besonders zeichneten sich die
beiden Patricier, Epiphanes und Terilus dabei
aus.   Süße Worte und grobe Schmähungen, lockende
Versprechungen und die fürchterlichsten Drohungen,
schmeichelnde Ehrenbezeigungen und die niedrigsten
Mißhandlungen wurden abwechselnd angewandt; und

wenn den Herren ihre Dialektik nicht mehr recht
forthelfen wollte, schlugen sie mit Fäusten auf den
heiligen Maximus, rauften ihm den Bart, spieen
ihm in das Gesicht, traten ihn mit Füßen und zerrissen ihm die Kleider; und beinahe einmal hätte
der Heilige unter diesen sehr handgreiflichen theologischen Demonstrationen den Geist aufgegeben, wäre
nicht der Bischof Theodosius von Bithinien in das
Mittel getreten, und hätte den Herren begreiflich
gemacht, daß dieses eigentlich doch nicht die wahre
Art sey, über Glaubensfragen sich gegenseitig zu
verständigen. Endlich fiel man gar auf den Gedanken, den heiligen Maximus von den, nicht ferne
von Constantinopel, im Lager stehenden Soldaten
steinigen, oder in Stücken zerreißen zu lassen. Maximus ward nämlich zum zweitenmale nach Perbere
verbannt. Der Weg dahin führte durch die Gegend, wo gerade jetzt das Heer lagerte. Unter den
Soldaten und dem ganzen Heere verbreitete man
nun geflissentlich das Gerücht, der Abt Maximus
habe die Mutter des Herrn gelästert, und werde
morgen oder übermorgen durch das Lager geführt
werden. Aber die Soldaten, weit bessere Menschen,
als ihr Kaiser und dessen Bischöfe, Patricier und
Senatoren, glaubten die schändliche Verläumdung
nicht. In dem ganzen christlichen Orient war Maximus seiner Gelehrsamkeit und Heiligkeit wegen berühmt. Schaarenweise gingen also die Soldaten,
selbst auf Geheiß ihres christlichen Feldherrn dem
ehrwürdigen Abt entgegen, empfiengen ihn mit der
größten Ehrerbietung, begehrten seinen Segen, und
riefen ihm zu: "Gott sey, heiliger Mann! deine
Stütze und deine Krone." — Als aber die, um
Maximus sich drängenden Haufen immer größer
und zahlreicher wurden, und die Soldaten endlich
laut murreten über die harte Behandlung des from-

men, gottesfürchtigen Abtes; suchte man ihn, so eilig als möglich, aus dem Lager wieder zu entfernen, und brachte ihn nun ungesäumt nach Perbere, dem Ort seiner Verbannung*).

5. Fruchtlos hatte jetzt beinahe schon anderthalb Jahre die monothelitische Parthei alle mögliche Experimente mit dem heiligen Maximus gemacht. Was aber ihre Wuth nun auf das Höchste entflammte, war, daß sie sehen mußte, wie die Standhaftigkeit und das Ansehen des heiligen Mannes zahllose Rechtgläubige in ihrer Trennung von der

---

*) Bei den Soldaten, welche dem heiligen Maximus entgegen gingen, befanden sich auch selbst mehrere Tribunen, Centurionen und Fahnenträger, auch einige Priester und Diaconen, welche im Lager den Gottesdienst versahen. Bei ihrer Ankunft warf der heilige Maximus sich auf die Knie, und betete einige Augenblicke; die Soldaten thaten das nämliche. Als der Heilige sich wieder erhoben hatte, bat man ihn mit allen Merkmalen der größten Ehrerbietung, sich niederzulassen; worauf einer aus der Schaar das Wort nahm, und zu ihm sagte: "Mein Vater! man wollte uns bereden, daß Ihr der jungfräulichen Mutter des Erlösers den Namen einer Mutter Gottes versagtet; wir beschwören Euch daher, hebet dieses Aergerniß." — Als Maximus dies hörte, warf er sich auf das neue wieder auf die Erde, hob die Hände und sprach, obgleich unter einem Strom von Thränen, mit vernehmbarer lauter Stimme: »Wer immer nicht bekennt, daß Maria, die heilige, hochbegnadigte Jungfrau, die Mutter Gottes, des Schöpfers Himmels und der Erde ist, der sey verflucht vom Vater, vom Sohne und vom heiligen Geiste; von allen himmlischen Mächten und allen Heiligen nun, und in alle Ewigkeit." — Thränen füllten jetzt die Augen aller Umstehenden, und von allen Seiten rief man ihm zu: "Ehrwürdiger Vater! welch großes Unrecht thut man Euch nicht an!"

Kirche von Constantinopel erhielt, und immer noch mehr darin bestärkte. Da die gottlosen Heuchler jetzt auch nicht einen Schein von Hoffnung mehr hatten, den heilgen Maximus für sich zu gewinnen, so ward in ihrem höllischen Rathe endlich der Untergang desselben beschlossen, und zwar mit jener, dem tückischen Verfolgungsgeiste jeder Sekte aller Zeiten stets eigenen Härte und Grausamkeit. Maximus und die beiden Anastasius wurden vor ein förmliches Concilium citirt. Dem zufolge brachte man eiligst die drei Gefangenen aus den Orten ihrer Verbannung wieder nach Constantinopel zurück. Das Concilium anathematisirte zuerst den heiligen Sophronius von Jerusalem, den heiligen Pabst Martin und alle, welche ihrer Lehre anhingen (das heißt, alle Rechtgläubige, mithin die ganze abendländische Christenheit.) Nachdem diese frevelhafte, oder vielmehr sacrilegische Posse vorüber war, wurden, zuerst Maximus und dessen Schüler Anastasius, und dann auch der ehemalige Apocrysiarius Anastasius herein geführt, und über alle drei, als hartnäckige Feinde der Kirche, das Anathema dreimal mit der größten Feierlichkeit ausgesprochen; aber damit nicht zufrieden, erklärte ihnen nun dies Afterconcilium, daß, nachdem jetzt ein canonisches Urtheil über sie ergangen, die Gerechtigkeit es noch fordere, daß sie ihrer Gottlosigkeit wegen auch nach den weltlichen Gesetzen bestraft würden, obgleich es gar keine, auch noch so grausame Strafe gebe, welche ihrem unerhörten Frevel angemessen seyn könnte. Ihre wahre Bestrafung wollte daher das Concilium dem ewigen Richter überlassen, mithin von der Strenge der Gesetze abweichen, sie nicht, wie sie es verdient, zum Tode verurtheilen; und gemeinschaftlich mit dem Senate sprachen nun die versammelten heuchlerischen Bischöfe folgendes

Urtheil: Maximus, dessen Schüler Anastasius, so
wie auch Anastasius, der ehemalige päbstliche Apocrysiarius in Constantinopel, sollen mit Ochsensen-
nen öffentlich gepeitscht und zerfleischt werden; jedem
soll die Zunge, mit der er so viele Gotteslästerun-
gen schon ausgesprochen, aus dem Halse geschnitten, die rechte Hand, mit welcher er nicht minder
gottlose Schriften verfertiget, abgehauen, derselbe
hierauf durch alle zwölf Quartiere der Stadt, dem
Volke zur Schau und warnenden Beispiel herum-
geführt, dann auf ewig an die äußerste Grenze des
Reiches, in das rauhe Land der Lazier verbannt,
und dort für die ganze Lebenszeit in Kerker und
Banden gehalten werden. — Der anwesende Stadt-
präfekt ließ jetzt die Verurtheilten sogleich ergreifen, und die grausame, unmenschliche Strafe ward
mit gleicher Grausamkeit und Unmenschlichkeit an
ihnen vollzogen.

6. Am 8. Innius des Jahres 657 kamen
Maximus und die beiden andern Kreuzträger in
dem Lande der Lazier an. Sogleich wurden sie von
einander getrennt; man nahm ihnen jetzt auch noch
das Wenige, was sie mitgebracht hatten, ab, fand
jedoch bei Maximus nichts, als eine Nadel und
etwas Faden. Maximus sollte nach dem, noch weiter entfernten Bergschloß Schemari gebracht werden; aber der, nunmehr 77jährige, grausam zerfleischte und verstümmelte, von der langen, unter
den härtesten Entbehrungen zurückgelegten Reise, völlig erschöpfte und kaum mehr athmende Greis konnte
mehr weder auf einem Pferde sich halten, noch die
Erschütterung eines Wagens ertragen, und noch viel
weniger einen Weg von mehrern Meilen zu Fuß
zurücklegen. Auf einer, aus Weiden geflochtenen
Bahre mußte er dahin getragen werden. Aber Gott

machte jetzt seinen Leiden ein Ende. Für den Namen Jesu hatte er gekämpft, geblutet, und alles er-
duldet. Unüberwunden war er in dem heißen Kampf
bestanden, und seiner harrte nun auch die Krone
des Siegers. Den Mönch Anastasius, des heiligen
Maximus Schüler, rief Gott schon im folgenden
Monat Julius zu sich, und drei Wochen darauf,
nämlich am 13. August 657, starb auch der heilige
Maximus. Den Tag seines Todes hatte er vor-
ausgesagt, und an demselben feiert auch jetzt noch
die Kirche jährlich sein Andenken.

7. Anastasius, der Apocrysiarius lebte noch
4 Jahre in seiner Verbannung; anfänglich, von Allem entblößt, in dem größten Elende. Aber ein
anderer Befehlshaber, Namens Gregorius ward in
das Land geschickt. Mit der Ankunft desselben änderte sich auch die Lage des Anastasius. Gregor
behandelte ihn mit großer Liebe, versetzte ihn in ein
Kloster und sorgte für alle seine Bedürfnisse. Gegen den Monothelismus und die Anhänger dieser
Irrlehre, verfertigte er, obgleich die rechte Hand
ihm abgehauen war, dennoch, beinahe wunderbarer
Weise, eine Menge gründlich durchdachter Schriften.
An dem Rumpfe des vordern Arms ließ er zwei
dünne Stäbe, und zwischen diesen eine Feder befestigen, und schrieb nun mit der nämlichen Leichtigkeit, mit welcher er auch vor seiner Verstümmelung
geschrieben hatte. Beide Anastasius werden ebenfalls von der Kirche den Heiligen beigezählt.

8. Obgleich von den Schriften des heiligen
Maximus der größte Theil verloren gegangen, so
sind doch verschiedene derselben auch noch auf uns
gekommen; unter andern auch sein Buch von der

Mystagogie, in welchem er die Ceremonien der
Kirche bei der Feier der heiligen Geheimniſſe erklärt, und aus welchem wenigſtens es ſich ergibt,
daß die heutige griechiſche Liturgie noch dieſelbe iſt,
die auch zu den Zeiten des heiligen Maximus war.

9. Indeſſen war auch der Patriarch Petrus
geſtorben, und Thomas, Archivar der Kirche von
Conſtantinopel, ihm auf dem Patriarchenſtuhl gefolgt. In Anſehung des Sterbjahres des Patriarchen Petrus ſind die Meinungen getheilt. Einige
nennen das Jahr 656, Andere das Jahr 660; unſtreitig eine an ſich höchſt gleichgültige Sache, die
aber jetzt dadurch einige Bedeutſamkeit erhält, daß,
wenn man dieſes Sterbjahr mit Gewißheit ausmit-
teln könnte, auch alle Zweifel verſchwinden würden,
ob Thomas ein rechtgläubiger, wie Pagius ſagt,
oder ein monothelithiſcher Biſchof, wie Baronius
behauptet *), geweſen ſey. Wäre des Patriarchen
Thomas Synodalſchreiben an den Pabſt glücklich
nach Rom gekommen; ſo würde daſſelbe unſtreitig
die Frage am beſten zu entſcheiden im Stande ſeyn;
ſo wie auf der andern Seite, wenn das Jahr 656
wirklich des Patriarchen Petrus Sterbjahr geweſen
wäre, obige Frage ſich von ſelbſt würde beantworten können, indem in dieſem Falle Thomas auch
in demſelben Jahre den Patriarchenſtuhl beſtiegen,

---

*) Pagius beruft ſich auf die Verhandlungen des nachheri-
gen 6. öcumeniſchen Conciliums in Conſtantinopel, welches die Beweiſe der Rechtgläubigkeit des Patriarchen
Thomas enthält. Aber dagegen wendet der Cardinal
Baronius ein, daß dieſem Concilium — (wie es auch
gar nicht zu bezweifeln iſt) — mehrere verfälſchte Urkunden wären vorgelegt, und dann den Aktenſtücken
deſſelben beigelegt worden.

mithin dem gegen den heiligen Maximus gehaltenen
Concilium in Constantinopel beigewohnt, und höchst
wahrscheinlich sogar den Vorsitz bei einem Concilium geführt hätte, das durch seine Beschlüsse den
wahren Glauben zu stürzen und den Irrthum auf
den Thron zu erheben suchte, das ferner Päbsten,
Bischöfen und Aebten von anerkannter Heiligkeit das
Anathema sprach, und endlich gar, mit schwerer
Blutschuld sich belastend, das von dem Senat gegen den heiligen Maximus und dessen Schüler ausgesprochene, eben so ungerechte als unmenschliche Urtheil feierlichst sanktionirte. Wie aber auch übrigens
allem diesem seyn möchte; so wäre es gewiß immer
sehr schwer zu erklären, wie zu einer Zeit, wo der
Kaiser, dessen vornehmste Beamten, der ganze Senat, und überdies alle Hofbischöfe, Hofkapläne
und Hofprediger dem Monothelismus hartnäckig an-
hiengen, plötzlich ein Rechtgläubiger auf den erledigten Patriarchenstuhl hätte erhoben werden können.

XXV.

1.   Nach der Gefangennehmung und Hinwegführung Martins I. übernahmen in der Abwesenheit
desselben der Archypresbiter, der Archidiacon und der
Primicerius Notariorum die Verwaltung der römischen Kirche. Indessen drang der Hof von Constantinopel immer hartnäckiger auf eine neue Pabstwahl. Fünfzehn Monate widersetzte sich die römische Geistlichkeit der Forderung des Kaisers. Aber
nun war zu befürchten, daß Constans endlich aus
eigener Machtvollkommenheit einen Pabst ernennen,
und wahrscheinlich einen seiner monothelitischen Bi-

schöfe auf den römischen Stuhl erheben möchte. Um ein so bejammernswerthes Schisma zu verhüten, fügte sich endlich die römische Geistlichkeit den Zudringlichkeiten des Kaisers, und Eugenius, ein geborner Römer, ward, eigentlich nicht zum Pabst, sondern blos zum einstweiligen Verweser des obersten Kirchenregiments erwählt. Das Pabstthum des Eugenius beginnt also erst mit dem Tode Martins I. und da auch Eugenius schon an dem ersten Junius des Jahres 657 starb, so beschränkt sich die eigentliche Dauer seiner päbstlichen Regierung blos auf die Spanne Zeit von zwei Jahren und einigen Monaten.

2. Merkwürdiges weiß die Geschichte nichts von diesem Pabste zu erzählen; außer daß seine Legaten in Constantinopel, bethört durch die, von dem Kaiser ihnen erwiesenen Ehrenbezeugungen, in die ihnen gelegte Schlinge geriethen, ein verworrenes und geschraubtes Glaubensbekenntniß, das ihnen der Patriarch Petrus übergab, für orthodox hielten, und mit demselben in Kirchengemeinschaft traten. Diesen Schritt seiner Legaten mißbilligte jedoch der Pabst im höchsten Grade, und als das Synodalschreiben, in welchem der Patriarch Petrus seine Erhebung dem Pabst kund that, ein eben so gedrehtes, erkünsteltes und zweideutiges Glaubensbekenntniß enthielt, und dieses, dem Herkommen gemäß in der Kirche zu St. Maria ad Präsepe, (heut zu Tage Santa Maria Maggiore) in Gegenwart der Geistlichkeit und des versammelten Volkes vorgelesen ward, stieg der Unwille darüber bei dem Letztern auf einen solchen Grad, daß es dem Pabst nicht gestattete, das heilige Opfer darzubringen, als bis er das unlautere Glaubensbekenntniß verdammt

und verworfen hatte *). Der Bibliothekar Anastasius rühmt ungemein des Pabstes Eugenius ausgezeichnete Frömmigkeit und hohe Tugenden, mit welchen jedoch, wie es uns wenigstens scheint, und wir
aufrichtig gestehen müssen, der von dem heiligen

---

*) In der Glaubensformel, welche der Patriarch Petrus
   den päbstlichen Legaten in Constantinopel vorgelegt,
   und dann auch an den Pabst nach Rom geschickt hatte,
   suchte derselbe die beiden einander geradezu widerstrebenden Lehren der Katholiken und Monotheliten, mit Hülfe
   äußerst dunkler, verworrener und zweideutiger Ausdrücke mit einander zu vereinigen. Mit den Letztern
   nahm er daher in Jesu Christo **einen** Willen, und
   dann auch mit den Katholiken wieder **zwei** Willen an.
   Den **einen** Willen der Monotheliten nannte er volun-
   tatem substantialem (substantiellen, wesentlichen
   Willen) und die **zwei** Willen der Katholiken voluntates naturales (natürliche Willen) so daß aus diesen
   zwei natürlichen Willen nur ein einziger, nämlich der
   substantielle Wille, gebildet werde. Das Sinnlose dieser Lehre läßt sich mit Händen greifen, denn auf diese
   Weise müßte der göttliche Wille, um mit dem menschlichen Willen in einem dritten zu verfließen, und sich
   zu vermengen, nothwendig Etwas von seiner Göttlich-
   keit verlieren, und eben so viel von dem menschlichen
   Willen dafür annehmen, und dieser hingegen ebenfalls
   von dem menschlichen etwas ablegen, und eben so viel
   göttliches dafür aufnehmen; und so wäre dann in Jesu
   Christo, welchem der Monothelit drei Willen beilegt,
   eigentlich weder ein **ganz rein** göttlicher, noch **ganz**
   menschlicher Wille; mithin Er Selbst auch weder **voll-**
   kommen wahrer Gott, noch **vollkommen** wahrer
   Mensch. —— Wenn, um einen groben Irrthum zu
   begründen, menschliche **Spitzfindigkeit** sich erschöpft, und ihre höchste Stufe erklimmt hat; dann
   wird sie, wie die Philosophen aller Zeiten es bewiesen
   haben, wahrer, platter, nackter **Unsinn**, der aber
   alsdann, um seine Blöße zu bedecken, sich hinter eine
   recht breite, verworrene und unverständliche Darstellung
   zu verstecken sucht.

Martin in seiner Verbannung zu Cherson geschriebene, über Roms Lieblosigkeit klagende Briefe einen etwas seltsamen, und nicht wenig schmerzhaften Contrast bildet *).

3. Ungefähr zwei Monate nach dem Tode

---

*) Pabst Eugenius war sehr freigebig und ungemein wohlthätig gegen die Armen, unter denen er seine Gaben stets mit vollen Händen austheilte. Nur Menschenfurcht kann also die einzige Ursache gewesen seyn, warum er den heiligen Martin, in welchem er noch immer das, von Gott gesalbte, geheiligte Oberhaupt der Christenheit erblicken mußte, in seiner Verbannung ohne alle und auch die mindeste Hülfe ließ. Aber Menschenfurcht geziemt auch nicht dem geringsten und niedrigsten Jünger Jesu, viel weniger einem Apostel, und gewiß also am allerwenigsten gar einem Fürsten der Apostel. Indessen wollen wir hoffen, und uns damit beruhigen, daß auch noch ganz andere, gar nicht zu errathende Umstände eingetreten seyn können, welche den Pabst Eugenius abhielten, das erste und süßeste Gebot Jesu, nämlich das Gebot der Liebe gegen den heiligen Martin zu erfüllen. Wahrscheinlich hatte Gott, um seinen treuen Knecht Martin nachher in der Ewigkeit desto mehr zu verherrlichen, demselben das Maas seiner Leiden unwiderruflich zugemessen; und so könnte dann dem Pabste Eugenius, den die Kirche den Heiligen beizählt, und von dessen Tugenden sie allen Geschlechtern verkündet, sehr wohl während seines Gebetes eine innere Offenbarung geworden seyn, welche es ihm untersagte, hierin den weisen, erbarmungsvollen Absichten der Vorsehung vorgreifen zu wollen. Wie aber auch allem diesem seyn mag, so wird doch des grausam verfolgten, heiligen Martins, aus Cherson über das Meer hinüber hallende, klagende Stimme in der Brust jedes Katholiken, der diese Geschichte liest, ein äußerst wehmüthiges, nicht leicht von selbst wieder erstummendes Echo zurücklassen.

des Eugenius, bestieg Vitalianus aus Segni, einer bischöflichen Stadt in Campanien den römischen Stuhl. Nach dem, von jeher bestehenden Brauch ordnete er sogleich Legaten nach Constantinopel, um seine Wahl und Consecration dem Kaiser zu melden. Constans empfieng die päbstlichen Legaten mit ungemeiner Freundlichkeit; und als sie wieder nach Italien zurückkehrten, schickte er durch sie dem heiligen Petrus in Rom ein ganz ungewöhnlich reiches Geschenk, ein nämlich durchaus in goldenen Buchstaben geschriebenes Evangelienbuch, dessen Einband mit einer Menge der kostbarsten Edelsteinen von ausnehmender Größe besetzt war. Constans wußte, daß sein, an dem heiligen Pabst Martin geübter, grausamer Frevel, auf die ganze abendländische Christenheit einen, für ihn höchst nachtheiligen Eindruck gemacht hatte; um diesen, so viel als möglich, nach und nach wieder auszulöschen, machte er jetzt das erwähnte Geschenk, und heuchelte gegen Rom eine Willfährigkeit, die seinem verdorbenen Herzen durchaus fremd war.

4. Unter dem Pontificat des Vitalianus kam Kaiser Constans nach Rom. An der Spitze seiner ganzen zahlreichen Geistlichkeit, ging der Pabst demselben entgegen, und empfieng ihn mit allen, seiner hohen Herrscherwürde gebührenden Ehrenbezeigungen. Auch der Kaiser erwies sich in seinem Aeußern ungemein freundlich gegen den Pabst, machte auch den Kirchen mehrere Geschenke, ließ sich aber solche bald darauf zehen- und hundertfach wieder bezahlen; denn ein paar Tage vor seiner Abreise plünderte er alle Kirchen rein aus, ließ sogar sämmtliches, darin befindliche Metall hinwegnehmen, und raubte der Stadt Rom alle ihre noch übrigen Kunstschätze; so daß sein Besuch für die Römer beinahe eben so

27 *

verderblich war, als jener, welchen ihnen einst der arianische Vandalen-König Genserich im Jahre 561 gemacht hatte. Constans ging hierauf nach Sicilien, um dort, nachdem er die Insel zu Grunde gerichtet hatte, wie der Leser schon weiß, sich im Bade mit einem Wassereimer das Gehirn entzwei schlagen zu lassen.

5. Um den römischen Stuhl zu kränken, hatte Constans, während der Gefangenschaft des Pabstes Martin, eine Verordnung erlassen, welche den Bischof Maurus von Ravenna und dessen Nachfolger von der Gerichtsbarkeit des heiligen Stuhles frei sprach. Dieses Edict hatte Maurus nun wirklich geltend gemacht, und behauptete jetzt eine völlige Unabhängigkeit von dem römischen Stuhle. Vitalianus wollte ihn wieder zu seiner Pflicht zurückführen; als er nicht gehorchte, schleuderte der Pabst gegen ihn den Bannstrahl, und nun erfrechte sich Maurus, auch seiner Seits das Oberhaupt der Kirche mit dem Bann zu belegen. Erst in dem Jahre 677 unterwarf die Kirche von Ravenna sich wieder dem römischen Stuhle.

6. Nach der, im Jahr 668 erfolgten Ermordung des Kaisers Constans zu Syrakus, erzeigte Pabst Vitalianus dem Sohne und Nachfolger desselben, Constantin, während der Unruhen in Sicilien, sehr wesentliche Dienste, und machte dadurch den jungen, ohnehin den Monotheliten abgeneigten Fürsten den Rechtgläubigen nur noch günstiger. Leider, erntete Vitalianus nicht mehr die Früchte der jetzt für die Kirche so glücklichen Regierungsveränderung; denn er starb am 27. Jänner 672, nachdem er ungefähr fünfzehn Jahre, mit Tauben-Ein-

falt und Schlangen-Klugheit, der Kirche des Sohnes Gottes vorgestanden hatte.

7.   Nur zwei Monate und dreizehn Tage
blieb der päbstliche Stuhl unbesetzt, und Adeodatus, oder Deodatus, ein geborner Römer ward
von der Geistlichkeit, mit der Genehmigung des
Kaisers darauf erhoben.   Er war ein Benedictiner-
Mönch und sehr frühe in das Kloster zum heiligen
Erasmus auf dem Berge Cölius getreten, wo er
während der ganzen Zeit seines Mönchstandes, durch
aufrichtige Frömmigkeit und eine ganz besondere
Herzensgüte, unter allen übrigen Brüdern sich auszeichnete.   Bei seiner Erhebung auf den päbstlichen
Stuhl ward daher von ihm auch die Roga sehr
bedeutend erhöhet und vermehrt.   Man nennt Roga
das Geschenk an Gelde, welches dem Volke, bei der
Erhebung eines Pabstes, gereicht wird.   Dieser schöne
Gebrauch, wodurch jeder neue Pabst den Antritt seiner Regierung mit einem Akt der Milde und Freigebigkeit bezeichnet, besteht auch noch bis auf den
heutigen Tag.

8.   Das Pontificat dieses Pabstes war nicht
von sehr langer Dauer, und beschränkt sich blos
auf vier Jahre und einige Monate.   Auf uns gekommen ist von ihm nichts, als eine berühmte Bulle,
in welcher er dem, der Abtei zum heiligen Martin
von Tours, von dem Erzbischofe Chrodobert
von Tours ertheilten Privilegium, wodurch sie der
Gerichtsbarkeit des Diöcesanbischofes entzogen wird,
die päbstliche Bestätigung ertheilte.   Indessen, wie
es scheint, war dieser heilige Pabst von dergleichen
Exemtionen kein allzugroßer Freund.   In seiner, in
Form eines Diploms gegebenen Bulle, sagt Adeo-
vat, daß er anfänglich großes Bedenken getragen,

ein Gesuch zu genehmigen, das, dem Herkommen und den Ueberlieferungen der Kirche zuwider, Klöster der Gewalt und nöthigen Aufsicht der Bischöfe entziehe, blos in Rücksicht auf die von dem Erzbischofe von Tours und den übrigen gallischen Bischöfen eingereichten Vorstellungen, und aus Achtung für die, von dem Könige zu Gunsten dieses Klosters ausgestellte Urkunde, habe er sich bewogen gefunden, eine Ausnahme zu machen, und dem Abte des Klosters zum heiligen Martin von Tours seine Bitte zu bewilligen *).

---

*) Dergleichen, den Abteien und Klöstern ertheilte Freiheitsbriefe finden wir schon sehr frühe, und zwar in dem Orient noch früher als in dem Abendlande; denn dort wurden schon im vierten Jahrhundert die zahlreichen Klostergemeinden zu Tabene ganz allein von dem heiligen Pachomius regiert; so wie im fünften Jahrhundert das berühmte Kloster von Lerins blos unter seinem Abt stand; so daß der Bischof von Frejus nur die Geistlichen in demselben zu ordiniren hatte. Die ältesten von den Päbsten ertheilten Freiheitsbriefe sind jene des Pabstes Hormisda im Anfange des sechsten Jahrhunderts, und unter welchen sich einer befindet, welchen dieser Pabst auf Bitten des heiligen Cäsarius von Arles bewilligte. Diese Exemtionen vermehrten sich ungemein in dem sechsten Jahrhundert, und wie es aus den Zeugnissen Gregors des Großen erhellt, waren die Päbste damals schon gewöhnt, dergleichen Freiheiten zu ertheilen. Er selbst ertheilte mehrere derselben, sowohl an Klöster und Abteien in Italien, als auch in Frankreich. Diese Exemtionen wurden größtentheils bewilliget auf Bitten frommer Bischöfe selbst, daher sie auch die päbstlichen Bullen oder Diplomen zu unterzeichnen pflegten, um durch diese Unterschriften ihrer Seits ihre vollkommene Beistimmung zu beurkunden. Auch auf Begehren der Monarchen, oder anderer, durch Rang und hohe Würden, ausgezeichneten Laien

wurden sie bewilliget, besonders für die, von solchen erlauchten Personen selbst gestifteten Klöster; und es geschah z. B. blos auf Bitte der Königin Brunhilde, daß selbst Gregor der Große die berühmten drei Freiheitsbriefe der Stadt Autun ertheilte. — Auch in den folgenden Jahrhunderten vermehrten sich noch immer diese, Abteien und Klöstern gegebenen Exemtionen. Aber in neuern Zeiten fing man an, desto mehr über sie zu klagen, große Einwendungen dagegen zu erheben, und sie, als der Zucht und dem Herkommen der Kirche zuwider, heftig zu bestreiten. Indessen war es aber ja doch die Kirche selbst, nämlich es waren Päbste und Concilien, die dergleichen Freiheiten ertheilt hatten; die Kirchenzucht ward dadurch keineswegs gefährdet, und noch weniger die so durchaus nothwendige, hierarchische Unterordnung gestört; im Gegentheil ward durch diese Freiheiten der Eifer frommer Klostermänner nur noch mehr geweckt, und ihre Klöster, worauf es vorzüglich hier ankam, wurden gegen Bedrückungen und willkührliche Eingriffe neidischer und schelsüchtiger Bischöfe, wovon besonders in Spanien die toledanischen Concilien sprechende Beweise liefern, in Sicherheit gestellt. Ueberhaupt wird man nicht finden, daß solche Exemtionen die Unzufriedenheit wahrhaft frommer, durch Heiligkeit ausgezeichneter Bischöfe erregten, im Gegentheil waren es gerade diese, welche sie öfters für Klöster und Abteien ihrer Diöcesen in Rom nachsuchten; und wenn der heilige Bernhard seine Stimme dagegen erhob; so klagte er nur über die, zu seiner Zeit davon gemachten Mißbräuche, da einige Aebte den Versuch wagten, solche Freiheiten für sich und ihre Klöster mit Geld zu erkaufen. Nur diesen und ähnlichen Unfug rügte der heilige Bernhard, und die, auf langem kirchlichen Herkommen gegründeten, und dem dabei beabsichtigten Zweck der Kirche vollkommen entsprechenden Exemtionen wollte und konnte er um so weniger bestreiten, da der Orden der Cisterzienzer, dem er angehörte, eben dieselbe Freiheit genoß. Gegen die Sache selbst klagte der heilige Bernardus eben so wenig, als bis dahin wahrhaft erleuchtete Bischöfe, oder gelehrte, aber dabei auch fromme Theologen geklagt

9. Pabst Adeodatus starb im Monate Junius des Jahres 676. Gleich nach seinem Hinscheiden brach über der Stadt Rom, und der umliegenden Gegend ein, unter ununterbrochen furchtbar fortrollendem Donner und zückenden Blitzen, so lange anhaltendes und so schreckliches Ungewitter aus, daß alle Chroniken jener Zeit davon Meldung thun. Viele Menschen wurden durch den Blitz getödtet, und der, mehrere Tage gleich einem Wolkenbruch herabströmende Regen drohete, die ganze, in vollen Halmen stehende Ernte zu zerstören. Aber nun

hatten. Freilich als man anfing, und zwar zuerst so ganz im Stillen, die geistlichen Orden, diese Stützen der Religion, der Kirche und wahrer Frömmigkeit, nach und nach zu untergraben, dann wandte man sich auch lauernd nach allen Seiten, um zu sehen, aus welcher Luftregion allenfalls Etwas gegen Klöster und geistliche Orden herunter zu greifen wäre, und nun trat man im Namen der Kirche, jedoch ohne allen Auftrag von eben dieser Kirche, auf und klagte gegen die Exemptionen und Freiheiten der Klöster. Indessen verstummte sehr bald wieder diese Klage; man ging nämlich auf kürzerm Wege zum Ziel, raubte den Klöstern ihre Güter und hob sie gänzlich auf. Geistliche Orden und heilige Corporationen verschwanden nun in kurzer Zeit beinahe auf der ganzen Oberfläche unseres christlichen Europas; aber bald fühlte man doch, daß dadurch eine gewisse, ziemlich große Lücke entstanden war; diese mußte ausgefüllt werden; und so entstand nun schnell auf einander eine Menge ganz anderer, vollkommen vernunftgemäßer Orden: als Carbonari, Radicale, Decamisatos, Liberale, Jacobiner, Deutschthümler 2c. Ob die Völker bei diesem Tausch glücklicher geworden sind, dies hat die Zeit schon so ziemlich gelehrt, wird es aber ganz gewiß in der Zukunft noch ungleich kräftiger, und mit noch ungleich stärkern und fühlbarern, daher recht handgreiflichen Beweisen lehren.

wurden öffentliche Gebete angestellt, und feierliche Umgänge mit Vortragung heiliger Reliquien durch alle Straßen der Stadt angeordnet. Der Himmel heiterte sich jetzt wieder auf; weit ergiebiger, als man erwartete, ward die Ernte; selbst die Hülsenfrüchte wuchsen auf den Feldern auf das neue hervor, und gelangten auch nachher, zu Jedermanns größtem Erstaunen, zu ihrer vollkommenen Reife.

10. Zum Nachfolger erhielt Adeodatus den Domnus, oder Donus; derselbe war ebenfalls ein geborner Römer; aber schon nach ungefähr anderthalb Jahren machte der Tod seinem obersten Kirchenregimente wieder ein Ende. Indessen geschah doch in dieser kurzen Zeit manches für die Kirche sehr Erspriesliche. In dem Kloster des Boëtius zu Rom entdeckte Domnus syrische, dem nestorianischen Wahn noch anhangende Mönche. Er reinigte das Kloster, gab es den Benedictinern, vertheilte die unwissenden, verirrten syrischen Mönche in andere Klöster, sorgte für ihre Belehrung, und brachte es bald dahin, daß sie, weil nunmehr besser unterrichtet, auch sämmtlich der allein wahren, allgemeinen Richtschnur des Glaubens folgten. Unter dem Pontificat des Domnus kehrte auch Reparatus, Erzbischof von Ravenna, wieder zum Gehorsam gegen den Stuhl von Rom zurück; und da er gleich darauf starb, so ergriff Kaiser Constantin diese Gelegenheit, und nahm die, von seinem Vater Constans, um Rom zu kränken, ehemals gegebene, der Kirche von Ravenna eine illusorische Unabhängigkeit zusichernde Verordnung wieder zurück. Endlich ward auch zu der, bald darauf erfolgenden Wiedervereinigung der Kirchen von Rom und Constantinopel die Bahn einigermaßen schon geebnet, manches Hinderniß beseitiget, und so dieses große, von beiden

Theilen gleich sehnlichst erwünschte Ereigniß, theils durch Briefe des Kaisers und des Patriarchen von Constantinopel an den Pabst, theils durch Briefe des Pabstes an den Kaiser und einige andere Bischöfe, einstweilen vorbereitet. Domnus starb am 11. April des Jahres 678. In einer Ordination weihete er zehn Priester, fünf Diacone, und sechs Bischöfe. Die Kirche der heiligen Apostel auf der Straße nach Porto ward auf seine Unkosten so völlig ausgebessert, daß sie neu aufgebauet zu seyn schien. Eine, nach der heiligen Euphemia genannte Kirche weihete er ebenfalls ein, und ließ überdies endlich auch noch den großen, mit vier Gallerien umgebenen Hof vor der Kirche des Vatikans mit herrlichen Marmorplatten von ungewöhnlicher Größe pflastern.

XXVI.

1. **Gänzlicher Verfall des Monothelismus.** Nur aus Laune, und weil monothelitische Bischöfe durch die niedrigsten Schmeicheleien ihn zu gewinnen wußten, war Kaiser Constans das Haupt und der mächtige Beschützer des Monothelismus geworden. Die Frage an sich selbst, die er weder richtig aufzufassen, noch zu durchschauen im Stande war, interessirte ihn wenig, oder gar nicht; ihm war es höchstens eine Partheisache, für die er sich aber einmal erklärt hatte, und die er daher auch mit jener, durch den mindesten Widerstand, nur noch mehr gereizten Hartnäckigkeit, mit welcher Tyrannen jede ihrer Launen zu befriedigen suchen, jetzt durchaus zur herrschenden zu erheben strebte. Aber nach dem Eigensinn des Despoten formte und modelte sich von

jeher der an Sclaverei gewöhnte byzantinische Hof, und so waren nun, so lange Kaiser Constans ein Monothelit war, ebenfalls alle Patricier, Senatoren, Staatsbeamten, sammt allen großen und kleinen Fliegen, die blos im Glanze des Thrones sich zu sonnen, zu wärmen und zu nähren pflegen, auch die eifrigsten und lautesten Anhänger des Monothelismus. Aber kaum hatte Constans mit dem festen, in ganz Constantinopel kund gewordenen Vorsatz, nie mehr wieder zurückzukehren, die große Kaiserstadt verlassen, als auch sogleich der Monothelismus anfieng in Verfall zu gerathen. Immer mehr und mehr verrauchte jetzt der unselige Rausch; in die Köpfe kehrte nach und nach wieder Besinnung zurück, und in dem Wunsche, die ärgerliche Spaltung zwischen Rom und Constantinopel zu heben, vereinten sich nun die Geistlichkeit und alle Stände des Volkes. Noch lebhafter ward die Sehnsucht nach Wiedervereinigung, als Kaiser Constans todt, und dessen Sohn Constantin ihm in der Herrschaft gefolgt war. Ohne den Willen und die Mitwirkung des jungen Monarchen konnte indessen nichts in dieser, für alle so wichtigen Angelegenheit geschehen. Leider nahmen innere Unruhen und blutige Kriege mit den Sarazenen und Bulgaren, während der ersten Hälfte seiner Regierung, Constantins ganze Thätigkeit ausschließlich in Anspruch. Aber jetzt, da sein ganzes Reich, in Folge des mit Sarazenen und Bulgaren geschlossenen Friedens (677 und 78) in seinem Innern, wie von Außen einer vollkommenen Ruhe genoß, eilte der edle Fürst, auch der Kirche den nun schon so lange entbehrten Frieden wieder zu verschaffen.

2. Um diesen schönen Zweck zu erreichen, schrieb also Constantin an den Pabst Domnus. Gleich im Eingange seines Briefes erkennt der Kai-

ser die schädlichen Folgen aller, bisher noch gemachter Versuche, die Monphysiten zu vereinigen; die
Spaltung sey dadurch stets nur noch größer, den
Ungläubigen noch mehr Aergerniß und Anstoß gegeben worden. Der Kaiser äußert hierauf den
Wunsch, daß die Vorsehung es doch bald so fügen
möchte, daß sämmtliche Bischöfe der Christenheit zusammen treten könnten, um dem, die Kirche spal-
tenden Streit ein Ende zu machen, und den wahren Glauben, nach den Entscheidungen der fünf
Concilien und den Aussprüchen der bewährtesten
heiligen Kirchenväter festzustellen. Da dieses aber,
fährt der Kaiser fort, jetzt nicht wohl möglich ist *),

---

*) Worin dieses Hinderniß bestand, ist nicht leicht zu
errathen. Wahrscheinlich bezieht es sich auf die Bischöfe in den, der Herrschaft der Sarazenen unterworfenen Ländern, Syrien, Aegypten und Palästina.
Dieser Umstand könnte allerdings eine Versammlung
aller morgenländischen Bischöfe erschweren, wäre
aber demungeachtet dennoch zu heben gewesen; denn
ganz gewiß würde der Koliph, der den Christen ihre,
durch Erdbeben gestürzte Kirche in Edessa, auf seine
Kosten wieder neu hatte aufbauen lassen, der Abreise
jener Bischöfe, sobald man ihm den Zweck derselben
nur ganz gerade und unumwunden vorgelegt hätte,
keine Hindernisse gesetzt haben. Man muß es gestehen,
die Sarazenen und auch nachher die Türken, Seldschiu-
cken wie osmanische Türken haben zwar zu allen Zeiten,
bald mehr, bald weniger, jedoch stets auf geradem Wege,
am hellen Tage und nie nach j u l i a n i s c h e r Manier,
die Katholiken gedrückt, ihnen ihre Kirchen hie und
da genommen, dieselben geplündert, beraubt, Geld von
denselben erpreßt. Alles dies haben Sarazenen und
Türken gethan; aber demungeachtet kann man ihnen
deßwegen doch nicht sehr böse seyn; denn geschah
nicht auch das Nämliche und noch weit mehr, selbst
unter unsern Augen in dem christlichen Europa, und
sogar in ehemals ganz erzkatholischen Ländern? Aber

so bitte er den Pabst, einige, in der Lehre des Heils und den heiligen Schriften gründlich unterrichtete Männer nach Constantinopel zu senden, die zugleich auch alle hierzu nöthigen Bücher und Schriften mitbringen möchten, um die im Streit liegende Frage gemeinschaftlich mit den beiden Patriarchen, Theodor von Constantinopel und Macarius von Antiochien zu untersuchen und auch zu entscheiden. Der Kaiser verspricht ihnen freundliche und ehrenvolle Aufnahme, und daß, wenn auch die Vereinigung nicht zu Stande kommen würde, sie dennoch unbelästiget und in voller Sicherheit wieder sollten zurückkehren können. Sendet uns also, fügt der Kaiser hinzu, drei Legaten von Eurer Kirche, oder auch mehrere, wenn Ihr es für

---

was unstreitig Sarazenen und Türken zur größten Ehre gereicht, ist, daß sie bei allem politischen Druck, doch nie auch einen kirchlichen Druck ausübten, sich nie in die innere Verwaltung rein kirchlicher Angelegenheiten mischten. In den Ländern des Großsultans konnte von jeher z. B. der Bischof von Babylon ungestört an das Oberhaupt der Christenheit nach Rom schreiben, Hirtenbriefe an seine, ihm untergeordneten Geistlichen erlassen, seiner Gemeinde Bet- und Fasttage ordnen, die allenfalls unter ihr herrschenden Laster in väterlichen Pastoralschreiben rügen, solche mit Kirchenstrafen belegen und die Verirrten zur Haltung der Gebote Jesu ermahnen und anhalten. Alles dies konnte und kann er thun, ohne daß er dazu das placet weder eines Pascha's noch des Divans in Constantinopel, oder gar des Großsultans bedarf, und ohne daß es je noch einem Commis in dem Büreau irgend einer türkischen Regierung eingefallen wäre, über dergleichen bischöfliche Hirtenbriefe und Pastoralschreiben sich zum Censor aufwerfen zu wollen. — Die Türken sind keine so üble Leute, als man glaubt; sie haben manches Gute, das auch bei uns Anerkennung und Nachahmung zu finden verdiente!

gut findet, und mit diesen, aus Euerm Concilium *), noch zwölf Bischöfe mit Einschluß der Metropoliten. Constantin schließt endlich sein Schreiben, indem er den Pabst in Kenntniß setzt von den Befehlen, die er seinem Exarchen in Italien ertheilt habe. Derselbe war nämlich von dem Kaiser beauftragt worden, für die nach Constantinopel gehenden Legaten und Bischöfe alle nur mögliche Sorgfalt zu tragen, ihnen das nöthige Reisegeld zu reichen und, wenn die Umstände es erfordern sollten, sogar auch einige Kriegsschiffe zu ihrer Bedeckung ihnen mitzugeben.

3.   Als Constantins Brief in Rom ankam, lag Pabst Domnus schon in der St. Peterskirche in der Gruft, und Agatho saß auf dem Stuhle des Fürsten der Apostel (679.) Er war aus Sicilien gebürtig, und vor seiner Erhebung Mönch gewesen. Der hervorspringende Zug in seinem Charakter, oder vielmehr das Element desselben war eine ganz ungemeine, wahrhaft himmlische Sanftmuth; und da der Sanftmüthige stets das Reich Gottes in seinem Busen trägt, so war auch zu jeder Zeit eine ganz ungewöhnliche, nie getrübte Heiterkeit über dem Gesicht und dem ganzen Wesen dieses Pabstes verbreitet.

3.   Pabst Agatho säumte nicht, dem frommen Wunsche des Kaisers zu entsprechen. Er schrieb an alle abendländische Kirchen, nämlich an die Kirche in Frankreich, in England, Spanien und Italien, befahl den Bischöfen, sich unverzüglich in Provinzial-Concilien zu versammeln, und in denselben über die,

---

*) Nach der damaligen Sprache der Orientalen hießen die Synoden aller abendländischen Bischöfe das Concilium des Pabstes.

von den Monotheliten erregte Streitfrage ihre Meinung und ihren Glauben auszusprechen; worauf als dann jedes Concilium aus seiner Mitte einen Abgeordneten nach Rom schicken sollte, um als Repräsentant seiner Kirche dem dort, unter dem Vorsitze des Pabstes selbst, zu haltenden Concilium beizuwohnen. Alle diese, von dem Pabste angeordneten Concilien wurden noch in demselben Jahre (679) gehalten. Das Concilium in Frankreich sandte die Bischöfe von Arles, Toul und Toulon nach Rom *). Gar gerne hätte der Pabst auch den Erzbischof Theodorus von Cantorsburi als Repräsentant der Kirche von England in Rom gesehen; nicht blos weil er von dessen Gelehrsamkeit sich vieles versprach, sondern vorzüglich, weil er wahrscheinlich den Theodorus, der, aus Cilicien gebürtig, ein Grieche war, nach Constantinopel zu schicken im Sinne hatte. Aber die Verhältnisse seiner Kirche erlaubten dem Theodor nicht, sich lange von derselben zu entfernen; er lehnte also die Einladung ab; und da gerade der heilige Wilfrid von York, der im vorigen Jahre den Friesen in Nord-Deutschland das Evangelium geprediget hatte, sich jetzt in Rom befand, so repräsentirte dieser bei dem römischen Concilium die englische Kirche.

5.   Im folgenden Jahre darauf (680) versammelte nun auch der Pabst ein Concilium in Rom. Hundert und fünf und zwanzig Bischöfe waren auf demselben gegenwärtig. Die Irrlehre der Monotheliten ward auf das neue verdammt, und die wahre, auf den Entscheidungen der fünf öcumenischen Concilien und den klaren Aussprüchen vieler der vorzüglich-

---

*) Sie hießen Felix, Adeodat und Taurinus.

sten heiligen Kirchenväter gegründete Lehre abermals
festgestellt.   Der Pabst und das Concilium ernannten hierauf, der Erstere seine Legaten, das Andere
seine Abgeordneten nach Constantinopel.   Zu päbstlichen Legaten wurden ernannt Theodorus, Geor-
gius, Johannes und Constantinus; die beiden erstern waren Priester, und von den zwei letztern
war der eine Diacon, der andere Subdiacon der
römischen Kirche.   Die von dem Concilium abgeordneten Bischöfe waren Abundantius von Porto,
und dann die Bischöfe von Regio und Paterne,
welche gleichen Namen führten und beide Johannes
hießen.   Von den Aktenstücken dieses Conciliums ist
nichts auf uns gekommen, als die beiden Schreiben,
nämlich des Pabstes und des Conciliums an den
Kaiser.   Das erstere enthält die Lehre der Kirche
von der allerheiligsten Dreifaltigkeit und dem hochheiligen Geheimniß der Menschwerdung, besonders
in Beziehung auf die bestrittene Frage von E i n e m
oder zwei Willen in Jesu; worauf alsdann eine bestimmte, auf Stellen aus der heiligen Schrift und
den Schriften heiliger Kirchenväter, so wie auch
auf Entscheidungen der Päbste begründete Verdammung der monothelitischen Irrlehre folgt.   Der Pabst
sagt bei dieser Gelegenheit, daß, seit der Gründung
des Christenthums, der römische Stuhl, Kraft der,
dem heiligen Petrus von Jesu Christo gegebenen Verheißung, sich (in Glaubenssachen) noch niemals geirret, noch nie den Weg der Wahrheit verlassen
hätte *) — Das Schreiben des Conciliums an den

---

*) Eine Rechtfertigung mehr für den verstorbenen Pabst
    H o n o r i u s, dessen Briefe in dieser Glaubensange-
    legenheit, und zwar alle ohne Ausnahme, wirklich,
    wie der gelehrte Cardinal B e l l a r m i n sich ausdrückt,
    lauter epistolae catholicissimae sind.

Kaiser ist ungefähr desselben Inhalts. Die Bischöfe entschuldigen sich darin über ihren Mangel an Wissenschaft und Beredtsamkeit. Die unruhigen, gefahrvollen Zeiten, sagen die Bischöfe, und die unaufhörlichen Streifereien der Barbaren, welche die Kirchen plündern, deren Diener in das äußerste Elend versetzen, und sie zwingen, von i h r e r H a n d a r b e i t zu l e b e n, erlauben es uns zwar nicht, große Fortschritte in den Wissenschaften zu machen; aber demungeachtet, und ob wir gleich aller Güter dieser Welt beraubt sind, haben wir doch das höchste und kostbarste Gut, nämlich den wahren Glauben, und die Ueberlieferungen unserer Kirchen ungetrübt zu erhalten gewußt; dieses einzige Gut ist uns geblieben, für welches wir auch jeden Augenblick zu sterben bereit sind. Die Bischöfe legen hierauf dem Kaiser ihr Glaubensbekenntniß vor, das durchaus ein gründliches Studium der Schriften der Kirchenväter, und jene gesunde Logik verräth, die in einer gedrängten Reihe bündiger Schlüsse und Folgerungen den Irrthum in seiner ganzen Nichtigkeit darstellt. Endlich bemerken die Bischöfe auch dem Monarchen, daß sie ihren Abgeordneten die ausdrückliche und bestimmte Weisung gegeben hätten, die in Frage gestellte Glaubenslehre nicht als etwas noch U n g e w i s s e s zu betrachten, erst noch lange zu untersuchen, und darüber zu disputiren, sondern blos die, darüber von den Päbsten, dem römischen Concilium und den davon abhängenden Synoden*) einstimmig festgestellte Lehre ganz einfach vorzulegen und zu erklären. Uebrigens ist das Schreiben des Conciliums in einem Styl abgefaßt, dessen verwor-

---

*) Nämlich von den Concilien aller abendländischen Kirchen.

rene Weitschweifigkeit, in Verbindung mit den häufigen, bis zum Ermüden vorkommenden Wiederholungen, freilich der Bischöfe Klage über Mangel an Beredtsamkeit so ziemlich zu rechtfertigen scheint.

6. Ungemein erfreulich und ehrenvoll war die Aufnahme der römischen Deputirten in Constantinopel. Der Kaiser empfieng sie in dem großen, dem heiligen Petrus geweihten Oratorium seines Palastes. Hier überreichten sie ihm die Briefe des Pabstes und der in dem römischen Concilium versammelten Väter. Constantin sprach zu jedem freundliche Worte und ermahnte sie endlich sämmtlich, das sie hier erwartende Geschäft ohne alle Bitterkeit, ganz in dem Geiste der Religion Jesu, das heißt, im Geiste der Liebe zu behandeln. Zu ihrer Wohnung wurde ihnen der geräumige, kostbar möblirte Palast der Placidia angewiesen; und als sie nachher zu der feierlichen, der Eröffnung des Conciliums vorangehenden Procession nach der Blacherner, der Mutter des Erlösers geweihten Kirche eingeladen wurden, schickte ihnen der Kaiser Wagen und Pferde von Hofe, beides ungemein reich und kostbar geschmückt; und ordnete ihnen auch noch überdies ein sehr zahlreiches und glänzendes Gefolg.

7. Seinem Patriarchen, dem Georg — denn der monothelitische Theodor, obgleich er noch lebte, saß nicht mehr auf dem Patriarchenstuhl — gab Constantin den Befehl, die von seiner Kirche abhangenden Bischöfe, so wie auch alle Metropolitanbischöfe ungesäumt zu einem Concilium nach Constantinopel zu berufen. Dem Patriarchen Macarius von Antiochien, in welchem der Monothesismus gleichsam Fleisch und Blut geworden war, und der sich jetzt gerade am Hoflager befand, ertheilte der

Kaiser den nämlichen Auftrag; und von ihrem aufrichtigen Verlangen nach einer Wiedervereinigung der Kirchen gaben nun alle orientalischen Bischöfe den sprechendsten Beweis, indem sie so sehr eilten, dem Rufe der beiden Patriarchen zu folgen, daß das Concilium, obgleich die römischen Abgeordneten erst gegen die Hälfte des Monates September (10) in Constantinopel angekommen waren, dennoch schon am siebenten November des Jahres 680, mithin im zwölften Regierungsjahre Constantins, eröffnet werden konnte.

XXVII.

1. **Sechstes öcumenisches Concilium.** Noch waren nicht, wie es auch nicht wohl seyn konnte, alle orientalische Bischöfe in Constantinopel angekommen. Nur 40 Bischöfe, theils aus Thracien, theils aus den nächstgelegenen Gegenden Asiens waren demnach bei der ersten Sitzung gegenwärtig. Der Kaiser selbst eröffnete in eigener Person das Concilium, das in dem kaiserlichen Pallaste, in dem, seiner Wölbung und muschelförmigen Rundung wegen, Trullos genannten Saale gehalten ward. Wie bei den drei letzten allgemeinen Concilien, lagen auch jetzt wieder mitten in dem Saale, auf einem etwas erhabener stehenden, schön gezierten Pulte die heiligen Evangelienbücher; rings umher bildeten die versammelten Väter einen halben Kreis. Der Kaiser, umgeben von den Großwürdeträgern seines Reiches, hatte natürlicher Weise den obersten Platz. Aber nun führten auch hier wieder die päbstlichen Legaten den ehrwürdigen Reigen an; stets werden sie in den Akten des Conciliums zuerst genannt,

28*

und erhielten demnach auch jetzt ihre Sitze nächst dem Kaiser, zu dessen linken Seite*); unmittelbar an sie schlossen sich die, von dem römischen Concilium abgeordneten Bischöfe an; dem Kaiser zur Rechten saßen die beiden Patriarchen von Constantinopel und Antiochien, und dann folgten rechts und links alle übrigen anwesenden Bischöfe**).

1. Sitzung.   2. Die päbstlichen Legaten nahmen zuerst das Wort, und entwickelten in einer kurzen, an den Kaiser gerichteten Rede, die Veranlassung, wie den Zweck der gegenwärtigen Versammlung. „Vor ungefähr 46 Jahren" sagten die Legaten, „führten Sergius, Patriarch des Stuhles von Constantinopel und noch einige andere Bischöfe eine neue Lehre in der Kirche ein, behauptend, daß man in Jesu Christo nur Einen Willen und Eine Wirkungsweise annehmen müsse. Der heilige Stuhl von Rom verwarf diesen Irrthum, und ermahnte, von demselben abzulassen; aber dieses geschah nicht; daher

---

*) Bekanntlich war damals in der Kirche die linke Seite die ehrenvollere.

**) Obgleich bei der ersten Sitzung nur 40 Bischöfe anwesend waren, so vermehrte sich doch mit jedem Tage ihre Anzahl; denn täglich kamen wieder andere Bischöfe an; so daß in den letztern Sitzungen über 160 Bischöfe gegenwärtig waren. Außer diesen wohnten auch noch einige Priester, Aebte und Mönche, größtentheils aus Italien oder Constantinopel den Sitzungen bei. Das Concilium dauerte vom 7. November 680 bis zum 16. September 681. In Allem wurden siebzehn, oder auch achtzehn Sitzungen gehalten; siebzehn nämlich nach den griechischen Abschriften, und achtzehn nach der Rechnung und den Berichten der Römer. —

bitten wir jetzt kaiserliche Majestät zu verordnen, daß jene, welche demselben Irrthum beipflichten, nun hier öffentlich erklären, auf welche Beweis= gründe sich diese Neuerung stützt."

3. Auf den Ruf des Kaisers, erhob sich nun Macarius von Antiochien, sprach, als ein wahrer Advocat des Irrthums, ganz zu Gunsten des Mo= nothelismus, und erbot sich endlich auch, denselben vollkommen befriedigend zu erweisen. Die Beweis= führung ward ihm gestattet; jedoch bemerkte der Kaiser ausdrücklich, daß die Beweise blos aus den heiligen Büchern, aus den Schriften der Kirchen= väter, und den Entscheidungen der fünf allgemeinen Concilien entlehnt werden dürften. Der Diacon Georg, Archivarius der Kirche von Constantinopel, erhielt den Auftrag, die in vielen Bänden enthalte= nen Verhandlungen dieser Concilien aus der Biblio= thek der Patriarchalkirche herbeizuholen. Als Georg nach einer kurzen Abwesenheit mit den Büchern in den Saal trat, nahm Macarius den ersten Band der Verhandlungen des Conciliums von Ephesus, gab ihn seinem treuen Schüler Stephanus, und mit Genehmigung des Kaisers las dieser ihn nun der Versammlung vor. Als er an die, von dem heili= gen Cyrillus an den Kaiser Theodosius gehaltene Rede kam, glaubte der Patriarch von Antiochien in einer Stelle derselben schon einen Beweis für seine Behauptung gefunden zu haben. Die Stelle lautet also: "Die Stütze Ihres Reiches, großer Kaiser! ist Jesus Christus, von dem allein die Könige ihre Herrschaft erhalten, und dessen Wille allmäch= tig ist." — "Ist das nicht" rief hier Macarius, an den Kaiser sich wendend, aus: "Ist das nicht ein klarer Beweis, daß in Jesu Christo nur Ein Wille ist?" — Irgend einen Irrthum, als eine

Wahrheit erweisen wollen, ist sehr schwer, weil un=
möglich; aber unter allen Scheinbeweisen hätte un=
streitig Macarius keinen schlechtern und erbärmlichern
vorbringen können; auch riefen sogleich die Legaten,
und selbst mehrere der, von dem Stuhle von Con=
stantinopel abhängenden Bischöfe, ja sogar einige
der anwesenden Magistratspersonen dem Macarius
zu, daß er die Worte des heiligen Cyrillus miß=
brauche, eine ganz falsche Deutung ihnen gebe; in=
dem ja in dieser Stelle offenbar blos von dem gött=
lichen, weil allmächtigen Willen in Jesu die Rede
sey. Des Macarius Beweis ward von dem Con=
cilium stillschweigend verworfen, hierauf mit dem
Lesen fortgefahren, und endlich auch der zweite
Band der ephesischen Akten vorgelesen. Aber Ma=
carius fand keinen neuen Beweis mehr — (einen,
dem erstern ähnlich, hätte er wohl noch finden kön=
nen) — und da der Tag sich jetzt zu neigen anfing,
indem das Vorlesen eine geraume Zeit erfordert
hatte, so ward die Sitzung von dem Kaiser ge=
schlossen.

2. Sitzung.   4. In der zweiten, drei Tage darauf gehal=
tenen Sitzung wurden die Akten des Conciliums
von Chalcedon vorgelesen. Als man, in dem Briefe
des heiligen Leo an Flavianus, an die Stelle kam,
wo dieser erleuchtete, große Pabst sagt: „Jede Na=
„tur wirkt nach der ihr eigenen Weise, jedoch mit
„Theilnahme der andern; das Wort wirkt Gött=
„liches, das Fleisch Menschliches; das eine er=
„weiset sich durch Wunder, das andere unterliegt
„menschlichen Leiden‟ erhoben sich die päbstlichen
Legaten und foderten den Macarius auf, zu erklä=
ren, was er auf diese, die Lehre von zwei, innigst
vereinten, jedoch unvermischten Willen und Wir=
kungsweisen in Jesu, so klar enthaltende Stelle zu

erwiedern habe. — Macarius, der nichts zu ant=
worten hatte, verschanzte sich jetzt hinter dem todten
Buchstaben, das heißt, hinter dem wörtlichen Aus=
druck, und sagte, er finde nicht, daß der heilige
Leo hier von zwei Willen oder zwei Wirkungswei=
sen spreche. Von dem Kaiser befragt, ob er denn
finde, daß der Pabst Leo hier von Einer Wir=
kungsweise spreche, gab Macarius zur Antwort, daß
er nicht von der Zahl, sondern mit dem heiligen
Dionysius, dem Areopagiten, von der gottmenschlichen
Wirkung (voluntas deivirilis, the-andrica *)
spreche. Abermals aufgefordert, sich hierüber näher
zu erklären, wich Macarius jeder Erklärung da=
durch aus, daß er im Tone scheinbarer Demuth
dem Kaiser sagte, er könne sich hierüber kein Ur=
theil erlauben, sondern halte sich buchstäblich an die
Worte [des heiligen Dionysius. — Mit dem Lesen
der übrigen chalcedonischen Aktenstücke ward nun bis
zum Ende fortgefahren, und da sie nichts enthiel=
ten, woraus Macarius auch nur den Schein eines
Beweises hätte schöpfen können, die [Sitzung für
heute geschlossen.

5. In der dritten, am 13. November gehal=
tenen Sitzung wurden die Verhandlungen des fünf=
ten öcumenischen, in Constantinopel unter Justi=
nians I. Regierung, gehaltenen Conciliums vorgele=
sen. Sämmtliche Akten bestanden aus mehrern, mit
fortlaufenden Nummern bezeichneten Heften, qua=
terniones genannt. Aber gleich in den ersten drei
Heften fand man den vorgeblichen Brief des Pa=
triarchen Menas von Constantinopel an den Pabst

*) Man sehe der Fortsetzung d. G. d. R. J. 7. Band,
22. Abschn. §. 7.

Vigilius. Als man ihn ebenfalls vorlesen wollte, gaben es die päbstlichen Legaten nicht zu, indem sie erklärten, daß dieser Brief von Menas nie sey geschrieben, sondern demselben fälschlich untergeschoben, und erst weit später den Akten der fünften Synode beigefügt worden *). Sie baten den Kaiser, um sich von der Wahrheit zu überzeugen, dieses falsche Aktenstück nur genauer untersuchen zu lassen; und nun ergab es sich, nach genau angestellter Prüfung, ganz offenbar, daß alle drei Hefte erst nachher von einer fremden Hand den Akten vorgeheftet worden, indem sie nicht nur in ganz andern Schriftzügen, als alle übrigen Hefte gefertigt waren, sondern auch derjenige, welcher den Betrug gespielt, nicht einmal die Besonnenheit gehabt hatte, die auf den Heften oder Quaternionen stehenden, fortlaufenden Nummern zu bemerken; so daß das Heft, welches eigentlich das erste war, aber durch Vorheftung der drei unächten Hefte nun das vierte hätte werden müssen, dennoch mit Nr. 1. das fünfte mit Nr. 2. u. s. w. bezeichnet waren. Der Betrug lag nun offen am Tage, und der vorgebliche Brief des Menas ward von dem Concilium als eine, von dem Patriarchen Sergius gemachte Fälschung anerkannt.

6. Als man hierauf zu dem sechszehnten Heft kam, welches die Verhandlungen der siebenten Sitzung des constantinopolitanischen Conciliums enthielt, fand man abermals ein vorgebundenes Quadrifolium, und in diesem zwei Briefe des Pabstes Vigilius an den Kaiser Justinian und dessen Ge-

___

*) Ueber des Patriarchen Menas vorgeblichen Brief sehe man im 7. B. der Fortf. die §§. 15 und 16 im 22. Abschnitte.

mahlin, die Kaiserin Theodora, in welchen der
Pabst dem Theodorus von Mopsuesta das Anathema sprach, weil er in Christo nicht anerkenne
eine Person und — Eine Wirkungsweise. Gegen diese beiden Briefe erhoben sich sogleich die Legaten, kühn behauptend, daß Pabst Vigilius diese
Briefe gar nicht geschrieben haben könne, oder wenn
er auch sie geschrieben, man dieselben verfälscht haben müsse, denn, sagten sie, hätte Pabst Vigilius
die Lehre von nur Einer Wirkungsweise wirklich,
wie es aus seinem, dem Theodor von Mopsuesta
gesprochenen Anathema nothwendig gefolgert werden
müßte, als ein Dogma aufgestellt, und das Concilium dieses genehmiget, so würde er auch in seiner
Glaubensdefinition durchaus der Einen Wirkungsweise haben erwähnen müssen. Auf Begehren der
Legaten ward nun eben diese Glaubensdefinition der
5ten allgemeinen Synode vorgelesen, und man fand
nicht eine Sylbe darin, welche sich auch nur von
weitem auf die Lehre von Einer Wirkungsweise bezogen hätte. Die Legaten baten hierauf
den Kaiser, dieses offenbar unterschobene Aktenstück,
um von dessen Unächtheit sich auch noch durch andere Merkmale zu überzeugen, näher und schärfer
untersuchen zu lassen. Der Kaiser genehmigte das
Begehren der Legaten, verschob jedoch die Sache
auf eine bequemere Zeit, ließ die noch übrigen Aktenstücke vorlesen, und schloß alsdann die Sitzung *).

---

*) Diese Briefe des Vigilius wurden nachher in der 14.
Sitzung verworfen und für verfälscht erklärt. Es hatte
eigentlich damit folgende Bewandniß. Pabst Vigilius
hatte wirklich dieselben Briefe an Kaiser Justinian und
die Kaiserin Theodora geschrieben, aber sie kamen auf
dem fünften allgemeinen Concilium nicht zum Vorschein,
wurden wenigstens nicht den Akten desselben beigeschlos-

7. Das Resultat aller bisherigen Vorlesungen und Prüfungen war nun, daß in den Verhandlungen der Concilien, auf welche Macarius sich berufen hatte, nichts gefunden ward, welches dem Monothelismus zur Stütze oder zum Beweis hätte dienen können. Jetzt blieb dem Patriarchen von Antiochien nichts mehr übrig, als noch einen Versuch zu machen, ob er mit seinen, aus den Schriften heiliger Väter gezogenen Beweisen vielleicht glücklicher seyn möchte. Der Kaiser wollte, daß Macarius diese Beweise schon in der nächsten Sitzung vorlegen sollte; aber er bat um Aufschub, um Zeit zu gewinnen, die nöthigen Auszüge zu machen und auch zu ordnen, indem, wie er sagte, es nicht an Stellen fehle, welche sämmtlich die Lehre von Einem Willen enthielten. Auf Antrag des Patriarchen Georgs von Constantinopel wurden also jetzt in der vierten, am 15. November gehaltenen Sitzung blos die Briefe des Pabstes Agatho und des römischen Conciliums an den Kaiser vorgelesen.

4. Sitzung.

5. Sitzung.

8. In der fünften, drei Wochen nachher, am 7. December gehaltenen Sitzung, überreichte Macarius zwei Rollen, mit der Aufschrift: "Stellen aus den heiligen Vätern, welche die Lehre von einem Willen enthalten." Auf Befehl des Kaisers wur-

___

fen. Der monothelitische Patriarch Paulus fand sie in dem Archiv seiner Kirche, dachte sogleich, sie zu seinem Zwecke zu benutzen; ließ daher eine neue Abschrift davon fertigen, in welcher er zu dem, von Vigilius wirklich dem Theodor von Mopsuesta gesprochenen Anathem, bei den Worten: "weil er in Christo nicht erkenne eine Person" nun auch noch hinzufügen: "und eine Wirkungsweise, und mischte sie trügerischer Weise unter die Akten der 5. Synode.

den beide Rollen vorgelesen. Worauf der Kaiser die Sitzung schloß, und das Concilium auf zwei Monate vertagte.

XXVIII.

1. Am 12. Februar des Jahres 681, ward ⁶ ᵉ Sitzung das Concilium wieder eröffnet und hielt seine sechste Sitzung, in welcher Macarius zu den beiden Rollen seiner aus den Schriften heiliger Väter gezogenen Beweise noch eine dritte Rolle, als einen Anhang überreichte; auch diese ward sogleich öffentlich abgelesen, worauf der Kaiser befahl, daß alle drei Rollen des Macarius von den päbstlichen Legaten, dem Patriarchen von Constantinopel und den anwesenden weltlichen Behörden versiegelt werden sollten. Die Legaten nahmen nun das Wort, und erklärten, daß die von dem Patriarchen von Antiochien ausgezogenen Stellen nicht nur keine Beweise für den Monothelismus enthielten, sondern auch noch, und zwar alle ohne Ausnahme, von ihm wären theils verstümmelt, theils verfälscht worden. Um dieses zu erweisen, verlangten sie, daß alle Schriften der Väter, aus welchen jene Auszüge gemacht worden, aus der Bibliothek der Patriarchalkirche herbeigebracht würden. Sie selbst überreichten nun ebenfalls zwei Rollen, wovon die eine viele Stellen heiliger Väter, in welchen die Lehre von zwei Willen in Christo deutlich ausgesprochen war, die andere aber Auszüge enthielt aus den Schriften allgemein anerkannter, von der Kirche längst schon verdammter Häretiker, die sämmtlich zu dem Monothelismus sich hinneigten und in deren Lehren

auch die Keime der monothelitischen Ketzerei schon offenbar lagen.

7. Sitzung.   2. Die beiden von den Legaten überreichten Rollen wurden in der siebenten Sitzung vorgelesen, und dann ebenfalls, wie jene des Macarius, auf Befehl des Kaisers, von den Legaten, dem Patriarchen Georg und den Magistraten versiegelt.

8. Sitzung.   3. In der achten, höchst merkwürdigen Sitzung erhob sich Georg, Patriarch von Constantinopel und, von dem Kaiser befragt, ob er mit den, in den Briefen des Pabstes Agatho und dessen Conciliums in Rom, aufgestellten Grundsätzen einverstanden sey, gab er zur Antwort: "Ich habe beide Schreiben mit der größten Aufmerksamkeit gelesen, alle darin gemachten Auszüge aus den Schriften der Kirchenväter genau mit dem Grundtext verglichen, und beide durchaus übereinstimmend gefunden. Ich bekenne mich daher von ganzem Herzen zu der darin enthaltenen Lehre, und bin von deren Wahrheit vollkommen überzeugt." — Jetzt wurden auch von den übrigen Bischöfen deren Stimmen über jene beiden Briefe gefordert. Die Suffraganbischöfe von Constantinopel stimmten sämmtlich, nur in andern Worten, vollkommen gleichförmig mit ihrem Patriarchen. Theodor, Bischof von Ephesus sagte: "Ich glaube und bekenne Alles, was die beiden Briefe lehren, und daß zwei Naturen, zwei Willen und zwei Wirkungsweisen in Jesu Christo sind. Noch mehrere Bischöfe erklärten sich auf dieselbe Weise *); als plötzlich die Abstimmung durch den

----

*) Demitius, Bischof in Bithynien z. B. sagte, er nehme die Briefe des dreimal gesegneten Pabstes Agatho an,

Bischof Theodor von Melitene unterbrochen ward. Mit einem Papier in der Hand, trat er hervor und sagte: "Ich bin ein einfacher, ungelehrter Mann, und bitte blos, daß man dieses Papier lesen möge." Einer der kaiserlichen Secretäre nahm es ihm ab, und las es vor. Das Wesentlichste seines Inhalts war ungefähr Folgendes: "Alle die Väter, aus welchen von beiden Theilen Auszüge gemacht worden, haben vor dem fünften Concilium geblühet; aber bemungeachtet hat keines der vier Concilien, und auch nicht das fünfte, in Beziehung auf das hochheilige Geheimniß der Menschwerdung, etwas anders, als blos die zwei Naturen in Christo zu glauben, geboten. Man bittet also kaiserliche Majestät, nicht zu gestatten, daß diese Richtschnur unserer Väter überschritten, oder jetzt noch ein Gestorbener verdammt werde, es sey, daß er zwei Willen und zwei Wirkungsweisen, oder nur einen Willen und Eine Wirkungsweise gelehrt habe; jedoch mit Ausnahme derer, welche die Kirche schon früher als Irrlehrer erkannt, und als solchen ihnen das Anathema gesprochen hätte." — Von dem Kaiser aufgefordert, zu sagen, wer diese Schrift verfaßt, und wer sie ihm gegeben hätte, nannte Theodor von Melitene verschiedene Bischöfe, Priester und Diakonen, und mit dem Finger auf den, unter dem Stuhl des Macarius, stehenden Schüler desselben, den Stephanus zeigend, sagt er, daß dieser es sey, der ihm die Schrift zugestellt, und den Gebrauch, den er davon gemacht, zu machen gerathen habe. Aber nun erhoben sich die von Theodor namentlich bezeichneten Bischöfe, Priester und Diakonen, be-

---

denn der heilige Geist habe sie diktirt, und der Mund des heiligen Petrus selbst sie ausgesprochen.

schuldigten ihn der Unwahrheit, erklärten, daß die Schrift ohne ihr Wissen und Zuthun verfertiget worden, und bekannten sich sämmtlich zu der Lehre von den zwei Willen und Wirkungsweisen in Jesu. — Mit der Abstimmung, welche durch diesen Vorfall war unterbrochen worden, ward nun wieder fortgefahren, und als noch vierzehn Bischöfe ganz gleichförmig mit den Vorigen gestimmt hatten, riefen die Uebrigen wie mit einer Stimme aus: "wir alle bekennen uns zu der nämlichen Lehre; Anathema allen Denen, welche nur einen Willen und eine Wirkungsweise in Jesu annehmen." — Der Patriarch Georg trat jetzt vor den Kaiser, ihn bittend, sogleich zu verordnen, daß der Name des Pabstes Vitalianus wieder in den Dyptichen eingetragen werde; denn er ward, sagte Georg, blos auf eine, Euer Majestät, von Macarius von Antiochien und noch mehreren andern in Constantinopel anwesenden Bischöfen überreichte Vorstellung, in denselben getilgt*). Der Patriarch verlangte zugleich, daß eben jene Vorstellung jetzt dem Concilium möchte übergeben werden, weil man aus den Unterschriften am besten ersehen könne, wer aus menschlichen Rück-

---

*) Schon früher wollte man den Kaiser bereden, den Namen des Pabstes Vitalianus aus den Dyptichen der griechischen Kirche ausstreichen zu lassen; aber Constantin, welcher den Vitalian, der ihm in seinen sicilianischen Angelegenheiten wichtige Dienste geleistet hatte, sehr schätzte, gab dies nicht zu. Erst als die Ankunft der römischen Legaten in Constantinopel sich verzögerte, benutzten Macarius und die mit ihm gleichgesinnten Bischöfe diese Gelegenheit, gaben jener Verzögerung eine böse Deutung, und erwirkten endlich von dem Kaiser, daß der Name des Vitalians nicht mehr in den Dyptichen genannt ward.

sichten, (nämlich aus Anhänglichkeit an den Patriarchen Macarius) sich von der allgemeinen Kirche
zu trennen gesonnen sey. Als der Kaiser des Patriarchen Gesuch genehmigte, erscholl der Saal sogleich von den lautesten und frohesten Zurufungen:
"Lange lebe der Kaiser, der rechtgläubige Monarch,
der Friede stiftende Augustus, der neue Constantin,
der neue Marcian! Gleiche frohe Segenswünsche
wurden hierauf auch für den Pabst Agatho und den
Patriarchen von Constantinopel gesprochen. Auf
Antrag des Conciliums forderte der Kaiser den Patriarchen von Antiochien auf, seinen Glauben zu erklären über die allerheiligste Dreifaltigkeit, das hochheilige Geheimniß der Menschwerdung, die beiden
Willen in Jesu, und ob er die Briefe des Pabstes
und dessen Conciliums als Richtschnur des wahren
Glaubens annehme. Macarius erwiederte: "Ich sage
nicht zwei Willen und zwei Wirkungsweisen; sollte
man mich auch gliedweise zerstückeln und in das
Meer werfen." — Von Photinus, einem Secretäre des Kaisers wurden jetzt die von Macarius
übergebenen drei Rollen herbeigebracht und entsiegelt.
Man schritt zur Vergleichung der darin enthaltenen
Auszüge mit den Schriften der Väter, aus welchen
dieselben entnommen waren, und nun ergab es sich,
daß alle ausgezogene Stellen entweder verstümmelt,
oder verfälscht waren. Man wußte nicht, ob man
mehr über die große Portion von Frechheit, mit
welcher Macarius begabt war, oder über dessen Gei-
stes-Beschränktheit staunen sollte; denn beinahe jede
von ihm angeführte Stelle bewies gegen den Monothelismus, sobald man nur die Verbindung zwischen dem Nachsatz, den er vorsätzlich hinweggelassen
hatte, und den Vordersätzen wieder herstellte. Als
man ihn über diese Verstümmelung zur Rechenschaft
zog, sagte er ganz unbekümmert, er habe die Aus-

züge seinem Zwecke und seinen Absichten an=
passend machen müssen. Aber diese schamlose
Antwort empörte das ganze Concilium. Von allen
Seiten erscholl der Ruf: »Anathema dem neuen
»Dioscorus! Verderben dem neuen Appolinaris!
»Macarius ist des bischöflichen Amtes unwürdig;
»man nehme ihm das Pallium!« Dieses wurde
ihm nun wirklich von dem Bischof Basilius von
Creta genommen, und bald darauf die achte Sitzung
geschlossen.

9. Sitzung.   4. Die neunte Sitzung ward schon am fol=
genden Tage, am 8. März gehalten. Aber Maca=
rius erschien nicht darin, auch nicht in den folgen=
den, und bis zur 14. Sitzung ward die Kirche von
Antiochien nicht mehr in dem Concilium vertreten.
Man verglich jetzt die noch übrigen Auszüge des
Macarius. Alle wurden verfälscht oder verstümmelt
befunden. Das Concilium wandte sich hierauf an
Stephanus, des Macarius Schüler und Gehül=
fen, warf ihm seine Verfälschungen und Untreuen
vor, und erklärte ihn seiner priesterlichen Würde ent=
setzt, worauf er von einigen Clerikern aus dem
Saale gestoßen ward.

10. Sitzung.   5. In der zehnten Sitzung wurden die, von
den römischen Legaten übergebenen Rollen entsiegelt.
Die Eine enthielt 36 Stellen aus dreizehn Kirchen=
vätern, nämlich aus dem heiligen Leo, dem h. Am=
brosius, h. Johannes Chrysostomus, h. Athanasius,
h. Gregor von Nyssa, h. Cyrillus von Alexandrien,
h. Epiphanius, h. Gregor von Nazianz, h. Au=
gustinus, Justin dem Märtyrer, Johannes von
Scythopolis, und den beiden Patriarchen von An=
tiochien, dem h. Ephrem und h. Anastasius. Alle
Auszüge standen im vollkommensten Einklange mit

den Schriften der genannten Väter. In dieser Sitzung ward auch dem Bischofe Petrus von Nicomedien, und den übrigen, in gleicher Lage mit ihm sich
befindenden Bischöfen und Diakonen das Glaubensbekenntniß abgenommen*).

6. In der eilften Sitzung wurden die Briefe 11. Sitzung
des Patriarchen Sophronius vorgelesen. Diese Vor-
lesung hatte die Kirche von Jerusalem durch ihren
Abgeordneten schon in der 10. Sitzung verlangt,
war aber von dem Concilium auf die eilfte aufge-
schoben worden. Man las hierauf auch die übrigen
von Macarius verfertigten Schriften, und fand sie
sämmtlich, eine immer mehr als die andere, häre-
tisch. Bei dem Schlusse der Sitzung erklärte der
Kaiser, daß, da dringende Reichsgeschäfte ihm
nicht mehr gestatteten, bei den Sitzungen gegenwärtig zu seyn, er die beiden Patricier Constantinus
und Anastasius, wie auch den Polyeuktes und Petrus, Männer von consularischer Würde, zu kaiserlichen Commissarien ernannt, und sie beauftraget
habe, in seinem Namen den fernern Verhandlungen
des Conciliums beizuwohnen**).

_____

*) Petrus von Nicomedien befand sich unter jenen, welche
von Theodor von Melitene, als Verfasser der von
ihm übergebenen Schrift waren bezeichnet worden.
Zwar hatten sie sämmtlich, wie der Leser schon weiß,
dagegen protestirt; da aber dennoch Theodors Aussage
einigen Verdacht auf sie warf; so war von dem Concilium gut gefunden worden, daß sie ihr Glaubensbekenntniß noch besonders in einer der folgenden Sitzungen überreichen sollten.

**) Von jetzt an kam der Kaiser bis zur letzten Sitzung
nicht mehr in die Versammlung. Blos um durch
seine Gegenwart jede Störung zu verhüten, und daß

7. Die zwölfte Sitzung wurde schon am folgenden Tage oder längstens zwei Tage nachher gehalten. Man las darin die Briefe des Sergius an den Cyrus, und den Pabst Honorius, und des letztern Antwort an den Patriarchen. Die kaiserlichen Commissarien fragten, ob die versammelten Väter nicht für gut fänden, den Patriarchen Macarius, im Falle er seinen Irrthum bereuen würde, bei seiner Kirche und in seiner Würde zu lassen; aber das ganze Concilium erklärte einstimmig, daß, Kraft der heiligen Canons, Macarius, in Betracht seiner hartnäckigen Beharrung im Irrthum, seiner schändlichen, den Frieden der Kirche störenden Umtriebe, und seiner boshaften Verfälschung und Verstümmelung der heiligen Väter, nicht länger mehr Bischof seyn könne, das Concilium im Gegentheil den Kaiser bitten müsse, ihn aus Constantinopel zu verbannen. Die syrischen Bischöfe baten hierauf um einen neuen Patriarchen, und daß man den Stuhl von Antiochen unverzüglich wieder besetzen möchte.

8. In der dreizehnten Sitzung, gehalten am 28. März, ward endlich über alle in den Monothelismus verwickelte Personen das Urtheil gefällt; dasselbe lautete, wie folgt: "In Folge des Erkenntnisses, welches das Concilium genommen von den Briefen des Sergius, vormaligen Bischofes von

---

bei diesem wichtigen Geschäfte alles mit der gehörigen Ruhe, Besonnenheit und Würde behandelt werde, hatte Constantin den bisherigen Sitzungen beigewohnt. Aber jetzt, da es zum Spruch kommen sollte, hielt er sich davon entfernt, um der ganzen Christenheit zu zeigen, daß er weder die Stimmfreiheit der Bischöfe beschränken, noch auch des mindesten Einflusses auf die Entscheidungen des Conciliums sich anmaßen wolle.

die höhern Weihen erhalten haben, sich nachher noch verheirathen. Aber dafür erlaubt nun das Concilium in seinem 12. Canon, daß Subdiaconen, Diaconen und Priester, wenn sie sich vor erhaltener Weihe schon verheirathet hatten, ihre Frauen beibehalten, auch noch ferner, gleich Verehlichten mit ihnen leben dürfen, und nur an jenen Tagen Enthaltsamkeit beobachten sollen, wenn sie sich zur Feier der heiligen Geheimnisse dem Altare nähern; und fügt endlich zu diesem, die apostolische Disciplin zerstörenden Canon noch mit heuchlerischer Pietät hinzu: „damit kein Brandmal dem Ehestande aufgedrückt werde, den der Schöpfer selbst eingesetzt, und der Erlöser durch seine Gegenwart geehrt habe." — Welche sonderbare Logik! dem Ehestande wird also ein Brandmal aufgedrückt, wenn Männer, zu etwas Höherm, ja wohl zu dem Höchsten berufen, und durch Gottes Gnade gekräftiget, aus Liebe zu Jesu und dem Seelenheile ihrer Mitmenschen, auf eine natürliche Freiheit verzichten und, wie Jesus Christus selbst sagt, des Reiches Gottes wegen sich entmannen. Aber beinahe noch empörender ist es, daß die unwürdigen Väter dieses Conciliums ihren schändlichen Canon auf eine, gerade das Gegentheil aussprechende Verordnung der, im Jahre 400 gehaltenen, fünften Synode von Carthago dadurch zu stützen suchen, daß sie jener Verordnung, durch eine abermalige, offenbare Fälschung, eine ganz andere, ihr völlig fremde Deutung zu geben sich erfrechen. Die Verordnung des carthaginensischen Conciliums sagt, daß die Subdiaconen, Diaconen, Priester und Bischöfe, wenn sie verheirathet wären, sich juxta priora statuta (den alten Satzungen zu Folge) ihrer Frauen vollkommen enthalten, und so leben sollten, als wenn sie keine hätten. Die Griechen verfälschten nun

priora statuta in propria statuta, gaben
dann diesen Ausdruck mit den griechischen Worten,
idious horous, worunter auch eigene bestimmte
Zeiten verstanden werden können, und deuteten nun
die ganze Verordnung so, als wenn die afrikanischen Bischöfe gesagt hätten, daß die in höhern Weihen Stehenden nur zu gewissen Zeiten, wenn sie
nämlich die heiligen Geheimnisse feiern müßten, sich
des Umganges mit ihren Frauen enthalten sollten. —
Aber wie in jeder, auch noch so fein geflochtenen
Schlinge des Truges der Betrüger selbst nur zu oft
zuerst gefangen wird; so gerieth auch hier das Concilium durch seine Fälschung mit sich selbst in Widerspruch.   Das carthaginensische Statut nämlich
sagt: Subdiacone, Diacone, Priester und Bischöfe 2c. woraus also folgt, daß nach der griechischen
Deutung auch die Letztern, nämlich die Bischöfe,
denen doch das Concilium Quinisextum selbst ewige
Enthaltsamkeit zur Pflicht macht, ebenfalls völlige
Freiheit haben müßten, nur gewisse Zeiten (idious
horous) ausgenommen, in der Knechtschaft der
Sinnlichkeit, gleich den Subdiaconen und Diaconen 2c. ihren Lüsten zu fröhnen.

10.   Da aber das merkwürdige Concilium
Quinisextum wohl voraussah, daß nicht nur alle
abendländischen Kirchen diesen Canon mit Unwillen
zurückstoßen, sondern auch das Oberhaupt der Kirche
ihm den Stempel der Verwerfung und völligen
Nullität aufdrücken würden; so suchte es, durch einen — man darf wohl sagen — wahrhaft aberwi-
tzigen Anhang, sich so gut, als es nämlich konnte,
gegen diese künftige Schmach jetzt schon zu decken.
Das Concilium bemerkt nämlich, daß es seinen Canon zu keinem Gesetze für jene Priester machen
wolle, die unter den Barbaren wohnen (dan

„Constantinopel, an den Cyrus und Honorius, ehe-
„maligen Pabst und Bischof des alten Roms,
„und des Letztern Antwort an den Sergius, hat
„das Concilium diese Schriften durchaus von der
„Lehre der Apostel, den Entscheidungen der Conci-
„lien und Aussprüchen der heiligen Väter abwei-
„chend, aber völlig gleichförmig gefunden mit den
„falschen Lehren der Ketzer. Wir verwerfen und
„verdammen sie daher als Schriften, welche geeig-
„net sind, die Seelen zu verderben. Aber so, wie
„wir diese gottlosen Lehrsätze verdammen, vertilgen
„wir auch zugleich die Namen derjenigen, die sie
„gelehrt, aus dem Andenken der Kirche, nämlich
„die Namen des Sergius, Pyrrhus, Petrus, Pau-
„lus, zählen denselben auch noch bei den Theodo-
„rus, ehemaligen Bischof von Pharan, von welchen
„allen der heilige und hochwürdigste Pabst Agatho
„in seinem Schreiben Erwähnung gemacht, und sie
„gleichfalls verworfen und verdammt hat; wir spre-
„chen ihnen sämmtlich das Anathema. Mit diesen,
„fühlen wir uns noch ferner verpflichtet, auch den
„Honorius, ehemaligen Pabst des alten Roms,
„zu anathematisiren, und ihn aus der
„Kirche zu stoßen, indem aus seinem Brief an
„den Sergius erhellt, daß er sich dem Irrthum
„desselben hingegeben, und dessen Lehre durch sein
„Ansehen bekräftiget hat. Wir haben endlich auch
„den Brief des Sophronius, ehemaligen Bischofes
„von Jerusalem, höchst frommen und seligen An-
„denkens genau geprüft, ihn mit den Lehren der
„Apostel und heiligen Kirchenväter übereinstimmend
„gefunden, und als eine, der Kirche nützliche Schrift
„anerkannt; daher wir auch verordnen, daß der
„Name des Sophronius in den Dyptichen eingetra-
„gen werde.“ —

29*

9. Da man überhaupt auf den Concilien gewöhnlich sehr vieles ließt, so ward auch auf diesem ganz ungemein viel gelesen. Sämmtliche Schriften aller derer, über die das Concilium jetzt das Verdammungsurtheil ausgesprochen hatte, wurden herbeigebracht und vorgelesen. Dies nahm natürlicher Weise eine sehr geraume Zeit hinweg; indessen kamen bei dieser Gelegenheit doch auch die drei Synodalschreiben der Patriarchen Thomas, Johannes und Constantinus von Constantinopel zum Vorschein. Der Archivar der Kirche legte sie dem Concilium vor, das erstere im Original, die beiden andern in Abschriften. Es ward gesagt und von dem Concilium geglaubt, daß sie ächt seyen. Man las sie also vor, fand sie mit dem wahren Glauben vollkommen übereinstimmend, und alle drei Patriarchen wurden nun für rechtgläubig erklärt, und ihre Namen, Kraft eines besondern Beschlusses des Conciliums, in den Dyptichen eingetragen.

10. In der vierzehnten Sitzung, welche erst 8 Tage nachher, nämlich am 5. April, gehalten ward, erschien wieder zum erstenmale ein Patriarch von Antiochien. Es war Theophanes von Bayä in Sicilien, welcher in der Zwischenzeit, mit Genehmigung des Kaisers, von dem Concilium war gewählt und ordinirt worden. Man schritt zu näherer Untersuchung der, den Akten der fünften Synode fälschlich beigeschlossenen Hefte. Der Betrug lag klar am Tage, und so wurden nun der, dem Menas untergeschobene Brief, wie auch die beiden, von Paulus durch einen Zusatz verfälschten Breven des Pabstes Vigilius verworfen, und sammt denen, die sie fabricirt hatten, auf das neue anathematisirt. Wegen der herannahenden Osterfeier wurden die Sitzungen der Väter auf 8 Wochen geschlossen.

Das Fest fiel dieses Jahr (681.) auf den vierzehnten April. Am ersten Tage desselben hielt Johannes von Porto, einer der, von dem römischen Concilium abgeordneten Bischöfe, in der Sophienkirche
in Gegenwart des Kaisers und aller Großen des
Reiches, den feierlichen Gottesdienst in lateinischer
Sprache. Diese ehrenvolle Auszeichnung der Abgeordneten der römischen Kirche machte auf das Volk,
das, wenn nicht gereizt oder verführt, sein natür-
liches richtiges Gefühl nie verläugnet, einen ganz
ungemein gefälligen Eindruck, und in lateinischer
Sprache erschollen die weiten Hallen der prächtigen
Kirche, nach beendigtem Gottesdienst, noch lange
von den frohesten Zurufungen und lautesten Segenswünschen für den Kaiser, den Erhalter des Glaubens,
den frommen, gottgefälligen Beschützer der
Kirche.

11. Die fünfzehnte, zwölf Tage nach Ostern
gehaltene Sitzung, zeichnete sich blos durch die Erscheinung eines halb verrückten monothelitischen Mönchs
aus. Er hieß Polychronius, war Mönch und Priester, trieb sich schon einige Zeit in Constantinopel herum, und verrückte und bethörte durch seine, von ex-
travagirenden Verheißungen begleiteten, monothelitischen Lehren eine Menge schwacher, oder einfältiger
Menschen aus dem Volke. Vor das Concilium gestellt, und von demselben aufgefordert, sich über seinen Glauben zu erklären, gab er zur Antwort, daß
Thaten für ihn sprechen sollten, und daß er die
wahre Lehre von Einem Willen, durch ein Wunder,
an einem Todten, auf den er sein Glaubensbekenntniß legen, und dadurch in das Leben zurückrufen
wolle, erweisen werde. In Erwägung des schon
ziemlich bedeutenden Anhanges, den dieser Schwär-
mer leider hatte, und daß, wenn man seinen tollen

Vorschlag zurückweisen wollte, das Volk ihn als=
dann nur um so mehr noch für einen Wunderthäter
halten und sich von ihm verführen lassen würde,
nahm das Concilium das Anerbieten des Tollhäus=
lers an. Sämmtliche versammelte Väter, wie auch
die kaiserlichen Commissarien und übrigen Behörden
verließen also den Sitzungssaal, und begaben sich,
von zahllosen Volkshaufen begleitet, nach dem großen
Hofe in den Bädern des Zeurippus. Die Probe
ward nun angestellt, ein erst kürzlich Verstorbener
herbeigebracht, und auf eine prächtige, in Silber ge=
stickte Decke gelegt. Polychronius trat hinzu, mur=
melte allerlei Zeug über der Leiche, ging unzähligemal
um sie herum, flüsterte dem Todten alle Augenblicke
Etwas in das Ohr, und erst, als dieses ärgerliche
Possenspiel beinahe zwei Stunden gedauert hatte, ge=
stand er endlich, daß es ihm unmöglich sey, den Tod=
ten wieder lebendig zu machen. Aber das herumste=
hende Volk gerieth nun in Wuth. "Fluch und Schmach"
riefen tausend Stimmen, "auf den neuen Simon, den
Zauberer! Anathema dem Betrüger Polychronius!"
Aber demungeachtet beharrte dieser auf seiner mono=
thelitischen Lehre von nur Einem Willen und einer
Wirkungsweise in Christo, ward demnach von dem
Concilium seiner priesterlichen Würde entsetzt, ihm
als einem Ketzer und Betrüger das Anathema gespro=
chen, und er selbst nachher mit dem Macarius, Ste=
phanus, Anastasius und noch einigen andern Schü=
lern des ehemaligen Patriarchen von Antiochien, nach
Rom verbannt, und dem weitern Verfügen des Pab=
stes überlassen.

12. Die Sitzungen des Conciliums wurden
jetzt wieder, man weiß nicht warum, beinahe 4 Mo=
nate lang unterbrochen. Am 9. August versammelten
sich endlich wieder die Bischöfe. Ein gewisser Con=

unter werden alle Priester Italiens und sämmtlicher
abendländischer Reiche verstanden.) "Wenn diese,"
fährt es fort, "allenfalls glauben, sich über den apostolischen Canon erheben zu müssen, welcher verbietet, sein Weib unter dem Vorwande der
Religion zu verlassen (welche schamlose Text-
verwechselung und Sinnverdrehung!) und wenn sie
mehr thun, als geboten ist, und sich von ihren
Frauen, mit beiderseitiger Einwilligung trennen;
so verbieten wir ihnen, auf was immer für eine Art
beisammen zu wohnen; sie sollen uns dadurch beweisen, daß es ihnen mit ihrem Versprechen Ernst ist;
doch gestatten wir ihnen auch dies blos wegen ihrer
Schwachheit, wegen ihres Mangels an Muth,
und der Leichtfertigkeit ausländischer Sitten." — Zu
Folge der Entscheidung dieses, schwerlich von dem
Geiste Gottes erleuchteteten und geleiteten Conciliums,
ist es also Schwachheit, Mangel an Muth und eine
Unvollkommenheit, wenn der Mensch, sich, sein
Fleisch und seine Sinnlichkeit bezähmend und beherr-
schend, ewige Enthaltsamkeit gelobet, um ganz und
ungetheilt blos seinem Gott und dessen heiligem Dienste
sich zu weihen; und der h. Johannes, der große Vor-
läufer, nach Jesu Zeugniß, größer als irgend einer,
den das Weib gebar, war also doch noch schwach und
unvollkommen im Vergleich mit einem Beweibten, einen Rudel von Kindern erzeugenden griechischen
Geistlichen. Aber welche Stirne mußten wohl Leute,
und zwar gar Bischöfe haben, um so gemein, so
fleischlich, so unwahr und würdelos von einer Tugend zu sprechen, die Jesus Christus, dessen Apostel,
so viele große Päbste, erleuchtete Kirchenväter und
ausgezeichnete Heilige, als eine der größten evangelischen Vollkommenheiten, als eine der kostbarsten
Perlen des Christenthums, die nur durch ganz besonders göttliche Gnade erlangt, aber auch jedem demü-

thig darum Bittenden stets gegeben wird, sieben Jahrhunderte hindurch ununterbrochen gepriesen, erhoben,
gerathen und anempfohlen haben!

11. Auf diese Weise war nun das uralte, aus
apostolischen Zeiten herrührende, ganz dem Geiste der
Religion Jesu entnommene Cölibatgesetz, unter dem
erlogenen Vorwand, es mit der frühern Disciplin in
Uebereinstimmung zu bringen, von der Synode von
Trullos — denn auch unter dieser Benennung bezeichnet man öfters das Concilium Quinisertum — völlig
vernichtet und zerstört *). Von jetzt an waren alle,
zu höhern Weihen Aspirirende stets darauf bedacht, vor
dem Empfang derselben sich zu verehlichen; und bald
ging dieser Unfug gar so weit, daß man selbst jenen,
welche unverehlicht die höhern Weihen empfangen hatten, auch nach dem Empfang derselben noch gestattete,
nach den Töchtern des Landes sich umzusehen, und
ebenfalls Frauen sich beizulegen; so daß man endlich
alle Bischöfe in der griechischen Kirche, wie auch jetzt
noch geschehen muß, blos aus dem Mönchsstande zu
nehmen gezwungen war, indem nun bald der gesammte
übrige Clerus, ohne Ausnahme, verheirathet und mit
Weibern belastet war.

12. Uebrigens machte dieses Concilium manche
sehr zweckmäßige, die guten Sitten befördernde Canons. Zu sehr großem Verdienste kann man ihm jedoch dieses nicht anrechnen; denn wo hätte es je noch
ein schismatisches oder Afterconcilium gegeben, das

---

*) Eine nähere und vollständigere, geschichtliche Entwi-
ckelung des Cölibatgesetzes findet man in unserer Fortf.
d. G. d. M. J. 5. Band, oder des ganzen Werkes 19.
Band, zweite Abthl. im zweiten Abschnitte, §. 1. bis
§. 10.

stantin, der sich für einen Priester aus der Stadt Apa-
mea ausgab, begehrte vor dem Concilium zu erscheinen. Er ward vorgelassen. „Hätte man,“ sagte er,
als er in den Saal getreten war, „mich bei Zeiten ge-
„hört; so würde manches Unheil weniger in der Chri-
„stenheit geschehen seyn. Längst schon suchte ich Zutritt
„zu dem Concilium zu erhalten, wandte mich daher
„einigemal an den Patricier Theodor, ihn bittend,
„mir hierin behülflich zu seyn. Jetzt da endlich mein
„Wunsch in Erfüllung gegangen ist, will ich, wenn
„die versammelten Väter es genehmigen, dasjenige,
„was Gott mir über den Glauben geoffenbaret hat, in
„syrischer Sprache aufsetzen, und das Concilium mag
„es dann in das Griechische übersetzen lassen.“ —
Man bemerkte dem Constantin, daß, da er so eben
in griechischer Sprache sich ganz richtig ausgedrückt,
er nun wohl auch den Bischöfen seine Offenbarungen
in griechischer Sprache mittheilen könnte. Er begehrte
einen Aufschub von sechs Tagen; da ihm dieser aber
verweigert ward; so rückte er mit seinem Geheimniß
heraus, welches in dem Vorschlag bestand, die katholische Lehre mit der monothelitischen mittelst des
Lehrsatzes zu vereinigen: Es gebe in Jesu Christo
zwei Wirkungsweisen, aber nur Einen Willen.
Dieser Vorschlag ward natürlicher Weise von dem
Concilium verworfen. Man suchte den Constantin
eines Bessern zu belehren; als man aber sah, daß
er gar keiner Bekehrung mehr fähig wäre, ließ das
Concilium ihn aus dem Saale hinausjagen. — Die
Bischöfe erklärten den kaiserlichen Commissarien, daß
ihr Geschäft nun vollkommen beendiget sey.

13. In der siebenzehnten, einen Monat nachher gehaltenen Sitzung ward blos die Glaubensdefinition, welche das Concilium geben wollte, besprochen und entworfen; daher auch von den Grie-

chen dieser Zusammentritt nicht als eine Sitzung betrachtet und gezählt wird.

18. Sitzung. 14. Die achtzehnte und letzte, am sechszehnten September 681 gehaltene Sitzung verherrlichte
der Kaiser wieder durch seine Gegenwart. Keine
war noch so zahlreich gewesen, wie diese; außer den
Aebten, Priestern, Mönchen und Diaconen, und
den ziemlich zahlreichen weltlichen Behörden waren
über hundert und sechzig Bischöfe gegenwärtig. Die
in der vorigen Sitzung festgestellte Glaubensdefinition, ward nun bekannt gemacht. Das Concilium
bestätiget darin die Beschlüsse und Entscheidungen
der fünf frühern allgemeinen Concilien, wiederholt
die Glaubensbekenntnisse von Nicäa und Constantinopel; bezeichnet namentlich die von ihm verdammten Urheber, Verbreiter und Anhänger des monothelitischen Irrthums, und spricht ihnen auf das
neue wieder das Anathema; erkennt hierauf den
Brief des Pabstes Agatho und dessen Concikiums
an den Kaiser vollkommen gleichförmig mit den
Entscheidungen der heiligen Synode von Chalcedon,
dem Briefe des heiligen Pabstes Leo an Flavianus,
und der Lehre des heiligen Cyrillus von Alexandrien, und entscheidet endlich, nach einer kurzen und
gedrängten Darstellung der wahren Lehre von dem
hochheiligen Geheimniß der Menschwerdung, daß in
Jesu Christo, vollkommen in der Gottheit, und
vollkommen in der Menschheit, zwei eigenthümliche
Willen und zwei eigenthümliche Wirkungsweisen sind
(duae naturales voluntates et duae naturales
operationes) und zwar ungetheilt, ungetrennt und
unvermischt; wobei das Concilium doch ausdrücklich
erklärt, daß es, indem es zwei Willen in Christo
erkenne, doch nicht zwei entgegengesetzte annehme,
sondern einen göttlichen, welcher der Leitende und

einen menschlichen, welcher dem göttlichen sich fügt, und der Folgeleistende ist.   Schließlich verbietet das Concilium jede andere, dieser zuwiderlaufende Lehre unter der Strafe der Entsetzung für Geistlichen, und der Excommunication für Laien. — Die von hundert und fünf und sechzig Bischöfen unterschriebene Glaubenserklärung ward nun auch von dem Kaiser unterzeichnet; und um den Beschlüssen und Entscheidungen des Conciliums auch von Seite der weltlichen Macht den gehörigen Nachdruck zu ertheilen, erließ Constantin bald darauf ein Edikt, welches alle, die dagegen handeln würden, wären es Bischöfe oder Priester, mit der Strafe der Entsetzung, in Staatsämtern stehende Laien aber nicht blos mit dem Verlust ihrer Aemter, sondern auch der Confiscation aller ihrer beweglichen und unbeweglichen Güter bedrohet. — Nach hergebrachtem Brauch endigte diese achtzehnte und letzte Sitzung mit einer feierlichen Rede an den Kaiser, in welcher dessen Frömmigkeit erhoben, und auch von dem Pabste Agatho auf das neue wieder gesagt ward, daß der heilige Apostel Petrus selbst durch Agatho's Mund gesprochen habe.

15. Von der Glaubensdefinition wurden fünf Abschriften gefertiget; die eine für den hohen, römischen, apostolischen Stuhl, die andere für den Patriarchen von Constantinopel, und die übrigen für die drei alten Patriarchalkirchen von Jerusalem, Antiochien und Alexandrien. Die für den Pabst bestimmte Abschrift begleitete ein Synodalschreiben sämmtlicher im Concilium versammelten Bischöfe, in welchem sie das Oberhaupt der Kirche bitten, die Glaubensformel, so wie das, demselben beigefügte Urtheil zu unterzeichnen, indem letzteres blos zufolge seines, von ihm selbst in seinem

Breve an den Kaiser ausgesprochenen Verdammung wäre gefällt worden. — Fürwahr eine
ungemein gewagte, und an offenbare Unwahrheit so
ziemlich nahe gränzende Behauptung; indem in des
Pabstes Agatho Schreiben von einer Verdammung
seines Vorgängers Honorius auch nicht von weitem
nur mit einer Sylbe Erwähnung geschieht. — Um
dem Pabst seine Geneigtheit zu beweisen, gab der
Kaiser den päbstlichen Gesandten, vor ihrer Abreise
von Constantinopel einen Schenkungsbrief, Kraft
dessen mehr als die Hälfte von der, nach jeder
neuen Pabstwahl, an den kaiserlichen Schatz zu bezahlenden Summe der römischen Kirche nachgelassen
ward, jedoch unter der Bedingung, daß in Zukunft
wieder der neu Erwählte, erst nach erfolgter kaiserlicher Wahlbestättigung, consecrirt werden dürfte.

16. Bald darauf starb der Pabst Agatho,
und zwar bevor noch seine Legaten von Constantinopel in Rom wieder angekommen waren. Zwei
Jahre und sechs Monate hatte er der Kirche des
Sohnes Gottes vorgestanden, und in einer Ordination zehen Priester, drei Diacone und nebst diesen noch 18 Bischöfe geweihet. Begraben ward er
in der St. Peterskirche am 10. Jäner des Jahres
682, an welchem Tage auch jetzt noch die Kirche
sein Andenken feiert*).

---

*) Ueber die Aechtheit der Verdammung des Pabstes
Honorius sind in neuern Zeiten sehr starke, und gewiß
nicht ungegründete Zweifel erhoben worden. Bedeutende Männer, wie z. B. Bellarmin, Petrus
de Marca, Bartholi, Bischof von Feltri, auch
der Cardinal Baronius und noch andere mehr, haben hier abermals eine Verfälschung der Akten zu erblicken geglaubt; und man kann nicht läugnen, daß

nicht hie und da auch etwas Gutes und Vernünftiges verordnet hätte? Indessen findet sich auch unter diesen Canons Manches so ziemlich Albernes, weil im höchsten Grade Uebertriebenes, wie z. B. das Gebot, sich von dem Blute und dem Erstickten zu enthalten; eine Verordnung, welche die Kirche aus sehr weisen Gründen längst schon aufgehoben hatte. - Offenbar erneuerte das Concilium dieses veraltete Statut blos deßwegen, um die griechische Kirche auch hierin in einen allgemein bemerkbaren Gegensatz mit der römischen Kirche zu stellen; und so waren nun Entehrung und tiefe Herabwürdigung der königlichen Priesterwürde, Befleckung des Altars, und des Clerus fortwährende, schimpfliche Knechtschaft im Dienste der Sinnlichkeit, das einzige bleibende Resultat der leider ewig merkwürdigen Synode von Trullos.

Berichtigungen.

Seite 30 Zeile 11, statt 688 ließ 668.
— 401 — 4. — Pontificats l. Episcopats.

die Leichtigkeit, oder vielmehr der Leichtsinn, mit
welchem man bei dieser Verdammung zu Werke ging,
und die Flüchtigkeit, mit der man über eine so wichtige
Sache hinwegeilte, da man dem, gegen den Pabst
ausgesprochenen Verdammungsurtheile, blos jenen,
von Sergius an ihn geschriebenen Brief, der doch von
den, schon so vieler Fälschungen überwiesenen monothelitischen Häuptern sehr wohl ebenfalls verfälscht worden
seyn könnte, ganz allein zum Grunde legte, dabei auch
nicht einmal, wie es doch die große Wichtigkeit des
Gegenstandes durchaus erfordert hätte, jedem einzelnen
Bischofe seine Stimme abnahm, und endlich auch die
Antwort des Pabstes auf den Brief des Sergius beinahe
gar keiner Prüfung unterwarf, oder bei der Untersuchung desselben mit einer solchen Seichtigkeit und Oberflächlichkeit verfuhr, daß man den darin doch so deutlich
ausgesprochenen, grundkatholischen Sinn gar nicht auf-
faßte: kurz, es ist nicht zu läugnen, daß alles dies zu-
sammengenommen jene Zweifel nicht wenig zu rechtfertigen scheint.   Zudem ist es eine bekannte Sache, daß
die Griechen das Handwerk der Verfälschung
schon in den frühesten Zeiten, ununterbrochen, und
wahrhaftig stets unter sehr großem Segen getrieben haben.   Schon der heilige Pabst Leo (epist. 83. ad Pa-
laest.) klagt bitter darüber, daß selbst noch zu seinen
Lebzeiten die Griechen sein Sendschreiben über die
Menschwerdung des Wortes verfälscht hätten. Gregor
der Große, (l. 5. epist. 14.) sagt geradezu, daß die
Akten des ephesinischen und auch des chalcedonischen Conciliums von den Griechen verfälscht worden wären.
Pabst Nicolaus in seinem Schreiben an den Kaiser
Michael, verweißt diesen Monarchen auf einen Brief
des Pabstes Adrian, jedoch mit den Worten: si tamen
non falsata more Graecorum est.   Unzählige
andere, nicht minder überzeugende Beweise ähnlicher
Betrügereien der Griechen in Verfälschung der Urkunden
findet man in den Werken des Franz Marchesi und
des Paters Bonaventura von St. Elias.   So
sehr nun diese gehäuften Beweise griechischer Verfäl-
schungsfertigkeit auch hier auf eine abermalige Verfälschung eines Aktenstückes der sechsten Synode hindeu-
ten; so muß man doch gestehen, daß die, das Gegen-

theil beweisenden Gründe bei weitem überwiegender
sind, so daß nach genauer Erwägung derselben alle
Zweifel über die Aechtheit der gegen Honorius ausgesprochenen Verdammung völlig dahin schwinden. Aber
gewiß war auch eben diese Verdammung, welche nur
ein, mit äußerst wenigen Ausnahmen, blos von Griechen zusammengesetztes Concilium aussprechen konnte,
eine unerhörte, von der frechsten und schamlosesten Anmaßung zeugende Handlung, von welcher auch, Gott
sey Dank, die ganze Geschichte unserer heiligen Religion nicht ein einziges Beispiel mehr aufzuweisen hat.
Daß selbst wahre, den Canons gemäß zusammenberu-
fene, und unter der Leitung des Oberhaupts der Kirche
verfahrende Concilien, zwar nicht in Glaubensfa-
chen, aber dennoch Thatsachen (res facti) sich
irren können, ward von jeher anerkannt; und daß die
sechste allgemeine Synode, in Verdammung eines ge-
setzmäßig gewählten, von der ganzen Christenheit als
deren geheiligtes Oberhaupt anerkannten frommen und
erleuchteten Pabstes sich geirret, und zwar gröblich
geirret habe, wird schwerlich jemand in Abrede stellen
mögen. Prima sedes omnes judicat et a nemine
judicatur: war schon in den frühesten Zeiten eine
Richtschnur für alle Concilien. Als in dem Jahre
501, um den Pabst Symmachus zu richten, die
höchst denkwürdige Synode von Palma, obgleich
selbst auf Begehren dieses Pabstes, sich versammelt
hatte, erklärten die sechs und siebenzig anwesenden Bischöfe, daß der Pabst vor den Menschen
von aller Anklage frei zu sprechen sey, indem Alles,
was die Person eines Pabstes beträfe, blos dem Urtheile Gottes anheim gestellt bleiben müsse; und
doch war auch damit der heilige Avitus von Vienne
noch lange nicht zufrieden. Nicht blos in seinem, sondern im Namen der ganzen gallicanischen Kirche, in
welcher damals mehrere, durch Heiligkeit des Wandels
ausgezeichnete, von Gott durch offenbare Wunder be-
siegelte, und daher von Oben erleuchtete Bischöfe, wie
z. B. der h. Remigius, h. Cäsarius c. blüheten, schrieb
der heilige Avitus an die italienischen Bischöfe, und
verwies es ihnen, daß sie sich zu Richtern des Oberhauptes der Kirche hätten constituiren lassen. »Es

ist schwer zu fassen," sagten Galliens heilige Bischöfe damals, »Kraft welches Gesetzes der Obere von
seinem Untergebenen gerichtet werden kann. Jener,
welcher der Heerde des Herrn vorsteht, muß freilich
von der Art seiner Verwaltung Rechenschaft geben,
aber nicht der ihm untergebenen Heerde,
sondern bloß dem höchsten Herrn der Heerde
selbst. (Man sehe hierüber unserer Fortsetzung 3.
Band, den ganzen 36. Abschnitt oder wenigstens die
§§. 8, 17 und 19.) — Und um wie viel mehr hätte
man nicht eben so, wie dem Pabste Symmachus,
auch dem Pabste Honorius, wäre er noch am Leben
gewesen, die Selbstrechtfertigung gestatten müssen, Ihm, dessen Briefe, die, wie wir schon bemerk-
ten, der gelehrte Cardinal Bellarmin epistolas ca-
tholicissimas nannte, schon so laut und so klar seine
Unschuld aussprachen, auch selbst den schwächsten
Schatten eines Verdachtes irgend einer Ketzerei so
völlig verschwinden machten. Wann hat je noch die
Kirche einen Verbrecher, oder Irrlehrer verdammt,
ohne ihn vorher gehört zu haben? und wer ist hier
der Angeklagte? Ein mit Wissenschaft und allen
christlichen Tugenden geschmückter, von Gott seiner
Kirche zum Oberhaupt gesetzter, mit der ganzen Kraft
der höchsten Weihe angethaner Pabst! — Haben vielleicht die Bischöfe des sechsten Conciliums den wahren
Sinn jener Briefe des Honorius nicht gehörig aufge-
faßt; so ist dies bloß eine Folge der Leichtfertigkeit,
mit der man bei dem Geschäfte zu Werke ging, vielleicht gar, und zwar sehr wahrscheinlich, die Folge
einer, in dem Herzen der griechischen Bischöfe tief
verborgenen, aber jetzt sich kundgebenden, geheimen
Leidenschaftlichkeit. Aber daß sie wirklich die
Briefe des Honorius nicht verstanden, nicht von weitem in den, darin doch so klar und offen liegenden
Sinn eingedrungen sind, dies beweisen ihre eigenen,
in der Verdammungsformel vorkommenden Worte: quia
in omnibus ejus (Sergii) mentem secutus est,
et impia dogmata confirmavit. In den Augen
dieser Bischöfe war also ein Pabst, Einer der Nachfolger des Apostelfürsten, Einer der Felsen, auf welche
Christus seine Kirche baute, ein — Häretiker!

Aber dem Himmel sey Dank, welche Stimmen erheben sich nicht gegen diesen vermessenen Spruch! So dachten nicht heilige Päbste und Concilien; so nicht Pabst Johannes IV. Verfasser jener meisterhaften, mit einer, jeden Zweifel wie jede Einwendung besiegenden Kraft der Wahrheit geschriebenen Apologie für den Honorius, und der noch überdies eben diesen Pabst persönlich gekannt, und sogar dessen Secretäre in seine Dienste genommen hatte; so dachten auch nicht die Päbste Theodor, Martin, Agatho, Nicolaus, sammt ihren, theils in Rom, theils in Italien und andern abendländischen Provinzen gehaltenen Concilien, nebst einer ganzen Wolke erleuchteter Prälaten, Bischöfe, Doktoren und Theologen unserer Kirche. Graveson, der doch dem Honorius die Leichtigkeit, mit der er sich vom Sergius hatte täuschen lassen, ungemein hoch anrechnet, sagt dennoch in seiner Kirchengeschichte: »Sed quamvis Honorius Papa a peccato excusari haud possit, a Monothelitarum tamen haeresi, qua numquam fuit infuscatus, facile purgari potest, quidquid contra obstrepant haeretici.« — Einen ganzen Band müßten wir füllen, wollten wir alle, diesem ähnliche, und größtentheils noch ungleich lauter sprechende Zeugnisse hier anführen. — Als zu den Zeiten des Pabstes Vigilius die Rede war, den Theodor von Mopsuesta, und die Briefe des Ibas und Theodorets zu verdammen; in welche Bewegung gerieth damals nicht beinahe der ganze christliche Erdkreis; Himmel und Erde rührten sich; man hätte glauben mögen, es wankten die Grundpfeiler des Christenthums. Wie vieles ward nicht darüber geschrieben und gesprochen, wie lange nicht die Sache berathen, bis endlich mit Genehmigung des lange und kräftig widerstrebenden, aber zuletzt aus weiser Nachgiebigkeit es zulassenden Pabstes, das Verdammungsurtheil erfolgte. Aber mit einem Pabste, mit dem Fürsten der Bischöfe und dem Oberhaupte der ganzen Christenheit bedurfte es aller dieser Umstände nicht, sein und des Sergius Brief wurden nur ein einzigesmal vorgelesen; ob die von dem letztern dem Concilium vorgelegte Abschrift ächt, oder verfälscht sey, darum bekümmerte sich niemand; die

Außer diesem sind in unserm Verlage erschienen:

Abendmahlslehre, die alte, durch katholische und nicht katholische Zeugnisse alter und neuer Zeit beleuchtet. gr. 8.
2 fl. 12 kr. oder 1 Rthl. 6 gr.

Binterim, Dr. A. J., die vorzüglichsten Denkwürdigkeiten der christkatholischen Kirche, mit besonderer Rücksichtnahme der christkatholischen Kirche in Deutschland. 6 Bände, jeder Band in zwei bis drei Theilen. gr. 8. Jeder Theil 2 fl. 42 kr. oder 1 Rth. 16 gr.

Ueber den Werth und die Wichtigkeit dieses Werkes haben sich übrigens die beiden katholischen Literaturzeitungen, die Zeitschriften: der Katholik, der Religionsfreund und die Tübinger Quartalschrift sehr vortheilhaft ausgesprochen, und es bleibt daher für dasselbe nichts mehr zu sagen übrig.

Binterim und Mooren, die alte und neue Erzdiözese Köln; in Dekanate eingetheilt, oder das Erzbisthum Köln mit den Stiften, Dekanaten, Pfarreien und Vikarien sammt deren Einkommen und Collatoren, wie es 1) im vierzehnten Jahrhundert, vor Luthers Zeit; 2) im sechszehnten und siebenzehnten Jahrhundert, nach Luthers Zeit war, 3) nebst der allerneuesten Einrichtung im neunzehnten Jahrhundert. Aus mehreren noch ungedruckten Urkunden, Dokumenten, Dekanatsstatuten ꝛc. historisch dargestellt. 5 Bände. gr. 8.

Der Subscriptionspreis ist für jeden Band netto 2 fl. 42 kr. oder 1 Rthlr. 12 gr. sächs. (1 Rthlr. 17 Silbergroschen.)

Bullet, Abbé, Geschichte der Gründung des Christenthums, aus jenen jüdischen und heidnischen Schriftstellern zusammengetragen, welche einen gründlichen Beweis für die Wahrhaftigkeit dieser Religion darbieten. Aus dem Französischen übertragen von P. E. Weckers. gr. 8.
3 fl. oder 1 Rth. 16 gr.

Frayssinous, Denis de, das Christenthum vertheidigt gegen die Irrthümer und Vorurtheile der Zeit. Aus dem Französischen übersetzt von Dr. von Moy. 1r Band.
2 fl. 24 kr. oder 1 Rth. 8 gr.

Gretsch, Adrian, sämmtliche Predigten. Neue Aufl. in 8 Thl.
  Fastenpredigten 2 Theile gr. 8.   3 fl. 12 kr. oder 1 Rth. 21 gr.
  Feiertagspredigten 2 Theile   3 fl. 12 kr. oder 1 Rth. 21 gr.
  Sonntagspredigten 4 Theile.   6 fl. 45 kr. oder 4 Rth.

Katholik, der, eine religiöse Zeitschrift zur Belehrung
  und Warnung. 11r Jahrgang, 1831. 4 Bände in 12
  Monatheften.   8 fl. oder 5 Rth.

Kerz, Fr. v. kathol. Lit. Zeitung 22r oder der neuen Folge
  6r Jahrgang 1831, in 12 Heften.

Krautheimer, M., vollständige Erklärung des Katechismus des Pater Canisius, mit Bezugnahme auf den bi-
  schöfl. Mainzer Katechismus. 6 Theile.
                         6 fl. oder 3 Rth. 12 gr.

  1r Theil: vom Glauben.
  2r — des apostolischen Symbolums 1r Artikel.
  3r — des apostolischen Symbolums 2r bis 12r Artikel.
  4r — von der Hoffnung, von der christlichen Liebe,
          und von den 10 Geboten Gottes 1s bis
          3s Gebot.
  5r — von den 10 Geboten Gottes 4s bis 10s Ge-
          bot, und von den Geboten der Kirche.
  6r — die sieben heiligen Sakramente.

Leben der Heiligen; ein Auszug aus dem Leben der
  Väter ꝛc., bearbeitet von Dr. Räß und Dr. Weis. 4 Bände.
  166 Bogen in gr. 8.   9 fl. oder 5 Rth. 16 gr.

Sengler, Würdigung der Schulz'schen Schrift: die christliche Lehre vom heil. Abendmahl. Eine von der Tübinger
  theologischen Fakultät gekrönte Preisschrift.
                       2 fl. oder 1 Rth. 6 gr.

Wanfibel, Anton, Pfarrer zu Walbulm, geistliche Reden
  für das Landvolk auf alle Sonn- und Festtage des Jahres. Fünfte Aufl. 3 Bde. gr. 8.   6 fl. 30 kr. oder 4 Rth.

Zamboni, Dissertatio de Necessitate incautos prae-
  veniendi adversus artes nonnullorum Professorum
  Hermeneuticae, qui sub respectu novarum inter-
  pretationum sacrae Scripturae Naturalissimum evul-
  gare, ac Revelationis ideam delere conantur. Mo-
  guntae, 1830. Apud S. Müller.   36 kr. oder 8 gr.

vom Pabste Johannes für den Honorius geschriebene
Apologie ward auch nicht einer nur augenblicklichen
Aufmerksamkeit gewürdiget, und in den wahren Sinn
der Worte des Pabstes Honorius einzudringen, dazu
hatte man ebenfalls keine Zeit; kurz man eilte nur
über Hals und Kopf ein Urtheil zu sprechen, wie
allenfalls nur ein, aus schismatischen Bischöfen bestehendes Concilium es hätte aussprechen können,
und wie wirklich ein Concilium es aussprach, dessen
Glieder vielleicht, obgleich ihnen noch unbewußt,
schon den Keim des großen, künftigen Schisma in
sich trugen. Sprechen wir jetzt gerade und unumz
wunden von der Sache: der Verdammung des Honorius lag höchst wahrscheinlich bles der böse Wille
der Griechen zum Grunde. Die schon zu den Zeiten
des heiligen Gregors von Nazianz in der Brust vieler Häupter der griechischen Kirche keimende, aber
auch von diesem Heiligen scharf gerügte, jedoch indessen immer noch mehr genährte, und endlich in dem
9. Jahrhundert eine völlige Trennung herbeiführende
Schelsucht gegen die abendländische Kirche und besonders den Pabst der alten Rom war allem Anschein
nach, wo nicht die einzige, doch wenigstens zur Her-
vorbringung des unerhörten Verdammungsurtheils,
die am stärksten mitwirkende Triebkraft. Wie viele
geheime und verdeckte Versuche waren nicht früher
schon gemacht worden, den Stuhl von Constantinopel
immer eine Stufe um die andere höher, und nach
und nach endlich mit dem römischen Stuhl auf gleiche
Höhe zu stellen? Diese so beliebte Parallelisirung des
Stuhles von Rom und Constantinopel spricht sich,
was freilich nicht sehr auffallen kann, in den verschiedenen Briefen der monothelitischen Bischöfe einigemal ganz unverkennbar aus. Aber auch jetzt davon
abstrahirt; so waren schon mehrere morgenländische
Patriarchen, blos durch Aussprüche der Päbste in ihren
Concilien, verdammt, entsetzt und aus der Gemeinschaft der Kirche ausgestoßen werden. Diese Urtheile
waren jeder Zeit so gerecht, und alle Canons und
Satzungen der Kirche waren dabei so sorgfältig beobachtet, daß auch die Griechen, ungeachtet ihres an-
fänglichen Widerstandes, dennoch am Ende stets die

Gerechtigkeit derselben anzuerkennen gezwungen waren. Nichts ist also begreiflicher, als daß es griechischer Eitelkeit unendlich schmeicheln mußte, jetzt, wo die Päbste Theodor, Martin, Agatho so eben wieder eine ganze Reihe der ersten griechischen Patriarchen verdammt hatten, nun auch einmal gegen den Pabst des alten Roms einen Bannstrahl schleudern zu können. Wo aber auch nur die leisesten Zuckungen des Neides, oder irgend einer Leidenschaftlichkeit sich regen, da geht, wie der heilige Gregorius sagt, die Weisheit verloren: sapientia perditur, ut quid, et quove ordine faciendum sit nesciatur (Gr. l. 5. Moral.) — Daß die päbstlichen Legaten nicht dagegen protestirten, oder wenn sie es thaten, bald wieder zum Schweigen sich gezwungen fühlten; dies erinnert unwillkührlich an die, in dem Schreiben der Bischöfe des römischen Conciliums, enthaltene Klage über Mangel an Wissenschaft und gründlicher Gelehrsamkeit, wegen drangvoller, gefährlicher und unruhiger Zeit. Man wende nicht ein, daß die sechste Synode ein von der Kirche allgemein anerkanntes, öcumenisches Concilium sey; dasselbe war auch das Concilium von Chalcedon, und dennoch gab es den berüchtigten, offenbar auf unlauterm Grunde ruhenden 28. Canon. Freilich ward dieser von Leo dem Großen nicht genehmiget, im Gegentheil standhaft und mit dem größten Nachdruck verworfen; die Entscheidungen der sechsten Synode hingegen wurden, ihrem ganzen Inhalt nach, von Leo II. Agathos Nachfolger bestätiget. Aber, strenge genommen, ist auch diese päbstliche Bestätigung hier nicht von entscheidendem Gewicht; denn in und über Thatsachen können Päbste wie Concilien, und Concilien wie Päbste sich irren. Aber dies auch bei Seite gesetzt, so war Leo's II. Bestätigung der Verdammung des Honorius offenbar blos die Folge einer gezwungenen Wahl zwischen einem kleinern oder größern Uebel. Leo II. kannte den zänkischen, streitsüchtigen Charakter der Griechen; er wußte, wie sehr sie stets zu einem Schisma geneigt waren, und wie leicht und gerne sie gleichsam von dem nächsten, besten Baum auch den schwächsten Zweig abrissen, um sol-

chen als ein Panier des Aufruhrs gegen den römischen Stuhl zu erheben.   Um also ein größeres Uebel abzuwenden, um eine abermalige Spaltung, deren
Folgen, wie deren Dauer nie zu berechnen sind, zu
verhüten, bestätigte Leo die Verdammung des Honorius, jedoch durchaus nicht in dem Sinne des Conciliums, denn er sprach das Urtheil seinem erhabenen
Vorfahrer in dem obersten Hirtenamt, nicht als einem in dem monothelitischen Wahn verstrickten, und
davon angesteckten Häretiker, sondern blos als einem
Solchen, der durch seine allzugroße und daher nicht
tabellose Nachsicht, dem Monothelismus gestattet
hätte, immer tiefere Wurzeln zu schlagen, und
seine Zweige noch weiter zu verbreiten, - - - - cum
Honoria, qui flammam haeretici dogmatis non,
ut decuit Apostolicam authoritatem, incipientem
extinxit, sed negligendo co███rit etc. sind
Leos II. Worte in seinem Briefe an die spanischen
Bischöfe, als er ihnen die, von ihm bestätigten Beschlüsse und Entscheidungen der sechsten Synode sandte *).
Wahrscheinlich mochte Leo II. auch von der Verdammung eines Todten, der seinen, nie sich trügenden
Richter schon gefunden hat, gerade so gedacht haben,
wie auch einst Pabst Vigilius davon dachte.   Unser
Aller Lehrer und Richter ist nur Einer, und dieser
Eine ist Jesus Christus, und dessen auf Erde
sichtbarer Statthalter und höchster Ausspender aller
seiner Gnadenschätze ist der, in der ewigen Roma
thronende Pabst, das bedeutungsvolle Nachbild des
wunderbaren, in heiliges Dunkel gehüllten Priester-
königs Melchisedech, der wahrhaft heilige Vater, der
Patriarch aller Patriarchen, und oberste Seelenbischof
der gesammten, über den ganzen Erdkreis verbreiteten
katholischen Christenheit. — — That Pabst Honorius

---

*) An den angelsächsischen König Ervigius schrieb
   Leo bei dieser Gelegenheit: — — — Honorius,
   qui immaculatam Apostolicae traditionis regu-
   lam, quam a praedecessoribus accepit, macu-
   lari permisit.

auch einen Mißgriff; so war dies die Folge einer,
gerade bei den schönsten und liebevollsten Charakteren,
nur gar zu leicht in Schwachheit übergehenden, allzugroßen Milde; hätte er, als der Monothelismus
sich schon vollkommen entwickelt hatte, die Ekthesis
und der Typus erschienen waren, und die verderbliche
Tendenz der Irrlehrer klar am Tage lag, also ungefähr zu den Zeiten des Agatho gelebt; so würde er
ganz gewiß auch die Sprache des heiligen Martins,
wie des Pabstes Agatho geführt, und seine natürliche
Milde der nun nothwendigen apostolischen Strenge
haben weichen müssen. Es ist wahr, der Pabst war
von dem heiligen Sophronius gewarnt worden; aber
getäuscht durch des Sergius großen Ruf der Frömmigkeit, und Andere nach sich beurtheilend, faßte er
den geschraubten und künstlich gedrehten Brief desselben
ganz in katholischem Sinne auf, beantwortete ihn auch
in demselben Sinne, und die ganze Frage, weil irrege-
leitet durch die heuchlerische Tücke des Sergius, blos
als einen grammatikalischen Wortstreit betrachtend,
glaubte er, des Sophronius allzugroßen Eifer zügeln zu
müssen, und legte beiden ein, jedem fernern Gezänke
ausweichendes Stillschweigen auf *); aber zu gleicher
Zeit stellte er in seinen beiden Briefen an Sergius den

---

*) Auch dieses Auflegen heilsamen Stillschweigens ha-
ben schon vor dem Honorius andere Päbste und
heilige Bischöfe für gut gefunden; und so gebot,
unter mehrern Andern, selbst der heilige Athanasius, über eine, in Beziehung auf das hohe, ewig
anbetungswürdige Altarssacrament, dieses heilige
Grundmysterium unsers Glaubens und unbegreiflicher, sich so tief zu uns herablassender göttlicher
Liebe und Erbarmung, erhobene müßige Frage in
Zukunft gänzlich zu schweigen. Wäre Honorius
Gebot von Sergius, Cyrus und den übrigen monothelitischen Häuptern befolgt worden; so würde
wahrscheinlich der anfänglich nur schwach zündende
Funke einer neuen Häresie aus Mangel an äußerer
Luft, von selbst wieder erstickt seyn.

wahren Glauben fest, und lehrte, »daß zwei Naturen in Jesu Christo mit gegenseitiger Theilnahme wirken, nämlich die göttliche Natur das Göttliche, und die menschliche das, was des Fleisches ist; und daß man also zwei innigst vereinte, aber unvermischte Naturen in Christo bekennen müsse, deren jede das ihr Eigenthümliche wirke.« Kann wohl die Lehre von zwei Willen deutlicher und klarer ausgesprochen werden, als hier geschieht? Nur daß Honorius sich nicht des, damals auch noch nicht allgemein üblichen Ausdruckes zweier Willen bedient, jedoch ganz das Nämliche blos allein unter andern Worten lehrt. Des Pabstes Honorius einziger, und gewiß sehr verzeihlicher Fehler war, daß er, im Vertrauen auf seine eigene tiefe Kenntniß in der Wissenschaft des Heils und göttlicher Erbarmungen, über die, von Sergius und Sophronius an ihn gelangten Berichte, gleichsam als Privattheolog, und nicht in einem Concilium, oder mit Zuziehung einiger Priester seiner Kirche entschied. Es widerfuhr ihm nun, was auch dem, von Gott seinem Volke zum Richter gesetzten Josua geschah, der von den Gabonitten betrogen ward, weil er vorher nicht Gott darum befragt hatte. Hätte Honorius zwei oder drei Bischöfe oder eben so viele Priester seiner Kirche, im Namen Jesu versammelt, so würde Jesus Christus mitten unter ihnen gewesen seyn, und des göttlichen Stifters unserer Kirche sichtbarer Statthalter, dem Er seine Lämmer und seine Schafe zu weiden übertragen hatte, wäre nicht von dem tückischen, arglistigen, und verschmitzten constantinopolitanischen Oberpfaffen betrogen worden. — — In Glaubenssachen haben die Beschlüsse und Entscheidungen eines wahren allgemeinen Conciliums für alle Kirchen bindende Kraft; sich ihnen blindlings zu unterwerfen, ist jedes Katholiken heiligste Pflicht; aber über Thatsachen theilen auch sie das gemeinschaftliche Erbe der Menschheit — den Irrthum, errare humanum est; und so hat auch die sechste Synode in der Verdammung eines Pabstes, wir wiederholen es, sich gröblich geirret; auch erheben sich gegen sein, über Honorius gefälltes Urtheil die mächtigsten, untrüglichsten und unverwerflichsten Zeugnisse. Es erhebt sich dagegen das, auf den ausdrücklichen Verheißungen

30 *

Jesu Christi beruhende Dogma von der Infallibilität der Päbste in Glaubenssachen. Ego rogavi pro te, Petre, ut non deficiat fides tua; daß aber unsers göttlichen Erlösers allmächtiges Gebet nicht nur den damaligen Apostelfürsten, sondern auch dessen Nachfolger umfaßte: wer kann daran zweifeln; wer hätte je noch daran gezweifelt? Es erheben sich ferner noch dagegen eine endlose Reihe großer Päbste, erleuchteter und gelehrter Bischöfe, Prälaten und Doktoren; und endlich ist es gerade eben dieses sechste Concilium, das, am lautesten gegen sich selbst zeugend, sein gegen Honorius gefälltes Urtheil auch selbst wieder vernichtet, und einstimmig dessen völlige Nullität verkündet. In dem Schreiben nämlich des Agatho an den Kaiser, hatte dieser Pabst die Reinheit und Mackellosigkeit des Glaubens aller seiner Vorfahrer auf dem apostolischen Stuhle, so wie deren treue und salbungsvolle Verwaltung des Kirchenregiments so deutlich und kräftig ausgesprochen, daß der Sinn seiner Worte gar nicht mißverstanden werden kann. »Consideret vestra tranquilla Clementia« sagt Pabst Agatho an einer Stelle in diesem Schreiben an den Kaiser, »quoniam Dominus, qui fidem Petri non defecturam promisit, confirmare eum fratres suos admonuit, quod omnes Apostolicos Pontifices meae exiguitatis Praedecessores confidenter fecisse semper, cunctis est cognitum.« — — An einem andern Ort in dem nämlichen Briefe sagt Agatho: »Nec post inoliti erroris diuturnitatem (praedecessores mei) a commonitione siluerunt, sed semper hortati sunt, ac contestati, exhortantes eos (vid. Monothelitas) in orthodoxae fidei unanimitate remeantes amplecti, et indesinenter ab Apostolicis meae humilitatis praedecessoribus exhortati, atque commoniti, usque hactenus distulerunt. « — — Ferner: Haec Apostolica Christi ecclesia per Dei omnipotentis gratiam a tramite apostolicae Traditionis nunquam errasse probabitur, nec Haereticis novitatibus depravata succubuit. — — Endlich: Ecclesia Romana, gratia ac praesidio Beati Petri ab omni errore illibata permanet. Dieser Brief des

Pabstes Agatho ward nun in der 8ten Sitzung von den versammelten Vätern mit einem solchen Enthusiasmus aufgenommen und anerkannt, daß das ganze Concilium, wie mit einer Stimme ausrief: Per Agathonem Petrus loquebatur! Das Concilium bezeugt selbst, daß es der heilige Geist sey, der den Inhalt dieses päbstlichen Breve diktirt habe: Tanquam ex Spiritu sancto dictatos per os sancti ac beatissimi Principis Apostolorum Petri, et digito ter beatissimi Papae Agathonis scriptos etc. Wie konnten nun die versammelten Väter gegen den Pabst Honorius, der doch auch unter jene Praedecessores gehört, welchen, nach dem eigenen Ausdruck des Conciliums, der heilige Geist selbst ein so herrliches Zeugniß ertheilt, noch ein Verdammungsurtheil fällen? Welcher Widerspruch, welcher Unsinn! wohl wahr, was der heilige Gregorius sagt, daß, wenn die Weisheit verloren geht, wenn sapientia perditur, quid et quove ordine faciendum sit, nesciatur. — Die Verdammung des Honorius wirft einen Trauerflor über alle Verhandlungen der sechsten Synode *), und bleibt ein ewiger, nicht ▓▓▓ vertilgender Flecken in der Geschichte der griechisch▓▓Kirche. — Die allgemeine Kirche ist der mystische Leib Jesu Christi: aber nur da, wo alle Glieder unter ihrem Haupte vereint sind, erblicken wir einen Körper, und derselbe ist ein bloser Rumpf; so bald das Haupt ihm fehlt. Nicht die Glieder sind es, die das Haupt leiten; sondern es ist das Haupt, das alle Glieder lenkt, leitet, und den nöthigen Impuls ihnen ertheilt. Nichts ist daher ungereimter, unbegreiflicher, und empörender, als die, obschon in ungleich spätern Zeiten, gewagte schnöde Behauptung: concilium supra Pa-

---

*) Versteht sich mit Ausnahme der darin gegebenen Glaubensdefinition, welche im Ganzen nur eine Wiederholung war, der in den frühern allgemeinen Concilien entworfenen Glaubensbekenntnisse, jedoch mit besonderer Anwendung auf die neu entstandene Irrlehre des Monothelismus.

pam. Ein Concilium ohne den Pabst ist ein Unding, und gegen den Pabst gerichtet, ist es eine wahre Gottlosigkeit*). — Aber mit welcher wahrhaft väterlich-zärtlichen Sorgfalt waltete nicht auch von jeher der Allmacht schützende Hand über den Nachfolgern des großen Apostelfürsten! Welche glänzende Reihe großer, heiliger und erleuchteter Päbste schreitet nicht aus allen Jahrhunderten vor unserm staunenden Blick vorüber? Wer fühlt nicht das Wehen eines höhern Geistes, der ununterbrochen über dem Stuhl des heiligen Petrus schwebt, und mit den Schwingen seiner Erbarmungen ihn deckt? Welche hohe, christliche, der Welt unbekannte Weisheit, herrschte nicht zu allen Zeiten in den Rathschlüssen des römischen Hofes; welche alles überschauende, oft selbst den Schleier der Zukunft durchdringende, und doch stets mit Taubeneinfalt gepaarte Klugheit nicht in allen seinen Verhandlungen; welche Festigkeit in seinen, auch unter dem Wechsel der Jahrhunderte sich stets gleich bleibenden Grundsätzen; und endlich welche Stabilität in seiner, selbst in Stürmen und in schwankenden Zeiten, sich den nie verläugnenden, wahrhaft heiligen Politik **) während die sogenannte Weltpolitik, gleich dem Rohr von jedem Winde bewegt, täglich eine andere Gestalt gewinnt, und ihre eigenen Werke wieder zerstört? Wohl gab es unter der eben so zahl. als glorreichen Schaar großer Päbste auch Einige, die eine traurige Ausnahme machten; aber sehen wir nicht selbst in dem heiligen Kreise der zwölf Apostel Einen, der blos berufen, aber nicht auserwählt war? Zudem sind jener Ausnahmen

---

*) Auch die Beschlüsse der Provinzial-Concilien, wenn dieselben nicht bloße Erneuerungen längst schon bestehender Canons sind, oder sich auf jene Disciplinarangelegenheiten beziehen, die ohnehin in dem Bereiche jedes Bischofes liegen, bedürfen, um ihre Vollgültigkeit zu erhalten, der päbstlichen Bestätigung.

**) Zu allem diesem wird in der Folge die Geschichte alle nur erforderlichen Belege liefern.

nur höchst wenige; und selbst die Mackel, mit welchen diese Wenigen die Heiligkeit ihres Charakters besudelten, sind größtentheils von der Art, daß sie in einem weltlichen, selbst der bessern und edlern, Regenten blos wenig bemerkbare, leicht verfliegende Staubflecken seyn würden, und nur durch den Contrast, den sie mit der geheiligten, über alles Irdische erhabenen päbstlichen Würde bilden, in einem so grellen, zurückstoßenden Lichte uns erscheinen. Wir selbst, wenigstens diejenigen, deren Blick bis nahe an ihre Kindheit schon mehr als ein halbes Jahrhundert überschaut: welche große und heilige Päbste schmückten nicht unter unsern Augen nach einander den römischen Stuhl? Pius VI., Pius VII., Leo XII., Pius VIII. und Gregor XVI. von dessen hohen Tugenden, obgleich erst unlängst auf den päbstlichen Thron erhoben, dennoch schon allen Völkern der Christenheit verkündet wird. Wie belehrend, tröstend, stärkend und erbauend war nicht das Beispiel dieser heiligen Päbste in jenen verhängnißvollen Zeiten, die wir schon erlebt haben, besonders in jener traurigen Epoche, wo alle Blicke der Katholiken trauernd und klagend nach dem verwaißten Rom, und dem, mit Räubern überfüllten Erbe des heiligen Petrus gerichtet waren; und wie belehrend, stärkend und erhebend wird es für uns nicht auch ferner noch seyn in den wahrscheinlich weit verhängnißvollern Zeiten, die wir ebenfalls, vielleicht eher als wir glauben, noch erleben werden? Welche große, starke und dabei doch so liebenswürdige Charaktere; welche unerschütterliche Standhaftigkeit unter den heftigsten, wildesten Stürmen; welche erhabene Ruhe mitten unter den drohendsten Gefahren; welches fromme, gottgefällige stille Dulden und Leiden; welcher lebendige Glaube, und daher welche stete Heiterkeit der Seele bei allen und den größten Drangsalen, und endlich welche kindliche, bedingungslose Hingebung in die Hände und Rathschlüsse der Vorsehung! Und so waren mit wenigen Ausnahmen unsere ehrwürdigen und heiligen Päbste zu jeder Zeit und in jedem Jahrhundert; ununterbrochen war die Hand des Herrn mit ihnen, und stets wirksam das Gebet des in den Kreuztod gehenden göttlichen Erlösers, daß des Petrus

17. Unter dem Pontificat des Agatho, nämlich in dem letzten Jahre desselben wüthete in Rom,
und in den mehrsten Städten Italiens eine furchtbare, ganze Familien hinwegraffende, die bevölker-
testen Städte beinahe in Einöden verwandelnde Pest.
Täglich starben so viele Menschen, daß man kaum
ihre Leichen begraben konnte. Wer fliehen konnte,
floh auf die Berge. Städte und Burgen standen
beinahe menschenleer, und in dem volkreichen Pavia
wuchs auf den öffentlichen Plätzen und in den sonst
besuchtesten Straßen das Gras hervor. Zufolge

Glaube nicht wanke. Um die Kirche des Sohnes
Gottes zu regieren, bedürfen also die Päbste nicht
durchaus nothwendig der Concilien; ihr natürlicher, von
Gott ihnen beigeordneter Staatsrath steht ihnen zur
Seite; es sind dies die, mit vollem Recht mit dem Purpur geschmückten Priester und Diaconen ihrer Kirche;
und was würde auch jetzt, besonders in unsern Zeiten,
wo beinahe sogar Provinzial-Concilien eine unmögliche
Erscheinung geworden sind, aus unserer Kirche werden,
wenn nicht die ganze Fülle apostolischer Kraft und Weihe
auf dem sichtbaren Statthalter Jesu ruhete? Man mache
nicht die ehemals schon erhobene, wahrhaft aberwitzige
Frage: welche Fürsorge nämlich zu treffen sey, wenn
selbst ein Pabst eine Irrlehre verbreiten würde. Dies
ist gerade so, als wenn man fragen wollte, was zu
thun sey, wenn der Himmel einfiel. So wenig der Himmel einfallen wird, so wenig und noch weniger kann ein Pabst ein Irrlehrer werden. In dem
Laufe von beinahe zweitausend Jahren ist noch keiner
es gewesen; und jetzt, wo allen Zeichen der Zeit nach,
höchst wahrscheinlich die heilige Reihenfolge der Päbste
sich bald schließen, und Christus selbst kommen wird,
den Erdkreis zu richten, und das Regiment zu übernehmen, werden ganz gewiß auch in dieser, vielleicht
nur Spannen langen Zeitfrist keine andere, als an den
Brüsten heiliger Lehre gesäugte und an ihr erstarkte
Päbste der Kirche des lebendigen Gottes vorstehen.

einer, wie wenigstens erzählt wird, besondern Offenbarung von Oben, errichtete man in der Peterskirche ad vincula (in den Banden) genannt, dem heiligen Märtyrer Sebastianus zur Ehre einen Altar, worauf die schreckliche Seuche alsogleich aufhörte. Diese, durch die Fürbitte des heiligen Märtyrers den Städten Italiens von Gott erzeigte Wohlthat ward bald in der ganzen Christenheit ruchbar; und so entstand nun der fromme Gebrauch, in Zeiten der Pest, oder anderer mörderischer und ansteckender Krankheiten, diesem Heiligen Kirchen zu weihen, oder Altäre zu errichten, und ihn als einen, durch seine Fürbitte bei Gott, gegen solche schreckliche Landplagen ganz besonders schützenden Patron zu verehren. Wirklich findet man auch in den meisten größern Städten, wo es mehrere Kirchen gibt, stets entweder eine, nach diesem Heiligen genannte Kirche, oder einen Ihm zu Ehren errichteten Altar.

XXIX.

1. Auf den, durch Agatho's Tod erledigten römischen Stuhl ward Leo II. ein geborner Sicilianer, erhoben, jedoch, weil die kaiserliche Bestätigung ziemlich lange ausblieb, erst im Monate Oktober consecrirt. Er bestätigte das sechste Concilium nach dessen ganzem Inhalte, und verdammte daher ebenfalls diejenigen, welche diese Synode verdammt hatte. Zu Gunsten der Kirche von Ravenna gab Leo eine Constitution, welcher zufolge den Ravennaten die, von jedem neuen Erzbischofe für das Pallium an die römische Kirche zu zahlende Gebühr auf immer erlassen ward; verbot aber zugleich

die jährliche Gedächtnißfeier des Erzbischofes M a u r u s , so wie alle öffentlichen Gebete für die Seele des Verstorbenen, weil derselbe in dem Schisma und seinem Ungehorsam gegen die römische Kirche selbst noch auf dem Sterbebette beharret war.

2. Leo II. saß nicht lange auf dem Stuhle des heiligen Petrus, und starb, nach einer kurzen Regierung von 1 Jahr und 9 Monaten, am Ende Junius des Jahres 684. Dieser Pabst war eben so fromm als gelehrt, der heiligen Schriften sehr kundig, der lateinischen wie der griechischen Sprache gleich mächtig, dabei auch mit der Gabe der Beredtsamkeit geschmückt, und besaß noch überdieß ein ganz ausgezeichnetes Talent für die Musik, wovon eine von ihm selbst componirte Psalmodie, so wie auch die von ihm gemachte Verbesserung des Hymnengesanges, die besten Beweise sind. In einer Ordination weihete er neun Priester, drei Diakone, und drei und zwanzig Bischöfe. Den Macarius, ehemaligen Patriarchen von Antiochien und die übrigen Häretiker, welche das Concilium ihrer geistlichen Würden entsetzt und der Kaiser nach Rom verbannt hatte *), vertheilte Leo in verschiedene Klöster. Hartnäckig beharrten Alle bei ihrem ketzerischen Wahn,

***

*) Man wird es, und zwar mit Recht, sehr sonderbar finden, daß Verbrechern gerade die erste, angesehenste und berühmteste Stadt der ganzen Christenheit zum Ort ihrer Verbannung angewiesen ward; aber Macarius und die Uebrigen hatten es ausdrücklich verlangt, daß man ihr Schicksal dem Pabst, an welchen sie höchst wahrscheinlich appellirt hatten, anheim stellen möchte. Diese Bitte ward ihnen von dem gütigen Kaiser gewährt und Rom zum Verbannungsort angewiesen.

bis auf zwei, welche ihr Herz den Wirkungen der Gnade nicht verschlossen, ihren Irrthum erkannten, demselben entsagten, und ein rechtgläubiges Glaubensbekenntniß dem Pabste zu Füßen legten, worauf Leo ihnen die Absolution ertheilte, sie in seine Kirchengemeinschaft aufnahm, und die heilige Eucharistie mit eigenen Händen ihnen reichte.

3. Anastasius rühmt ungemein die großen Tugenden dieses Pabstes, besonders dessen Demuth und grenzenlose Freigebigkeit gegen die Armen. Die Kirche hat Leo II. den Heiligen beigezählt, feiert aber dessen Andenken nicht mehr an dem Sterbetag desselben, sondern seit ungefähr zwei hundert Jahren an dem 28. Junius, an welchem Tage ehemals das Fest des heiligen Pabstes Leo des Großen gefeiert ward; als aber die Kirche dieses Fest auf den eilften April verlegt hatte; setzte sie die Gedächtnißfeier Leo II. auf den Tag, an welchem vorher das Fest Leo's des Großen begangen ward, nämlich auf den 28. Junius, um gleichsam diesen Tag durch das Andenken an einen andern, ebenfalls heiligen, und durch seine Gelehrsamkeit ausgezeichneten Leo zu heiligen.

4. Dem Leo II. folgte auf dem apostolischen Stuhle Benedikt II., ein geborner Römer. Schon als ein noch sehr zarter Knabe, war er dem Dienste der Kirche geweihet worden, hatte mit großer Auszeichnung mehrere kirchliche Würden begleitet, und stand in dem Rufe der Heiligkeit, bevor er noch den päbstlichen Stuhl bestieg, von welchem jedoch schon nach 8 Monaten und etlichen Tagen Gott ihn wieder abrief, um ihm jenseits eine noch herrlichere, als selbst die päbstliche, Krone zu reichen. Der allgemein anerkannten Heiligkeit dieses Pabstes ertheilte

der fromme Kaiser Constantin auch dadurch ein öffentliches und schönes Zeugniß, daß er ihm nicht nur die Haarlocken seiner Söhne Justinian und Heraklius sandte, wodurch dieser heilige Pabst der Adoptiv=Vater der beiden Prinzen ward; sondern auch an die Geistlichkeit, den Senat, das Volk und das siegreiche Heer in Rom ein Edict erließ, durch welches die schändliche, nun schon, seit zweihundert Jahren, von der Kirche bejammerte und beweinte Knechtschaft, welcher zu Folge ein neu erwählter Pabst erst, nach angelangter kaiserlichen Wahlbestätigung, consecrirt werden durfte, auf immer aufgehoben ward *). Kurz vor seinem Tode erfuhr Benedict, daß Theophanes, Nachfolger des Macarius auf dem Stuhle von Antiochien gestorben sey. Der liebvolle heilige Vater wünschte den Macarius in seiner vorigen Würde wieder herstellen zu können, ermahnte ihn daher, von seinem Irrthum abzulassen, und in den Schoos der allgemeinen Kirche zurückzukehren, gab ihm 30 Tage Bedenkzeit und sandte täglich einen Priester seiner Kirche Namens Bonifacius zu ihm, um durch fromme und gelehrte Gespräche dem Verirrten seinen Wahn zu benehmen. Aber alle Bemühungen des heiligen Pabstes waren fruchtlos, und verstockt beharrte Macarius bei seiner Irrlehre. Während seiner kurzen Regierung weihete Benedict II. zwölf Bischöfe, ließ die nach dem heiligen Apostel Petrus genannte Kirche, wie

---

*) Hic (Benedictus II.) suscepit divales jussionem clementissimi Constantini magni principis ad venerabilem Clerum et populum atque celsissimum exercitum Romanae civitatis, per quas concessit, ut persona, qui electus fuerit ad sedem Apostolicam, e vestigio absque tarditate Pontifex ordinetur. — (Anast. in vit. Bened. II.)

auch jene des heiligen Laurentius in Lucina mit
Marmor und Porphyr ausschmücken, zwei andere
Kirchen auf dem flaminischen Wege ausbessern und
vollkommen wieder herstellen, und hinterließ der
Geistlichkeit und den Klöstern in der Stadt Rom
ein Vermächtniß von dreißig Pfund Gold. Das
Fest dieses heiligen Pabstes feiert die Kirche am 8.
Mai, als dem Tage seiner Begräbniß in der St.
Peterskirche.

5. Nach des heiligen Benedict Tod ward Johannes V. ein geborner Syrer, aus der Gegend
von Antiochien auf den päbstlichen Stuhl erhoben.
Er war ein Mann von großer und tiefer Einsicht,
ausgebreiteter Gelehrsamkeit und hervorleuchtender
Frömmigkeit. Von der Weisheit dieses Pabstes
glaubte die Kirche sich zu großen Erwartungen berechtiget, die aber Johannes äußerst schwankender
Gesundheitszustand leider wieder vereitelte; ununterbrochen krank, konnte er kaum und nur mit großer
Beschwerniß die nöthigen bischöflichen Weihen vornehmen, und starb nach einer kurzen Regierung von
einem Jahre und zwei Monaten schon wieder am
2. August des folgenden Jahres 687.

6. Während des Pontificates Johannes V.
nahm Kaiser Justinian II. das, von seinem frommen Vater Constantin zu Gunsten der römischen
Kirche erlassene Edict, Kraft dessen ein neu gewähl-
ter Pabst sich nach seiner Wahl sogleich durfte con-
secriren lassen, wieder zurück, ermächtigte aber, um
allzu großen Zeitverlust zu verhüten, seinen Exarchen in Italien, der jedesmaligen Pabstwahl die
kaiserliche Bestätigung zu ertheilen. Das Uebel war
jetzt noch ärger, als vorher; denn die, größtentheils
raubsüchtigen Exarchen benutzten nun diese Ermäch-

tigung, um sich einen nur noch unerlaubtern und störendern Einfluß auf die Pabstwahlen zu erlauben. Um jedoch von einer andern Seite sich den Schein einiger Ehrerbietung gegen die römische Kirche zu geben, befreite Justinian sie von der, von den Exarchen ihr ungerechter Weise auferlegten Lieferung an Getreide, welche sie von ihren, in Sicilien und Kalabrien gelegenen Gütern bisher jährlich zu leisten hatte.

7. In dem nämlichen Jahre starb auch Theodor, Patriarch von Constantinopel, und hatte zu seinem Nachfolger, was schon lange nicht mehr geschehen war, einen schlichten Laien, der Paulus hieß, bisher einer der Secretäre des Kaisers gewesen war und, auf den Patriarchenstuhl erhoben, sechs Jahre und einige Monate der Kirche von Constantinopel vorstand.

8. Eine, über der neuen Pabstwahl ausgebrochene Spaltung zwischen der Geistlichkeit und dem Heere, war Ursache, daß nach Johannes V. Tod der Stuhl des h. Petrus 2 Monate und 18 Tage unbesetzt blieb. Der Erzpriester Petrus hatte die Stimmen des Clerus, ein gewisser Theodor jene des Heeres. Als die Geistlichkeit sich nach der Kirche in dem Lateran, als dem gewöhnlichen Wahlort begeben wollte, fand sie die Kirchenthüren von Wachen besetzt, die ihr den Eingang versperrten. Die Officiere und Deputirten des Heeres waren in der Sebastianuskirche versammelt. Zwischen beiden Theilen gingen nun Boten hin und her, um wo möglich eine Uebereinkunft zu treffen. Als man sich gegenseitig nicht verstehen konnte oder wollte, beschloß die Geistlichkeit, keinem von Beiden ihre Stimmen zu geben, ging in den lateranischen Palast, und

wählte einstimmig den Priester Conon zum Pabste. Er war aus einem thracischen Geschlecht entsprossen, aber in Sicilien geboren und erzogen worden. In Jahren war er schon ziemlich weit vorgerückt; aber er hatte ein ungemein einnehmendes Aeußere, und seine freundlichen Gesichtszüge, in welchen Sanftmuth und Wohlwollen sich spiegelten, in Verbindung mit seinen, Ehrfurcht einflößenden, weißgrauen Haaren, hatten ihm längst schon die Herzen der Römer gewonnen. Der Senat und das Volk sandten daher, sobald sie Conons Wahl erfuhren, sogleich Deputirten nach dem Lateran, um ihn als Pabst zu begrüßen. Als das Heer sah, daß der Adel und das Volk das Wahldecret unterzeichnet hatten, gab es endlich nach, unterzeichnete ebenfalls, und erkannte Conon als rechtmäßig gewählten Pabst. (686.)

9. Leider fiel Conon gleich nach seiner Erhebung in eine Krankheit; genas zwar wieder, ward aber nie mehr völlig gesund, befand sich stets in einem leidenden Zustande, und starb schon im folgenden Jahre 687 am 13. Oktober, nachdem er nicht einmal ein ganz volles Jahr der Kirche des Sohnes Gottes vorgestanden hatte.

10. Unter Conons Pontificat kam auch der heilige Kilian mit seinen zwei Gefährten nach Rom. Er war ein Benedictiner-Mönch aus Irland, und einem der ältesten, adeligen Geschlechter des Landes entsprossen. Glühender Eifer für der Menschen Heil trieb ihn aus dem Kloster und seinem Vaterlande. Zu den Heiden wollte er die Leuchte des Evangeliums tragen. In Begleitung zweier, ihm ganz ergebenen Brüder aus dem Kloster, nämlich des Priesters Coloman und des Diacons Tot

man, überschiffte er das Meer, und begab sich in die, noch ziemlich mit Heiden überfüllten Grenzprovinzen Austrasiens. Als er nach Würzburg kam, bewogen ihn die anmuthige Gegend und die natürliche Gutartigkeit ihrer Bewohner, hier zu bleiben, und dem, nach dem Gößendienste der Diana ergebenen, und in Unwissenheit versunkenen Volke die Wahrheiten des Evangeliums zu predigen. Bevor er aber sein apostolisches Amt antreten wollte, beschloß er, mit seinen Gefährten nach Rom zu gehen, die Gräber der beiden heiligen Apostel zu besuchen, und dann von dem heiligen Vater dessen Segen, und die zu seinem künftigen Missionsgeschäft nöthige Vollmacht zu erbitten. Dieser Entschluß ward sogleich ausgeführt; und Kilian, Coloman und Totnan kamen glücklich in der Hauptstadt der Christenheit an. Der Pabst empfand eine himmlische Freude, als er die Absicht der drei Fremdlinge und den Zweck ihrer Reise nach Rom erfuhr; mit der Zärtlichkeit eines wahren Vaters empfing er den h. Kilian und seine beiden Begleiter, ertheilte ihnen seinen Segen, gab dem Erstern die erbetene Vollmacht, und consecrirte ihn sogar zum Bischof, damit er mit der vollen Kraft einer höhern Weihe sein, Gott so gefälliges Werk beginnen möge. Kilian und seine Gefährten kehrten nun wieder nach Würzburg zurück, und fingen sogleich an, und zwar unter überschwänklichem Segen, in der ganzen Gegend das Evangelium zu predigen. Besonders gerne hörte den Heiligen Gosbert, welcher als fränkischer Herzog dem Lande vorstand; er ließ ihn öfters rufen, sich gründlich von ihm unterrichten, und ward endlich, da die heiligen Ostern naheten, am ersten Tage des Festes in die Quelle des Heils getaucht; mit dem Herzoge zugleich empfiengen auch die mehrsten Herrn von seinem Hofe und eine

zahllose Menge Volkes die heilige Taufe. Mit je‐
dem Tage nahm Gosbert in Frömmigkeit und
christlicher Weisheit zu; aber leider war er mit
Geilana, seines verstorbenen Bruders Frau ver‐
mählt. Als der h. Kilian ihn hinreichend im Glau‐
ben gegründet und befestiget glaubte, sagte er zu
ihm: "Mein Sohn! noch fehlt dir Eines, um Gott
ganz wohlgefällig zu seyn; um Ihm mit vollem
und lauterm Herzen zu dienen, mußt Du Dich ent‐
schließen, Dich von Deiner Gemahlin zu trennen,
denn Deine Ehe ist gegen das göttliche Gesetz." ——
"Dies mein Vater," erwiederte Gosbert, "ist
das Schwerste, was Du noch von mir verlangt
hast; da ich aber aus Liebe zu Gott schon so vieles
verlassen habe; so will ich dennoch, so schwer es
mir fällt, und so sehr ich meine Gemahlin liebe,
meinem Gott auch dieses Opfer bringen." Kilian
war mit dieser Bereitwilligkeit des Herzoges, sich
ganz dem Willen Gottes zu ergeben, vollkommen
zufrieden; da aber Gosbert gerade im Begriffe
stand, einen Feldzug anzutreten; so verschob er die
Trennung von seiner Gemahlin bis zu seiner Rück‐
kehr in sein Land. Unglücklicher Weise theilte Gei‐
lana nicht die frommen Gefühle und Empfindungen
des Herzogs; der Gedanke an eine Trennung war
ihr unerträglich; sie fühlte sich unglücklich, und in
ihrer Verzweifelung faßte sie den Entschluß, den Ur‐
heber ihres Unglückes während der Abwesenheit ih‐
res Gemahls aus der Welt zu schaffen. Zwei, von
ihr gedungene Bösewichte übernahmen den Auftrag,
Kilian und seine beiden Gefährten zu ermorden.
Gegen Mitternacht machten sie sich auf den Weg,
ihr blutiges Werk zu verrichten. Kilian lag in sei‐
nem Bette, und befand sich in einem halb wachen‐
den, halb schlafenden Zustand, als plötzlich eine,
von überirdischer Majestät und himmlischem Glanze

umflossene Erscheinung vor ihm stand, und ihm
zurief: "Kilian, dein Tagwerk ist vollendet; nahe
bist du dem letzten Kampfe; aber auch in diesem
wirst du Sieger seyn." — Der Heilige wußte die
Erscheinung zu deuten; stand auf, weckte seine Gefährten; die Lampen wurden angezündet, und man
begab sich sogleich zum Gebete in die Kapelle. Bald
darauf traten die Mörder ein. Kilian, Coloman
und Totnan wurden ermordet; ihre Leichen, sammt
ihren priesterlichen Gewandten, dem Altarschmucke
und den heiligen Büchern, die sie mitgebracht hatten, noch in derselben Nacht begraben, und damit
keine Spur der graunvollen Mordthat möchte entdeckt werden, ließ Geilana über dem Ort, wo die
Heiligen begraben lagen, einen Pferdestall bauen. —
Als endlich der Herzog zurück kam, den Kilian und
dessen Gefährten nicht sah, und nach ihnen forschte,
sagte ihm Geilana, daß sie abgereißt wären, um
auch in andern entfernteren Gegenden ihr Prediger-
amt fortzusetzen. Aber bald enthüllte jetzt Gott
selbst das schauerliche Werk der Finsterniß. Einer
der Mörder verlor den Verstand, lief rasend überall
umher und rief laut aus, daß der von dem Blute
des, von ihm ermordeten Kilians gefärbte Dolch
über seinem Kopf schwebe. In seiner Raserei stieß
er sich das Schwert durch den Leib, nannte aber,
bevor er seinen unglücklichen Geist aushauchte, noch
den Gehülfen bei seiner Mordthat. Auf Gosberts
Befehl ward dieser nun ergriffen, und gebunden
vor ihn gebracht. Der Herzog hatte alle Christen an
seinem Hoflager um sich versammelt; sie sollten bestimmen, welche Strafe der Mörder verdiene. Aber
von Geilana gewonnen, erhob sich einer der Anwesenden und sagte: "Herr! denkt an Euch selbst,
und auch an uns, die wir alle die Taufe erhalten
haben; wollt Ihr meinem Rathe folgen; so lasset

diesen Unglücklichen sogleich seiner Bande entledigen und gebt ihn frei; denn ist der Gott, den jene Fremdlinge uns predigten, wirklich so mächtig, als sie sagten; so wird er selbst die Bestrafung des Mörders übernehmen; wo nicht, so ist es rathsamer, unsere große Göttin Diana wieder, nach dem Brauch unserer Väter, zu verehren.« — Der von Liebe zu Geilana verblendete, unglückliche Herzog nahm diesen Vorschlag an. Der Mörder erhielt seine Freiheit; ward aber auf der Stelle rasend, zerfleischte sich mit seinen eigenen Zähnen, und starb noch an demselben Tage in der Raserei. Einige Tage darauf fiel auch Geilana in Wahnsinn, und die Unglückliche entleibte ebenfalls sich selbst. Die Hand des rächenden Engels ergriff das ganze herzogliche Haus. Gosbert wurde bald darauf von einigen seiner eigenen Leute, die sich gegen ihn verschworen hatten, ermordet, sein Sohn Heran, der Nachfolge in der Herzogswürde verlustig erklärt und aus dem Lande gejagt, kurz, die ganze Familie von der Erde vertilgt. — Des heiligen Kilians Gebeine, durch besondere Offenbarung entdeckt, wurden in dem folgenden Jahrhundert von dem Bischofe Burkard in der Domkirche zu Würzburg beigesetzt. Mit Recht ehret die Stadt diesen Heiligen als ihren Schutzpatron, und mit doppeltem Rechte kann man ihn auch als den ersten Bischof von Würzburg betrachten; denn da der Pabst ihn zum Bischofe weihete; so verstand es sich von selbst, daß er auch Bischof der Kirche, die er gründen würde, seyn sollte. Eigentlich ward zwar das Bisthum Würzburg ungefähr erst 50 Jahre nachher errichtet; aber der heilige Kilian hatte doch zuerst den Samen des Glaubens und heiliger Lehre in Würzburg gesäet, und mit seinem Blute den Boden, worin er gesäet hatte, befruchtet. Aber nichts ist fruchtbarer, als

31 *

der Tod heiliger Blutzeugen, und des heiligen Kilians Märtyrertod erleichterte, beförderte und beschleunigte gewiß nicht wenig die nachher wirklich
erfolgte Errichtung des Bisthums.

XXX.

1. Der erhöhete, und daher nur noch verderblichere Einfluß der Exarchen auf die Pabstwahlen zeigte sich schon nach Conons Tod. Gewöhnlich
ward bei einer Pabstwahl folgende Ordnung damals beobachtet. Der Senat, das Volk und das
Heer hatten zwar Antheil an der Pabstwahl; aber
demungeachtet war der Einfluß der Geistlichkeit dabei
leitend und vorherrschend. Sie versammelte sich in
einer Kirche, gewöhnlich in der Kirche im Lateran,
begannen da ihre Berathungen, und wählten endlich
den, welchen sie für den Würdigsten hielten. Die
Wahl ward unverzüglich dem Senat und dem Heere
bekannt gemacht, und nun eilten jene, so wie die
vornehmsten Einwohner Roms herbei, um den neuen
Pabst, den man auf den erhöheten päbstlichen Stuhl
setzte, zu begrüßen, ihm die Füße zu küssen, und
durch diesen Fußkuß ihre Zustimmung zu seiner Wahl
zu bekräftigen *). Das Wahldecret ward nun auf-
gesetzt, von der Geistlichkeit, dem Senate und dem
Heere unterzeichnet, und dann an den Kaiser und
den Exarchen gesandt. Indessen geschah es jedoch

---

*) Hieraus ergibt sich das Alterthum der ehrwürdigen
und schönen Ceremonie des Fußkusses. Indessen müssen wir jedoch bemerken, daß sie anfänglich blos bei
einem neu erwählten Pabst, als Zeichen der Huldigung, üblich war.

bisweilen, daß ehrsüchtige Priester, schon vor der
Wahl, sich einen Anhang unter dem Volke oder
dem Heere zu machen suchten; gelang ihnen dieses;
dann erlaubten sich gewöhnlich auch der Senat oder
das Heer einen Vorgriff in das Wahlgeschäft, und
bezeichneten der Geistlichkeit den Candidaten, den sie
auf den päbstlichen Thron erhoben zu sehen wünschten. Stimmte nun der Clerus damit überein; so
ging alles friedlich von Statten; war dieser aber
entschlossen, einem Andern seine Stimme zu geben;
so entstand ein, bisher doch größtentheils bald wieder vorübergehendes Wahlschisma, woran natürlicher
Weise das Volk stets Antheil nahm, und nicht selten blutige Händel erregte.

2. Ein ähnlicher Fall ereignete sich nun auch
jetzt. Ein schwungsüchtiger Diacon, Namens Paschal, hatte durch mancherlei Intriguen, schon während der letzten Krankheit des Pabstes Conon, sich
eine Menge Anhänger in Rom zu verschaffen gewußt. Um seines Sieges desto sicherer zu seyn,
schrieb er auch an den Exarchen Johannes Pla-
tys, und versprach diesem die 100 Pfund Gold,
welche der verstorbene Pabst der Clerisei und
den Klöstern von Rom als ein Vermächtniß hinterlassen hatte. Der Exarch schlug sogleich ein; schickte
einstweilen einige seiner vertrauten Officiere nach
Rom, um das Heer zu Gunsten des Paschal zu
stimmen, und versprach, sobald als möglich, selbst
dahin zu kommen, um die Wahl zum Vortheil seines Schützlings zu leiten. Aber der Erzpriester
Theodor hatte ebenfalls viele Freunde unter dem
Volke. Sobald also der Pabst gestorben war, entstand sogleich eine Spaltung über der Wahl seines
Nachfolgers; die Einen wählten den Theodor, die
Andern den Paschal. Beide Partheien bemächtig-

ten sich unverzüglich des Laterans. Theodors Anhänger hielten den innern, jene des Paschals den
äußern Theil des Palastes besetzt. Da beide Partheien hartnäckig auf ihrer Wahl bestanden; so mußte
man jeden Augenblick blutiges Handgemeng befürchten. Um, wo möglich, dieses zu verhüten, und
die Stadt gegen Mord und Plünderung zu schützen,
welche der zügellose Pöbel bei solchen Gelegenheiten
sich gar gerne erlaubt, versammelten sich die Senatoren, viele der vornehmsten Einwohner der
Stadt, und aus dem Heere mehrere Officiere
von höherm Range, in dem kaiserlichen Palaste,
um sich über die Mittel zu berathen, fernern Unordnungen Einhalt zu thun. Das beste Auskunfts-
mittel, das man finden konnte, war einen Dritten
zu wählen, und zwar den Sergius, einen sehr würdigen, aber bisher noch wenig bekannten Priester in
der Stadt. Man ließ ihn sogleich rufen, zog ihn
aus einem Volkshaufen hervor, und führte ihn in
die, in dem kaiserlichen Palaste erbauete, und nach
dem heiligen Märtyrer Cäsarius genannte Kapelle,
wo er nun förmlich zum Pabst gewählt ward. Aus
der Kapelle ging der Zug, unter der Begleitung eines zahllosen, von allen Seiten herbeiströmenden
Volkes nach der Kirche in dem Lateran. Die Thüren waren gesperrt und von Innen barricadirt.
Aber die nun ungleich zahlreichere Begleitung des
Sergius sprengte die Thüren und erzwang den Eingang. Der Erzpriester Theodor gab sogleich nach,
ging in die Kirche, und bezeugte dem Sergius seine
Unterwerfung. Aber Paschal wollte Anfangs durchaus nicht weichen; ward jedoch bald dazu gezwungen, und kam nun ebenfalls in die Kirche, um mit
der gewöhnlichen Ceremonie des Fußkusses den neuen
Pabst zu begrüßen.

3.   Sergius war jetzt allgemein als Pabſt anerkannt.   Aber nun kam auch der Exarch Platyn
in Rom an.   Daß für den Paſchal jetzt nichts
mehr zu thun ſey, ſah der Exarch wohl ein; aber
bei allem dem wollte er doch auch nicht das ihm
verſprochene Geld verlieren; er forderte es alſo von
dem neuen Pabſte, und drohete, ihn nicht eher zu
beſtätigen, als bis man ihm die hundert Pfund
Gold ausgezahlt haben würde.   Alle Gegenvorſtel-
lungen waren fruchtlos.   Der Pabſt mußte die hundert Pfund dem Exarchen auszahlen laſſen; dieſer
beſtätigte nun die Wahl, ſteckte das Geld in die
Taſche und kehrte nach Ravenna zurück.   Um dem
Exarchen das Geld geben zu können, hatte Sergius
allerlei Kirchengeräthe, große ſilberne Leuchter, Lampen ꝛc. verſetzen müſſen.

4. Paſchal, der durch Simonie ſich zur päbſtlichen
Würde hatte hinaufſchwingen, und den Stuhl des heiligen Petrus beſudeln wollen, ward bald darauf loſer
Künſte der Zauberei angeklagt, und in ein Kloſter
eingeſperrt.   Hier lebte er noch 6 Jahre, gab aber
nie auch nur das mindeſte Zeichen der Reue über ſei-
nen vergangenen heilloſen Wandel, und ſtarb endlich
den unglücklichen Tod des unbußfertigen Sünders.

5.   Sergius, aus einer ſyriſchen Familie aus
Antiochien entſproſſen, war in Palermo geboren,
kam frühzeitig nach Rom, trat in den geiſtlichen Stand,
und erhielt, da er ſelbſt ein trefflicher Sänger war, den
Auftrag, junge Clериker in dem Kirchengeſang zu unterrichten.   Er erſtieg nach und nach alle Stufen der
Weihe, ward endlich vom Pabſte Leo II. zum Prieſter
des Titels der heiligen Susanna ad duas domos ordinirt, und ſtand als Pabſt, er ſelbſt ein Muſter der

Frömmigkeit, mit erleuchtetem Eifer dreizehn Jahre und 8 Monate der Kirche des Sohnes Gottes vor.

6. Das merkwürdigste Ereigniß während seines Pontificates ist unstreitig das, im Jahre 692*) zu Constantinopel gehaltene, sogenannte Concilium=Quinisextum. Die Veranlassung dazu war folgende: Auf den beiden letzten allgemeinen Concilien, nämlich dem 5 und 6. hatte man sich blos mit dem Dogma, und nicht, wie die frühern Concilien, auch mit Disciplinar=Angelegenheiten beschäftiget. Diesem Mangel wollte man nun abhelfen, und die Verhandlungen des neuen, ausschließlich mit Regulirung der Kirchendisciplin sich beschäftigenden Conciliums sollten, weil sie blos das, den beiden letzten Synoden noch Fehlende ergänzten, auch nur gleichsam ein Anhang oder Nachtrag zu denselben seyn; daher die Griechen dieses Concilium das fünft=sechste, (Concilium quinisextum) nannten. Mehr als 211, nach Balsamon und Zonaras Zeugniß, sogar 270 Bischöfe waren dabei zugegen; sie hielten ihre Sitzungen wieder in dem, seiner muschelförmigen Rundung wegen, Trullos genannten Saal des kaiserlichen Palastes, und ihr, wenigstens von ihnen kundgegebener Zweck war, einen allgemeinen der ganzen Kirche zur Richtschnur dienenden Disciplinarcodex zu entwerfen.

7. Ob reine, oder unlautere Absichten und geheime Zwecke der Zusammenberufung dieses Conciliums zum Grunde lagen? dies wollen wir einstweilen dahin gestellt seyn lassen. In der Einleitung zu den,

_____

*) Ueber das Jahr ist man nicht einig; das Concilium kann aber nur allenfalls ein paar Jahre früher, und höchstens ein Jahr später gehalten worden seyn.

von diesem Concilium gegebenen Canons, deren es
über 200, mithin mehr machte, als noch irgend ein
anderes Concilium gemacht hatte, sprechen die Bischöfe, wirklich von einem Verfalle, „wodurch das
„geheiligte Volk und das königliche Priesterthum, für
„welche Christus gestorben ist, durch innere Unord-
„nung und Verkehrtheit von der göttlichen Heerde ab-
„gerissen und zerstreut worden, und aus Unwissenheit
„und Leichtsinn von dem Wege der Tugend abgewi-
„chen sey rc.‟   Es ist sehr begreiflich und leuchtet von
selbst ein, daß bei den vielen Spaltungen und den daher immer zunehmenden Verwirrungen, welche eine
beinahe ununterbrochene Reihe von Häresien in den
orientalischen Kirchen herbeiführte, nothwendig auch
aller Eifer in der Geistlichkeit, wie in den Gemeinden völlig erkaltet, die Kirchenzucht in Verfall gerathen, und christliche Gesinnung und Gesittung
beinahe in allen Herzen erstorben seyn mußten.
Diesem Elende nun hülfreich zu begegnen, den wahren Geist des Christenthums wieder in allen Gemüthern zu erneuern, war demnach unstreitig sehr
heilsam und im höchsten Grade lobenswerth. Wenn
wir aber von der andern Seite sehen, daß Kally-
nikus, welcher dem Paulus auf dem Patriarchenstuhl von Constantinopel gefolgt war, als er das
Concilium, welches einen, für die ganze Kirche
geltenden Codex entwerfen sollte, zusammen berief, den Pabst auch nicht mit einer Sylbe davon
in Kenntniß setzt; bei einem so wichtigen Geschäfte
die dabei doch durchaus so nothwendige Mitwirkung
des Oberhaupts der Christenheit nicht nur nicht verlangt, sondern sogar ihr auszuweichen sucht, und
doch demungeachtet das Concilium sich in einem seiner
Canons den Namen eines öcumenischen beilegt, deswegen aber auch die päbstlichen Vicarien im Orient,
so wie die, zu den Sitzungen eingeladenen Apocry-

flarien, welche doch nichts, als blose Geschäftsträger der römischen Kirche waren, plötzlich in päbstliche Legaten verwandelt, um seine willkührlichen Entscheidungen, dem Scheine nach auf die höchste Autorität in der Kirche stützen zu können; kurz, wenn man alle diese krummen Wege betrachtet, auf welchen dieses Concilium gleich in seinem Beginn, einherschreitet; so wird man freilich in die Versuchung geführt zu glauben, daß wirklich geheime, sehr unlautere Absichten, mitunter vielleicht auch der, immer sichtbarer werdende Antagonismus der Griechen gegen den Pabst und die abendländische Kirche, schon der Zusammenberufung dieses Afterconciliums*) zum Grunde lagen. Wie diesem aber nun auch seyn mag, so ist doch nicht zu läugnen, daß dieses Concilium, indem es eine der wichtigsten und heiligsten apostolischen Disciplinen auf eine versteckte arglistige Weise aufhob und zerstörte, die Reinheit der Kirche, dieser auserlesenen Braut Jesu, auf das schändlichste zu beflecken sich erfrechte.

8. Da eine verkehrte Lehre nie leichtern Eingang findet, und daher auch desto gefährlicher wird, als wenn sie im Gefolge mehrerer Wahrheiten erscheint, und gleichsam hinter diesen sich verhüllt; so machte auch das Concilium manche Verordnungen, welche nicht das Mindeste enthalten, das den Traditionen der römischen Kirche, den Aussprüchen der Päbste, oder den guten Sitten zuwider ist, im Ge-

*) Gewöhnlich zählt man zwar das Quinisextum nicht zu den Afterconcilien; aber es ist doch nicht einzusehen, warum man ihm nicht ebenfalls diesen Ehrentitel beilegen sollte; besonders da es sich für ein öcumenisches ausgab, auch dessen Sprache führte, und es doch durchaus nicht war.

gentheil die letztern noch auf alle Weise befördert. Zuerst also erklärt sich das Concilium vollkommen orthodox über die Grundlehren des Glaubens, nimmt die sechs allgemeinen Concilien ehrerbietig an, und verdammt alle Irrlehren, welche auch diese verdammt hatten, von der Häresie des Arius bis auf jene der Monotheliten. Hierauf bestimmt das Concilium die ältern Canons, die zur Richtschnur dienen sollen, nämlich die 85 Canons der Apostel *); verwirft aber die von dem heiligen Clemens gesammelten apostolischen Constitutionen **). Auf die Canons

---

*) Der von der römischen Kirche angenommene Coder Dionysianus zählt ihrer nur fünfzig. Man kann nicht läugnen, daß diesen Canons ein unverkennbares Gepräg des grauesten, heiligen Alterthums aufgedruckt ist. Das in der ersten Hälfte des vierten Jahrhunderts versammelte Concilium von Nicäa, führt dieselben schon als alte Satzungen der Väter an. Indessen ist es nicht minder erwiesen, daß weder alle 50 apostolische Canons des Dionysius, und noch viel weniger die 85 der Griechen von den Aposteln herrühren können, indem viele derselben Dinge und Bezeichnungen enthalten, die offenbar den Zeiten der Apostel fremd sind. Da man nun nicht unterscheiden kann, welche Canons wirklich von den Aposteln, und welche andere von den theils unmittelbaren, theils noch spätern Nachfolgern der Apostel sind; so hat diese, obgleich höchst schätzbare Sammlung dennoch in der Kirche kein canonisches Ansehen.

**) Die apostolischen Constitutionen unterscheiden sich dadurch von den apostolischen Canons, daß die letztern kurz gefaßte Sprüche, jene aber ungleich ausführlichere Vorschriften sind. Man schreibt sie zwar dem h. Clemens zu, aber, allem Ansehen nach, mit Unrecht. Höchst wahrscheinlich wurden sie von einem Unbekannten in dem dritten Jahrhundert zusammengetragen und nachher noch hie und da verfälscht. Sie enthalten Vorschriften der Kirchenzucht, des häuslichen

der Apostel folgen jene der Concilien von Nicäa, Ancyra, Gangra, Laodicäa ꝛc. auch die der abend-ländischen Concilien von Sardika und Carthago werden in den Codex des Conciliums aufgenommen; und nach diesen kommen endlich die Canons mehre-rer orientalischen Kirchenväter, unter welchen sich auch ein von dem heiligen Cyprian für die Kirche von Afrika gemachter Canon findet, den man aber, dieser unbestimmten Anzeige nach, nicht wohl erra-then kann.

9. Nach dieser, mit griechischer Schlauheit zur Schau gestellten Orthodoxie, schreitet das Concilium endlich zu dem, was es nothwendig als das Schwie-rigste betrachten mußte, nämlich zum Cölibatgesetz für den Clerus. Um seinen, die apostolische Dis-ciplin zerstörenden Verordnungen gütige Aufnahme zu verschaffen, läßt es abermals eine merkwürdige Einleitung vorangehen. Die Römer, sagt nämlich das Concilium, halten sich dem Buchstaben nach an der Regel; jene aber, die von der Kirche von Constantinopel abhangen, geben hierin mehr nach, und suchen, um Ausschweifungen zu verhüten, scho-nungsvolle Duldsamkeit mit Strenge zu vereinbaren. Dieser Richtschnur folgend, verordnet nun das Con-cilium, daß die Bischöfe, selbst die verehlichten, voll-kommene Enthaltsamkeit beobachten sollen, auch ferner nicht gestattet werden dürfte, daß Jene, welche

---

Lebens und der christlichen Moral. Man findet vie-les darin, das der Apostel würdig ist; aber auch Manches, das, an sich schon von ungleich geringerm Werthe, offenbar aus spätern Zeiten herrührt, wie solches die vielen Anachronismen, und andere auf Zeitereignisse sich beziehende Mißgriffe unläugbar be-weisen.

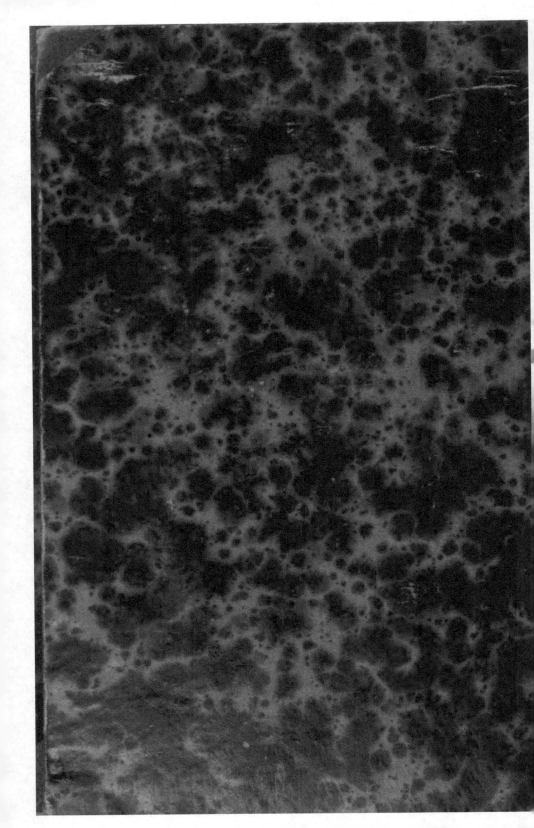

CPSIA information can be obtained
at www.ICGtesting.com
Printed in the USA
BVHW082351110819
555624BV00022B/3379/P